D0589683

i grandi libri Garzanti

Giacomo Leopardi

Canti

Introduzione, note e commenti
di Fernando Bandini

Garzanti

I edizione: marzo 1975
XV edizione: aprile 1998

© Garzanti Editore s.p.a., 1975, 1981, 1996
Printed in Italy

ISBN 88-11-58102-8

Giacomo Leopardi   la vita

profilo storico-critico
dell'autore e dell'opera

guida bibliografica

Giacomo Leopardi: litografia (1830) da un ritratto di Luigi Lolli.

La vita

Nato a Recanati (Macerata) il 29 giugno 1798, primogenito del conte Monaldo e di Adelaide dei marchesi Antici, Giacomo Leopardi crebbe in un ambiente politicamente e culturalmente retrivo, del cui conformismo non tardò a soffrire. Ricevette la sua prima educazione dal padre e da precettori ecclesiastici, ma presto continuò gli studi per conto proprio nella ricca biblioteca paterna, perfezionandosi nella conoscenza del latino e imparando da solo il greco, l'ebraico e alcune lingue moderne. Risalgono a questo periodo (1808-16 ca.) le sue versioni di Esiodo, degli *Idilli* di Mosco, del primo libro dell'*Odissea*, della *Batracomiomachia*, ecc.; e la composizione di rime bernesche, di due tragedie, di poemetti biblici, di opere erudite come la *Storia dell'astronomia* (1813) o come il *Saggio sopra gli errori popolari degli antichi* (1815), un curioso elenco di superstizioni che rivela tutta l'educazione illuministica dell'autore (formatosi ampiamente sui testi del razionalismo francese) e nello stesso tempo la sua passione profonda per le antiche favole. L'isolamento di questi anni acuì ulteriormente la sua già delicata sensibilità (educatasi inoltre librescamente a letterari principi di perfezione); c la mancata esperienza di nuove e più aperte relazioni umane e sociali gli rese più penosa quella frattura che ogni adolescente sempre avverte tra i propri ideali e la « volgarità » della vita. Nel 1816 compose alcuni abili calchi della poesia antica, l'*Inno a Nettuno* e le *Odae adespotae*, e anche la prima poesia originale, *L'appressamento della morte*, piena di reminiscenze dantesche e petrarchesche, ma già leopardiana nel rimpianto per la spenta giovinezza. I due anni successivi (1817-18) segnarono però per il giovane Leopardi una svolta importante e registrarono una sua più lucida reazione all'ambiente: strinse amicizia con P. Giordani (che in lui vide il creatore della nuova prosa italiana e che gli diede stima, incoraggiamenti, consigli); si invaghì, segretamente, della cugina Geltrude Cassi Lazzari, alla partenza della quale scrisse la pateticissima lirica *Il primo amore* e una sottile disamina dei sentimenti in lui manifestatisi (*Diario d'amore*); si volse alla poesia patriottica, scrivendo con spiriti liberali (che piacquero ai circoli carbonari) le canzoni *All'Italia* e *Sopra il monumento di Dante*; e progettò addirittura una fuga da Recanati (un luogo sentito sempre più come soffocante prigione) che venne però sventata. Seguì allora un periodo di estremo abbattimento, aggravato anche da una malattia agli occhi che gli rendeva estremamente difficoltoso lo studio. In questi stessi anni Leopardi venne formulando una concezione dolorosamente pessimistica del reale, che si farà via via sempre più rigorosa e coerente e che in sede di scrittura si affida in prevalenza allo *Zibaldone* (un'amplissima raccolta di ragionamenti e note filosofiche, psicologiche, letterarie, messa insieme tra il 1817 e il 1832): in sostanza Leopardi contrappone l'innocente e sereno stato di natura alla civiltà, condizione tormentosa che ha reso l'uomo insieme raziocinante e infelice. Sul piano della poetica questo pensiero si traduce in un singolare, antiaccademico recupero del classicismo, mirante ad attingere una remota antichità « naturale », non ancora contaminata dal progresso e dal filosofeggiare dell'uomo. Roussoianesimo e alfierismo concorrono a nutrire questa concezione, ben esemplificata dai due articoli di polemica antiromantica (ma con notevoli inflessioni romantiche) che egli scrisse negli anni 1816-18 e che rimasero inediti: *Lettera ai Sigg. compilatori della « Biblioteca italiana »* e *Discorso di un italiano intorno alla poesia romantica.*

A Roma Tra il 1819 e il 1821 Leopardi compose i primi idilli (*L'infinito, La sera del dì di festa, Alla luna, Il sogno, La vita solitaria*), un gruppo di liriche nelle quali gli oggetti e i paesaggi assumono una amplissima risonanza sentimentale, dove dominano i toni della evocazione e della memoria e dove il dolore per il cadere di dolci speranze e per l'inesauribile trascorrere del tempo si sublima nella composta contemplazione di un'immensa natura onnicomprensiva; ma parallelamente, tra il 1820 e il 1822, egli compose anche varie canzoni (*Ad Angelo Mai, Nelle nozze della sorella Paolina, A un vincitore nel pallone, Bruto minore, Alla primavera o delle favole antiche, Ultimo canto di Saffo*) la cui nota saliente è costituita da certo eroico agonismo, volto eminentemente contro la tirannia del destino, contro oppressive e disumane leggi universali. Nel 1822 Leopardi ebbe dalla famiglia il permesso di recarsi a Roma, dove conobbe tra l'altro il grande filologo B.G. Niebuhr e dove scrisse l'*Inno ai patriarchi*; ma la città lo deluse e gli rivelò ancora più chiaramente la sua inettitudine ai rapporti mondani. Tornato a Recanati, vi trascorse due anni di tenace lavoro, scrivendo un gran numero di pagine dello *Zibaldone*, la canzone *Alla sua donna* (in cui la figura femminile oggetto del canto appare come sogno evanescente, irraggiungibile ideale) e la maggior parte delle *Operette morali*, dialoghi e prose filosofiche in cui Leopardi dà alla propria angoscia un sigillo di superiore saggezza, delineando mediante un discorso lento, distaccato e stilizzatissimo i miti eterni del suo pensiero senza speranza: la Natura e la Morte, il Piacere e il Dolore, la Felicità e la Noia, ecc. Il *Dialogo di Torquato Tasso e del suo genio familiare*, il *Dialogo di un folletto e di uno gnomo*, il *Dialogo della Natura e di un'anima*, il *Dialogo della Natura e di un islandese*, il *Dialogo di Federico Ruysch e delle sue mummie*, il *Dialogo di Cristoforo Colombo e di Pietro Gutierrez* sono forse, tra le *Operette*, quelle che offrono i momenti più alti di questo nuovo stile leopardiano.

Nel 1825, accettando la proposta dell'editore Stella di curare un'edizione di classici, partì per Milano, dove conobbe Monti e l'abate Cesari; quindi si trasferì a Bologna, dove fece conoscenza col conte Carlo Pepoli e si innamorò, non corrisposto, della contessa Teresa Carniani Malvezzi. In tale periodo preparò per l'editore Stella un'edizione commentata di Petrarca, scrisse l'epistola *Al conte Carlo Pepoli*, letta nell'Accademia dei Felsinei, e approfondì la propria concezione materialistica del mondo, giungendo a rovesciare alcune sue iniziali premesse e a identificare nella Natura (materia in perenne, inesorabile trasformazione che garantisce il perpetuarsi della specie solo attraverso il sacrificio dei singoli individui) la causa prima dell'infelicità dell'uomo. *A Milano, a Bologna*

Dopo un terzo breve soggiorno a Recanati Leopardi si trasferì nel 1827 a Firenze, dove fece conoscenza con Vieusseux, Niccolini, Colletta, Tommaseo, Manzoni; e poi a Pisa, dove scrisse i canti *Il Risorgimento* e *A Silvia*. Tornato poi a Recanati, vi trascorse due anni (1828-30), durante i quali compose i cosiddetti grandi idilli: *Le ricordanze*, *La quiete dopo la tempesta*, *Il sabato del villaggio*, *Il canto notturno di un pastore errante dell'Asia*. In tutte queste liriche agli accenti prometeici si è sostituito il senso di un universale dolore e una pietà che tocca tutti i viventi (sia « eroici » che umili), tutti egualmente ingannati e travolti. *e Firenze*

Gli ultimi Nel 1830, accettando l'offerta di P. Colletta e di altri
anni amici toscani che per riaverlo tra loro si impegnavano
a fornirgli per un anno un assegno mensile, Leopardi
si indusse a tornare a Firenze. Qui egli nutrì l'ultimo
suo intenso e sfortunato amore (per Fanny Targioni
Tozzetti) che gli ispirò cinque poesie: *Il pensiero dominante, Amore e morte, Consalvo, A sé stesso, Aspasia*; fece amicizia con un esule napoletano, Antonio
Ranieri, e curò la prima edizione dei suoi *Canti* (1831;
la seconda edizione sarà del 1835). Nel 1933 si trasferì con l'amico Ranieri a Napoli, dove visse gli ultimi dolorosi anni e compose le ultime liriche: la citata
*Aspasia, Sopra un bassorilievo antico sepolcrale, So-
pra il ritratto di una bella donna, Palinodia al marchese Gino Capponi, I nuovi credenti, La ginestra,
Il tramonto della luna*; e il poema eroicomico *Paralipomeni della Batracomiomachia*. L'estrema produzione poetica di Leopardi alterna al motivo del rimpianto
per le speranze troppo presto distrutte quello della
polemica ideologica contro il facile ottimismo dei liberali moderati, legati a una meschina idea di progresso: tornando a certo illuminismo titanico, egli
sottolinea infatti la necessità che tutti gli uomini ripu-
dino ogni superficiale mito confortatorio e si uni-
scano invece fraternamente e coraggiosamente per
meglio fronteggiare il cieco dispotismo della Natura.
Nel giugno 1837 Leopardi moriva in seguito all'aggra-
varsi dei mali (idropisia, asma) di cui era da tempo
sofferente.

                                                    R. G.

La poetica leopardiana e il testo dei « Canti »

In che modo il Leopardi pone il problema della poesia e in cosa fondamentalmente le sue scelte si differenziano da quelle dei romantici suoi contemporanei? E quale significato si deve attribuire al suo particolare classicismo? La questione riguarda il nodo centrale delle discussioni letterarie del tempo, su come la poesia potesse essere contemporanea, vicina cioè alla sensibilità e alle esigenze dell'uomo moderno.

Leopardi e il . problema della poesia

Nessuno come il Leopardi ha affrontato così originalmente e drammaticamente il problema: era « il problema se si possa, e come si possa fare *ancora* poesia in una fase della storia umana dominata dal primato dell'economia » (Bollati). La teoria dell'utile, postulata per le opere letterarie dai liberal-moderati e che il Leopardi rifiuta, è da lui sofferta anche come segno dell'imminente morte della poesia. Proprio alla vigilia del suo « risorgimento » poetico egli scriveva al Giordani (da Firenze, il 24 luglio 1828): « Mi comincia a stomacare il superbo disprezzo che qui si professa di ogni bello e di ogni letteratura: massimamente che non mi entra poi nel cervello che la sommità del sapere umano stia nel saper la politica e la statistica. Anzi, considerando filosoficamente l'inutilità quasi perfetta degli studi fatti dall'età di Solone in poi per ottenere la perfezione degli stati civili e la felicità dei popoli, mi viene un poco da ridere di questo furore di calcoli e arzigogoli politici e legislativi; e umilmente domando se la felicità de' popoli si può dare senza la felicità degl'individui. I quali sono condannati all'infelicità dalla natura, e non dagli uomini né dal caso: e per conforto di questa infelicità inevitabile mi pare che vagliano sopra ogni cosa gli studi del bello, gli affetti, le immagini, le illusioni ».

La strenua difesa della poesia, che il Leopardi concepisce non solo come consolazione ma anche come stimolo vitale all'agire, si accompagna in questa lettera al rifiuto della cultura di quei gruppi urbani che stavano allora facendo la storia. A giustificazione di

Ideologia e poesia nel Leopardi

questo atteggiamento non si vuole perpetuare pigramente lo scontato giudizio sulla provincialità della cultura leopardiana, sul suo essersi formata in un ambiente appartato e privo di echi efficaci del tempo, giudizio che torna di recente sulle pagine che Asor Rosa dedica al Leopardi in una sua storia letteraria; ma bisognerà anche evitare che l'attenzione portata ai caratteri « progressisti » del pensiero leopardiano avvenga a scapito dell'importante significato che ha avuto per lui il fatto poetico, e proprio nella direzione ideologica indicata dal Luporini e dal Timpanaro. L'eroica ideologia leopardiana, il suo smascheramento di superstizioni miti ed errori, il suo formidabile ateismo, sono il terreno in cui naturalmente fiorisce il rifiuto leopardiano di ogni immediato impegno storico e il suo perseguimento di una poesia che si ponga come alternativa di *verace saper* a un tempo che afferma la superiorità della politica e della statistica. Nella *Palinodia*, all'invito di « uno » del gruppo fiorentino (il Tommaseo) a lasciare i propri affetti perché « di lor non cura / questa virile età, volta ai severi / economici studi », il Leopardi opporrà il suo terribile scherno. E infatti la sfiducia nella storia (il rifiuto di *quella* particolare storia) suppone in Leopardi, come naturale conseguenza, un forte privilegiamento della poesia. Se il messaggio leopardiano si proietta, come ha scritto il Luporini, su un'onda troppo lunga rispetto al proprio tempo, questo avviene anche perché la poesia ne costituisce la maggior forza dinamica. In essa la gioia formale del canto si realizzerà paradossalmente attraverso enunciati negativi nei confronti della vita e del mondo, enunciati che agiscono da implacabile *memorandum* del pericolo insito in ogni inessenziale società delle statistiche e dei consumi. In *Amore e morte* e nella *Ginestra* questo *memorandum* sarà lucida scelta della morte da parte di un poeta che crede profondamente nell'eros e nella vita operosa; ed era il senso dell'eroico finale del *Tristano* nelle *Operette Morali*: « Dei disegni e delle speranze di questo secolo non rido: desidero loro con tutta l'anima ogni miglior successo possibile, e lodo, e ammiro, ed onoro altamente e sincerissimamente il buon volere: ma non invidio però i posteri, né quelli che hanno ancora a vivere lungamente. In altri tempi ho invidiato gli sciocchi e gli stolti; e quelli che hanno un gran concetto di se medesimi; e volentieri mi sarei cambiato con qualcuno di loro. Oggi non invidio più né stolti né savi, né grandi né piccoli, né deboli né potenti. Invidio i morti, e solo con loro mi cambierei ».

Questo atteggiamento di fondo del poeta rende impossibile ogni suo approccio alle idee dei liberal-moderati. Ve lo separano di molte lunghezze la sua lucida, sconfortata consapevolezza della vacuità dello sforzo storico dei suoi contemporanei. Dietro alle parole di progresso degli uomini del proprio tempo, così privi della robusta coscienza materialistica del secolo precedente e così entusiasti di nuovi spiritualismi, il Leopardi scorge soltanto stoltezza o menzogna. Resta la poesia che è soltanto *illusione*, in lui parola-tabù per felicità, il cui conseguimento da parte di ognuno supporrebbe una diversa storia e una diversa organizzazione dell'umano.

L'esperienza che il Leopardi maturo ha fatto a contatto con alcuni gruppi culturali attivi nel suo tempo (quello soprattutto di Firenze diretto dal Viesseux e dal Capponi) si salda allora spontaneamente con le pagine remote dello *Zibaldone*, in data 12 luglio 1823, dove il rifiuto di un certo concetto di contemporaneità si configura come rifiuto del proprio tempo incapace di vitalità e illusioni (ed è implicita tra le righe la polemica contro i romantici):

Rifiuto della « contemporaneità »

« Gridano che la poesia debba essere contemporanea, cioè adoperare il linguaggio e le idee e dipingere i costumi, e fors'anche gli accidenti de' nostri tempi. Onde condannano l'uso delle antiche finzioni, opinioni, costumi, avvenimenti. Ma io dico che tutt'altro potrà essere contemporaneo a questo secolo fuorché la poesia. Come può il poeta adoperare il linguaggio e seguir le idee e mostrare i costumi d'una generazione per cui la gloria è un fantasma, la libertà la patria l'amor patrio, l'amor vero è una fanciullaggine, e insomma le illusioni son tutte svanite, le passioni, non solo grandi e nobili e belle, ma tutte le passioni esinte? Come può, dico, ciò fare, ed esser poeta? Un poeta, una poesia senza illusioni e passioni, sono termini che reggano in logica? Un poeta in quanto poeta può egli essere egoista o metafisico? e il nostro secolo non è tale caratteristicamente? come dunque può il poeta essere caratteristicamente contemporaneo in quanto poeta? Osservisi che gli antichi poetavano al popolo, o almeno a gente per la più parte non dotta, non filosofa. I moderni all'opposto; perché i poeti oggidì non hanno altri lettori che la gente colta e istruita, e al linguaggio e all'idee di questa gente vuolsi che il poeta si conformi, quando si dice ch'ei debbe esser contemporaneo, non già al linguaggio e alle idee del popolo presente, il quale delle presenti né delle antiche poesie non sa nulla né partecipa in conto alcuno. Ora ogni uomo colto e istruito oggidì è immancabilmente egoista e filosofo, privo di ogni notabile illusione, spoglio di vive passioni; e ogni donna altresì. Come può il poeta essere per carattere e per spirito, contemporaneo e conforme a tali persone in quanto poeta? e che v'ha di poetico in esse, nel loro linguaggio, pensieri, opinioni, inclinazioni, affezioni, costumi, usi e fatti? che ha o ebbe o potrà mai aver di comune la poesia con esso loro? Perdóno dunque se il poeta moderno segue le cose antiche, se adopra il linguaggio e lo stile e la maniera antica, se usa eziandio le antiche favole ec., se mostra di accostarsi alle antiche opinioni, se preferisce gli antichi costumi, usi, avvenimenti, se imprime alla sua poesia un carattere d'altro secolo, se cerca in somma o di essere, quanto allo spirito e all'indole, o di parere antico. Perdóno se il poeta, se la poesia moderna non si mostrano, non sono contemporanei a questo secolo, poiché essere contemporaneo a questo secolo, è, o inchiude essenzialmente, non esser poeta, non esser poesia. »

È una posizione *outrée* di cui il Leopardi chiarirà molti punti nel corso della sua fervida riflessione e soprattutto con le prove concrete dell'esercizio poetico. Il passo è importante per capire la tensione che sottosta al particolare classicismo leopardiano, al suo attaccamento al canone della tradizione. I romantici perseguivano un contatto tra la poesia e la vita, ed è proprio in questo campo che interviene la critica leopardiana, come denuncia dell'impossibilità di una vera vita nei limiti della situazione storica presente. Anche per la non credibilità, nel giudizio del Leopardi, delle ideologie che quella situazione vorrebbero mutare. L'assenza di vitalità e illusioni congloba tanto gli spiriti della Restaurazione, quanto quelli liberal-moderati che ad essa si oppongono, perché è fenomeno universale del mondo moderno. Quanto al popolo, esso resta per il Leopardi un'alternativa astratta e improbabile, categoria mentale strumentalizzata dalla nuova cultura. E allora, perdono a chi? e per cosa? Se linguaggio e idee della generazione contemporanea non possono offrire spunti di poesia, la richiesta di scuse riguarda lo scrivere poesia in sé, perché l'esercizio poetico non può non rappresentare un momento di fuga dal tempo. Diciamo subito, a scanso di equivoci, che il Leopardi non elude i termini della contraddizione ma vive drammaticamente all'interno di essa. La drammaticità del brano citato, soprattutto nella parte finale (anche se non è assente una velata ironia), acquista maggior rilievo se si pensa che esso è scritto un mese prima di comporre la canzone *Alla sua donna*, nella quale il De Sanctis, nel primo intervento del 1855, ha visto hegelianamente una sfida all'ipotesi della morte della poesia.

Questo modernissimo senso di colpa della poesia consuona, anche per quanto riguarda la richiesta di perdono, con alcuni noti versi di Apollinaire nella *Jolie rousse*:

Il cànone come astoricità

> Nous ne sommes pas vos ennemis...
> Pitié pour nous qui combattons toujours aux
> [frontières
> De l'illimité et de l'avenir
> Pitié de nous erreurs pitié de nos péchés

Il confronto tra due poeti così lontani nel tempo, appartenenti a climi storici e culturali così diversi, ha il solo scopo di fornire due *exempla* di differenti, complicate situazioni della poesia. Apollinaire sente di aver abbandonato l'uomo del suo tempo perché la sua è un'operazione d'avanguardia; il poeta si batte alle frontiere del futuro, ha preferito *l'aventure* alla *perfection de l'ordre* rappresentato dalla tradizione. In Leopardi la richiesta di perdono è formulata con la consapevolezza che la battaglia della poesia può svolgersi solo in territori che si estendono alle spalle dell'uomo, e che costituiscono lo spazio della specialissima regressione leopardiana. Rifiutare alcuni miti romantici (come la presunzione di scrivere una poesia vicina all'uomo storico nuovo) significa per Leopardi ritirarsi in questo spazio da cui soltanto, a suo parere, potranno partire i messaggi per una più accettabile, meno mistificata, ipotesi del futuro umano. Simbolo della sua *apartheid* storica, la poesia del Leopardi oppone, in prima istanza, alla contemporaneità rifiutata l'universalità senza tempo della parola poetica. I momenti di più elevata realizzazione poetica sono scorti dal Leopardi, oltre che negli antichi greci e latini, in Petrarca e nel petrarchismo cinquecentesco e comunque in tutti quei periodi e autori che hanno visto il cànone fissarsi con più evidente e suasiva astoricità.

Abbiamo parlato di una opposizione in prima istanza perché, come complessi sono i motivi ideologici su cui si fonda la poetica leopardiana, altrettanto complesso e non semplicemente evasivo è il modo come egli risolve il problema della lingua della poesia. C'è da una parte la difesa di una nozione di lingua poetica che mantenga il suo scarto rispetto alla lingua comune, cosa che al poeta non sembra realizzata

La nozione leopardiana di lingua poetica

dalla poesia romantica. « Tutte la qualità del linguaggio poetico », scrive in *Zibaldone*, 1900, « anzi il linguaggio poetico esso stesso, consiste, se ben l'osservi, in un modo di parlare indefinito, o non ben definito, o sempre meno definito del parlar prosaico volgare. Questo è l'effetto dell'esser diviso dal volgo, e questo è anche il mezzo e il modo di esserlo ». Di qui la polemica leopardiana contro il francese visto come il prototipo delle lingue impoetiche della civiltà moderna: « Anche il non aver la lingua francese un linguaggio diviso dal volgo la rende incapace d'indefinito, e quindi di linguaggio poetico, e poiché la lingua è quasi tutt'uno con le cose, incapace di vera poesia » (*Zibaldone*, 1902). Il residuo della settecentesca teoria di un genio innato alle lingue non deve celarci quello che è il vero bersaglio del Leopardi: egli in verità rifiuta e condanna il classicismo post-malherbiano, al punto da elogiare più avanti la letteratura « de' francesi prima della riforma » (ma cosa poteva aver letto di quella letteratura?). Il particolare classicismo leopardiano si pone al polo opposto di un programma di chiarezza, di norma stilistica regolata dal buon senso con cui esorcizzare i mostri del romanticismo. Il modello alternativo è Orazio, riproposto nei suoi valori più genuini e meno vulgati dal classicismo di scuola, che sono « l'ordine figuratissimo delle parole » e la « difficoltà e quindi attività ch'esso produce in chi legge »; il *difficile*, quindi, come produttivo di azione del testo, con implicito disprezzo della facile utilitarietà delle opere moderne.

Modernità della lingua poetica leopardiana

Con varia tensione l'ideale di questa lingua poetica informa di sé sia l'alto, spesso oscuro dettato delle canzoni, che il più pacato *ornatus* degli idilli. La lingua poetica, scrive Leopardi (in *Zibaldone*, 1234-6), è fatta di *parole proprie*, non di *termini*. I termini sono caratteristici della filosofia e della scienza moderne, le *parole proprie* della poesia. I primi sono destinati all'analisi, le seconde all'espressione delle *idee-madri*; e « la bellezza del discorso e della poesia consiste nel destarci gruppi d'idee, e nel fare errare la nostra mente nella moltitudine delle concezioni, e nel loro vago, confuso, indeterminato, incircoscritto ».

Ma nel nucleo di queste *idee-madri* il Leopardi (ed è il secondo aspetto del modo com'egli risolve il problema della poesia) farà anche circolare un mondo di significati che è sembrato impoetico a qualche suo contemporaneo, come a tutta quella critica che vede l'origine della poesia nel sentimento e dà di questo una definizione che taglia fuori naturalmente una vasta porzione della poesia leopardiana. Il fatto è che l'adesione al canone del Leopardi e il suo concetto di lingua poetica gli permette di sfuggire a ogni troppo determinata concretezza, di designare precisi referenti storico-ideologici alludendo insieme a uno *status* superiore e senza tempo della parola. L'indeterminatezza della lingua poetica, teorizzata e perseguita dal Leopardi, non cessa di sorprenderci proprio in questo campo: è la sua attualità nell'esprimere le vicende del poeta e la sua visione del mondo e nel contempo il suo disinnesco storico in rapporto al *corpus*, astrattamente sincronico, della tradizione. E' all'interno di questo eccezionale *décalage* fra l'attualità del testo poetico leopardiano e la contestualità superiore della tradizione, che la lingua del Leopardi realizza la sua originalità e la sua maggior durata nei confronti di quella dei coevi romantici. Qui sta il senso particolare che acquista il suo ricorso alla tradizione: quanto più il poeta sembra separato e lontano dalla pratica linguistica suggerita dai romantici per essere moderni, tanto più egli è vicino alla moderna sensibilità della coscienza e in grado di esprimere valori totalizzanti, di farsi portavoce dei destini universali dell'uomo. In questo, Leopardi si distingue dall'esteriore leopardismo della *Ronda*: è l'impegno ideologico, la profonda motivazione critica delle sue scelte che gli permette di perseguire l'ideale di una lingua canonica, fuori del tempo, senza perdere per un attimo la coscienza della propria storicità.

A questo atteggiamento di fondo fanno riscontro nei *Canti* momenti ispirativi e registri stilistici diversi, che corrispondono alla varietà di modi coi quali il Leopardi ha realizzato, nel corso della sua attività poetica, la sua visione della poesia.

Questa complessità di motivi e registri ha determinato nella critica il favore per l'una o l'altra parte dei *Canti*; con un privilegiamento, fino a non molti anni fa, per la poesia dei grandi idilli (quelli composti tra il 1828 e il 1830). E' un giudizio che, senza entrare per ora nel merito, rompe l'unità esistente nei *Canti*, che si realizza per tempi successivi attraverso la costante aspirazione del Leopardi ad esprimere nella poesia la totalità della sua visione del mondo.

Quest'aspirazione, nel corso degli anni, raggiunge risultati diversi ora nell'uno ora nell'altro dei due generi lirici nei quali il poeta ha fatto, fin dall'inizio, le sue prove: la canzone e l'idillio. Pochi dei lettori comuni del poeta tengono presente, leggendo i *Canti*,

Nascita contemporanea del Leopardi « idillico » e del Leopardi delle « canzoni »

che la canzone *A un vincitore nel pallone*, del 1821, è stata scritta due anni dopo l'*Infinito* e un anno dopo *La sera del dì di festa*. La pigra eredità scolastica induce il lettore a figurarsi un Leopardi che esordisce come poeta civile, pieno di stucchevole e pedante eloquenza, arrivando poi con gli idilli a quella che è la sua vera voce, limpida e memorabile. Il libro dei *Canti* è invece qualcosa che si forma negli anni, con successiva sedimentazione di esperienze e riorganizzazione interna. Sono le ultime edizioni in vita del poeta, quella del '31 e del '35, a crearne l'attuale fisionomia. Lo stesso ultimo grande Leopardi, quello dei canti d'amore e della *Ginestra*, resta chiuso alla comprensione senza affrontare nel suo giusto significato l'interna tensione che nella prima parte dei *Canti* oppone il Leopardi civile ed eroico a quello idillico.

Diversa scrittura nei due registri Bisogna pensare che il lavoro delle canzoni e quello dei primi idilli si svolgono contemporaneamente negli anni che vanno dal 1818 al 1822; e questo ci offre l'immagine, su cui si riflette raramente, di un poeta che gioca contemporaneamente su due registri stilistici, realizzando una poesia difficile, ricca di oraziani *ardiri*, nelle canzoni; e sperimentando una diversa scrittura, più diretta nell'esprimere affetti e sentimenti privati, nei primi idilli. Mentre in questi ultimi si presenta una sintassi paratattica, regolata dall'asindeto e dal polisindeto, le canzoni sviluppano complicate ipotassi, dominate dai tempi lunghi di acerbissimi iperbati. L'uso della metafora ardita raggiunge talvolta le zone di una *obscuritas* alta e solenne. Si è giustamente parlato di una « oltranza » leopardiana a proposito dell'ideale di stile che egli si propone nelle canzoni; ne è prova, tra l'altro, quella sua aggettivazione che, se da un lato sembra uscire dagli elenchi di *epitheta* di un *Regia Parnassi*, è però in lui costantemente straniata e stravolta, alla ricerca di inedite *iuncturae*. Altrettanto avviene per i sensi ardui che il poeta affida alla metafora: si pensi ad esempio all'immagine dello spazio contaminato dal dolore umano nel *Bruto* (« le nefande / ali di morte il divo etere impara »), immagine che ritorna anche nella canzone *Alla primavera*, nella quale Eco « le non ignote ambasce e l'alte e rotte / nostre querele al curvo / etra insegnava »... Esempi colti sul primo riscontro della memoria di quell'uso della metafora peregrina e ardita che il Leopardi aveva codificato come indispensabile al vero poeta in alcune riflessioni dello *Zibaldone*. Sono queste le zone, in lui, di più difficile poesia; la lingua poetica vi sperimenta tutte le possibilità offerte dalla retorica, con preferenza per quelle figure ellittiche (come ad esempio lo zeugma) che contestano l'usuale grammaticalità del discorso.

Niente di tutto questo nei primi idilli; nei quali anche il lessico presenta delle differenze significative se si pensa alla intrecciata contemporaneità delle canzoni: l'assenza ad esempio delle parole *etra etere aere aure*, sostituite nei primi idilli da *cielo* che non ha più, come nelle canzoni, il significato terrifico di « celesti » e di « fato » (con la sola eccezione dell'*Ultimo canto di Saffo*, v. 19, « o divo cielo », dove l'epiteto richiama però alla mente la presenza di dei temibili). Ecco quindi nella *Sera del dì di festa*, 11: « Tu dormi, io questo *ciel* che sì benigno », e nella *Vita solitaria*: « Ivi, quando il meriggio *in ciel* si volve », ecc. Per non parlare del *Passero solitario* dove *libero ciel*, 10, e l'uso di *sereno* in una speciale accezione, acutamente descritta dal Peruzzi, appaiono in questa zona dei *Canti* nell'edizione napoletana, ma si tratta di retrodatazione.

Ora se si porta un esame accurato alle due raccolte leopardiane (le *Canzoni* del '24 e i *Versi* del '26) sarà possibile rintracciare all'interno di ciascuno di essi un disegno unitario, che si presenta provvisoriamente divaricato, con una concezione classicistica e settecentesca dei generi lirici che divide canzoni da idilli.

Unitario disegno interno delle « Canzoni » del '24

Nel caso delle *Canzoni* il disegno unitario sembra obbedire, fin da principio, a un lucido progetto e procedere secondo un disegno prefigurato; e infatti l'ordinamento delle *Canzoni*, nell'edizione del '24, combacia perfettamente con l'ordine cronologico della composizione. Il poeta porta avanti un discorso che tende a risolvere poeticamente, anzi poematicamente, tutta la sua complessa visione del mondo coi suoi agganci storico-culturali. Già nelle prime due canzoni l'intenzione civile-patriottica funziona da tramite per introdurre il grande tema della poesia leopardiana, quello dell'infelicità umana. Se nella canzone *All'Italia* la morte dei giovani greci alle Termopili è confortata dalle grandi illusioni del mondo antico, senza conforto appare invece, nei tempi moderni, quella dei giovani italiani che seguirono Napoleone in Russia *su per quello di neve orrido mare*. In un clima di letargo e silenzio altri morti nell'*Angelo Mai* (non sconosciuti come quei soldati ma celebri) levano inutilmente la loro voce di fronte alla sordità e alla vergogna del presente. Il tema dell'infelicità si risolve nelle due canzoni seguenti (*Nelle nozze della sorella Paolina* e *A un vincitore nel pallone*) in una ribadita denuncia della miseria dei tempi presenti; nella prima c'è l'invito alle madri ad educare i propri figli a non essere codardi, a indurli a preferire la sventura a una fortuna ottenuta attraverso meschini patteggiamenti col mondo; più vivace ancora nella seconda l'esortazione ad affrontare il destino anche in assenza di miti remuneranti. L'invito al rischio gratuito, esistenzialmente pago del suo compiersi senza nessun'altra giustificazione, costituisce il momento più avanzato del vitalismo eroico leopardiano; e il tema introdotto nel finale (« nostra vita che val? solo a spregiarla ») è una transizione naturale al *Bruto minore* dove l'eroe, di fronte alla *ruina* dell'*italica virtute*, proclama il suo disprezzo verso gli dei e il destino scegliendo il suicidio. Queste prime sei canzoni sembrano realizzare un disegno di tragedia alfieriana (o, se si vuole, di romanzo ortisiano) il cui tema è l'impossibilità di eroismo, di vita vitale, nel clima spento della civiltà moderna e della restaurazione, tragedia che termina, secondo il modello canonico, con un lungo monologo e un suicidio. Se il soggetto delle prime sei canzoni è in un certo senso la « storia », quello delle successive è la « natura » con la rievocazione delle primitive società naturali, dove la felicità si reggeva sul non turbato rapporto tra gli uomini e le cose. Questa alleanza tra uomo e natura risulta definitivamente spezzata. Nella canzone *Alla primavera* la trama di ipotetiche e di trepide interrogative sembra ancora esprimere il dubbio del cuore sulla reale morte della *santa natura*; nell'*Ultimo canto di Saffo* la frattura è celebrata con toni di alta drammaticità, dove suggestioni ossianesche e sublime concisione del dettato concorrono a fissare una delle prove più prestigiose della lirica leopardiana.

Significato dell'« Inno ai Patriarchi » nell'edizione del '24   A questo punto si colloca l'unico esempio di deroga alla successione cronologica delle *Canzoni* del '24: l'*Inno ai Patriarchi*, composto successivamente all'*Ultimo canto di Saffo*, apparirà nei *Canti* subito dopo la canzone *Alla primavera*. Parallelo ad essa per concezione, in quanto tendeva a illustrare il mondo delle felici età dell'oro nell'ambito biblico oltre che in quello dell'antica civiltà pagana, esso assume senz'altro un valore regressivo dal punto di vista dell'ideologia leopardiana se confrontato con l'*Ultimo canto di Saffo*. Con felice, anche se non del tutto persuasiva intuizione, Ungaretti ha commentato, a proposito di *favole antiche*, che *anticus* in latino significa anche « del meriggio, del sud ». In ambedue le canzoni, quella *Alla primavera* e l'*Inno ai Patriarchi*, il sole e il sud si configurano come emblemi di una perduta felicità umana. Se ne trova un riscontro in più luoghi della riflessione leopardiana sullo *Zibaldone*; Leopardi vede la civiltà moderna svilupparsi al nord mentre l'«antichità medesima e la maggior naturalezza degli antichi, è una specie di meridionalità nel tempo» (*Zibaldone*, 4256). Ecco come andranno intesi gli ultimi versi dell'*Inno* sul *nostro furor* che caccia la felicità dove essa ancora sopravvive «fugace, ignuda»: furore di «settentrionalità nel tempo». Ma quelli che nell'*Inno* sono definiti «inermi regni / della saggia natura», apparivano già in tutta la loro ostilità e sorda indifferenza verso l'uomo nell'*Ultimo canto di Saffo*.

E tuttavia non è difficile supporre il motivo per cui l'*Inno* è collocato, nelle *Canzoni* del '24, al nono posto, rispettando l'ordine cronologico. Lo stesso *incipit* («E voi de' figli dolorosi il canto»), oltre che adeguarsi al tipo dell'esordio callimacheo, ha anche il tono di una conclusione. E nel corso del componimento l'attenzione si sposta dalle società umane primitive alle *californie selve* in cui si perpetua nel presente e per le mani stesse dell'uomo moderno quella distruzione del rapporto uomo-natura che si era verificata in occidente in tempi storici remoti. Il poeta ritorna all'attualità storica, con un giudizio di condanna del colonialismo bianco che ricalca modelli del pensiero settecentesco. Solo che più avanzata appariva la posizione dell'*Ultimo canto di Saffo*, dove il concetto di una natura innocente e materna era ormai superato e non si poneva più l'ipotesi che l'infelicità umana fosse provocata dallo stolto abbandono della natura da parte dell'uomo ma dall'ostilità della stessa natura, con una coraggiosa dichiarazione della solitudine del dramma umano nel mondo.

Apparentemente eccentrica rispetto ai motivi fin qui illustrati, la decima canzone che chiude la raccolta del '24, *Alla sua donna*, s'inquadra perfettamente nel disegno poematico. Essa si presenta come sfida intellettuale all'impoeticità del mondo moderno, della quale Leopardi ha cantato nel suo poema le ragioni filosofiche e storiche. L'inno «alla donna che non si trova» (come il Leopardi definiva questa canzone) diventa inno alla poesia introvabile ma sempre tenacemente perseguita dal poeta *in spe contra spem*, magari con delega alla ragione di farsi portavoce delle antiche ragioni del cuore. È il leopardiano *soltanto questo oggi possiamo dirti* che, nel mentre il poeta chiude la sua voce su toni di sconsolata assenza, proclama la necessità di una ricerca della poesia, da portare avanti con esistenziale slancio anche nei tempi aridi della morte dell'arte in nome di una diversa immagine dell'uomo.

Una raccolta come quella delle *Canzoni* del 1824, così unitaria e conclusa, si pone come uno dei più alti documenti letterari del periodo della Restaurazione. Essa fa pensare a Stendhal. Con l'opera stendhaliana le *Canzoni* condividono alcuni motivi: la giovanile disperazione e la nostalgia dell'eroismo, la denuncia dello squallore storico e la speranza dell'amore come superamento, sul piano esistenziale, della meschinità del proprio tempo. Basterebbe la raccolta del '24 a fare di Leopardi un poeta memorabile.

Nella seconda raccolta del 1826, *Versi*, che accoglie i primi idilli e più antichi frammenti dell'attività poetica leopardiana, l'ordinamento dei componimenti avviene secondo un disegno *a posteriori* che non rispetta l'ordine cronologico, e rivela un più frammentario e meno preordinato svilupparsi, negli stessi anni di composizione delle *Canzoni*, della tematica idillica. Uno sguardo all'ordinamento di *Versi* permette di rilevare come si organizzi una tendenza lirica che l'autore stesso sente diversa da quella delle *Canzoni*, almeno fino alla composizione dei grandi idilli durante l'ultimo soggiorno recanatese, che permetteranno di scorgere più chiaramente l'intima unità tra il suo mondo « eroico » e quello idillico.

Meno organizzata intertestualità dei primi idilli Riproduciamo l'indice di *Versi*, mettendo tra parentesi i titoli che i componimenti portano nell'edizione definitiva dei *Canti*: I *L'infinito*, II *La sera del giorno festivo* (*La sera del dì di festa*), III *La ricordanza* (*Alla luna*), IV *Il sogno*, V *Lo spavento notturno* (*Frammenti*, XXXVII), VI *La vita solitaria*, VII *Elegia I* (*Il primo amore*), VIII *Elegia II* (*Frammenti*, XXXVIII), IX *Epistola al conte Carlo Pepoli* (*Al conte Carlo Pepoli*). Apparirà come nell'edizione del '26, che pubblica queste poesie a più di quattro anni di distanza dalla loro composizione, le connessioni intertestuali si basino su elementi estremamente sfumati, ma non per questo non deducibili dall'elenco: la composizione di luogo è introdotta dal colle e dalla siepe dell'*Infinito*, la cui meditazione sull'immensità dello spazio e del tempo si lega all'accorato *ubi sunt* della *Sera del giorno festivo*. Così *La ricordanza* trova un congeniale prolungamento nel *Sogno*, dove la vibratile e inquieta condizione del poeta giovane è rappresentata in un sogno mattutino (e anche *Lo spavento notturno*, che viene subito dopo, è la descrizione di un sogno). *La vita solitaria* introduce, per merito soprattutto dei vv. 39-55, le due elegie amorose che recuperano due testi abbastanza remoti. Il componimento finale, l'*Epistola*, chiude la raccolta con accenni pessimistici e negativi denunciando la fine della giovinezza e delle illusioni e la decisione del poeta di dedicarsi nella maturità ai severi studi filosofici.

Quando nel 1831 il Leopardi procederà all'edizione fiorentina dei *Canti*, questi due momenti, in apparenza così divergenti, della sua prima produzione poetica potranno essere unificati perché il fatto che ne esplicherà l'intima dialettica è, come abbiamo detto, la sua poesia più recente, quella dei grandi idilli. Il titolo stesso *Canti*, così insolito nella nostra tradizione prima d'allora, va visto, al di là della sua ascendenza ossianesca, come indicatore della profonda fusione di testi che, nati da diverse esperienze ed eseguiti con diversi registri stilistici, viene riconosciuta dal Leopardi nell'unità fondamentale della propria esperienza umana (e in questo senso va letta la dedica *Agli amici suoi di Toscana*). Questa unità si configura, già nell'edizione fiorentina del '31, come rapporto tra il *noi* e l'*io* che si affermerà, in più complessi contesti, nell'ultimo Leopardi. Non che nelle *Canzoni* l'individualità del poeta non appaia, anzi la prima persona si segnala direttamente in punti d'intensa, eloquente pateticità. Dalla canzone *All'Italia* all'*Angelo Mai*, il *noi* che presume una situazione storico-corale è talvolta spezzato dall'improvvisa irruzione dell'*io*. Si veda ad esempio nella terza strofa dell'*Angelo Mai* come l'interrogativo « in tutto / non siam periti? » provochi il perentorio « Io son distrutto / né scampo alcuno ho dal dolor ». Ma sarebbe interessante un esame più diffuso di quel *noi* che spesso reca la traccia di una spiccata referenza individuale. Anche nelle canzoni con personaggi monologanti (come il *Bruto* e l'*Ultimo canto di Saffo*) dove la prima persona è naturalmente privilegiata, il *noi* si piega a sfumature diverse. Anfibologico nel *Bruto* in rapporto a una comune condizione umana (« abbietta parte / siam delle cose »), o plurale *maiestatis* nel lamento di Saffo (« Morremo »), il *noi* di Leopardi indica sì un tono filosofico, gnomicamente definitorio, ma ha anche una sua pronuncia struggente che significa esistenziale partecipazione del poeta, per cui la « persuasione » in Leopardi è sempre accompagnata da una personale, vissuta esperienza che ne garantisce la credibilità.

Unità dei due registri nei « Canti » del 1831

Ma nei grandi idilli pisano-recanatesi del '28-'30 avviene un importante spostamento all'interno del doppio registro che ha caratterizzato la prima produzione poetica leopardiana; l'intensa carica significativa della canzone trasmigra verso quella che era apparsa la più fragile esperienza dell'idillio, sgusciando, anche linguisticamente, dal contesto di ardua e solenne retorica delle canzoni e realizzando nel modello dell'idillio i modi di un *trobar leu* non meno intenso e meno efficace. L'universo della poesia leopardiana accusa questo contraccolpo organizzando in maniera del tutto diversa quei primi idilli, nei quali il Leopardi non era riuscito a realizzare del tutto le sue intenzioni, ma che ora si pongono, pur coi loro limiti, come l'antefatto significativo, il preludio e l'annuncio dei grandi idilli. L'unità dell'ispirazione leopardiana, dimostrabile *a posteriori* attraverso lo *Zibaldone* e gli altri scritti in cui si riflette l'intimo travaglio della personalità del poeta, si evidenzia ora anche a livello della struttura dei *Canti*.

Nuova organizzazione del libro di poesia Le poesie scritte dal '28 al '30 reagiscono positivamente alla volontà leopardiana di fondare sull'idillio un modo non evasivo della coscienza poetica, mentre negli anni dal '19 al '21 l'idillio non riusciva ad annettersi integralmente la vasta significatività che il poeta desiderava, restando inferiore ai grandi esiti della canzone. Che questa volontà esista, e come sia lucida in quel momento la consapevolezza del poeta, è dimostrato dalla collocazione al centro dei grandi idilli del *Canto notturno*, composto cronologicamente per ultimo. Tra la Recanati della giovinezza perduta (*A Silvia, Le Ricordanze*) e quella della contemplazione presente (*La quiete, Il sabato*), si alza il canto del pastore al quale Leopardi affida il compito di saldare il momento della memoria e quello dell'attuale, disincantata contemplazione della vita che continua, attraverso l'enunciazione di una verità (e il procedimento del *Canto notturno*, anche se lo stile è diverso, è molto simile a quello dell'*Ultimo canto di Saffo*). E' l'attraversamento del *Canto notturno* che permette al lettore di cogliere il significato « filosofico » della *Quiete* e del *Sabato*, momento di riflessione sui destini generali dell'uomo e non soltanto felicità di una voce commossa che si abbandona a descrivere vigilie di festa e schiarite dopo temporali. Si realizza allora quell'organizzazione significativamente nuova del materiale precedente cui abbiamo accennato, e che più significativa ancora appare se la esaminiamo alla luce dei ritocchi apportati nell'edizione napoletana del '35 (ancora provvisori, come sappiamo, nell'intenzione del poeta). Un primo fenomeno che si rivela all'esame della nuova · struttura dei *Canti* è la scomparsa del nucleo di poesie amorose che nei *Versi* era rappresentato da *Elegia I* ed *Elegia II*; trasportata indietro la prima col titolo *Il primo amore* quasi a fare da quinta tra le canzoni e gli idilli, la casella « amorosa » rimasta vuota verrà riempita dal *Consalvo*. Si tratta di un'operazione di grande lucidità, che riconosce in questo componimento del 1833 i caratteri dell'antica ispirazione giovanile (la sua somiglianza col *Sogno*) e nello stesso tempo permette l'espunzione dell'acerbissima seconda *Elegia*. Oltretutto il *Consalvo* si colloca naturalmente, coi suoi accenti wertheriani, in una serie di testi in endecasillabi sciolti coi quali consuona sia metricamente che stilisticamente. Altrettanto significativo che *Alla sua donna*, decima delle *Canzoni*, sia strappata dal suo territorio e appaia prima dell'epistola *Al Pepoli*. I finali delle due precedenti raccolte si trovano ora accoppiati e unificano il loro significato di « chiuse » di due vicende poetiche attraverso la loro vivace antiteticità: ferma volontà della poesia in tempi di aridità storica nella prima; presa d'atto nella seconda dell'impossibilità di poesia per il tramontare della giovinezza e delle illusioni, ma anche suo accorato rimpianto che funziona da negativo preludio al « risorgimento » pisano.

E infine, episodio più clamoroso (sempre alla luce dell'edizione del '35) la violenta retrodatazione del *Passero solitario*, che si trova collocato subito dopo *Il primo amore* e la cui data di composizione è posteriore al 1831, data dell'edizione fiorentina in cui esso ancora non compare, anche se può essere esistito un precedente abbozzo. Il fine di questa operazione sembra quello di vitalizzare la prospettiva, spesso di esito incerto, dei primi idilli e rinsaldarne l'unità con la successiva produzione poetica. I primi idilli oscillavano tra una letterarietà da traduzione (il Gessner di padre Soave, il Werther del Salom, l'Ossian del Cesarotti ecc.) e un autobiografismo che risultava spesso irrisolto e poco convincente. Il *Passero solitario* (a parte l'evidente novità delle strutture formali che suppongono più mature esperienze del poeta) poteva inserirsi con una certa naturalezza in quel punto dei *Canti* per simpatia coi « narremi » poetici ivi presenti e similarità della forma grammaticale. La grammatica del *Passero solitario* è caratterizzata dall'*io* che affabula al tempo presente la sua condizione di solitudine. Il tempo presente esiste, è vero, anche nella *Quiete* e nel *Sabato*, ma lo

Collocazione retrocessa del « Passero solitario »

spettacolo è impersonale, pur se riferito da una prima persona della sensibilità (« *odo* augelli far festa », *unicum* della prima persona nella *Quiete*), o da un *io* che identifica il poeta col dispensatore di una verità (« altro dirti non *vo'* », *unicum* nel *Sabato*). Altrove i grandi idilli sono caratterizzati dai tempi patetici della memoria, nei quali l'autobiografia trova le sue cadenze più naturali. Il tempo presente e l'affabulazione dell'*io* in un contesto « narrativo » di solitudine sono invece propri dei primi idilli (se si esclude il *Sogno*, che è « finto poetando » *dopo* il risveglio). Cosicché i futuri dell'ultima strofa del *Passero solitario* sono carichi di così intensa pateticità perché prefigurano, come se dovesse ancora verificarsi, un avvenire in verità già reale, già conosciuto dal poeta maturo con tutte le implicazioni, alle quali in quella sede si accenna, di pentimento e di rimpianto; e lo prefigurano come un presentimento che parte dal cuore stesso della giovinezza, mentre in verità esso si è già prodotto, come evento da scontare, nella concreta esperienza di vita del poeta non più giovane. E' il motivo per cui gli ultimi versi del *Passero solitario* risuonano così memorabili. Non poteva essere altrimenti se si pensa che il *Passero solitario*, partendo da anni tanto remoti, scavalcava il compatto mondo dei grandi idilli (contraddistinti dalla presenza degl'imperfetti e dei passati remoti che rivivono la giovinezza attraverso i moduli stilistici della memoria) rivitalizzando il dato autobiografico degli idilli più antichi; recuperando un mondo di sentimenti che non sempre, allora, avevano trovato nella pagina idillica una compiuta resa poetica. La *rimota parte* in cui il Leopardi colloca la riflessione sulla sua giovinezza stringe in una prospettiva più concreta la siepe dell'*Infinito*, il balcone della *Sera del dì di festa*, il *rialto* incoronato di piante della *Vita solitaria*. Così si realizza, a partire dall'edizione dei *Canti* del '31, e con i più importanti interventi del '35, quell'immagine del libro leopardiano di poesia che noi oggi possediamo; nel quale la settecentesca e illuministica divisione tra *Canzoni* e *Versi* è superata, e l'unità del libro ricondotta dal Leopardi a una profonda adesione alla propria storia, alle sue interne tensioni e contrasti.

Autobiografia   L'esperienza dei canti recanatesi del '28-'30, conside-
nei grandi   rati da molti critici come un risultato isolato e mai
idilli   più raggiunto dalla poesia leopardiana, si pone in verità come chiave di volta tra la prima e l'ultima produzione del poeta. La « nuova poetica leopardia-

na », per usare la nota dizione critica del Binni, è inconcepibile senza passare attraverso i grandi idilli un cui tratto primario, al di là della naturale suggestione che essi esercitano, è costituito da quegli elementi di « prosasticità » che appaiono per la prima volta nella poesia leopardiana e che costituiranno un momento importante della sua ultima stagione. E' nei grandi idilli che il Leopardi afferma, in un'alta realizzazione poetica, la sua volontà di romanzo autobiografico, compiendo quell'inveramento in senso esistenziale del proprio pensiero che lo fa così vicino alle esperienze della cultura del nostro secolo. Nei grandi idilli Leopardi è riuscito a sconfiggere la lucida teoria dell'impossibilità della poesia nel mondo moderno affidandosi al calore della memoria, rivivendo le speranze e le illusioni che nascono sul *limitar di gioventù*, sentimenti nei quali si configura, per tratti intermittenti, la capacità di sogno e di entusiasmo degli antichi, anche se la loro durata risulta drammaticamente breve di fronte all'esperienza del vero. Tuttavia la coscienza critica del poeta, nel mentre si affida alla suggestione della memoria, non perde per un attimo di vista l'impoeticità della vita nel mondo moderno, anzi da questa constatazione vuol far nascere il senso di una vicenda che può proporsi come poesia•in atto, vissuta nel quadro di un'esperienza storico-culturale in apparenza così distante dalla poesia. I contemporanei romantici di fronte alla voce del Leopardi non potevano che esprimere la profonda contraddizione insita nel loro atteggiamento; se da una parte essi si proponevano di trattare temi attuali e generali, dall'altra tendevano ad esaltare questi temi attraverso il filtro dei grandi miti della loro cultura: la religione, il progresso; miti che il Leopardi rifiutava. E quindi egli appariva ai loro occhi inevitabilmente « prosaico », per il suo costante immettere, all'interno della poesia, la terribile consapevolezza della sua faticosità e induttilità nel mondo moderno. L'immediata accettazione del De Sanctis costituisce una felice eccezione; e si sa quanto il calore del suo giudizio critico sia dovuto a una giovanile, entusiasta lettura del Leopardi, e come la cultura liberale meridionale sia più attenta alla tradizione del pensiero settecentesco. Ma abbastanza eloquente è l'epigramma del Tommaseo sul Leopardi (in una lettera al Capponi da Parigi del 14-16 aprile 1836): « Affogar dentro un pozzo! oh conte Lapo, / che ti va mai pel capo? / Quel pozzo, dopo una sì brutta cosa / diverria l'Ippocrene della prosa ». Epigramma nel quale, al di là della scherzosa occa-

Suggestione della memoria e visione critica del mondo moderno

sione, è implicito un giudizio di dissacrazione « prosastica » della fontana delle Muse da parte del nostro; ma è giudizio che riguarda romanticamente l'*animo* del Leopardi, che Tommaeo in un suo noto passo definiva « angusto », incapace cioè di fervori e passioni.

Non esiste un Leopardi puramente idillico

E' interessante che l'epigramma del Tommaseo si riferisca proprio alle *Ricordanze* che più chiaramente propongono quel modello di poesia che si affermerà nell'ultima produzione leopardiana, dove il linguaggio del canone assorbe nella sua cadenza e nel suo lucore momenti d'inedita prosasticità, che arriveranno più avanti all'oltranza della *Palinodia* e della *Ginestra*: la prima che agita in sospensione faziosi arcaismi e ardite sprezzature di linguaggio attuale; la seconda che prepara zone di commozione lirica attraverso lo svolgimento di un discorso filosofico lucido e senza lirici trasalimenti, nella convinzione che solo la ragione può dare all'uomo moderno una giusta conoscenza della sua situazione d'impoeticità, e che da questa soltanto può scattare la poesia come rimpianto e denuncia d'infelicità. Il rifiuto di un certo mito romantico (la fiducia nel progresso, lo spiritualismo che suppone una nuova alleanza dell'uomo con la natura) porta naturalmente il Leopardi a contestare la « poeticità » dell'atteggiamento contemporaneo, la fede dei romantici nel ritrovamento del cuore originario e incorrotto della poesia. Di qui il tono didascalico della poesia leopardiana, anche dove più intenso pare il sentimento lirico. Anche i canti che più sono stati privilegiati da certa critica, come *A Silvia*, *Il Sabato* ecc., mostrano i segni di questa coscienza vigilante. La prosa (continuiamo a usare questo termine nell'accezione degli avversari), chiusa l'esperienza delle *Operette morali*, rientra nella poesia non soltanto, surrettiziamente, dalla finestra. Ed è fenomeno naturale in un poeta come Leopardi che a qualunque discorso si affidi, a qualunque livello stilistico, tende sempre a realizzare il massimo di unità tra la scrittura e la vita, ad esprimere la totalità della propria visione del mondo. Come poteva isolare zone di poesia naturale, pura, chi non credeva alla possibilità di tale poesia? Gli elementi che una critica degustativa definiva prosastici, irrisolti, appaiono per la prima volta proprio in quei grandi idilli sui quali questa critica ha fondato il parametro di pertinenza del suo giudizio. Lo sta a dimostrare la diffidenza che essa ha sempre nutrito per il *Canto notturno* e per le parti « gnomiche » della *Quïete* e del *Sabato*. Vedere nell'ultimo periodo della poesia

leopardiana un declino, rispetto alla stagione precedente, quasi un lampeggiare precario e intermittente
di intuizioni poetiche ma avvolte in una densa nebbia
di prosa, significa non aver fatto i conti con la novità introdotta nei grandi idilli. E' da quella esperienza che muove i suoi passi e si sviluppa quello
che Contini ha chiamato il secondo classicismo leopardiano.

La nuova poesia del Leopardi è caratterizzata da un
atteggiamento virile e consapevole, che si nega ogni
abbandono della memoria (quella memoria regressiva
che aveva permesso, nella stagione dei grandi idilli,
il rifiorire della poesia). Il Leopardi degli ultimi anni
scrive, con formidabile impegno, una poesia sul « suo »
presente (la grande passione per Fanny) e sul presente di tutti. Il fatto è che l'accusa di prosasticità
da parte di certi critici è basata ancora una volta
sull'*animus*, su una pretesa incapacità dell'ultimo
Leopardi di aprirsi al mondo arioso dei sentimenti.
Mentre per Leopardi la poesia è qualcosa di astratto,
di fecondamente superiore e remoto, che si realizza
nella scrittura e nel ritmo, e può quindi comprendere
anche l'enunciazione di verità di ragione sulla vita e
sulla realtà. Niente di più vivo in Leopardi del suo
orrore per la pretesa dei romantici di apparire naturali e senza artifici, di essere profondi e insieme semplici. E del suo orrore per una lingua poetica che
esprima « il calpestio de' cavalli col *trap trap trap*
e il suono dei campanelli col *tin tin tin* ». Una delle
parole che più ricorrono nella *Zibaldone*, chiave di
volta per l'interpretazione della poetica leopardiana,
è *spiritualizzazione*: una condizione del mondo moderno di cui bisogna prendere atto e che consiste nel
predominio dell'analisi razionale nell'odierna civiltà
e nel sentimento dominante della malinconia e della
noia. E' dentro questa condizione che si afferma la
poesia, come capace di superare la qualità pretta-
mente analitica dell'uomo moderno ed esprimerne la
sensibilità in modo sintetico, musicale. Una poesia
capace « di foggiare con vastezze e sfumature melo-
diose e densi significati di pause il ritmo dei periodi
come allargamento e risonanza dentro e oltre il metro
dei versi », come scriveva Clemente Rebora in un
saggio memorabile troppo spesso trascurato dagli studiosi del Leopardi.

Alla base di questo c'è l'amore di Leopardi per la
musica e la sua convinzione che soltanto essa sia
in grado di esprimere completamente la sensibilità
contemporanea: « ... come quando sognai di Maria
Antonietta e di una canzone da mettergli in bocca

*Leopardi vuole
esprimere
poeticamente
l'uomo
impoetico del
mondo
moderno*

*Leopardi e
la musica;
il metro e
la rima*

che allora ne concepii, la quale canzone per esprimer quegli affetti ch'io aveva sentiti non si sarebbe potuta fare se non in musica senza parole » (*Vita di Silvio Sarno*, ma si leggano sullo *Zibaldone* i numerosi passi dedicati alla musica). Proprio nel *Pensiero dominante* e *Amore e morte*, e poi nelle due canzoni funerarie, s'infittisce l'uso della rima e dell'assonanza, ambedue anche al mezzo, fuori da ogni ordito obbediente a tradizionali norme strofiche, come nei grandi idilli. Lo scopo della rima è in Leopardi quello di scandire il movimento e le pause della sintassi, perché è alla sintassi soprattutto che egli assegna il compito di creare i valori musicali di cui parlava Rebora nel passo citato: qualcosa che risuona dentro il metro e fuori di esso come un'eco. Lo aveva intuito il Sainte-Beuve, critico prestigioso del Leopardi anche se non altrettanto felice suo traduttore, quando illustrava il valore della rima nel poeta: « La rime joue d'ailleurs un rôle très-savant et compliqué dans les couplets des canzones de Leopardi; elle reparaît de distance en distance et correspond par intervalles calculés, comme pour mettre un frein à toute dispersion. Elle fait bien l'effet de ces vases d'airain artistement placés chez les anciens dans leurs amphitéâtres sonores, et qui renvoyaient à temps la voix aux cadences principales ». Quindi una rima speciale, intraducibile secondo il Sainte-Beuve in francese (almeno nel francese poetico del suo tempo, che non aveva ancora attraversato l'esperienza linguistica del simbolismo), e l'elogio della quale avrebbe potuto apparire paradossale nel caso « du savant poète dont il s'agit » se non fosse per il riconoscimento dell'inafferrabilità di valori che essa produce al di là della sua fonica evidenza.

Il cànone astorico e i contenuti storici E' all'interno di questa musicalità che il Leopardi può legittimare anche il suo linguaggio filosofico, raziocinante, cui la scansione ritmico-musicale tende a fornire il carattere stesso di un sentimento intimamente vissuto. La convinzione che la lirica fosse « da creare », come si esprimeva il poeta giovanissimo in una lettera al Giordani, è alla base delle esperienze poetiche dell'ultimo periodo della sua vita. « La vita è il sentimento dell'esistenza », aveva scritto (in *Zibaldone*, 3923); « questo è tutto in quella parte dell'uomo che noi chiamiamo spirituale ». Compito della poesia era di rappresentare questo moderno sentimento dell'esistenza; il che significava per Leopardi prendere le distanze dal mito romantico (più che dalle sue concrete prove letterarie) di una poesia che rifiorisse, quasi per miracolo, « su del popolo dal cuore »; scrivere cioè una poesia in cui anche la riflessione, matrice del sentimento nella moderna civiltà, fosse rappresentata ed espressa. Di qui un duplice atteggiamento nel Leopardi: un attaccamento alla lingua poetica del canone, amorosamente venerata e recuperata (e non come un abito preso a prestito, per usare l'immagine del De Lollis, ma, come spiegava appunto l'insigne critico, per profonda congenialità del poeta coi suoi autori); e insieme la sua volontà di esprimere tutta una vasta tematica, di consegnare alla poesia tutta la sua complessa visione del mondo, che è il suo modo di essere moderno e attuale. Non si tratta (non varrebbe nemmeno la pena di dirlo) di una fiducia nelle possibilità del proprio linguaggio simile a quella dell'umanista settecentesco che elogia in versi latini le scoperte di Galvani. Il secondo classicismo leopardiano è caratterizzato da una intensificazione del dialettico contrasto tra ragioni della poesia e ragioni della storia di cui abbiamo parlato all'inizio di questa nota. E' quanto avviene nel *Pensiero dominante* dove il poeta, all'interno del canone, sembra « risillabare le parole ingenue » (per usare a nostra favore un verso di Ungaretti); interpretando *ingenue* nel senso di « schiette » e « nobili » insieme (e lo presuppone la figura del gentiluomo sempre viva al fondo dell'animo leopardiano). Il soggetto di quella poesia è, in senso lato, la condizione del sentimento amoroso nel mondo moderno. Esso trova in Leopardi la sua espressione attraverso il modello più prestigioso della tradizione: il Petrarca e il petrarchismo. Ma la modernità della poesia nasce dall'esplicito risvolto ideologico dell'operazione leopardiana che, mentre ribadisce l'immutabilità del canone pena l'estinzione stessa della poesia, introduce nel canto anche un atteggiamento pratico che contesta la possibilità di vivere quei sentimenti (e si potrebbe dire, quelle parole) nel mondo moderno se non a livello di eroica scelta esistenziale. Questo atteggiamento pratico, fortemente personale, suppone risonanze sconosciute al canone, anche se la poesia ne stringe da vicino i modi stilistici (quel fenomeno sottolineato dal De Lollis, per il quale la voce del Leopardi suona petrarchesca anche quando è più originale). Poiché l'immaginazione è « sorgente della ragione come del sentimento » e la ragione « ha bisogno dell'immaginazione e delle illusioni ch'essa distrugge », l'operazione poetica si realizza, nel *Pensiero dominante*, come sintesi di sentimento e ragione, d'ispirazione e filologia, di abbandono al cuore e lucide motivazioni critiche. Il risultato è l'emozione che noi ricaviamo dalla lettura del *Pensiero dominante*, vicina come nessun'altra poesia del tempo alla nostra sensibilità: la sensazione che il poeta balbetti come l'*infans* di tante poetiche del nostro secolo alla ricerca della lingua eterna e incontaminata (che è in lui quel codice o supercodice), ma con l'in più di una coscienza non mistificatrice, che nel mentre poetizza ci mette anche criticamente in guardia sui limiti dell'impresa, sul suo significato, in una parola sul fatto che tutto questo non avviene in un eden ritrovato dalla poesia ma nell'inferno storico.

Inutilità eroica della poesia

Il *maggior mi sento* del poeta ha indubbiamente un vago sapore nietzchiano, ma unicamente perché suppone la superiorità di ogni esperienza amorosa nei confronti della meschine prospettive storiche del tempo, prospettive che per il Leopardi non riescono a incarnare in se stesse la stessa grandezza del sentimento amoroso, del personale *engagement* che comporta quella passione. Così alla logica dell'utile che domina il mondo il poeta contrappone l'inutilità eroica del suo amore, che è in ultima analisi consapevolezza della necessità di difendere l'inutilità della poesia, un rifiuto dell'idea della sua fruibilità pratica quale proponevano i gruppi liberal-moderati (come affermerà esplicitamente nella *Palinodia*).

Il messaggio leopardiano dal luogo delle rovine

La *Palinodia* è il discorso di un vivo ai vivi. *La ginestra* assorbirà i temi estroversi ed acerbi dell'attacco leopardiano all'interno di un canto altissimo, superiore, perché la direzione del discorso sarà dalla morte verso la vita. Se nei grandi idilli il Leopardi realizzava la regressione al sogno attraverso la memoria della giovinezza, ritrovando in questo movimento la forza delle illusioni che hanno prodotto la felicità delle epoche antiche, nella *Ginestra* questo avviene a prezzo del supremo regredire alla morte, in cui non c'è memoria di sé ma tutto l'arco della riflessione storico-culturale del poeta è recuperata come memoria. Lo stesso irrompere della polemica leopardiana contro il proprio tempo è privo di ogni immediata storicità e viene connotato dalla testimonianza che solo può offrire il *verace sapere* che nasce dalla contemplazione delle rovine. Per cui la storia, da parte di chi si è escluso da essa collocandosi nel territorio della morte, si definisce nel contrasto tra l'irrisione dei futili conati umani e un profondo amore per l'uomo in nome dei valori che sopravvivono dopo l'acida, corrosiva critica di ogni mito; valori che si riassumono in un riconoscimento dei suoi angusti destini materiali, dal quale soltanto può scaturire una diversa ideologia per un suo progettato futuro. Da questo punto di vista Leopardi rimane, con tutta la sua complessa personalità, un caso isolato della nostra cultura. Da sponde diverse si richiameranno al suo nome l'esperienza puramente formalistica dei letterati della *Ronda* e l'indagine filosofica di studiosi marxisti come Luporini e Timpanaro (il cui contributo alla conoscenza del Leopardi è oggi fondamentale). E tuttavia rimane la sensazione che egli sfugga ancora ai nostri schemi. Lo stesso modo con cui egli ha risolto, in un'epoca critica, il problema della poesia, testimonia l'irriducibilità del suo caso alla nostra storia. Anche se nasceranno ancora correnti e uomini che scriveranno il suo nome sui frontespizi dei loro libri, egli ci dà l'impressione di essere irrimediabilmente più avanti di noi. In questi stessi anni, nei quali il colonialismo è tramontato e la nozione di progresso viene discussa all'interno dello stesso mondo occidentale, che su quella nozione aveva promosso la propria storia, egli appare come il caso profetico di una *religio* dove il pessimismo è condizione essenziale dell'amore della vita e il riconoscimento materialistico della piccolezza umana la base di un più giusto fondamento e difesa dell'umano.

FERNANDO BANDINI

Guida bibliografica

EDIZIONI
Tutte le opere sono state edite in 5 voll., Milano 1937-49, a cura di F. Flora, e in 2 voll., Firenze 1969, a cura di W. Binni, con la collaborazione di E. Ghidetti. Ampie antologie delle *Opere* sono state curate da S. Solmi, Milano-Napoli 1956-66, 2 voll., da G. Getto ed E. Sanguineti, Milano 1967, da M. Fubini, Torino 1977; si vedano ora anche, per l'ed. di *Poesie e prose* nella collana «I Meridiani» [Mondadori], il vol. I, *Poesie*, Milano 1987, a cura di M.A. Rigoni, con un saggio di C. Galimberti, e il vol. II, *Prose*, ivi 1988, a cura di R. Damiani.
Le concordanze dell'opera in versi, a cura di L. Lovera e C. Colli, si trovano in G. Leopardi, *«Canti», «Paralipomeni», poesie varie, traduzioni poetiche e versi puerili*, Torino 1968, a cura di C. Muscetta e G. Savoca.
Delle *Operette morali* si veda l'ed. critica, Milano 1980, a cura di O. Besomi.
Dei *Canti* cfr. l'ed. critica, ivi 1981, a cura di E. Peruzzi (con la riproduzione anastatica degli autografi), quella in 2 tomi, ivi 1984, a cura di D. De Robertis, e i commenti di: A. Straccali (1892), con le integrazioni di O. Antognoni (1913), Firenze 1957, a cura di E. Bigi; M. Scherillo, Milano 1924; G. De Robertis, Firenze 1927; M. Fubini, Torino

1930, nuova edizione, in collaborazione con E. Bigi, ivi 1964; I. Sanesi, Firenze 1931; F. Flora, Milano 1937; L. Russo, Firenze 1945; N. Gallo e C. Garboli, Torino 1962; L. Felici, Roma 1974; G. e D. De Robertis, ivi 1978; A. Tartaro, Roma-Bari 1984; E. Ghidetti, Firenze 1988; U. Dotti, Milano 1993.

I componimenti letterari «puerili» sono stati raccolti nel volume «*Entro dipinta gabbia*». *Tutti gli scritti inediti, rari e editi 1809-1810*, Milano 1972, a cura di M. Corti; le esercitazioni di filosofia nel volume *Dissertazioni filosofiche*, Moltepulciano 1983, a cura di M. Di Poli e R. Gagliardi. Di particolare utilità le riedizioni delle due «crestomazie» curate dal poeta nel 1827-28: *Crestomazia italiana. La prosa*, Torino 1968, a cura di G. Bollati; *Crestomazia italiana. La poesia*, ivi 1968, a cura di G. Savoca. È fondamentale l'edizione dell'*Epistolario*, Firenze 1934-41, 7 voll., a cura di F. Moroncini e G. Ferretti (con le lettere dei corrispondenti).

Dello *Zibaldone di pensieri* è uscita l'ed. critica e annotata a cura di G. Pacella, Milano 1991, 3 voll. (due di testo e uno di apparati e indici).

BIBLIOGRAFIE, STORIE DELLA CRITICA, BIOGRAFIE

Per l'informazione bibliografica si consultino: *Bibliografia leopardiana*, I, Firenze 1931, a cura di G. Mazzatinti e M. Menghini (giunge fino al 1898); II, ivi 1932, a cura di G. Natali (per gli anni 1898-1930); III, ivi 1953, a cura di G. Natali e C. Musumarra (per gli anni 1931-51); A. Tortoreto, *Bibliografia analitica leopardiana (1952-1960)*, ivi 1963; A. Tortoreto - C. Rotondi, *Bibliografia analitica leopardiana (1961-1970)*, ivi 1973; E. Carini, *Bibliografia analitica leopardiana (1971-1980)*, ivi 1986; un'accurata bibliografia 1976-83, con breve appendice per gli anni 1984-85, in E. Giordano, *Il labirinto leopardiano*, Napoli-Roma 1986.

Per la storia della critica: E. Bigi, *Giacomo Leopardi*, in W. Binni (a cura di), *I classici italiani nella storia della critica*, II (*Da Vico a D'Annunzio*) (1955, 1961²), rist. Firenze 1973, pp. 353-410; C.F. Goffis (a cura di), *Leopardi*, Palermo 1961; M. Fubini, *Leopardi nella critica dell'Ottocento*, in *Leopardi e l'Ottocento*, Atti del Convegno organizzato dal Centro nazionale di studi leopardiani, Firenze 1970, pp. 335-382; M. Marti, *Leopardi nella critica del Novecento*, in *Leopardi e il Novecento*, Atti del Convegno organizzato dal Centro nazionale di studi leopardiani, ivi 1974, pp. 23-63; N. Borsellino - A. Marinari, *Leopardi. Introduzione all'opera e antologia della critica*, Roma 1973.

Per la biografia si vedano – oltre al discusso A. Ranieri, *Sette anni di sodalizio con Giacomo Leopardi* (1880), nuova edizione, Milano 1979, con prefazione di G. Cattaneo e una nota di A. Arbasino, attento più ai pettegolezzi che alla storia intima del poeta – l'ormai invecchiato ma utile G. Chiarini, *Vita di Giacomo Leopardi*, Firenze 1905, e G. Ferretti, *Vita di Giacomo Leopardi*, Bologna 1940; cfr. anche N. Bonifazi, *Leopardi autobiografico. Saggio, cronologia e testi*, Ravenna 1984; M. Picchi, *Storie di casa Leopardi*, Milano 1986; R. Minore, *Leopardi*, ivi 1987; R. Damiani, *Vita di Leopardi*, ivi 1992.

LA CRITICA

Per l'interpretazione critica occorre muovere dagli scritti di F. De Sanctis, *La letteratura italiana nel secolo decimonono*, IV (*Leopardi*), ivi 1961, a cura di C. Muscetta e A. Perna, che scorgeva l'essenza della poesia leopardiana nel contrasto fra l'intelletto e il cuore; se l'intelletto – come nelle *Operette morali* – agisce da solo, la poesia vien meno. Lo studio del pensiero fu favorito dalla pubblicazione dello *Zibaldone* (Firenze 1898-1900). Se ne servì B. Zumbini (*Studi su Leopardi*, ivi 1902-04, 2 voll.), che distinse un iniziale pessimismo storico da un successivo pessimismo cosmico (a partire dalle *Operette morali*). L'attenzione torna ai valori poetici con K. Vossler, *Leopardi* (1923), Napoli 1925, secondo il quale la poesia di Leopardi trae la sua forza da un fondo religioso che si traduce nel senso del mistero e dell'infinito. Egli però non intende la poeticità delle *Operette morali*, di cui poco prima G. Gentile, nell'introduzione alla sua edizione delle stesse *Operette*, Bologna 1918, aveva cercato di mostrare l'unità sentimentale e artistica, nella struttura dell'opera e come riflesso di un rigoroso sviluppo del pensiero (ma cfr. G. De Robertis, *Saggio su Leopardi*, Firenze 1944).

Un profondo rinnovamento nell'interpretazione di Leopardi si ha con gli studi di M. Fubini, soprattutto con il suo saggio *Estetica e critica letteraria nei «Pensieri» di Giacomo Leopardi*, in «Giornale storico della letteratura italiana», XCVII, 1931, pp. 241-281, e poi con le introduzioni ai finissimi commenti dei *Canti*, cit. (Leopardi gli appare il poeta della voce immediata del cuore che si esprime in un linguaggio di singolare semplicità) e delle *Operette morali* (Firenze 1933), in cui, grazie anche ad acute notazioni stilistiche, dimostra chiaramente la natura poetica delle *Operette*, nate in un momento di pacatezza, lontano dalla disperazione e dal rimpianto. Su questa linea E. Bigi, con più decisa attenzione agli elementi formali, ha confermato la sovrana moderazione stilistica dell'opera (*Tono e tecnica delle «Operette morali»*, in Id., *Dal Petrarca al Leopardi*, Milano-Napoli 1954, pp. 111-142) e ha compiuto indagini acute sui *Canti* (cfr. *La genesi del «Canto notturno» e altri studi sul Leopardi*, Palermo 1967). Da ricordare anche gli studi di L. Malagoli (*Il primo Leo-*

pardi, Adria - Roma 1935; *Storia della poesia leopardiana*, Genova 1950), l'ampia analisi delle correzioni e varianti dei *Canti* compiuta da P. Bigongiari (*L'elaborazione della lirica leopardiana*, Firenze 1937, poi in Id., *Leopardi*, ivi 1962), che si propose di ricostruire la personalità leopardiana dal suo modo di lavorare, e il *Saggio sul Leopardi* di A. Borlenghi, ivi 1947. Significativi gli interventi critici di G. Ungaretti (*Immagini del Leopardi e nostre*, 1943; *L'«Angelo Mai» del Leopardi*, 1946; *Secondo discorso sul Leopardi*, 1950, in Id., *Vita d'un uomo. Saggi e interventi*, Milano 1974, pp. 430-503), secondo il quale la poesia di Leopardi, «primo poeta ermetico», sorge dalla disperazione «per l'ignoranza inviolabile della colpa che noi e l'universo espiamo», dal dover soffrire «il perenne cosmico progredire dell'espiazione e della morte». Ma sull'incontro dei poeti del Novecento con Leopardi cfr. G. Lonardi, *Leopardismo. Saggio sugli usi di Leopardi dall'Otto al Novecento*, Firenze 1974; si veda anche A. Dolfi, *La doppia memoria. Saggi su Leopardi e il leopardismo*, Roma 1986. Alla diffusa tendenza a cercare la più autentica poesia di Leopardi nei momenti idillici (testimoniata da F. Figurelli, *Leopardi poeta dell'idillio*, Bari 1941) si oppose W. Binni, *La nuova poetica leopardiana* (1947), Firenze 1979[3], il quale delineò la nuova poetica, più complessa, lacerata ed eroica, che si esprime nei canti che vanno dal «ciclo di Aspasia» a *La ginestra*: interpretazione ribadita, con più ricche analisi, in W. Binni, *La protesta di Leopardi* (1973), Firenze 1982[4]. In una diversa prospettiva U. Bosco, *Titanismo e pietà in Giacomo Leopardi*, Firenze 1957 (poi *Titanismo e pietà in Giacomo Leopardi e altri studi leopardiani*, 1980, Roma 1983[2]), studia il tema eroico del «titanismo» in tutto il suo svolgimento e nella dialettica con il tema idilliaco della «pietà». Di contro, l'analisi tematico-simbolica di F. Ferrucci, *Il sogno del prigioniero* e *Lo specchio dell'infinito*, in Id., *Addio al Parnaso*, Milano 1971, pp. 99-152, mette in evidenza il vagheggiamento dell'infelicità e della morte come opposizione alla modernità (Parini, Alfieri, Foscolo e lo stesso Manzoni esprimerebbero, al pari di Leopardi, la resistenza della vecchia alla nuova cultura).

Una svolta nello studio del pensiero leopardiano si deve a C. Luporini, che nel saggio *Leopardi progressivo*, in Id., *Filosofi vecchi e nuovi*, Firenze 1947, pp. 183-279 (ora in vol. autonomo, con lo stesso titolo, Roma 1980), ha accentuato il valore laico e «progressista» dell'esperienza leopardiana. Importanti su questa via sono stati gli studi di S. Timpanaro (raccolti in Id., *Classicismo e illuminismo nell'Ottocento italiano*, Pisa 1965), che ha poi vivacemente discusso le interpretazioni leopardiane dei critici di «sinistra», in Id., *Antileopardiani e neomoderati nella sinistra italiana*, ivi 1982. In polemica con Timpanaro, e in genere con coloro che hanno sopravvalutato le potenzialità progressive di Leopardi, è U. Carpi, *Leopardi e la politica*, in Id., *Il poeta e la politica. Belli, Leopardi, Montale*, Napoli 1978, pp. 83-268.

Sul pensiero di Leopardi – che in questi ultimi decenni è stato studiato forse più dei *Canti* – si vedano anche: S. Solmi, *Le due «ideologie» di Leopardi* (1967) e *Ancora su le due «ideologie» di Leopardi* (1970), in Id., *Opere*, II (*Studi leopardiani - Note su autori classici italiani e stranieri*), Milano 1987, a cura di G. Pacchiano, pp. 99-110 e 113-117 (la natura non perderebbe del tutto l'iniziale valore positivo, nemmeno nel momento di più radicale pessimismo); L. Blasucci, *La posizione ideologica delle «Operette morali»* (1970), in Id., *Leopardi e i segnali dell'infinito*, Bologna 1985, pp. 165-226; B. Biral, *La posizione storica di Giacomo Leopardi*, Torino 1974 (la visione leopardiana del mondo testimonierebbe la crisi irreversibile della cultura umanistico-cristiana).

Alle metodologie più recenti (scuola di Francoforte, strutturalismo ecc.) si rifanno A. Dolfi, *Leopardi tra negazione e utopia*, Padova 1973, e A. Prete, *Il pensiero poetante. Saggio su Leopardi*, Milano 1980 (ampio saggio sullo *Zibaldone*).

Sulle *Operette morali* cfr. anche S. Campailla, *La vocazione di Tristano. Storia interiore delle «Operette morali»*, Bologna 1977; M. Marti, *Cronologia dinamica delle «Operette morali» di Giacomo Leopardi* (1979), in Id., *Dante, Boccaccio, Leopardi*, Napoli 1980, pp. 293-319; W. Binni, *Lettura delle Operette morali*, Genova 1987.

Importanti contributi alla conoscenza della lingua poetica di Leopardi hanno dato E. Peruzzi (*Saggio di lettura leopardiana*, in «Vox romanica», XV, 1956, pp. 94-163; «*Aspasia*», XVII, ivi 1958, pp. 62-81; *Studi leopardiani. I. «La sera del dì di festa»*, Firenze 1979; *Studi leopardiani. II. Il canto di Simonide. Odi, Melisso. Raffaele d'Urbino. Il supplemento agli amici suoi di Toscana*, ivi 1987); K. Maurer, *G. Leopardis «Canti» und die Auflösung der lyrischen Genera*, Francoforte s.M. 1957; F. Ceragioli, *I canti fiorentini di Giacomo Leopardi*, Firenze 1981. Importanti gli studi critico-filologici di A. Monteverdi, *Frammenti critici leopardiani* (1959), Napoli 1967[2].

Si vedano anche: C. Galimberti, *Linguaggio del vero in Leopardi*, Firenze 1959; C. Bo, *L'eredità di Leopardi*, ivi 1964; G. Getto, *Saggi leopardiani*, ivi 1966; G. Lonardi, *Classicismo e utopia nella lirica leopardiana*, ivi 1969; *Il caso Leopardi*, Palermo 1974, con interventi di B. Biral, L. Cellerino, N. Jonard, G. Pirodda; C. Muscetta, *Leopardi. Schizzi, studi e letture*, Roma 1977; A. Tartaro, *Leopardi*, in *La letteratura italiana* [Laterza], VII (*Il primo Ottocen-*

to), tomo I, Roma-Bari 1977, pp. 643-840; F. Brioschi, *La poesia senza nome. Saggio su Leopardi*, Milano 1980; S. Gensini, *Linguistica leopardiana. Fondamenti teorici e prospettive politico-culturali*, Bologna 1984; M. Ricciardi, *Giacomo Leopardi: la logica dei Canti*, Milano 1984; P. Fasano, *L'entusiasmo della ragione. Il romantico e l'antico nell'esperienza leopardiana*, Roma 1985; L. Blasucci, *Leopardi e i segnali dell'infinito*, cit.; U. Dotti, *Il savio e il ribelle. Manzoni e Leopardi*, Roma 1986; A. Vallone, *Leopardi. Dagli «Scritti puerili» alla «Ginestra»*, Napoli 1986; A. Ferraris, *L'ultimo Leopardi. Pensiero e poetica (1830-1837)*, Torino 1987; N. Borsellino, *Il socialismo della «Ginestra». Poesia e poetiche leopardiane*, Poggibonsi 1988; M. Marti, *I tempi dell'ultimo Leopardi*, Galatina 1988; L. Blasucci, *I titoli dei «Canti» e altri studi leopardiani*, Napoli 1989; E. Severino, *Il nulla e la poesia. Alla fine dell'età tecnica: Leopardi*, Milano 1990; N. Bonifazi, *Leopardi. L'immagine antica*, Torino 1991; M.T. Gentile, *Leopardi e la forma della vita*, Roma 1991; A. Folin, *Leopardi e la notte chiara*, Venezia 1993.

Il Centro nazionale di studi leopardiani ha pubblicato vari volumi di Atti di convegni: *Leopardi e il Settecento*, Firenze 1964; *Leopardi e l'Ottocento*, cit.; *Leopardi e il Novecento*, cit.; *Leopardi e la letteratura italiana dal Duecento al Seicento*, Firenze 1978; *Leopardi e il mondo antico*, ivi 1982; *Il pensiero storico e politico di Giacomo Leopardi*, ivi 1989.

Fra le altre raccolte di Atti ricordiamo: *Leopardi e il pensiero moderno*, a cura di C. Ferrucci, Milano 1989; *Leopardi e Roma*, a cura di L. Trenti e F. Roscetti, Roma 1991.

Cronologia

1798 - 29 giugno. Giacomo Leopardi nasce da Monaldo ed Adelaide Antici, a Recanati, piccolo centro della stagnante provincia pontificia. L'ambiente familiare, retrivo ed ostile, è dominato dalla madre, bigotta « vestale » di un prestigio di casta tutto esteriore e severa custode di un patrimonio in sfacelo. Il padre, convinto reazionario, consacra ogni energia alla ricerca erudita e all'incremento della ricca biblioteca, fedele agli schemi di una mentalità settecentesca e ritardataria.

1799 - 12 luglio. Nasce il fratello Carlo.

1800 - 6 ottobre. Nasce la sorella Paolina.

1807 - Don Sebastiano Sanchini riceve l'incarico di curare l'istruzione dei tre ragazzi Leopardi. Don Sebastiano seguirà Giacomo fino al 1812, anno in cui il ragazzo, precocissimo, si sottrae a ogni insegnamento per allargare da solo i propri orizzonti culturali.

1809 - E' di quest'anno la prima prova poetica; dopo aver letto Omero scrive il sonetto *La morte di Ettore*.

1810 - Compone il poemetto *I Re Magi*.

1811 - Scrive la tragedia *La virtù indiana*, le *Dissertazioni filosofiche* e l'*Arte poetica di Orazio travestita in ottava rima*.

1812 - Presenta al padre la tragedia *Pompeo in Egitto* e compone gli *Epigrammi* con un discorso introduttivo.

1813 - Allo studio del latino e del francese, che già conosceva, affianca quello del greco e dell'ebraico. Scrive la *Storia dell'astronomia*.

1814 - Con uno studio su Esichio Milesio porta a termine il primo lavoro filologico. Traduce e commenta scrittori greci e latini della decadenza.

1815 - Scrive il *Saggio sopra gli errori popolari degli antichi*. Compone l'orazione *Agli Italiani, per la liberazione del Piceno*. Traduce Mosco e la *Batracomiomachia*. Tra il '15 e il '16 matura quella che Leopardi chiamerà la propria « conversione letteraria », dall'erudizione alla letteratura e allo studio dei classici.

1816 - Nel giugno pubblica le *Notizie istoriche e geografiche sulla città e chiesa arcivescovile di Damiata* (Rossi, Loreto). Il 30 giugno e il 15 luglio appare in due puntate, sullo « Spettatore italiano e straniero », il *Saggio di traduzione dell'Odissea*; il periodico è curato dall'editore Stella che poco dopo visiterà il poeta a Recanati. Traduce, oltre al primo libro dell'*Odissea*, il secondo dell'*Eneide* e il *Moretum* pseudovirgiliano; compone in greco i calchi alessandrini delle *Odae adespotae* e dell'*Inno a Nettuno*. Scrive la *Lettera ai compilatori della Biblioteca italiana*, in risposta alla Stäel. Compone l'idillio *Le rimembranze* e la cantica *Appressamento della morte*, concepita durante una malattia che lo aveva colpito agli occhi.

1817 - Il drammatico isolamento del poeta è rotto soltanto dall'amicizia epistolare col classicista Pietro Giordani, al quale invia la sua traduzione del secondo dell'*Eneide*. Comincia a stendere lo *Zibaldone*; compone il sonetto *Letta la vita dell'Alfieri* e *Il primo amore*, ispiratogli dalla visita della cugine Gertrude Cassi Lazzari: nasce contemporaneamente il *Diario d'amore* (*Memorie del primo amore*), poche pagine di prosa che analizzano i sentimenti dell'autore.

Traduce la *Titanomachia* di Esiodo, anch'essa apparsa su « Lo spettatore », e compone i *Sonetti in persona di ser Pecora fiorentino beccaio*.

1818 - Compone il *Discorso di un italiano intorno alla poesia romantica*. Nel settembre la visita del Giordani aumenta le sue inquietudini spirituali e il suo desiderio di evadere da Recanati. Il fisico è rovinato e anche la vista gli si sta spegnendo. Nell'autunno di quell'anno nascono le prime canzoni *All'Italia* e *Sopra il monumento di Dante*.

1819 - Compone le canzoni, mai pubblicate, *Per una donna inferma di malattia lunga e mortale* e *Nella morte di una donna fatta trucidare col suo portato dal corruttore per mano ed arte di un chirurgo*; e ancora *Telesilla*, il frammento *Odi Melisso*, e gli *Appunti e ricordi* per un romanzo autobiografico mai realizzato. Tenta, nel luglio, di fuggire da Recanati, ma il progetto fallisce. L'insuccesso accentua il suo pessimismo. Nei primi mesi dell'anno ha già composto gli idilli l'*Infinito*, *Alla luna*.

1820 - Compone la canzone *Ad Angelo Mai* e *La sera del dì di festa*.

1821 - Scrive le canzoni *Nelle nozze della sorella Paolina*, *A un vincitore nel pallone* e, nel dicembre, il *Bruto minore*; probabilmente di quest'anno sono gli idilli *Il sogno* e *La vita solitaria*.

1822 - Traduce l'opera del Combefis (dal latino) *Il martirio de' Santi Padri del monte Sinai e dell'eremo di Raitu* ecc., e le canzoni *Alla primavera*, *Ultimo canto di Saffo* e l'*Inno ai patriarchi*. Il 17 novembre parte per Roma dove resterà fino al 3 maggio dell'anno successivo.

1823 - Il soggiorno romano fa crollare le ultime illusioni del Leopardi. L'impatto con una società fatua e corrotta gli è reso sopportabile dalla conoscenza e amicizia di pochi eletti: Mai, Niebuhr, Bunsen, Jacopssen. Tornato a Recanati, nel settembre compone la canzone *Alla sua donna* dopo più di un anno di silenzio poetico, e traduce la *Satira di Simonide sopra le donne*.

1824 - Compone le prime venti *Operette morali*, concepite intorno al 1820 come « prosette satiriche ». Stampa a Bologna le prime dieci canzoni corredate dalle *Annotazioni*. Scrive il *Discorso sopra lo stato presente dei costumi degl'Italiani* per l'« Antologia » fiorentina (pubblicato postumo nel 1906 tra gli *Scritti vari e inediti*, Le Monnier, Firenze).

1825 - Nel luglio si reca a Milano, invitatovi dall'editore Stella. Durante una sosta a Bologna rivede il Giordani; pubblica *Il Sogno* nella rivista « Il caffè di Petronio » diretta dal Brighenti. A Milano conosce il Monti e il purista Cesari. Nell'autunno è nuovamente a Bologna dove si tratterrà fino al novembre del '26. E' dell'autunno forse il *Frammento apocrifo di Stratone di Lampsaco*.

1826 - Durante il soggiorno bolognese stringe nuove amicizie con Carlo Pepoli, Pietro Brighenti e Antonio Papadopoli. S'invaghisce di Teresa Carniani Malvezzi, mediocre poetessa. Lavora alle opere di Cicerone e scrive un commento alle *Rime* del Petrarca. Compone per l'Accademia dei Felsinei l'epistola in versi *Al conte Carlo Pepoli*. Nell'estate appare a Bologna l'edizione dei *Versi*. Rientra a Recanati l'11 novembre.

1827 - Continua la preparazione della *Crestomazia italiana* che gli è stata commissionata dallo Stella e a cui lavora dall'anno precedente. Torna il 26 aprile a Bologna dove rimane fino a giugno. Vi incontra Antonio Ranieri. In giugno esce l'edizione milanese delle *Operette morali*. Scrive in quest'anno *i Dialoghi di Plotino e di Porfirio* e il *Copernico* (pubblicati postumi nel 1845). Trasferitosi a Firenze entra in cordiali rapporti col gruppo dell'« Antologia »; conosce Vieusseux Capponi, Colletta, Poerio, il Tommaseo (che gli sarà sempre ostile); incontra Manzoni e Stendhal. Redige l'*Indice del mio Zibaldone*. Nel novembre si trasferisce a Pisa.

1828 - Dopo due anni riprende a scrivere versi: compone *Il risorgimento*, *A Silvia* (preceduti forse da *Scherzo*). In giugno è ancora a Firenze dove conosce Vincenzo Gioberti. In novembre parte per Recanati.

1829 - Tra l'agosto e il settembre scrive *Le ricordanze*, *La quiete dopo la tempesta*, *Il sabato del villaggio*. Bunsen gli offre una cattedra a Bonn, in Germania, ma la proposta è scartata per il rigore del clima tedesco. Capponi dà il suo voto alle *Operette morali*, in un'adunanza dell'Accademia della Crusca per un premio letterario (assegnato a Carlo Botta). Il Colletta gli procura un anno di vitto e alloggio gratuito in Firenze.
La salute costringe il Leopardi a rinunciare a vari impegni presi con l'editore Stella. In ottobre inizia la composizione di *Canto notturno*, completato nell'aprile del 1830.

1830 - In maggio è a Firenze dove riallaccia l'amicizia col Ranieri. Conosce il De Sinner. Concepisce per Fanny Targioni Tozzetti l'ultimo infelice amore della sua vita. Incerta la composizione in quest'anno del *Passero solitario*. Forse inizia a scrivere i *Paralipomeni della Batracomiomachia*.

1831 - Esce a Firenze la prima edizione dei *Canti*. Nell'ottobre Leopardi si trasferisce a Roma accompagnato dal Ranieri, dove rimane fino al marzo del 1832.

1832 - I due amici ritornano a Firenze. Qui il Leopardi compone il *Dialogo di Tristano e di un amico*, l'ultima delle *Operette morali*. Nel dicembre abbandona definitivamente lo *Zibaldone* e comincia la stesura dei centoundici *Pensieri*.

1833 - Parte da Firenze col Ranieri, il 2 settembre, raggiungendo Napoli dopo una breve sosta romana. Tra la primavera di quest'anno e il 1835 sono probabilmente composti i canti ispirati all'amore per Fanny (*Il pensiero dominante*, *Amore e morte*, *Aspasia*, *A se stesso* e forse anche *Consalvo*).

1834 - Conosce Augusto von Platen. Appare la seconda edizione delle *Operette morali* (Firenze, Piatti).

1835 - Appare l'edizione dello Starita dei *Canti* dove, oltre ai canti ispirati dall'amore per Fanny, sono inclusi per la prima volta il *Passero solitario*, *Sopra un basso rilievo*, *Sopra un ritratto*, la *Pali-*

nodia. Di quest'anno è probabilmente il capitolo satirico *I nuovi credenti*.

1836 - In una villa a Torre del Greco Leopardi compone *La ginestra* e *Il tramonto della luna*. Nel gennaio la censura borbonica vieta all'editore Starita di proseguire la pubblicazione dell'*opera omnia* del poeta con le *Operette morali*.

1837 - Leopardi muore il 7 giugno.

1842 - Appaiono i *Paralipomeni della Batracomiomachia* a cura del Ranieri (Parigi, Baudry).

1845 - E' pubblicata l'edizione delle *Opere* a cura del Ranieri (Firenze, Le Monnier). Nei canti vengono inclusi per la prima volta *La ginestra* e *Il tramonto della luna*.

Nota al testo

Si riproduce qui l'edizione dei *Canti* a cura di F. Flora, Milano 1950. La numerazione dei brani dello *Zibaldone* citati in nota si riferisce, com'è uso, alle cartelle dell'autografo.

Per le note, grande messe di fonti settecentesche mi è venuta dal volume *Leopardi e il Settecento*, Firenze 1964, che raccoglie i lavori del primo convegno internazionale di studi leopardiani, soprattutto dal saggio di W. Binni; altre fonti provengono da numerosi contributi, recenti e no.

Spero comunque di non essere caduto nei difetti dei commentatori di cui parla il Passeroni in un brano che il Leopardi riportava nella sua *Crestomazia*, non senza maliziosa arguzia: «Hanno costoro il don particolare, / come suol dirsi, di saltare il fosso: / dove d'oscurità qualch'ombra appare, / non si fermano punto e bevon grosso, / e sanno intorbidar le acque più chiare; / e sebbene tra lor si danno addosso, / e fingono attaccar briga, sovente / l'uno ricopia l'altro fedelmente» (con quel che segue subito dopo).

F.B.

CANTI

Le stampe pubblicate durante la vita del Leopardi vengono indicate nel commento con le seguenti sigle comunemente in uso:

r18 : edizione delle prime due canzoni, Roma, Bourlié, 1818
b20 : edizione della canzone *Ad Angelo Mai*, Bologna, Marsigli, 1820
b24 : edizione delle dieci *Canzoni*, Bologna, Nobili, 1824
b26 : edizione dei *Versi*, Bologna, Stamperia delle Muse, 1826
f : prima edizione dei *Canti*, Firenze, Piatti, 1831
n : seconda edizione dei *Canti*, Napoli, Starita, 1835
cp : « Caffè di Petronio » di Bologna, 1825
nr : « Nuovo Ricoglitore » di Milano, 1826

Composta a Recanati nel settembre del 1818, pubblicata in R18 e poi in B24 con una *Dedica* al Monti. Il progetto appare in *Zibaldone*, 54, con indicazione di un pensiero dell'*Ortis* utilizzabile per «un'ode lamentevole sull'Italia».

Dopo il giudizio fortemente limitativo del De Sanctis, e quello elogiativo del Carducci (agiva su quest'ultimo non soltanto il gusto della poesia patriottica ma anche la sua nota attenzione ai valori retorico-formali), negli ultimi anni la critica ha riletto le prime canzoni sottolineandone la vicinanza a quelli che saranno i grandi temi della poesia leopardiana. Il Figurelli ha visto profilarsi in esse la concezione leopardiana della storia come tramonto delle illusioni. Il Blasucci scorge l'intimo nucleo della lirica patriottica del Leopardi — che la differenzia dalla coeva poesia romantica — nel suo svolgersi come «canto doloroso ed eroico di una infelicità senza conforto». Al di là della sua occasione patriottica, infatti, il tema profondo del canto sembra essere quello della morte e della gloria (*morte* è parola ricorrente con tutta una numerosa costellazione di metonimie e di metafore: *acerbo fato, passo lacrimoso e duro, Tartaro, tomba* ecc.), tema sotteso dal rimpianto giovanile di non poter dare alla propria esistenza un significato alto, eroico, a causa dell'oscurità presente della storia.

Metro: canzone di 7 strofe, con schema ABcdABce-FGefHGihlMiM per le strofe dispari e AbcdDaBDEFgefhgiHLMiM per le strofe pari. Diversa quindi la distribuzione degli endecasillabi e dei settenari nei due schemi.

La lontananza delle rime, l'indistinzione tra fronte e sirma a causa dell'incongruenza fra struttura metrica e struttura sintattica, i frequenti *enjambements*, costituiscono gli elementi del forte scarto della canzone leopardiana rispetto a quella petrarchesca.

O patria mia, vedo le mura e gli archi
e le colonne e i simulacri e l'erme
torri degli avi nostri,
ma la gloria non vedo,
5   non vedo il lauro e il ferro ond'eran carchi
i nostri padri antichi. Or fatta inerme,
nuda la fronte e nudo il petto mostri.
Oimè quante ferite,
che lividor, che sangue! oh qual ti veggio,
10   formosissima donna! Io chiedo al cielo
e al mondo: dite dite;

([1-6]) *O patria... padri antichi*: numeroso l'intreccio degli echi letterari che i commentatori indicano per l'*incipit* della canzone;
oltre al vocativo della nota canzone del Petrarca (*Rime*, CXXVIII):
« Italia mia », viene citata anche un'ode di Fulvio Testi (riportata nella leopardiana *Crestomazia* col titolo *Sopra l'Italia*),
vv.13-6: « Ben molt'archi e colonne e in più d'un segno / serban
del valor prisco alta memoria; / ma non si vede già per propria
gloria / chi d'archi e di colonne ora sia degno »; e cfr. anche Ossian, nella traduzione del Cesarotti, *La guerra d'Inistona*, vv.18-20
e 227-9: « O Selma, o Selma, / veggo le torri tue, veggo le querce / dell'ombrose tue mura ». ([2]) *simulacri*, ‹statue›. ([3]) *torri*:
i ruderi in genere dell'antichità, qui poeticamente trasfigurati come in un quadro settecentesco di rovine. ([6]) *Or fatta inerme*: la
personificazione dell'Italia è luogo comune della lirica civile dal
Petrarca in poi: cfr. Monti, *Il beneficio*, vv.1 e 8-9: « Una donna
di forme alte e divine... / la sinistra alla gota; e scisso il manto /
scopria le piaghe dell'onesto petto »; e nella *Mascheroniana*, II,
129: « carca di ferri e lacerata il manto » (cfr. anche la *Muso-
gonia*, v.70 della prima parte). ([9]) *oh qual ti veggio*, con enfasi
retorica; ma questa è legata « all'esigenza del sentimento leopardiano, che postula la presenza dell'infelice per impostare un collo-

chi la ridusse a tale? E questo è peggio,
che di catene ha carche ambe le braccia;
sì che sparte le chiome e senza velo
15   siede in terra negletta e sconsolata,
nascondendo la faccia
tra le ginocchia, e piange.
Piangi, che ben hai donde, Italia mia,
le genti a vincer nata
20   e nella fausta sorte e nella ria.

Se fosser gli occhi tuoi due fonti vive,
mai non potrebbe il pianto
adeguarsi al tuo danno ed allo scorno;
che fosti donna, or sei povera ancella.
25   Chi di te parla o scrive,
che, rimembrando il tuo passato vanto,
non dica: già fu grande, or non è quella?
Perché, perché? dov'è la forza antica,
dove l'armi e il valore e la costanza?
30   chi ti discinse il brando?
chi ti tradì? qual arte o qual fatica
o qual tanta possanza
valse a spogliarti il manto e l'auree bende?
come cadesti o quando
35   da tanta altezza in così basso loco?
nessun pugna per te? non ti difende

quio, sulla base del *tu* pietoso e affettuoso » (Blasucci).   (¹²) *chi la ridusse a tale?*: ‹chi l'ha ridotta così?›; dal *tu* il poeta passa momentaneamente alla terza persona per descrivere le condizioni della *formosissima donna*.   (¹³) *carche*, ‹cariche›.   (¹⁴) *sparte*, ‹sparse›.   (¹⁹⁻²⁰) *le genti... nella ria*: ‹destinata ad avere un primato spirituale sulle nazioni sia nei periodi di prosperità che in quelli di servitù politica›.   (²¹) *due fonti vive*: sintagma metaforico di ascendenza petrarchesca, cfr. *Rime*, CLXIV, 9 e CCXXXI, 12.   (²³) *al tuo danno ed allo scorno*, ‹alla tua miseria e vergogna›.   (²⁴) *donna*, ‹signora, regina›.   (²⁸) *Perché, perché*: la ripetizione apre una serie concitata di interrogative: « *chi* ti discinse il brando? / *chi* ti tradì? » e « *nessun* pugna per te? non ti difende / *nessun* de' tuoi? » con gli elementi della ripetizione in anafora.

nessun de' tuoi? L'armi, qua l'armi: io solo
combatterò, procomberò sol io.
Dammi, o ciel, che sia foco
40   agl'italici petti il sangue mio.

Dove sono i tuoi figli? Odo suon d'armi
e di carri e di voci e di timballi:
in estranie contrade
pugnano i tuoi figliuoli.
45   Attendi, Italia, attendi. Io veggio, o parmi,
un fluttuar di fanti e di cavalli,
e fumo e polve, e luccicar di spade
come tra nebbia lampi.
Né ti conforti? e i tremebondi lumi
50   piegar non soffri al dubitoso evento?
A che pugna in quei campi
l'itala gioventude? O numi, o numi:
pugnan per altra terra itali acciari.
Oh misero colui che in guerra è spento,
55   non per li patrii lidi e per la pia
consorte e i figli cari,
ma da nemici altrui
per altra gente, e non può dir morendo:
alma terra natia,
60   la vita che mi desti ecco ti rendo.

(³⁷) *L'armi, qua l'armi*: cfr. Virgilio, *Aen.*, II, 668: « Arma, viri,
ferte arma », tradotto dal Leopardi nella sua giovanile traduzione
del II libro dell'*Eneide* (1816): « Armi, qua l'armi ».   (³⁸) *procomberò*: cfr. Virgilio, *Aen.*, II, 424-6: « primusque Coroebus / Penei
dextra divae armipotentis ad aram / *procubuit* », che il Leopardi
interpreta, dal contesto virgiliano, con una amplificazione del senso. Per il verbo *procombere* si veda l'astiosa ironia, contro l'uso che
il Leopardi ne fa, del Tommaseo nel suo *Dizionario*, alla voce.
(⁴¹) *Dove sono i tuoi figli?*: riecheggia il foscoliano « Ove sono dunque i tuoi figli? » della lettera del 19 e 20 febbraio di Jacopo Ortis, della cui possibile utilizzazione per una *ode lamentevole* sul-
l'Italia Leopardi parla in *Zibaldone*, 58.   (⁴²) *timballi*, ‹tamburi›.
(⁴³) *in estranie contrade*, ‹in paesi stranieri›; qui il Leopardi rievoca la partecipazione italiana alla disastrosa campagna napoleonica
in Russia (1812), tema che verrà ripreso con più largo respiro nella
successiva canzone.   (⁴⁵) *Attendi, Italia, attendi*: ‹fa' attenzione›; la

7

Oh venturose e care e benedette
l'antiche età, che a morte
per la patria correan le genti a squadre;
e voi sempre onorate e gloriose,
65   o tessaliche strette,
dove la Persia e il fato assai men forte
fu di poch'alme franche e generose!
Io credo che le piante e i sassi e l'onda
e le montagne vostre al passeggere
70   con indistinta voce
narrin siccome tutta quella sponda
coprír le invitte schiere
de' corpi ch'alla Grecia eran devoti.
Allor, vile e feroce,
75   Serse per l'Ellesponto si fuggia,
fatto ludibrio agli ultimi nepoti;
e sul colle d'Antela, ove morendo
si sottrasse da morte il santo stuolo,
Simonide salia,

ripetizione anche più avanti al v.52: « O numi, o numi ». (61) *Oh venturose* ecc.: cfr. *Zibaldone*, 3029, in data 25 luglio 1823 (cinque anni dopo questa canzone): « La vita umana non fu mai più felice che quando fu stimato poter esser bella e dolce anche la morte, né mai gli uomini vissero più volentieri che quando furono apparecchiati e desiderosi di morire per la patria e la gloria »; ricordo di Ossian (nella traduzione del Cesarotti): « O fortunate, o care / colline d'Eta », *Dartula*, v.53, forse con inconscia associazione di suono tra *Eta* ed *età*. (65) *tessaliche strette*: il passo delle Termopili; *strette* per indicare le Termopili anche in Petrarca, *Rime*, xxviii, 100. (66) *la Persia e il fato*: il doppio soggetto regge il verbo al singolare, con sintassi latineggiante. (70) *con indistinta voce*, ‹con voce confusa, mescolando le voci›, secondo il significato latino di *indistinctus*. (72) *coprír*, ‹coprirono›. (73) devoti, ‹votati›. (74) *vile e feroce*: la coppia aggettivale anche in Ossian nella traduzione del Cesarotti: « L'alma feroce e vile » (*Calloda*, iii, 152). (76) *fatto ludibrio* ecc.: ‹divenuto oggetto di vergogna per i più lontani discendenti›. (77-8) *ove morendo / si sottrasse da morte*: la *distinctio* enfatica è già presente nei versi di Simonide ai quali il Leopardi s'ispira; la figura era frequente nella poesia classica, cfr. Virgilio, *Aen.*, ii, 354: « una salus victis nullam sperare salutem ». (79) *Simonide*: di Ceo, poeta greco (556-468 a.C.) che

80   guardando l'etra e la marina e il suolo.

          E di lacrime sparso ambe le guance,
          e il petto ansante, e vacillante il piede,
          toglieasi in man la lira :
          Beatissimi voi,
85   ch'offriste il petto alle nemiche lance
          per amor di costei ch'al Sol vi diede;
          voi che la Grecia cole, e il mondo ammira.
          Nell'armi e ne' perigli
          qual tanto amor le giovanette menti,
90   qual nell'acerbo fato amor vi trasse?
          Come sì lieta, o figli,
          l'ora estrema vi parve, onde ridenti
          correste al passo lacrimoso e duro?
          Parea ch'a danza e non a morte andasse
95   ciascun de' vostri, o a splendido convito :
          ma v'attendea lo scuro
          Tartaro, e l'onda morta;
          né le spose vi foro o i figli accanto
          quando su l'aspro lito
100   senza baci moriste e senza pianto.

          Ma non senza de' Persi orrida pena
          ed immortale angoscia.

celebrò le più note vittorie della Grecia. Qui la figura del poeta è
immaginata (in atteggiamento fortemente drammatico) partendo
dal suo epigramma per i caduti delle Termopili, riportato da
Diodoro Siculo, storico greco del secolo di Augusto.   ([86]) *costei*:
la patria.   ([87]) *cole*, ‹onora›, latinismo.   ([89]) *qual tanto amor*
ecc.: ‹quale amore tanto grande vi trascinò a morte immatura?›;
giovanette le anime e *acerbo* il destino. La ripetizione di *qual amor*
è in funzione di *amplificatio* emotiva.   ([97]) *Tartaro, e l'onda mor-*
ta: il regno dei morti e i fiumi infernali.   ([98]) *foro,* ‹furono›.
([99]) *su l'aspro lito*: il luogo dell'aspra battaglia.   ([101]) *Ma non sen-*
za ecc.: la litote dà maggior rilievo alla *pena* e all'*angoscia* dei
Persiani e nello stesso tempo favorisce una transizione basata sul-
l'analogia grammaticale con *senza baci* e *senza pianto* del verso
precedente.   ([103]) *Come lion*: il paragone del leone che semina
strage in una mandria di tori è già presente in Omero (*Il.*, v,

Come lion di tori entro una mandra
or salta a quello in tergo e sì gli scava
105   con le zanne la schiena,
or questo fianco addenta or quella coscia;
tal fra le Perse torme infuriava
l'ira de' greci petti e la virtute.
Ve' cavalli supini e cavalieri;
110   vedi intralciare ai vinti
la fuga i carri e le tende cadute,
e correr fra' primieri
pallido e scapigliato esso tiranno;
ve' come infusi e tinti
115   del barbarico sangue i greci eroi,
cagione ai Persi d'infinito affanno,
a poco a poco vinti dalle piaghe,
l'un sopra l'altro cade. Oh viva, oh viva:
beatissimi voi
120   mentre nel mondo si favelli o scriva.

Prima divelte, in mar precipitando,
spente nell'imo strideran le stelle,
che la memoria e il vostro
amor trascorra o scemi.
125   La vostra tomba è un'ara; e qua mostrando
verran le madri ai parvoli le belle
orme del vostro sangue. Ecco io mi prostro,

161-2 e XII, 299-306) ma può essere stato suggerito al Leopardi da
Petrarca, *Rime*, XXVIII, 100-1: « ma Marathona, et le mortali strette / che difese il *leon* con poca gente », dove *leon* designa Leo-
nida secondo il gusto medievale dell'*interpretatio nominum*.
([108]) *l'ira de' greci petti e la virtute*: cfr. Foscolo, *Sepolcri*, v.201:
« la virtù greca e l'ira ». ([112]) *fra' primieri*, ‹tra i primi›. ([113]) *esso
tiranno*: ‹lo stesso tiranno›, come da una nota del Leopardi che cita lo Speroni: « Similmente lo Speroni dice che ‹amor vince essa
natura›, volendo dir ‹fino alla natura› ».   ([120]) *mentre*, ‹finché›.
([121]) *Prima divelte* ecc.: *adynaton* (o *impossibile*) nell'ordine dei
fenomeni naturali, secondo la più comune tradizione classica (nei
latini con *ante*, *prius*, talvolta *citius*, in costruzione temporale:
cfr. Virgilio, *Buc.*, I, 59-60; Properzio, II, 15, 31-2; Silio Italico,
Punica, IV, 253-5, ecc.). ([124]) *scemi*, ‹diminuisca›. ([125]) *La vo-*

o benedetti, al suolo,
e bacio questi sassi e queste zolle,
130 che fien lodate e chiare eternamente
dall'uno all'altro polo.
Deh foss'io pur con voi qui sotto, e molle
fosse del sangue mio quest'alma terra.
Che se il fato è diverso, e non consente
135 ch'io per la Grecia i moribondi lumi
chiuda prostrato in guerra,
così la vereconda
fama del vostro vate appo i futuri
possa, volendo i numi,
140 tanto durar quanto la vostra duri.

stra tomba è un'ara: traduce letteralmente un'espressione di Simonide. ([130]) *fien*, ‹saranno›. ([135]) *i moribondi lumi*, ‹gli occhi prossimi alla morte›; Simonide è rappresentato nella sua tarda età. ([137-40]) *così la vereconda... duri*: ‹la fama del vostro poeta, modesta (*vereconda*) in confronto alla vostra, possa durare
tanto (*così*) presso i posteri (*appo i futuri*) quanto durerà la
vostra›.

Composta tra il settembre e l'ottobre del 1818, pubblicata la prima volta in R18. Il manifesto per erigere con pubblica sottoscrizione un monumento a Dante a Firenze era stato diffuso nel luglio di quell'anno.

Come ha scritto il Blasucci, il largo sviluppo dato nella precedente canzone al canto di Simonide aveva lasciato in abbozzo una materia che stava a cuore al poeta («i danni patiti dall'Italia sotto i francesi, l'episodio dei caduti in Russia, il lamento conclusivo sui tempi perversi»). Nei confronti di questa materia il monumento a Dante costituisce soltanto una faticosa occasione di avvio.

Ma appare anche il motivo del «sonno» delle coscienze, che troverà largo sviluppo nella canzone al Mai, attraverso il quale soprattutto Leopardi riesce ad immettere nel suo linguaggio «una materia del tutto nuova, caricando i vocaboli di una responsabilità ideologico-affettiva ignota alla precedente tradizione».

Metro: aBCΛDBeFDGEFGHiHi per le strofe dispari e ABCΛDbEfDGEfGHiHi per le strofe pari; l'ultima strofa di 13 versi invece che di 17 (quasi un *congedo*), con schema AbACbDEDefGfG.

Perché le nostre genti
pace sotto le bianche ali raccolga,
non fien da' lacci sciolte
dell'antico sopor l'itale menti
5   s'ai patrii esempi della prisca etade
questa terra fatal non si rivolga.
O Italia, a cor ti stia
far ai passati onor; che d'altrettali
oggi vedove son le tue contrade,
10 né v'è chi d'onorar ti si convegna.
Volgiti indietro, e guarda, o patria mia,
quella schiera infinita d'immortali,
e piangi e di te stessa ti disdegna;
che senza sdegno omai la doglia è stolta:

(¹) *Perché*, ‹per quanto›; *incipit* che precede elaborata ipotassi, come in *Alla Primavera*, v. 1.   (²) *pace*: è la pace della Restaurazione ristabilita dopo il Congresso di Vienna (1814-15). (³) *fien*, ‹saranno›.   (⁴) *dell'antico sopor*: il tema del letargo storico sarà più ampiamente sviluppato nella successiva canzone *Ad Angelo Mai*; tema che ha riscontri nella tradizione, cfr. Petrarca, *Rime*, LIII, 10-7: « Che s'aspetti non so, né che s'agogni, / Italia, che suoi guai non par che senta: / vecchia, otiosa et lenta, / *dormirà sempre*, et non fia chi la svegli? / Le man l'avess'io avolto entro' capelli. // Non spero che già mai *dal pigro sonno* / mova la testa per chiamar ch'uom faccia... »; esempi si trovano anche nella successiva lirica civile del Sei e Settecento, fino al Foscolo (nell'*Ortis*, lettera del 19 e 20 febbraio da Ventimiglia, cit.): « perché oggi i nostri fasti ci sono cagione di superbia, ma non eccitamento *dall'antico letargo* ». Nell'*Angelo Mai* al silenzio e al sonno della patria verrà opposto il *clamor de' sepolti*.   (⁵) *prisca*, ‹antica›.   (⁶) *terra fatal*: predestinata sia alla grandezza che alla sventura.   (⁸) *ai passati*: ‹ai grandi del passato›.   *-d'altrettali*, ‹di pari a loro›.   (⁹) *vedove*, ‹prive›.   (¹⁰) *né v'è* ecc.: ‹e

15   volgiti e ti vergogna e ti riscuoti,
        e ti punga una volta
        pensier degli avi nostri e de' nepoti.

        D'aria e d'ingegno e di parlar diverso
        per lo toscano suol cercando gia
20   l'ospite desioso
        dove giaccia colui per lo cui verso
        il meonio cantor non è più solo.
        Ed, oh vergogna! udia
        che non che il cener freddo e l'ossa nude
25   giaccion esuli ancora
        dopo il funereo dì sott'altro suolo,
        ma non sorgea dentro a tue mura un sasso,
        Firenze, a quello per la cui virtude
        tutto il mondo t'onora.
30   Oh voi pietosi, onde sì tristo e basso
        obbrobrio laverà nostro paese!
        Bell'opra hai tolta e di ch'amor ti rende,
        schiera prode e cortese,
        qualunque petto amor d'Italia accende.

35   Amor d'Italia, o cari,

non c'è nessuno che valga la pena che tu onori›. ([14]) *che senza sdegno* ecc.: ‹che se non ti sdegni con te stessa non ha senso che tu ti addolori›. ([16]) *ti punga*, ‹ti sproni›. ([18]) *D'aria e d'ingegno* ecc.: ‹diverso nell'aspetto nell'indole e nella lingua› (il viaggiatore straniero, *l'ospite* del v.20). ([19]) *cercando gia*, ‹andava cercando›; cfr. il manifesto diffuso dai promotori dell'iniziativa per un monumento a Dante: «... e lo straniero che a noi si reca, tutto compreso di venerazione pe' rari uomini, che in ogni tempo hanno illustrato la Toscana, *cerca ansioso* il monumento di questi che sopra tutti gli altri com'aquila vola... ». ([21]) *dove giaccia* in dipendenza da *cercando gia* del v.19. ([22]) *il meonio cantor*: il poeta nativo della Meonia (o Lidia) in Asia Minore, cioè Omero; intendi ‹colui (Dante) per cui la grandezza di Omero non è più solitaria›. ([26]) *sott'altro suolo*: a Ravenna, lontano da Firenze, sua patria. ([30]) *Oh voi pietosi*: i firmatari del manifesto per l'erigendo monumento. *-onde*, ‹per mezzo dei quali›. ([32]) *Bell'opra hai tolta* ecc.: ‹hai iniziato una bella e nobile impresa e per la quale ti dà in cambio il suo consenso (*amor ti rende*)›; il

amor di questa misera vi sproni,
ver cui pietade è morta
in ogni petto omai, perciò che amari
giorni dopo il seren dato n'ha il cielo.
40   Spirti v'aggiunga e vostra opra coroni
misericordia, o figli,
e duolo e sdegno di cotanto affanno
onde bagna costei le guance e il velo.
Ma voi di quale ornar parola o canto
45   si debbe, a cui non pur cure o consigli,
ma dell'ingegno e della man daranno
i sensi e le virtudi eterno vanto
oprate e mostre nella dolce impresa?
Quali a voi note invio, sì che nel core,
50   sì che nell'alma accesa
nova favilla indurre abbian valore?

Voi spirerà l'altissimo subbietto,
ed acri punte premeravvi al seno.
Chi dirà l'onda e il turbo
55   del furor vostro e dell'immenso affetto?
chi pingerà l'attonito sembiante?
chi degli occhi il baleno?
qual può voce mortal celeste cosa

soggetto di *ti rende* è *qualunque petto* del v.34.   (37) *ver cui*,
‹verso la quale›.   (38) *perciò che*, ‹dato che›.   (40) *Spirti v'aggiunga*, ‹v'infonda fervore› (il soggetto è *misericordia... e duolo
e sdegno*, ai vv.41 e 42.   (43) *le guance e il velo*: elementi della
personificazione dell'Italia; il velo è segno regale, cfr. *All'Italia*,
v.14, *senza velo*.   (44-8) *Ma voi... impresa*: ‹Ma con quali parole e con quale canto dobbiamo rendere onore a voi, ai quali daranno eterno vanto non tanto l'impegno (*cure*) e i propositi (*consigli*), quanto i sentimenti che v'ispirano (*dell'ingegno... i sensi*) e
le facoltà artistiche (*della man... le virtudi*) che saranno messe in
atto e mostrate nel vostro nobile disegno?›.   (49) *note*, ‹rime,
versi›.   (50-1) *sì che... abbian valore*, ‹cosicché possano suscitare
nell'anima, già di per sé ispirata, una nuova scintilla?›   (52) *spirerà*, ‹ispirerà›.   (53) *acri punte*, ‹fervidi stimoli›.   (54) *l'onda e
il turbo*, ‹la piena e la violenza›.   (56) *chi pingerà* ecc.: rappresentazione drammatica dell'artista impegnato nel difficile compito di raffigurare Dante.   (58-9) *qual può... figurando?*: la *voce*

agguagliar figurando?
60 Lunge sia, lunge alma profana. Oh quante
lacrime al nobil sasso Italia serba!
Come cadrà? come dal tempo rosa
fia vostra gloria o quando?
Voi, di ch'il nostro mal si disacerba,
65 sempre vivete, o care arti divine,
conforto a nostra sventurata gente,
fra l'itale ruine
gl'itali pregi a celebrare intente.

Ecco voglioso anch'io
70 ad onorar nostra dolente madre
porto quel che mi lice,
e mesco all'opra vostra il canto mio,
sedendo u' vostro ferro i marmi avviva.
O dell'etrusco metro inclito padre,
75 se di cosa terrena,
se di costei che tanto alto locasti
qualche novella ai vostri lidi arriva,
io so ben che per te gioia non senti,
che saldi men che cera e men ch'arena,
80 verso la fama che di te lasciasti,
son bronzi e marmi; e dalle nostre menti

che *figura* è una sinestesia involontaria (*voce mortal* è infatti metonimia per ‹uomo›). (⁶⁰) *lunge sia* ecc.: cfr. Virgilio, *Aen.*, vi,
258: «Procul o procul este profani». (⁶¹) *al nobil sasso*: il
monumento. (⁶³) *fia vostra gloria*: il *voi* è rivolto alle *care arti
divine* del v.65; *fia*, ‹sarà›. (⁶⁴) *di ch'il nostro mal di disacerba*:
‹per le quali il nostro male è alleviato›; cfr. Petrarca, *Rime*,
xxiii, 4: «perché cantando il duol si disacerba». (⁷¹) *mi lice*,
‹mi è concesso›. (⁷³) *u'*, ‹dove›. *-vostro ferro*, ‹il vostro scal-
pello›. (⁷⁶) *di costei*, dell'Italia. (⁷⁷) *ai vostri lidi*, ‹nell'aldi-
là›. (⁷⁸) *io so ben* ecc.: ‹io so che tu non senti gioia per te di
questo monumento› (ma per l'Italia a cui è idealmente dedicato); il vocativo è rivolto a Dante, padre *dell'etrusco metro*, v.74.
Il motivo è ripreso all'inizio della strofa successiva. (⁷⁹⁻⁸¹) *che
saldi men... marmi*: ‹perché al confronto della durevolezza della
tua fama il marmo e il bronzo sono meno stabili della sabbia e
della cera›. (⁸¹⁻⁵) *e dalle nostre menti... oscura*: ‹e se mai sei
ancora caduto, o cadrai, dalla nostra memoria, allora cresca la

se mai cadesti ancor, s'unqua cadrai,
cresca, se crescer può, nostra sciaura,
e in sempiterni guai
85   pianga tua stirpe a tutto il mondo oscura.

Ma non per te; per questa ti rallegri
povera patria tua, s'unqua l'esempio
degli avi e de' parenti
ponga ne' figli sonnacchiosi ed egri
90   tanto valor che un tratto alzino il viso.
Ahi, da che lungo scempio
vedi afflitta costei, che sì meschina
te salutava allora
che di novo salisti al paradiso!
95   oggi ridotta sì che a quel che vedi,
fu fortunata allor donna e reina.
Tal miseria l'accora
qual tu forse mirando a te non credi.
Taccio gli altri nemici e l'altre doglie;
100   ma non la più recente e la più fera,
per cui presso alle soglie
vide la patria tua l'ultima sera.

Beato te che il fato
a viver non dannò fra tanto orrore;
105   che non vedesti in braccio
l'itala moglie a barbaro soldato;
non predar, non guastar cittadi e còlti

nostra sciagura, se può essere più grande che al presente, e pianga in eterno la tua stirpe, oscurata per sempre nel mondo delle nazioni›. (86) *Ma non per te*: ripresa del *per te gioia non senti* del v.78. (87) *s'unqua*, ‹se mai›, anche al v.83. (94) *di novo*: ‹per la seconda volta› dopo il viaggio fantastico, con la sua morte; cfr. *Par.*, XV, 29-30: « sicut tibi, cui / bis unquam caeli ianua reclusa? ». (95) *a quel*, ‹rispetto a quello›. (96) *donna*: cfr. *All'Italia*, 24. (100) *ma non la più recente* ecc.: in R18 e B24 « ma non la Francia scellerata e nera ». L'apostrofe anti-francese aveva offeso alcuni spiriti liberali e il poeta se ne duole nella lettera al Brighenti del 21 aprile 1820. (101) *presso le soglie*, ‹ormai prossima›. (107) *còlti*, ‹la campagna›. (108) *il peregrin fu-*

l'asta inimica e il peregrin furore;
non degl'itali ingegni
110 tratte l'opre divine a miseranda
schiavitude oltre l'alpe, e non de' folti
carri impedita la dolente via;
non gli aspri cenni ed i superbi regni;
non udisti gli oltraggi e la nefanda
115 voce di libertà che ne schernia
tra il suon delle catene e de' flagelli.
Chi non si duol? che non soffrimmo? intatto
che lasciaron quei felli?
qual tempio, quale altare o qual misfatto?

120 Perché venimmo a sì perversi tempi?
perché il nascer ne desti o perché prima
non ne desti il morire,
acerbo fato? onde a stranieri ed empi
nostra patria vedendo ancella e schiava,
125 e da mordace lima
roder la sua virtù, di null'aita
e di nullo conforto
lo spietato dolor che la stracciava
ammollir ne fu dato in parte alcuna.
130 Ahi non il sangue nostro e non la vita
avesti, o cara; e morto

---

rore, ‹la rabbia straniera›.   ([110]) *l'opre divine*: si riferisce alle
opere d'arte saccheggiate da Napoleone.   ([115]) *voce di libertà*,
‹parole di libertà›; che schernivano, perché in contrasto col reale
atteggiamento degl'invasori.   ([118]) *felli*, ‹malvagi›.   ([119]) *qual misfat-*
to: zeugma semanticamente complicato; la parola misfatto non si
allinea infatti con le due che la precedono, per cui essa cambia il
significato del verbo (*intatto... che lasciaron*) in ‹lasciarono in-
tentato›, con l'autorizzazione del latinismo da *intactus* che possiede ambedue i sensi.   ([123]) *acerbo fato*: continuo è lo scambio
delle persone o entità cui il poeta si rivolge sul filo eloquente dei
vocativi.   ([123-9]) *onde a stranieri... in parte alcuna*: ‹per cui vedendo la nostra patria schiava degli stranieri e dei malvagi, e la
sua virtù esser rosa da un'aspra lima, il dolore spietato che la
lacerava non ci fu concesso di mitigarlo minimamente con qualche aiuto e conforto›.   ([131]) *o cara*: il poeta si rivolge ora alla pa-

io non son per la tua cruda fortuna.
Qui l'ira al cor, qui la pietade abbonda:
pugnò, cadde gran parte anche di noi:

135   ma per la moribonda
Italia no; per li tiranni suoi.

Padre, se non ti sdegni,
mutato sei da quel che fosti in terra.
Morian per le rutene

140   squallide piagge, ahi d'altra morte degni,
gl'itali prodi; e lor fea l'aere e il cielo
e gli uomini e le belve immensa guerra.
Cadeano a squadre a squadre
semivestiti, maceri e cruenti,

145   ed era letto agli egri corpi il gelo.
Allor, quando traean l'ultime pene,
membrando questa desiata madre,
diceano: oh non le nubi e non i venti,
ma ne spegnesse il ferro, e per tuo bene,

150   o patria nostra. Ecco da te rimoti,
quando più bella a noi l'età sorride,
a tutto il mondo ignoti,
moriam per quella gente che t'uccide.

---

tria. ([133]) *abbonda*: con reggenza al dativo, difesa da Leopardi nelle sue *Annotazioni*. ([134]) *pugnò* ecc.: si riferisce agl'italiani che caddero durante le guerre napoleoniche. ([137]) *Padre*: rivolgendosi a Dante il poeta rievoca la fine degl'italiani che caddero nella campagna di Napoleone in Russia, elemento centrale e chiave di volta della canzone. «Questa parte della canzone, mentre si lega da un lato al suo fondamentale tema patriottico, tende a farsi valere su questo tema, ponendosi come il primo grande canto leopardiano sull'infelicità umana» (Blasucci). ([139]) *rutene*, ‹russe›. ([140]) *squallide piagge*: le steppe desolate. ([141]) *fea*, ‹faceva›. *-l'aere e il cielo*, ‹il clima e le intemperie›. ([144]) *cruenti*, ‹insanguinati›. ([146]) *Allor*, come *tum* latino, per introdurre il discorso diretto dei caduti. *-traean l'ultime pene*, ‹esalavano l'ultimo, doloroso respiro›. ([147]) *membrando*, ‹ricordando›. *-questa desiata madre*: la patria lontana. ([149]) *ne spegnesse*, ‹ci spegnesse, ci togliesse la vita›. ([153]) *quella gente*: i francesi (che ti opprimono).

Di lor querela il boreal deserto
155 e conscie fur le sibilanti selve.
Così vennero al passo,
e i negletti cadaveri all'aperto
su per quello di neve orrido mare
dilaceràr le belve;
160 e sarà il nome degli egregi e forti
pari mai sempre ed uno
con quel de' tardi e vili. Anime care,
bench'infinita sia vostra sciagura,
datevi pace; e questo vi conforti
165 che conforto nessuno
avrete in questa o nell'età futura.
In seno al vostro smisurato affanno
posate, o di costei veraci figli,
al cui supremo danno
170 il vostro solo è tal che s'assomigli.

Di voi già non si lagna ·
la patria vostra, ma di chi vi spinse
a pugnar contra lei,
sì ch'ella sempre amaramente piagna
175 e il suo col vostro lacrimar confonda.
Oh di costei ch'ogni altra gloria vinse
pietà nascesse in core
a tal de' suoi ch'affaticata e lenta

---

(155) *conscie fur*, ‹furono testimoni›. -*sibilanti selve*: con allitterazione di valore fono-simbolico. (156) *al passo*: cfr. *All'Italia*:
v.93: « correste *al passo* lacrimoso e duro » (ma desolata e senza gloria la morte degl'italiani in Russia in confronto a quella degli eroi greci). (157) *negletti*, ‹abbandonati›. (158) *su per quello
di neve* ecc.: il rallentamento provocato dall'iperbato accentua
l'idea della vastità; « verso di stampo foscoliano » (De Robertis). (159) *dilaceràr*, ‹dilaniarono›. (161) *mai sempre*, ‹per sempre›. -*ed uno*, ‹e tutt'uno›. (165) *che conforto nessuno*: è la gioia
barbara della disperazione, come vendetta contro il destino, di cui
Leopardi parla in parecchi luoghi dello *Zibaldone*, cfr. ad es. 1545-
6. (168) *costei*: la patria. (169-70) *al cui supremo... s'assomigli*: ‹alla
rovina della quale, talmente grande, può paragonarsi soltanto la
grandezza della vostra rovina›. (172) *di chi*: Napoleone. (178) *a*

di sì buia vorago e sì profonda
180   la ritraesse! O glorioso spirto,
dimmi: d'Italia tua morto è l'amore?
Di': quella fiamma che t'accese, è spenta?
Di': né più mai rinverdirà quel mirto
ch'alleggiò per gran tempo il nostro male?
185   Nostre corone al suol fien tutte sparte?
né sorgerà mai tale
che ti rassembri in qualsivoglia parte?

In eterno perimmo? e il nostro scorno
non ha verun confine?
190   Io mentre viva andrò sclamando intorno,
volgiti agli avi tuoi, guasto legnaggio;
mira queste ruine
e le carte e le tele e i marmi e i templi;
pensa qual terra premi; e se destarti
195   non può la luce di cotanti esempli,
che stai? levati e parti.
Non si conviene a sì corrotta usanza
questa d'animi eccelsi altrice e scola:
se di codardi è stanza,
200   meglio l'è rimaner vedova e sola.

---

tal de' suoi, ‹a qualcuno dei suoi figli›. -*affaticata e lenta*, ‹spossata e intorpidita›. ([180]) *O glorioso spirto*: Dante. ([184]) *ch' alleggiò*: *unicum* nei *Canti*, ‹allevió›; nella *Torta*, leopardiana traduzione del *Moretum*, vv.41-2: « e con suo rozzo canto rusticano / *alleggia* sua fatica il buon villano »; è verbo dantesco, cfr. *Inf.*, XXII, 22: « ad alleggiar la pena » (qui a mitigare il male è il *mirto*, la poesia). ([186]) *tale*, ‹qualcuno›. ([187]) *che ti rassembri* ecc.: ‹che in qualche modo ti assomigli›. ([190]) *mentre viva*, ‹finché vivrò›. ([196]) *che stai?*, ‹perché indugi?›. ([197]) *a sì corrotta usanza*, ‹a costumi così corrotti›. ([198]) *altrice e scola*, ‹madre e maestra›. ([200]) *l'è*, ‹è per lei›. -*vedova e sola*, ‹desolata e deserta›; cfr. Dante, *Purg.*, VI, 112-3: « Vieni a veder la tua Roma che piagne / *vedova e sola*, e dì e notte chiama ».

QUAND'EBBE TROVATO I LIBRI DI CICERONE DELLA
«REPUBBLICA»

Scritta nel gennaio 1820, pubblicata da sola in B20 e successivamente in B24 con *Dedica* al conte Leonardo Trissino,
dedica corretta dal Leopardi in B24, temendo di compromettere politicamente l'erudito vicentino amico del Giodani e suo corrispondente.

La galleria dei personaggi esibita in questa alta canzone
leopardiana costituisce una serie di abbozzi di possibili tragedie alfieriane. Ma già nella *Corinne* di M.me De Staël, letta con giovanile fervore dal Leopardi, figure come Dante,
Ariosto, Petrarca, Tasso erano evocate come esempi paradigmatici del destino dell'uomo. Risarcita da un tono di
patetica drammaticità, la serie non esclude l'intervento doloroso dell'io del poeta, a diretta testimonianza dei tempi
squallidi e morti della Restaurazione. La canzone vive nella denuncia di questo clima incombente (e il lessico punta
come ha osservato il Galimberti, su verbi che esprimono
immersione, avvolgimento), ampliando il tema del sonno e
dell'ozio che già era apparso nella seconda canzone (lo stato d'animo del poeta si esprime, in questo stesso periodo, in
molte lettere e passi dello *Zibaldone*).
Come ha scritto Ungaretti, «alle simmetrie ricorrenti del
secol morto vengono nella canzone ad intrecciarsi le simmetrie dell'altro tema ricorrente, quello del *clamor dei sepolti*. I
valori poetici non esisterebbero in essa se il sentimento del
perire non avesse potuto ricorrere ai rapporti di durata che
il *clamor dei sepolti* suscita in opposizione al *secol morto*».

Metro: strofe di 15 versi con schema AbCBCDeFGDeFGHH.
Permangono forti asimmetrie sintattiche rispetto alla struttura metrica della canzone. La rima baciata in chiusa della
strofa sembra favorire la *pointe* finale, di carattere gnomico

e sentenzioso, per cui Ungaretti ha visto l'*Angelo Mai* «are-narsi in ogni strofa, ma sempre con qualche verso alato, in ‹prosa misurata›».

Italo ardito, a che giammai non posi
di svegliar dalle tombe
i nostri padri? ed a parlar gli meni
a questo secol morto, al quale incombe
5   tanta nebbia di tedio? E come or vieni
sì forte a' nostri orecchi e sì frequente,
voce antica de' nostri,
muta sì lunga etade? e perché tanti
risorgimenti? In un balen feconde
10   venner le carte; alla stagion presente
i polverosi chiostri
serbaro occulti i generosi e santi
detti degli avi. E che valor t'infonde,
Italo egregio, il fato? O con l'umano
15   valor forse contrasta il fato invano?

Certo senza de' numi alto consiglio

(¹) *Italo ardito*: Angelo Mai (1782-1854), insigne filologo e custode della Biblioteca Vaticana.   *-non posi*, ‹non cessi›.   (⁵) *tanta
nebbia di tedio*: immagine del clima stagnante della Restaurazione; da collocare in una specifica costellazione che comprende
l'ozio del v.59, *il fastidio* del v.74; e vedi al v.18 il *disperato
obblio*.   (⁵) *come or vieni*: il soggetto-vocativo è *voce antica de'
nostri*, v.7, voce dei grandi della classicità rimasta muta per lunghi secoli.   (⁹) *risorgimenti*: miracolose riapparizioni di testi perduti.   *-In un balen*: si oppone alla *lunga etade* durante la quale
quei testi erano rimasti ignoti.   (¹⁰) *venner*, ‹divennero›.   *-le
carte*, ‹i codici›.   (¹¹) *i polverosi chiostri*: dei monasteri, nelle cui
biblioteche furono conservate molte opere dell'antichità.   (¹³) *E
che valor* ecc.: ‹quale valore t'infonde nell'animo il destino? O
forse il destino non può lottare con la determinazione e il valore
umano?›   (¹⁶) *Certo senza de' numi* ecc.: ‹certamente senza un

non è ch'ove più lento
e grave è il nostro disperato obblio,
a percoter ne rieda ogni momento
20   novo grido de' padri. Ancora è pio
dunque all'Italia il cielo; anco si cura
di noi qualche immortale:
ch'essendo questa o nessun'altra poi
l'ora da ripor mano alla virtude
25   rugginosa dell'itala natura,
veggiam che tanto e tale
è il clamor de' sepolti, e che gli eroi
dimenticati il suol quasi dischiude,
a ricercar s'a questa età sì tarda
30   anco ti giovi, o patria, esser codarda.

Di noi serbate, o gloriosi, ancora
qualche speranza? in tutto
non siam periti? A voi forse il futuro
conoscer non si toglie. Io son distrutto

divino disegno del cielo non è possibile che venga a scuoterci la
voce degli avi, proprio ora che così grave e senza speranza è il
nostro oblio dei padri›. Nella lettera del Leopardi ad Angelo Mai
del 10 gennaio 1820: « ... lo strepito e lo splendore della sua scoperta è tale da risvegliare i più sonnacchiosi e deboli ». Si annuncia il tema centrale del *clamor de' sepolti*.   [19] *rieda*, ‹ritorni›.
[23] *ch'essendo questa* ecc.: ‹poiché, essendo questo o nessun altro
il momento di riprendere in mano l'arrugginito valore dell'Italia,
ci accorgiamo che così alta è la voce dei trapassati e che il suolo quasi si dischiude agli eroi dimenticati, perché essi ti chiedano
se tu, o patria, dopo tanti secoli d'ignavia sei ancora contenta della tua viltà›.   [27] *gli eroi*: in una vasta accezione che comprende gli scrittori, gli scienziati, ecc. che si sono distinti per la nobiltà dell'ingegno.   [30] *esser codarda*: il tema della codardia vivo
nel Leopardi delle canzoni, e vedi nota al v.37 della canzone *Al-
l'Italia*.   [34] *non si toglie*, ‹non è vietato, è possibile›.   *-Io son
distrutto*: apparizione della dolente soggettività del poeta secondo un procedimento psicologico-stilistico caratteristico del Leopardi ‹eroico›: si veda lo stato d'animo del poeta, nei mesi che
precedono la composizione, nella lettera al Giordani del 19 dicembre 1819: « Non ho più lena di concepire nessun desiderio,
neanche della morte... »; e due giorni prima, sempre al Giordani:

35   né schermo alcuno ho dal dolor, che scuro
         m'è l'avvenire, e tutto quanto io scerno
         è tal che sogno e fola
         fa parer la speranza. Anime prodi,
         ai tetti vostri inonorata, immonda
40   plebe successe; al vostro sangue è scherno
         e d'opra e di parola
         ogni valor; di vostre eterne lodi
         né rossor più né invidia; ozio circonda
         i monumenti vostri; e di viltade
45   siam fatti esempio alla futura etade.

« Mio caro amico, sola persona ch'io veda in questo formidabile deserto del mondo, io già sento d'esser morto ». Ancora al Giordani, il 6 marzo del 1820: « Ora sono stecchito e inaridito come una canna secca, e nessuna passione trova più l'entrata di questa povera anima, e la stessa onnipotenza eterna e sovrana dell'amore è annullata a rispetto mio nell'età in cui mi trovo ». [38] *speranza*: momento fondamentale della felicità umana nella riflessione leopardiana, « la somma felicità possibile dell'uomo in questo mondo » (*Zibaldone*, 76). Qui il tema si presenta nel contesto eroico delle canzoni, ma con la stessa pertinenza, rispetto alla poetica leopardiana, che nei futuri idilli. [39] *inonorata, immonda*: coppia allitterante, per identità del prefisso negativo (la negazione si realizza spesso in Leopardi con aggettivi di questo genere); vedi anche al v.85 *ignota immensa*. [40] *plebe*: gli uomini meschini che fanno la storia del presente. *-al vostro sangue* ecc.: ‹per i vostri discendenti ogni valore di imprese od opere letterarie è oggetto di scherno›. [42] *di vostre eterne lodi*, sott. ‹non c'è, non si prova più›. [43] *ozio circonda*: cfr. la nota al v.5; inizia la serie dei verbi che significano immersione, avvolgimento ecc.: si veda « Oh tempi, oh tempi *avvolti* / in sonno eterno », vv.56-7; « il mal che n'addolora / del tedio che *n'affoga* », vv.71-2; « A noi le fasce / *cinse* il fastidio », vv.73-4, ecc. Metafora spaziale, avvolgente, di un clima storico. Anche il *nulla* che compendia questa sensazione spaziale sarà « figura vichianamente corpulenta » (Galimberti). [44] *i monumenti vostri*, ‹le opere da voi lasciate›. [46-55] ‹O nobile ingegno, se agli altri non importa la lezione degli antichi, importi a te che il destino ha così benignamente favorito da far sembrare tornati quei giorni quando, attraverso la rinascita degli studi, risollevavano il capo i grandi della classicità, ai quali la natura parlò senza che fosse strappato il suo poetico velo, rallegrando i magnanimi riposi di Atene

Bennato ingegno, or quando altrui non cale
de' nostri alti parenti,
a te ne caglia, a te cui fato aspira
benigno sì che per tua man presenti
50 paion que' giorni allor che dalla dira
obblivione antica ergean la chioma,
con gli studi sepolti,
i vetusti divini, a cui natura
parlò senza svelarsi, onde i riposi
55 magnanimi allegrâr d'Atene e Roma.
Oh tempi, oh tempi avvolti
in sonno eterno! Allora anco immatura
la ruina d'Italia, anco sdegnosi
eravam d'ozio turpe, e l'aura a volo
60 più faville rapia da questo suolo.

Eran calde le tue ceneri sante,
non domito nemico
della fortuna, al cui sdegno e dolore
fu più l'averno che la terra amico.
65 L'averno: e qual non è parte migliore
di questa nostra? E le tue dolci corde
susurravano ancora
dal tocco di tua destra, o sfortunato
amante. Ahi dal dolor comincia e nasce

e di Roma». ⁽⁴⁸⁾ *aspira,* latinismo; giustificato dal Leopardi, con molti esempi italiani, nelle sue *Annotazioni.* ⁽⁵⁰⁾ *que' giorni,* dell'Umanesimo e del Rinascimento; a quell'epoca fanno riferimento anche i *tempi* del v.56. ⁽⁵⁴⁾ *senza svelarsi*: cfr. *Discorso intorno alla poesia romantica*: «La natura non si palesa ma si nasconde... violentata e scoperta non concede più quei diletti che prima offeriva spontaneamente». ⁽⁶⁰⁾ *faville,* segni di grandezza, come in Dante, *Par.*, XVII, 13: «parran *faville* della sua virtude». ⁽⁶²⁾ *non domito nemico*: Dante, di cui si riecheggia il verso di *Inf.*, II, 61: «amico mio e non della ventura». La rievocazione del poeta è di colore foscoliano. ⁽⁶⁸⁻⁹⁾ *o sfortunato / amante*: Petrarca. ⁽⁶⁹⁾ *Ahi dal dolor* ecc.: il confronto tra dolore e tedio è svolto nei sette versi che chiudono la strofa; i membri della contrapposizione, iterata due volte, sono distinti dalla rima interna (apparentemente improduttiva sul piano fonico perché lontana) *canto* al v.70 e *pianto* al v.73, ambedue in clausola

70　　　l'italo canto. E pur men grava e morde
　　　　il mal che n'addolora
　　　　del tedio che n'affoga. Oh te beato,
　　　　a cui fu vita il pianto! A noi le fasce
　　　　cinse il fastidio; a noi presso la culla
75　　　immoto siede, e su la tomba, il nulla.

　　　　Ma tua vita era allor con gli astri e il mare,
　　　　ligure ardita prole,
　　　　quand'oltre alle colonne, ed oltre ai liti
　　　　cui strider l'onde all'attuffar del sole
80　　　parve udir su la sera, agl'infiniti
　　　　flutti commesso, ritrovasti il raggio
　　　　del Sol caduto, e il giorno
　　　　che nasce allor ch'ai nostri è giunto al fondo;
　　　　e rotto di natura ogni contrasto,
85　　　ignota immensa terra al tuo viaggio
　　　　fu gloria, e del ritorno
　　　　ai rischi. Ahi ahi, ma conosciuto il mondo
　　　　non cresce, anzi si scema, e assai più vasto
　　　　l'etra sonante e l'alma terra e il mare

di proposizioni esclamative. [72] *del tedio*: cfr. la riflessione del Leopardi in *Zibaldone*, 72: « Tutto è nulla al mondo, anche la mia disperazione... Misero me, è vano, è un nulla anche questo mio dolore, che in un certo tempo passerà e s'annullerà, lasciandomi un vòto universale e in un'indolenza terribile che mi farà incapace anche di dolermi ». Il motivo del rapporto tra il dolore vivo ed eroico e la noia del presente prelude a quello del nulla, « ombra reale e salda ». [73] *A noi le fasce*: le fasce degl'infanti, metafora della sventura di nascere *nella sera delle umane cose*. [75] *siede*: il nulla sostituisce le Pimplee foscoliane che « *siedon* custodi de' sepolcri »; qui *il nulla* posto a sigillo della strofa si apre a un'idea della morte « come presenza immanente in tutto il reale, incorporata nella struttura delle cose da quando la speculazione razionalistica ha spogliato del *verde* la vita e ne ha scoperto lo squallore » (Galimberti). [77] *ligure ardita prole*: Cristoforo Colombo. [79] *cui strider l'onde* ecc.: cfr. le *Note ai Canti* del Leopardi in appendice. [80] *parve*, ai *liti*. [81] *commesso*, ‹affidato (affidandoti)›. [83] *ai nostri*, sott. *liti*. [84] *contrasto*, ‹ostacolo›. [88] *si scema*, ‹diminuisce›. [89] *etra*, sost. maschile, quasi sempre accompagnato nelle canzoni da epiteti

90   al fanciullin, che non al saggio, appare.

        Nostri sogni leggiadri ove son giti
        dell'ignoto ricetto
        d'ignoti abitatori, o del diurno
        degli astri albergo, e del rimoto letto
95   della giovane Aurora, e del notturno
        occulto sonno del maggior pianeta?
        Ecco svaniro a un punto,
        e figurato è il mondo in breve carta;
        ecco tutto è simíle, e discoprendo,
100   solo il nulla s'accresce. A noi ti vieta
        il vero appena è giunto,

ornanti di una classicità lucida e fredda, cfr. *curvo etra*, in *Alla Primavera*, 68-9; *etra liquido*, in *Ultimo canto di Saffo*, 9. Sostituito più avanti da *sereno* nella lingua dei *Canti*, vedi nota al v.29 del *Passero solitario*.   [90] *al fanciullin* ecc.: cfr. *Zibaldone*, 1464-5: « La scienza distrugge i principali piaceri dell'animo nostro, perché determina le cose e ce ne mostra i confini, benché in moltissime cose abbia materialmente ingrandito d'assaissimo le nostre idee... Quindi l'ignoranza, la quale sola può nascondere i confini delle cose, è la fonte principale delle idee ecc., indefinite. Quindi è la maggior sorgente di felicità, e perciò la fanciullezza è l'età più felice dell'uomo, la più paga di se stessa, meno soggetta alla noia ». La contrapposizione tra saggio e fanciullo, di ascendenza leopardiana, in Cardarelli, *Adolescente*: *Così la fanciullezza / fa ruzzolare il mondo / e il saggio non è che un fanciullo / che si duole di essere cresciuto*, privata però dell'alone storico, fortemente drammatico, che ha in Leopardi.   [91] *leggiadri*, per estensione ‹poetici›, come gli *studi leggiadri* di *A Silvia*, 15.   [92] *dell'ignoto ricetto*: genitivo di argomento, ‹intorno all'ignota dimora›.   [93] *d'ignoti abitatori*: Pigmei, Giganti, Centauri, Ciclopi, Arimaspi e Cinocefali, e le favole relative, di cui Leopardi ha parlato nei capp. xv e xvi del *Saggio sugli errori popolari degli antichi*.   [93-4] *del diurno / degli astri albergo*: il luogo dove gli astri si riparano durante il giorno.   [97] *svaniro*: riferito a *sogni*.   [98] *e figurato* ecc.: ‹e tutto il mondo è ormai noto e rappresentato sulle carte geografiche›.   [99] *discoprendo*: il Leopardi nell'*Annuncio* delle canzoni: « Più scoperte si fanno nelle cose naturali, e più si accresce nella nostra immaginazione la nullità dell'universo ».   [100] *A noi ti vieta* ecc.: l'immaginazione è distrutta « dalla considerazione del vero » (*Zibaldone*, 177).

o caro immaginar; da te s'apparta
nostra mente in eterno; allo stupendo
poter tuo primo ne sottraggon gli anni;
105   e il conforto perì de' nostri affanni.

Nascevi ai dolci sogni intanto, e il primo
sole splendeati in vista,
cantor vago dell'arme e degli amori,
che in età della nostra assai men trista
110   empièr la vita di felici errori:
nova speme d'Italia. O torri, o celle,
o donne, o cavalieri,
o giardini, o palagi! a voi pensando,
in mille vane amenità si perde
115   la mente mia. Di vanità, di belle
fole e strani pensieri
si componea l'umana vita: in bando
li cacciammo: or che resta? or poi che il verde
è spogliato alle cose? Il certo e solo
120   veder che tutto è vano altro che il duolo.

O Torquato, o Torquato, a noi l'eccelsa

([102]) *s'apparta*, ‹s'allontana›.   ([104]) *gli anni*, ‹l'esperienza della vita›.   ([105]) *perì*, al passato remoto come *svaniro* del v.97, là riferito a *nostri sogni* qui al *caro immaginar*, solo conforto dell'uomo.   ([106]) *intanto*: negli anni in cui Colombo scopriva l'America. ([108]) *cantor vago*: Ludovico Ariosto.   ([110]) *felici errori*, ‹immaginazioni che rendono felice la vita›; cfr. *Zibaldone*, 152, in data 5 luglio 1820: «Forte era l'immaginazione di Omero e di Dante, feconda quella di Ovidio e dell'Ariosto... Quella facilmente rende l'uomo infelice per la profondità delle sensazioni, questa al contrario lo rallegra colla varietà e colla facilità di fermarsi sopra tutti gli oggetti e di abbandonarli e conseguentemente colla copia delle sensazioni».   ([118]) *il verde*: è l'immaginazione; cfr. l'espressione dantesca: «mentre che la speranza ha fior del verde», *Purg.*, II, 135.   ([121]) *O Torquato*: il Tasso è visto dal Leopardi come uno dei poeti che più acutamente hanno percepito la nullità di tutte le cose. Cfr. *Zibaldone*, 141, dove Leopardi confronta il dolore vitale, proveniente dall'immaginazione e dalla passione, al senso di vuoto e di tedio, più simile alla morte, «di una grande anima piena una volta d'immaginazione e poi spogliatane affat-

tua mente allora, il pianto
a te, non altro, preparava il cielo.
Oh misero Torquato! il dolce canto
125   non valse a consolarti o a sciorre il gelo
onde l'alma t'avean, ch'era sì calda,
cinta l'odio e l'immondo
livor privato e de' tiranni. Amore,
amor, di nostra vita ultimo inganno,
130   t'abbandonava. Ombra reale e salda
ti parve il nulla, e il mondo
inabitata piaggia. Al tardo onore
non sorser gli occhi tuoi; mercè, non danno,
l'ora estrema ti fu. Morte domanda
135   chi nostro mal conobbe, e non ghirlanda.

Torna torna fra noi, sorgi dal muto
e sconsolato avello,
se d'angoscia sei vago, o miserando

to », sentimento che rende « sensibile e palpabile la vanità delle
cose » (cfr. qui *ombra reale e salda* al v.130); « condizione del-
l'anima » di cui « non si sa se non di pochi che l'abbiano prova-
ta, come del Tasso ». (121-3) *a noi l'eccelsa... il cielo*: ‹il cielo
predisponeva per te il pianto, per noi la tua alta poesia (*l'eccelsa / tua mente*)›. (125) *sciorre,* ‹sciogliere›. *-il gelo*: condizione spirituale d'insensibilità e noia per cui vedi il passo dello *Zibaldone* citato per il v.121. Nel Tasso il Leopardi proietta la propria immagine; cfr. la lettera al Giordani del 17 dicembre 1819:
« io ti amerò con tutto quel calore che avanza a quest'anima *assi-
derata e abbrividita* »; e nella lettera a Pietro Brighenti del 20
agosto 1820: « ho l'animo così *agghiacciato* e appassito dalla continua infelicità, ed anche dalla misera cognizione del vero ».
(126-128) *onde l'alma... de' tiranni*: ‹con cui ti avevano cinto l'anima l'odio e il livore dei privati e dei tiranni›; per *cinta* cfr. la
nota al v.43. (128) *livor privato*: quello dei detrattori del Tasso.
-e de' tiranni: gli Estensi. (129) *ultimo inganno,* ‹estrema illusione›. (130) *Ombra reale e salda*: cfr. *Zibaldone*, 85: « tutto è nulla,
solido nulla »; eco di Dante, *Purg.*, XXI, 136: « trattando *l'ombre*
come *cosa salda* ». (132) *tardo onore*: l'incoronazione in Campidoglio, che si stava disponendo quando il Tasso morì. (133) *non
sorser,* ‹non si alzarono›. *-mercè, non danno,* ‹una grazia, non
un male›. (135) *nostro mal,* ‹la miseria dell'uomo›. *-ghirlanda,*
‹corona (d'alloro)›, cfr. v.132. (138) *vago,* ‹desideroso›. (143) *se,*

esemplo di sciagura. Assai da quello
140   che ti parve sì mesto e sì nefando,
è peggiorato il viver nostro. O caro,
chi ti compiangeria,
se, fuor che di se stesso, altri non cura?
chi stolto non direbbe il tuo mortale
145   affanno anche oggidì, se il grande e il raro
ha nome di follia;
né livor più, ma ben di lui più dura
la noncuranza avviene ai sommi? o quale,
se più de' carmi, il computar s'ascolta,
150   ti appresterebbe il lauro un'altra volta?

Da te fino a quest'ora uom non è sorto,
o sventurato ingegno,
pari all'italo nome, altro ch'un solo,
solo di sua codarda etate indegno

---

fuor che di se stesso ecc.: per questo verso e i seguenti cfr. *Zibaldone*, 538, in data 21 gennaio 1821: « Chi è o fu più felice? Gli antichi coi loro sacrifizi, le loro cure, le loro inquietudini, negozi, attività, imprese, pericoli: o noi colla nostra sicurezza, tranquillità, *non curanza, ordine, pace, inazione, amore del nostro bene e non curanza di quello degli altri* e del pubblico ecc. Gli antichi col loro eroismo o noi col nostro egoismo? » Legato a un'immagine paradigmatica degli antichi il Leopardi tratteggia, con la descrizione dell'uomo moderno, il clima morale della Restaurazione dove dominano soltanto il desiderio d'ordine e l'egoismo; in questi versi l'egoismo si configura come *noncuranza dei sommi*.   ([149]) *il computar s'ascolta*, da parte dei principi, che più che ai poeti s'interessano al computo della propria forza e potenza, perché « in computisteria si decidono le sorti del mondo »; così il Leopardi in *Zibaldone* (1006-7), il quale osserva che questa è « una naturale conseguenza della misera spiritualizzazione delle cose umane, derivata dall'esperienza, dalla cognizione sì propagata e cresciuta, dall'esilio della natura, sola madre della vita... Della quale spiritualizzazione, che è quasi lo stesso con l'annullamento, risulta che oggi in luogo di fare, *si debba computare* »; effetto di tutto questo è che « ora una tal vita non si può distinguere dalla morte, e dev'essere tutt'uno con questa »; pur non essendo così specifico, il *computar* del v.149 circola negli immediati dintorni del passo dello *Zibaldone*.   ([153]) *solo*: da riferire, do-

155 Allobrogo feroce, a cui dal polo
maschia virtù, non già da questa mia
stanca ed arida terra,
venne nel petto; onde privato, inerme,
(memorando ardimento) in su la scena
160 mosse guerra a' tiranni : almen si dia
questa misera guerra
e questo vano campo all'ire inferme
del mondo. Ei primo e sol dentro all'arena
scese, e nullo il seguì, che l'ozio e il brutto
165 silenzio or preme ai nostri innanzi a tutto.

Disdegnando e fremendo, immacolata
trasse la vita intera,
e morte lo scampò dal veder peggio.
Vittorio mio, questa per te non era
170 età né suolo. Altri anni ed altro seggio
conviene agli alti ingegni. Or di riposo
paghi viviamo, e scorti
da mediocrità : sceso il sapiente
e salita è la turba a un sol confine,
175 che il mondo agguaglia. O scopritor famoso,

po l'incidentale, ad *Allobrogo feroce*. (155) *Allobrogo feroce*:
Vittorio Alfieri; cfr. Parini, *Il dono*, 1 : « fero allobrogo », citato
dal Leopardi in una nota marginale. Gli Allobrogi erano una po-
polazione delle Alpi Graie; per estensione ‹piemontese›. *-dal
polo*, ‹dal cielo›, e cfr. le *Annotazioni* in appendice. (161-2) *questa misera guerra / e questo vano campo*: quello concesso ai poeti; nella dedicatoria della canzone al vicentino conte Leonardo
Trissino: « Diamoci alle lettere quanto portano le nostre forze e
applichiamo l'ingegno a dilettare colle parole, giacché la fortuna
ci toglie il giovare co' fatti com'era usanza di qualunque de' nostri maggiori volse l'animo alla gloria ». (170) *seggio*, ‹luogo, dimora›. (172) *scorti*: cfr. *Zibaldone*, 4179: « *Scorto* per *accorto*,
da *scorgere* per *vedere* ecc. ovvero da *scorgere* per *guidare...* »,
qui appunto nel senso di ‹guidati, governati›, come in *Paralipomeni*, II, 9, 5-6: « ed alcun altro *scorto* / dalla stanchezza al suo
mortal destino ». (175) *che il mondo agguaglia*: cfr. in *Zibaldone*,
148-9, in data 3 luglio 1820, la polemica del Leopardi sull'ugua-
glianza degl'individui e delle nazioni, e la sua osservazione che
« mentre le nazioni per l'esteriore vanno a divenire tutta una per-

segui; risveglia i morti,
poi che dormono i vivi; arma le spente
lingue de' prischi eroi; tanto che in fine
questo secol di fango o vita agogni
180   e sorga ad atti illustri, o si vergogni.

sona... ciascun uomo poi nell'interiore è divenuto una nazione, vale a dire che non hanno più interesse comune con chicchessia,
non formano più corpo, non hanno più patria, e l'egoismo gli ri-
stringe dentro il solo circolo de' propri interessi, senza amore né
cura degli altri, né legame né rapporto nessuno interiore col resto degli uomini ». -*O scopritor*: torna a rivolgersi ad Angelo Mai. [177] *poi che dormono i vivi*: cfr. la nota al v.16.
[179] *o vita agogni*: riappare, nel finale, il tema di una vera vita
da contrapporre al *secol di fango* (il *secol morto* del v.4).

Composta tra l'ottobre e il novembre del 1821, publicata la prima volta in B24. Dedicata alla sorella Paolina (1800-1869) tenera confidente del poeta, appassionata lettrice di Stendhal. Le nozze, allora imminenti, non ebbero poi luogo.

Alla esaltazione della vitalità eroica, all'invito a lottare contro ogni specie di viltà («tutto è animato dal contrasto e langue senza di esso», scrive Leopardi nello *Zibaldone* il 24 novembre 1821) fa riscontro, in queste canzoni del '21, la ricerca di un linguaggio poetico ricco di *ardiri*, esemplato sulle più ardue metafore di Orazio, che non teme forme di aristocratica e sdegnosa oscurità. Rinunciare alla noia del vivere, rovesciare col proprio atteggiamento esistenziale i termini di una situazione storica: questo il tema della canzone che, accanto all'appello alle madri perché allevino i propri figli piuttosto infelici che codardi, colloca l'esempio alfieriano di Virginia come permanente ipotesi di suggello tragico.

Metro: strofe con schema *a*BCA*bc*D*efc*F*egh*H. La sintassi poetica, fitta di ellissi, iperbati ecc., alla ricerca di un detta-to drammatico e retoricamente commosso, si pone in vio-lenta sincope, ancor più che nelle prececanzioni, con le strutture metriche.

Poi che del patrio nido
i silenzi lasciando, e le beate
larve e l'antico error, celeste dono,
ch'abbella agli occhi tuoi quest'ermo lido,
5   te nella polve della vita e il suono
tragge il destin; l'obbrobriosa etate
che il duro cielo a noi prescrisse impara,
sorella mia, che in gravi
e luttuosi tempi
10   l'infelice famiglia all'infelice
Italia accrescerai. Di forti esempi
al tuo sangue provvedi. Aure soavi
l'empio fato interdice
all'umana virtude,
15   né pura in gracil petto alma si chiude.

(¹) *i silenzi* (*del patrio nido*), ‹la tranquillità della casa paterna›.
(²⁻³) *le beate/larve*, ‹i fantasmi, i dolci sogni›, cfr. in *Aspasia* « cara larva », v.73.   (³) *l'antico error*: la facoltà di sognare che si
è sviluppata fin dalla fanciullezza; *errore* è parola portante del
lessico poetico leopardiano.   (⁴) *quest'ermo lido*, ‹questa terra
deserta, solitaria›.   (⁵⁻⁶) *te... tragge il destin*: ‹il destino ti trascina nella polvere e nel rumore della vita› (in opposizione ai
silenzi dov'è vissuta finora).   (⁷) *impara*, a conoscere (*l'obbrobriosa etade*).   (¹²) *Aure soavi*, oggetto di *interdice* del verso seguente: ‹un'atmosfera di eccessiva dolcezza›.   (¹⁵) *né pura* ecc.:
l'iperbato in clausola di strofa rende più solenne il tono sentenzioso; *gracil petto* dovrà intendersi come ‹un cuore incapace di
affrontare durezze e avversità›, anche se è presente spesso nello
Zibaldone il motivo che un animo coraggioso non può albergare
in un fisico debole (cfr. *Zibaldone*, 115, 152, 254, 280-1), tema
che sarà più esplicitamente svolto nella canzone *A un vincitore
nel pallone*. Alla formazione di questa forza di carattere devono

O miseri o codardi
figliuoli avrai. Miseri eleggi. Immenso
tra fortuna e valor dissidio pose
il corrotto costume. Ahi troppo tardi,
20   e nella sera dell'umane cose,
acquista oggi chi nasce il moto e il senso.
Al ciel ne caglia : a te nel petto sieda
questa sovr'ogni cura,
che di fortuna amici
25   non crescano i tuoi figli, e non di vile
timor gioco o di speme : onde felici
sarete detti nell'età futura :
poiché (nefando stile,
di schiatta ignava e finta)
30   virtù viva sprezziam, lodiamo estinta.

Donne, da voi non poco
la patria aspetta; e non in danno e scorno
dell'umana progenie al dolce raggio

provvedere *i forti esempi* di cui al v.11.   ([17]) *Miseri eleggi*, ‹Preferisci che siano infelici›.   ([17]) *Immenso*, aggettivo di *dissidio*;
soggetto della frase è *il corrotto costume*, v.19.   ([19]) *il corrotto
costume*: la vita d'oggi, degenerata rispetto a quella degli antichi;
cfr. *A un vincitore*, 36-7: *l'insano / costume*, e *Bruto minore*, 56,:
empio costume.   ([20]) *nella sera*, quasi ‹nella vecchiaia dell'umanità (nel crepuscolo del mondo)›.   ([21]) *il moto e il senso*, cioè
la facoltà di muoversi e sentire, mortificate dalla civiltà; si veda
quanto del moto, e della sua riduzione nel mondo moderno, scrive Leopardi in *Zibaldone*, 1607-8.   ([22]) *Al ciel ne caglia*: ‹si dia
pensiero il cielo di questo›, perché gli uomini non possono che
subire la loro inevitabile decadenza; *caglia* latinismo da *calere*.
([23]) *questa sovr'ogni cura*, ‹questa preoccupazione sopra tutte le
altre›.   ([24]) *di fortuna amici*: ‹che non scelgano la fortuna ma
il valore›, visto il contrasto che c'è tra loro nel mondo moderno,
v.18; e cfr. l'elogio di Dante, *non domito nemico / della fortuna*,
nella canzone *Ad Angelo Mai*, vv.62-3.   ([25]) *e non*, ‹e nemmeno›.   ([26]) *gioco*, ‹in balia› (della viltà o della speranza di facili
vantaggi).   ([30]) *virtù viva* ecc.: solenne e sentenzioso il chiasmo
(e nota l'allitterazione tra *virtù* e *viva*); il verso riecheggia Orazio, *Carm.*, III, 24, 31-2: « virtutem incolumem odimus, / sublatam ex oculis quaerimus invidi ».   ([33-5]) *al dolce raggio... fu da-*

delle pupille vostre il ferro e il foco
35 domar fu dato. A senno vostro il saggio
e il forte adopra e pensa; e quanto il giorno
col divo carro accerchia, a voi s'inchina.
Ragion di nostra etate
io chieggo a voi. La santa
40 fiamma di gioventù dunque si spegne
per vostra mano? attenuata e franta
da voi nostra natura? e le assonnate
menti, e le voglie indegne,
e di nervi e di polpe
45 scemo il valor natio, son vostre colpe?

Ad atti egregi è sprone
amor, chi ben l'estima, e d'alto affetto
maestra è la beltà. D'amor digiuna
siede l'alma di quello a cui nel petto

to: ‹non per danno e vergogna degli uomini alla dolce luce dei vostri occhi fu concesso il potere di domare anche il ferro e il fuoco›; reminiscenza di Anacreonte, 24: « Alle donne fu data la bellezza al posto di scudo e di lancia. Una donna bella vince anche il ferro e il fuoco ».   ([35]) *A senno vostro*, ‹come a voi piace›.   ([36]) *adopra e pensa* con schema di relazione incrociato rispetto ai soggetti *il saggio e il forte*.   ([36-7]) *quanto... accerchia*: ‹tutto quello che il sole comprende nel suo giro›, cioè tutta la terra.   ([38-9]) *Ragion... a voi*: ‹a voi domando ragione della decadenza del nostro tempo›.   ([39-40]) *La santa / fiamma di gioventù*: ‹l'ardore giovanile›, detto ‹santo› perché stimola ai sentimenti nobili e alle azioni disinteressate.   ([41]) *per vostra mano*, ‹per vostra colpa›.   *-attenuata e franta*, ‹sminuita e spezzata›.   ([42-3]) *le assonnate / menti*: ricorre la metafora del letargo storico-morale.   ([44-5]) *e di nervi... natio*: ‹e il vigore che la natura ci aveva concesso, ormai privo di energia e vigore (di nervi e di polpe)›.   ([47]) *chi ben l'estima*: ‹se lo si considera bene›; espressione petrarchesca, *Rime*, CCCLX, 139.   ([47-8]) *d'alto affetto / maestra*: ‹ispiratrice di alti sentimenti›.   ([48-53]): ‹giace inerte e priva d'amore l'anima dell'uomo che non sa rallegrarsi quando i venti precipitano in guerra tra loro e il cielo (*l'olimpo*) accumula le nubi e il rombo della tempesta percuote (*fiede*) le montagne›. Il motivo della corrispondenza tra passioni dell'anima e natura tempestosa

50   non si rallegra il cor quando a tenzone
      scendono i venti, e quando nembi aduna
      l'olimpo, e fiede le montagne il rombo
      della procella. O spose,
      o verginette, a voi
55   chi de' perigli è schivo, e quei che indegno
      è della patria e che sue brame e suoi
      volgari affetti in basso loco pose,
      odio mova e disdegno;
      se nel femmineo core
60   d'uomini ardea, non di fanciulle, amore.

      Madri d'imbelle prole
      v'incresca esser nomate. I danni e il pianto
      della virtude a tollerar s'avvezzi
      la stirpe vostra, e quel che pregia e cole
65   la vergognosa età, condanni e sprezzi;
      cresca alla patria, e gli alti gesti, e quanto
      agli avi suoi deggia la terra impari.
      Qual de' vetusti eroi
      tra le memorie e il grido
70   crescean di Sparta i figli al greco nome;

anche nell'*Ultimo canto di Saffo*, vv.6-18.   ([53] e sgg.) *O spose*
ecc.: *topos* della poesia patriottica, cfr. ad esempio Berchet, *Il
giuramento di Pontida*, vv.61-4.   ([58]) *mova*, ‹susciti›.   ([59-60]) *se...
amore*: ‹se nel vostro cuore di fanciulle ardeva amore per uomi-
ni virili e non per effeminati codardi›.   ([61]) *d'imbelle prole*, ‹di
figli deboli, vili›.   ([62]) *nomate*, ‹chiamate›.   ([62-5]) *i danni... sprezzi*: ‹s'abituino i vostri figli a sopportare le persecuzioni e l'infelicità, che sono naturali compagni della virtù, e condannino e disprezzino tutto quello che la nostra vergognosa età apprezza ed
onora (*cole*, latinismo)›.   ([67]) *deggia*, ‹debba, sia debitrice›.
-la terra, ‹la sua patria›.   ([68]) *Qual*, ‹allo stesso modo in cui›;
de' vetusti eroi, anticipato per anastrofe, genitivo di *memorie* e
grido.   ([69]) *le memorie e il grido*, ‹il ricordo e la fama›.   ([70]) *al
greco nome*: *al* con valore finale, ‹per la grandezza della Grecia›.
Cfr. *Zibaldone*, 1715-6 (in data 16 settembre 1821), dove il Leopardi parla della piccolezza degli uomini nelle piccole patrie (allusione all'Italia divisa della Restaurazione), mentre «ciascuna
città greca e loro individui riguardavano (anche col fatto) per la

finché la sposa giovanetta il fido
brando cingeva al caro lato, e poi
spandea le negre chiome
sul corpo esangue e nudo
75   quando e' reddia nel conservato scudo.

Virginia, a te la molle
gota molcea con le celesti dita
beltade onnipossente, e degli alteri
disdegni tuoi si sconsolava il folle
80   signor di Roma. Eri pur vaga, ed eri
nella stagion ch'ai dolci sogni invita,
quando il rozzo paterno acciar ti ruppe
il bianchissimo petto,
e all'Erebo scendesti
85   volonterosa. A me disfiori e scioglia

loro patria tutta la Grecia e sue appartenenze, e per compatriota chiunque non era *bárbaros* ». (72) *al caro lato*, ‹all'amato fianco›. (75) *e' reddia*, ‹egli ritornava›. -*nel conservato scudo*, ‹disteso sullo scudo conservato a prezzo della vita›. Cfr. *Zibaldone*, 2425, dove Leopardi discute sulla differenza tra il moderno concetto di onore e quello degli antichi : « Era punto d'onore nelle truppe spartane il ritornare ciascuno col proprio scudo. Circostanza materiale, ma utilissima e moralissima nell'applicazione, non potendosi conservare il loro scudo amplissimo (tanto che vi capiva la persona distesa), senza il coraggio di far testa, e di non darsi mai alla fuga, che un tale scudo avrebbe impedita » (6 maggio 1822). (77) *molcea*, ‹accarezzava›. (79) *si sconsolava* : in una nota marginale del Leopardi, « *sconsolarsi* neutro passivo come *sconfortarsi* ». (79-80) *il folle / signor di Roma* : il decemviro Appio Claudio, acceso di passione per Virginia ; per sottrarla alle voglie del decemviro, il padre la uccise. Il Leopardi segue la traccia della tragedia alfieriana che fa di Virginia una donna che accetta consapevolmente la morte violenta per il bene della patria. (80-1) *Eri pur vaga... invita* : « Nella concezione alfieriana s'insinua il tema prediletto del Leopardi : il rimpianto e il vagheggiamento della giovinezza troncata. Sentiamo in questa Virginia il preannuncio di Silvia e di Nerina » (Fubini). (82-3) *quando... petto* : anche il ferro di Volcens che uccide Eurialo (Virgilio, *Aen.*, IX, 432) « *transabiit costas et candida pectora rumpit* ». (85) *volonterosa*, ‹accertando la tua sorte› ; cfr. la nota ai vv.79-80. (85-6) *A*

vecchiezza i membri, o padre; a me s'appresti,
dicea, la tomba, anzi che l'empio letto
del tiranno m'accoglia.
E se pur vita e lena
90   Roma avrà dal mio sangue, e tu mi svena.

O generosa, ancora
che più bello a' tuoi dì splendesse il sole
ch'oggi non fa, pur consolata e paga
è quella tomba cui di pianto onora
95   l'alma terra nativa. Ecco alla vaga
tua spoglia intorno la romulea prole
di nova ira sfavilla. Ecco di polve
lorda il tiranno i crini;
e libertade avvampa
100   gli obbliviosi petti; e nella doma
terra il marte latino arduo s'accampa
dal buio polo ai torridi confini.
Così l'eterna Roma

---

me... o padre: « A me la vecchiaia, o padre, faccia sfiorire e cancelli la bellezza del corpo ». *(89-90)* *E se pur... sangue*: nella *Virginia* dell'Alfieri (atto III, scena 3): « E se a svegliar dal suo letargo Roma / oggi è pur forza che innocente sangue / ma non ancor contaminato, scorra: / padre, sposo, ferite: eccovi il petto ». *(90)* *e tu mi svena*, ‹allora tu svenami›. *(91-5)* *ancora... terra nativa*: ‹sebbene ai tuoi giorni la vita (*il sole*) fosse più bella a viversi che non oggidì, tuttavia confortata e paga è quella tomba che la patria (*l'alma terra natia*) onora di pianto›; tema foscoliano. *(95)* *Ecco*: iterato al v.97 in identica sede metrica. Stessa anafora, con distacco tra i due elementi, nella canzone *Ad Angelo Mai*: « *Ecco* svaniro in un punto, / e figurato è il mondo in breve carta; / *ecco*, tutto è simíle... » vv.97-99; più breve il distacco, e in corpo di verso l'anafora, in *La quiete*: « *Ecco* il sol che ritorna, *ecco* sorride... », v.19. *(99)* *avvampa* transitivo; anche nella traduzione leopardiana del II libro dell'*Eneide*, vv.803-4: « quale / fero dolor di tanta ira *t'avvampa*? » *(100)* *obbliviosi*, nella categoria del sopore e dell'inerzia, cfr. *le assonnate menti* dei vv.42-3. *(100-3)* *e nella doma* ecc.: con rapido trapasso il poeta vede, come felice conseguenza del risveglio popolare, i successi imperiali di Roma. *(101)* *il marte latino*, ‹le armi latine›, anto-

in duri ozi sepolta
105 femmineo fato avviva un'altra volta.

nomasia (vossianica).   -*arduo*, ‹orgoglioso, invincibile›.   [104] *in duri ozi sepolta*: *ozio* è parola chiave della canzone *Ad Angelo Mai*, cfr. i vv.43-44, 58-9, 164-5.   [105] *femmineo fato* ecc.: ‹la morte di una donna ancora una volta (come già era avvenuto per la morte di Lucrezia) ridesta Roma alla vita›.

Composta nel novembre 1821, pubblicata la prima volta in B24. Dedicata, secondo comuni testimonianze, a Carlo Didimi di Treia, campione di un gioco simile all'odierna pelota.

Valgono, per lo stile di questa canzone, le osservazioni fatte per la precedente, con una accentuazione anzi del procedimento ellittico, metaforicamente pregnante, che sembra qui perseguire una ideale unità di poesia e filosofia (cfr. *Zibaldone*, 1823, 24 luglio 1821). La esaltazione dell'attività fisica, vagheggiata come si sviluppò nel mondo antico ed espressione della sua forza e felicità, si conclude con un incitamento «negativo» a cercare comunque la gloria, anche oggi che sono caduti i grandi miti che la rendevano desiderabile, e con un invito ad eroicamente affrontare e disprezzare la vita.

Metro: canzone di cinque strofe con schema A-bCBACDEFDFgG.

Di gloria il viso e la gioconda voce,
garzon bennato, apprendi,
e quanto al femminile ozio sovrasti
la sudata virtude. Attendi attendi,
5   magnanimo campion (s'alla veloce
piena degli anni il tuo valor contrasti
la spoglia di tuo nome), attendi e il core
movi ad alto desio. Te l'echeggiante
arena e il circo, e te fremendo appella
10   ai fatti illustri il popolar favore;
te rigoglioso dell'età novella
oggi la patria cara
gli antichi esempi a rinnovar prepara.

Del barbarico sangue in Maratona
15   non colorò la destra
quei che gli atleti ignudi e il campo eleo,
che stupido mirò l'ardua palestra,

(¹) *Di gloria* ecc.: ‹l'aspetto della gloria, espresso dal lieto applauso del popolo›. (³) *femminile*, ‹effeminato›. (⁴) *Attendi attendi*, ‹bada›, iterato come nella canzone *All'Italia*, 45. (⁵⁻⁷) *s'alla
veloce... di tuo nome*: ‹se vuoi che alla rapida tumultuosa corrente degli anni il tuo valore possa strappare (*contrasti*) il ricordo di te, ch'essa si trascinerebbe come preda (*la spoglia di tuo
nome*)›. (⁷) *ad alto desio*, ‹al desiderio di grandi cose›. (¹¹) *rigoglioso dell'età novella*, ‹nel pieno vigore della gioventù›.
(¹³) *gli antichi esempi*: le prove di forza e di coraggio degli antichi (i Greci). (¹⁴) *Del barbarico sangue*: dei Persiani, contro i quali gli Ateniesi combatterono a Maratona nel 490 a.C. (¹⁶⁻¹⁷) *quei
che* è soggetto di *stupido mirò*, ‹guardò senza emozione›; il *che*
è ripetuto al v.17 con effetto accumulante. (¹⁶) *il campo eleo*:
il campo di Olimpia, nell'Elide, sede dei giochi. (¹⁷) *ardua*,

né la palma beata e la corona
d'emula brama il punse. E nell'Alfeo
20   forse le chiome polverose e i fianchi
delle cavalle vincitrici asterse
tal che le greche insegne e il greco acciaro
guidò de' Medi fuggitivi e stanchi
nelle pallide torme; onde sonaro
25   di sconsolato grido
l'alto sen dell'Eufrate e il servo lido.

Vano dirai quel che disserra e scote
della virtù nativa
le riposte faville? e che del fioco
30   spirto vital negli egri petti avviva
il caduco fervor? Le meste rote
da poi che Febo instiga, altro che gioco
son l'opre de' mortali? ed è men vano

‹difficile, aspra›. (¹⁹) *d'emula brama il punse* (col verbo al singolare dopo due soggetti): ‹lo spronarono col desiderio d'emulazione›; cfr. Parini, *In morte di A. Sacchini*, 27-8: « Tal che d'emula brama / arser per te le più lodate genti ». -*Alfeo*, fiume che bagnava Olimpia. (²¹) *asterse*, ‹lavò›. (²²) *tal che*, ‹uno che›. (²³) *Medi*, Persiani, come da una nota marginale del Leopardi. (²⁴) *onde sonaro*, ‹per cui risuonarono›. (²⁶) *l'alto sen*, ‹le acque profonde›; anche in Virgilio, *Georg.*, IV, 560-1: « altum [...] Euphraten ». -*il servo lido*, ‹la terra schiava›, cioè la Persia sottomessa alla tirannia di Serse, in confronto alla libertà della Grecia. (²⁷⁻⁹) *Vano... faville*: ‹Chiamerai inutile il gioco, se è capace di esprimere e suscitare le scintille nascoste della virtù naturale che è in noi?›; *disserra*, forse ricordando le faville di Virgilio che sono « semina flammae / abstrusa in venis silicis » (*Aen.*, VI, 6-7). (²⁹⁻³¹) *e che del fioco... fervor*: ‹e che risveglia nei cuori il fervore del debole spirito vitale, così presto destinato a spegnersi (*caduco*)›. Per questi versi, e i precedenti, cfr. *Zibaldone*, 115, 7 giugno 1820: « Gli esercizi con cui gli antichi si procacciavano il vigore del corpo non erano solamente utili alla guerra, o ad eccitare l'amor della gloria ec., ma contribuivano, anzi erano necessari a mantenere il vigor dell'animo, il coraggio, le illusioni, l'entusiasmo che non saranno mai in un corpo debole... insomma quelle cose che cagionano la grandezza e l'eroismo della nazione ». (³¹⁻⁴) *Le meste... vero*: ‹Da quando il sole illumina

della menzogna il vero? A noi di lieti
35 inganni e di felici ombre soccorse
natura stessa : e là dove l'insano
costume ai forti errori esca non porse,
negli ozi oscuri e nudi
mutò la gente i gloriosi studi.

40 Tempo forse verrà ch'alle ruine
delle italiche moli
insultino gli armenti, e che l'aratro
sentano i sette colli; e pochi Soli
forse fien volti, e le città latine
45 abiterà la cauta volpe, e l'atro

di tristi giorni il mondo, cosa sono le opere degli uomini se non
gioco? Ed è forse meno futile gioco la verità di quanto non sia
la menzogna? ›   -instiga, ‹eccita, anima ›   (35) felici ombre,
‹fantasmi di felicità›.   (36-7) l'insano / costume: la corruzione dei
tempi moderni; cfr. Nelle nozze la nota al v.19.   (37) ai forti errori: alle illusioni ispiratrici di sentimenti e azioni nobili; cfr. Zibaldone, 271-2, dove Leopardi parla delle antiche istituzioni
« tendenti a fomentare l'entusiasmo, le illusioni, il coraggio, l'attività, il movimento, la vita. Erano illusioni, ma toglietele, come
sono tolte. Che piacere rimane? E la vita cosa diventa? »
(38) oscuri e nudi, ‹ingloriosi e miseri›.   (39) studi, ‹occupazioni›; cfr. in Zibaldone, 337, la polemica contro il cristianesimo, la
cui forza fu « tutta tetra, malinconica ec., in paragone della freschezza, della bellezza, allegria, varietà ec., della vita antica ».
(40) Tempo forse verrà: cfr. Petrarca, Rime, CXXVI, 27: « Tempo
verrà anchor forse »; lo spunto già nell'abbozzo Dell'educare la
gioventù italiana: « Verrà forse tempo che l'armento insulterà alle rovine de' nostri sommi edifizi », con esplicita indicazione, nello stesso abbozzo, di un passo del Foscolo nello Jacopo Ortis:
« Mentre invochiamo quelle ombre magnanime, i nostri nemici
calpestano i loro sepolcri. E verrà forse giorno che noi, perdendo le nostre sostanze, e l'intelletto, e la voce, sarem fatti simili
agli schiavi... »   (42) insultino, ‹saltino sopra›, latinismo; cfr. Orazio, Carm., III, 3, 40-1: « dum Priami Paridisque busto / insultet
armentum ».   (43) sentano: cfr. Orazio, Ars poetica, 66: « grave
sentit aratrum ». Nelle prime edizioni della canzone si leggeva:
« e 'l greve aratro / sentano ».   (43-4) e pochi Soli / forse fian volti:
‹e saranno forse trascorsi pochi anni›.   (44) e con valore paraipo-
tattico, ‹allorché avverrà che le città latine›.   (45) la cauta vol-

bosco mormorerà fra le alte mura;
se la funesta delle patrie cose
obblivion dalle perverse menti
non isgombrano i fati, e la matura
50 clade non torce dalle abbiette genti
il ciel fatto cortese
dal rimembrar delle passate imprese.

Alla patria infelice, o buon garzone,
sopravviver ti doglia.
55 Chiaro per lei stato saresti allora
che del serto fulgea, di ch'ella è spoglia,
nostra colpa e fatal. Passò stagione;
che nullo di tal madre oggi s'onora:
ma per te stesso al polo ergi la mente.
60 Nostra vita a che val? solo a spregiarla:

pe: il Fubini segnala il poemetto di Ossian, *Cartone* (nella traduzione del Cesarotti), vv.149-50 e 157-59: « Vidi Barcluta anch'io, ma sparsa a terra, / rovina e polve... / ed affacciarsi alle
fenestre io vidi / la volpe, a cui per le muscose mura / folta e
lunga erba iva strisciando il volto ».   *-l'atro / bosco*: anche in
Virgilio, *Aen.*, I, 165: « atrum nemus ». (⁴⁷⁻⁵²) *se la funesta...
imprese*: ‹se i fati non sgombrano dalle menti pervertite il funesto oblio della patria e il cielo, diventato benigno al ricordo
delle glorie passate, non allontana (*torce*) dai popoli così decaduti
(*dalle abbiette genti*) la rovina ormai prossima (*la matura / clade*)›. *Clade* è latinismo per ‹strage, rovina›; latinismo anche *abbiette* nel senso di ‹prostrate, trascinate in basso›.   (⁵³⁻⁶³): variamente interpretata la strofa, in cui sembra ai commentatori di
avvertire una contraddizione tra l'assunto civile fin qui evidente
e l'improvviso spegnersi nel finale di ogni speranza patriottica.
Tuttavia il vero tema della canzone è quello delle illusioni; e alla
impossibilità di un risveglio della patria Leopardi contrappone
l'invito ad affrontare una vita ricca di pericoli, attiva contro il
tedio del mondo moderno.   (⁵⁴) *ti doglia*, ‹ti dispiaccia›.
(⁵⁵⁻⁸) *Chiaro... fatal*: ‹saresti stato famoso operando per lei quando splendeva la corona gloriosa di cui oggi è spoglia, per colpa
nostra e del fato›.   (⁵⁷) *Passò stagione*, quasi a dire ‹oggi i tempi
sono diversi›.   (⁵⁸) *nullo*, ‹nessuno›.   (⁵⁹) *per te stesso*, non *per
lei*, la patria, di cui al v.55, non essendo possibile, nell'attuale decadenza, che il gesto, il rischio della coscienza solitaria.   (⁶⁰) *No-*

beata allor che ne' perigli avvolta,
se stessa obblia, né delle putri e lente
ore il danno misura e il flutto ascolta;
beata allor che il piede
65 spinto al varco leteo, più grata riede.

stra vita a che val? ecc.: cfr. *Zibaldone*, 3030 (25 luglio 1823), dove Leopardi dopo aver parlato del coraggio degli antichi scriverà, quasi chiosando questa sua canzone di due anni prima: « Ora il timor dei pericoli è tanto maggiore quanto maggiore è l'infelicità e il fastidio di cui la morte ci libererebbe, o se non altro, quanto è più nullo quello che morendo abbiamo a perdere »; mentre per gli antichi « la vita umana non fu mai più felice di quando fu stimato poter essere bella anche la morte; né mai gli uomini vissero più volentieri che quando furono apparecchiati e desiderosi di morire per la patria e per la gloria ». L'istanza del rischio in questi versi, anche quando sono caduti i miti collettivi che la giustificano, suona come programma di esistenziale eroismo.   ([61]) *beata allor* ecc.: il Binni segnala il tema dell'esaltazione del pericolo, forgiatore di coraggio e nobiltà, in Ossian; cfr. nella traduzione cesarottiana: « ov'è il periglio / non ha luogo tristezza » (*Temora*, 88-9); « nei perigli il mio cor cresce e s'allegra » (*La morte di Cucullino*); « brillami l'alma / entro i perigli e mi festeggia il core » (*Fingal*, III, 162-3).   ([62-3]) *né delle putri... ascolta*: ‹né valuta la perdita di poche ore di vita, limacciose e lente, soffermandosi ad ascoltarne lo scorrere›; questa ci pare l'interpretazione più coerente dei versi in rapporto a *danno*, che è latinismo nel senso di ‹perdita›. Qui *gli ardiri* del classicismo leopardiano affrontano i rischi sublimi dell'*obscuritas*.   ([64]) *beata allor*, anaforico, vedi v.61.   ([65]) *spinto al varco leteo*, ‹dopo che il piede si è sospinto fino alla soglia del Lete (cioè della morte)›.   -*più grata riede*, soggetto è sempre la *vita* del v. 60; eco oraziana da *Epist.*, I, IV, 13-4: « omnem crede diem tibi diluxisse supremum. / Grata superveniet quae non sperabitur hora ».

Composta nel dicembre 1821, pubblicata la prima volta in B24, dov'era preceduta dalla *Comparazione delle sentenze di Bruto minore e di Teofrasto vicini alla morte.*

Momento di frattura nell'atteggiamento leopardiano, in cui le «illusioni» sono sottoposte a corrosiva critica e gli dei vengono chiamati a giudizio per rispondere della condizione dell'uomo. L'ostilità della natura si palesa nel comportamento delle sue creature (la luna, l'uccello) sorde e indifferenti al dramma umano. Per cui anche il giudizio sulla positività delle antiche società naturali — che ancora perdura in Leopardi — è in qualche maniera coinvolto nella tragicità della rappresentazione, nell'attacco blasfemo contro la *stolta virtù* di Bruto, eroe che oppone alle forze dei numi e della storia la sua volontà sadica di annientamento.

Canzone-ode, nel senso di quello stile «peregrino» e «ardito» che allora il poeta perseguiva, vi appare una fitta serie di latinismi e di *iuncturae*, con epiteti di un *Regia Parnassi* stravolto.

Metro: canzone di otto strofe con schema AbCDCEf-GhILHMnN. Le rime, come si vede, riguardano soltanto c... c, h... h e nn; ma i nove versi non rimati presentano fitte assonanze, che si collocano spesso nell'ambito fonico delle rime risarcendone la rarefazione (se ne dà notizia nel commento).

Poi che divelta, nella tracia polve
giacque ruina immensa
l'italica virtute, onde alle valli
d'Esperia verde, e al tiberino lido,
il calpestio de' barbari cavalli
prepara il fato, e dalle selve ignude
cui l'Orsa algida preme,

5

(1-15): la rarefazione delle rime è risarcita da assonanze, vedi in
questa strofa *preme* 7 e *sede* 11, *mura* 8 e *accusa* 13. (1) *Poi
che*: *incipit* obbediente a modelli classici, anche in *Nelle nozze della sorella Paolina*; qui eco precisa di Virgilio, *Aen.*, III, 1-3:
« Postquam res Asiae Priamique evertere gentem / immeritam
visum Superis, ceciditque superbum / Ilium, et omnis humo fumat neptunia Troia ». -*divelta*: quasi ‹strappata dalle radici›.
(3) *l'italica virtute*, ‹il valore, la forza d'Italia›. -*onde alle valli* ecc.: ‹per cui alle valli della verde Italia e a Roma (*al tiberino lido*) il destino riserba il calpestio dei cavalli dei barbari›;
per il Leopardi la caduta della Repubblica (rappresentata da
Bruto, suo ultimo difensore) è l'inizio del tramonto della grandezza di Roma; cfr. *Comparazione delle sentenze di Bruto e di
Teofrasto*, con l'affermazione che Teofrasto è vissuto in tempi fa-
vorevoli al sogno, « laddove possiamo dire che i tempi di Bruto
fossero l'ultima età dell'immaginazione, prevalendo finalmente la
scienza e l'esperienza del vero e propagandosi anche nel popolo
quanto bastava a produrre la vecchiezza del mondo ». (4) *d'Esperia verde*: Esperia erano le regioni dell'Occidente, e in particolare l'Italia rispetto alla Grecia. (6-9) *e dalle selve... brandi* (il
soggetto è sempre *il fato*): ‹e dalle foreste desolate (*ignude*), oppresse dalla fredda costellazione dell'Orsa, chiama le spade dei
goti ad abbattere le inclite mura di Roma›. (7) *cui l'Orsa algida preme*: espressione classicistica (nota il ricercato *algida*) dove
il verbo *preme* riferito all'Orsa (simbolo d'inverno iperboreo) ha
il significato di ‹opprimere, dominare›, come in Lucrezio: « qua
zona nivalis / perpetuaeque *premunt* hiemes »; anche in Virgilio

a spezzar le romane inclite mura
chiama i gotici brandi;
10   sudato, e molle di fraterno sangue,
Bruto per l'atra notte in erma sede,
fermo già di morir, gl'inesorandi
numi e l'averno accusa,
e di feroci note
15   invan la sonnolenta aura percote.

Stolta virtù, le cave nebbie, i campi
dell'inquiete larve
son le tue scole, e ti si volge a tergo
il pentimento. A voi, marmorei numi
20   (se numi avete in Flegetonte albergo
o su le nubi) a voi ludibrio e scherno
è la prole infelice
a cui templi chiedeste, e frodolenta
legge al mortale insulta.

(*Georg.*, III, 381-2) la *gens effrena* degli Sciti è *subiecta* all'Orsa.
([10]) *molle*, ‹bagnato›.   ([11]) *in erma sede*, ‹in un luogo solitario›.
([12]) *fermo già di morir*, ‹già deciso a morire›.   -*gl'inesorandi*:
negatività nell'aggettivo, secondo l'uso leopardiano, ‹implacabili›.
([13]) *numi e l'averno*: gli dei del cielo e dell'inferno.   ([14]) *di feroci note*, ‹di fiere espressioni›. Tutta la prima strofa, che qui si
chiude, « equivale a un'ampia e circostanziata didascalia teatra-
le » (Galimberti).   ([16]) *Stolta virtù*: comincia il lungo monologo di
Bruto secondo le ultime parole dell'eroe tramandate da Dione
Cassio e Floro; la frase è così parafrasata dal Leopardi nella citata
Comparazione: « O virtù miserabile, eri una parola nuda ed io
ti seguiva come fossi una cosa ».   -*le cave nebbie*, ‹le nebbie
che avviluppano, che oscurano›.   -*i campi*, apposizione di *cave
nebbie* nel senso di ‹sedi› (d'inquieti fantasmi).   ([17]) *son le tue
scole*, ‹sono i luoghi che tu frequenti›.   -*e ti si volge a tergo*,
‹e ti cammina alle spalle›.   ([19]) *il pentimento*: chi segue il
fantasma della virtù è destinato a pentirsene. Di questo gruppo
di versi risonerà un'eco nei *Paralipomeni*, v, 48, 1-2 (continuazio-
ne di un'apostrofe alla virtù): « Ahi, ma dove sei tu? sognata o
finta / sempre? vera nessun giammai ti vide? ».   -*marmorei numi*: ‹numi insensibili come il marmo›.   ([20]) *se numi* ecc.: ‹se come dei dimorate nell'inferno (Flegetonte, fiume infernale) o nel
cielo›.   ([21]) *scherno*: assonante con la rima *tergo*, 17 e *albergo*,
20.   ([23]) *frodolenta*, ‹perfida, ingannatrice›.   ([24]) *al mortale in-*

25 Dunque tanto i celesti odii commove
   la terrena pietà? dunque degli empi
   siedi, Giove, a tutela? e quando esulta
   per l'aere il nembo, e quando
   il tuon rapido spingi,
30 ne' giusti e pii la sacra fiamma stringi?

   Preme il destino invitto e la ferrata
   necessità gl'infermi
   schiavi di morte: e se a cessar non vale
   gli oltraggi lor, de' necessarii danni
35 si consola il plebeo. Men duro è il male
   che riparo non ha? dolor non sente
   chi di speranza è nudo?
   Guerra mortale, eterna, o fato indegno,
   teco il prode guerreggia,
40 di cedere inesperto; e la tiranna

sulta: ‹oltraggia l'uomo›, costruito col dativo anche in *La gine-stra*, 195-6: « ai saggi insulta / fin la presente età ». ([25]) *com-move*, ‹suscita›. ([26]) *la terrena pietà*: la religione degli uomi-ni; detto con cruda ironia. ([27]) *esulta*, ‹infuria qua e là›. ([29]) *il tuon rapido*, ‹il fulmine divorante, ardente›. ([30]) *ne' giu-sti*, ‹contro i giusti›. *-stringi*, ‹brandisci›. ([31]) *Preme,* ‹oppri-me›. ([31-2]) *la ferrata / necessità*: Leopardi in una sua annota-zione difende l'uso metaforico di *ferrata* per ‹ferrea› come forma autorizzata di *abusio*; la *saeva necessitas* è invece *aëna*, ‹di bron-zo›, in Orazio, *Carm.*, I, 35, 17-9. ([32-3]) *gl'infermi / schiavi di morte*: ‹gli uomini indifesi contro il loro destino mortale e schia-vi di esso›. ([33]) *cessar* con valore transitivo. *-non vale*, ‹non è in grado›. ([34]) *gli oltraggi lor*: del destino e della necessità. ([35]) *il plebeo*, l'uomo comune e vile, contrapposto al *prode* del v.39. Stessa contrapposizione in un pensiero dello *Zibaldone*, 504, in data 15 gennaio 1821. Si configura l'atteggiamento titanico del Leopardi che, nella maturazione del suo pensiero, avrà una ri-presa alta e pacata con l'esaltazione dell'uomo di *nobil natura* nella *Ginestra*, vv.111 e sgg. ([38]) *Guerra mortale*: nel *Preambo-lo* della sua traduzione del *Manuale di Epitteto* (compiuta nel 1825 durante il soggiorno bolognese), Leopardi scriverà che « è proprio degli spiriti grandi e forti... il contrastare, almeno dentro se medesimi, alla necessità, e far guerra feroce e mortale al de-stino, come i sette a Tebe di Eschilo, e come gli altri magnanimi degli antichi tempi ». ([40]) *di cedere inesperto*, ‹incapace di ce-

tua destra, allor che vincitrice il grava,
indomito scrollando si pompeggia,
quando nell'alto lato
l'amaro ferro intride,
45   e maligno alle nere ombre sorride.

Spiace agli Dei chi violento irrompe
nel Tartaro. Non fora
tanto valor ne' molli eterni petti.
Forse i travagli nostri, e forse il cielo
50   i casi acerbi e gl'infelici affetti
giocondo agli ozi suoi spettacol pose?
Non fra sciagure e colpe,
ma libera ne' boschi e pura etade
natura a noi prescrisse,

dere›; in Orazio, *Carm.*, I, 6: « cedere nescii ».　　(40-5) *e la tiran-na… sorride*: ‹e scuotendo non domato la tua mano tiranna quan-do vittoriosa lo opprime, egli trionfa (*pompeggia*) allorché bagna di sangue immergendola nel proprio fianco (*nell'alto lato*) la spa-da dolorosa e ride malignamente alle nere ombre della morte›.
(45) *maligno… sorride*: di questo sorriso Leopardi in un luogo del-lo *Zibaldone*, 87, del 1819, a proposito di chi è determinato a darsi la morte, scrive: « l'idea e l'atto del suicidio gli dànno quasi una barbara allegrezza…; allora è il tempo di quel *maligno amaro e ironico sorriso* simile a quello della vendetta eseguita da un uomo crudele dopo forte lungo e irritato desiderio, il qual sorriso è l'ultima espressione della estrema disperazione e della somma infelicità. Vedi Staël, *Corinne…* » La pagina dello *Zibal-done* riecheggia infatti un passo del noto romanzo di M.me de Staël.　　(46-60): anche in questa strofa presenza di assonanze come *irrompe, pose* (meno perfetta), *colpe* ecc.　　(46) *chi violento irrom-pe*: chi si suicida; varie considerazioni in polemica con la con-danna religiosa del suicidio si leggono nello *Zibaldone* (cfr. 814-8, 1981, 2492, ecc.), in cui Leopardi argomenta che, essendo l'infeli-cità stessa contro natura, non si può condannare come contro na-tura il fatto di darsi la morte. Si veda anche il *Dialogo di Plotino e Porfirio* nelle *Operette morali*.　　(47-8) *non fora… petti*: ‹non si troverebbe tanta forza nei rammolliti petti degli dei›.　　(49-51) *For-se i travagli nostri… pose*: *forse* in *transiectio*, da unire al secon-do *forse* davanti a *cielo*, non a *travagli nostri*: ‹forse il cielo si è offerto i nostri travagli, le sciagure e gli affetti sfortunati come un allegro spettacolo per i suoi ozi?›.　　(52-5) *Non fra sciagure…*

55 reina un tempo e Diva. Or poi ch'a terra
    sparse i regni beati empio costume,
    e il viver macro ad altre leggi addisse;
    quando gl'infausti giorni
    virile alma ricusa,
60 riede natura, e il non suo dardo accusa?

    Di colpa ignare e de' lor proprii danni
    le fortunate belve
    serena adduce al non previsto passo
    la tarda età. Ma se spezzar la fronte
65 ne' rudi tronchi, o da montano sasso
    dare al vento precipiti le membra,
    lor suadesse affanno;

Diva: ‹la natura, che un tempo era regina e dea, aveva prescritto per noi una vita che si svolgesse non fra le sciagure e le colpe
(proprie del vivere civile) ma pura e libera nei boschi (nello stato
di natura)›; questo il senso, ma si faccia attenzione agli elaborati
rapporti interni: *libera* e *pura* si oppongono nell'ordine a *sciagure* e *colpe* e la *rapportatio* degli elementi binari si conclude con
reina e *Diva* che significano rispettivamente le istituzioni civili
e la religione, inesistenti ai primordi e assorbite nella spontaneità
della natura.   ([55-7]) *Or poi ch'a terra... addisse*: ‹Ora che un costume empio (le istituzioni civili, la ragione) ha abbattuto i regni
felici della natura e ha assoggettato il vivere triste (*macro*) ad altre leggi›.   ([57]) *macro*, latinismo nel senso di ‹arido, triste›.
([58-60]) *quando gl'infausti... accusa*: ‹forse quando un'anima forte
rifiuta una vita infelice (*gl'infausti giorni*), torna la natura (ormai
estinta) e si lamenta (*accusa*) di una morte non procurata da lei
(*il non suo dardo*)›? Per il significato di questi versi vedi nota al
v.44.   ([61-75]): assonanze di *affanno* con la coppia rimata *passo* e
sasso; *belve* con la coppia *farebbe* e *increbbe* (cui si legano anche
pende e *contende* che mantengono in rima lo stesso vocalismo);
e ci sono altre assonanze imperfette.   ([61]) *Di colpa ignare* ecc.:
è la stessa coppia del v.52; gli animali sono felici perché non hanno il senso di colpa che la civiltà ha instillato nella coscienza
umana.   ([63]) *non previsto*, ‹non atteso›; e quindi non temuto
(perché gli animali non hanno il continuo pensiero della loro morte).   ([64]) *la tarda età*: è il soggetto di *adduce* del verso precedente.   -*Ma se spezzar la fronte*: ancora posposto il soggetto che
è *affanno*, v.67: ‹se l'affanno persuadesse gli animali a, ecc.›
([66]) *dare al vento* ecc.: ‹gettarsi a capofitto nel vuoto›.   ([67]) *lor*

al misero desio nulla contesa
legge arcana farebbe
70   o tenebroso ingegno. A voi, fra quante
stirpi il cielo avvivò, soli fra tutte,
figli di Prometeo, la vita increbbe;
a voi le morte ripe,
se il fato ignavo pende,
75   soli, o miseri, a voi Giove contende.

E tu dal mar cui nostro sangue irriga,
candida luna, sorgi,
e l'inquieta notte e la funesta

suadesse: costruito col dativo come il latino, ‹persuadesse a loro›. Per questi versi cfr. *Zibaldone*, 814, 19 marzo 1821: «Nessun bruto desidera certamente la fine della sua vita, nessuno per
infelice che possa essere, o pensa a torsi dalla infelicità colla morte, o avrebbe il coraggio di procurarsela. La natura che in loro
conserva tutta la sua primitiva forza, li tiene ben lontani da tutto ciò. Ma se qualcuno di essi potesse desiderar mai di morire,
nessuna cosa gl'impedirebbe questo desiderio». (68-70) *al misero
desio... ingegno*: ‹nessun ostacolo frapporrebbe al misero desiderio una misteriosa legge religiosa o un'oscura teoria filosofica›.
(70-5) *A voi... contende*: la frase è tramata di ripetizioni che tendono a sottolineare il tono emotivo e fieramente parziale del discorso di Bruto: *A voi... a voi; fra quante... fra tutte; soli... soli*.
(72) *figli di Prometeo*: secondo il mito, Prometeo modellò col fango il primo uomo e lo animò con una scintilla del fuoco rubato
a Giove (qui *Promètèo* con accento sulla penultima). *-la vita
increbbe*, ‹fu fastidiosa la vita›. (73) *le morte ripe*: le rive dei fiumi infernali che Giove (cioè la religione) impedisce agli uomini di
raggiungere con propria libera decisione (il *contende* del dio nei
confronti degli uomini si oppone al *nulla contesa* del v.68 relativo agli animali). (76-90): assonanze in *irriga* e *ruina*, *sorgi* nel-
l'alone di *esplori* e *allori*, *nascente* e *vette* nell'ambito di *piede* e
sede, ecc. (76) *E tu* ecc.: Bruto si è rivolto alla virtù (v.16), a Giove
(v.27), al fato (v.38), ai «figli di Prometeo» (v.72). Il nuovo vocativo, diretto alla luna, è caratterizzato da un accento più disteso, più interiormente pacato (ed è questo il luogo, assieme alla
strofa seguente, di più intensa resa lirica). *-cui* per *che* oggetto,
come spessissimo in Leopardi; qui Bruto si riferisce al sangue
versato quello stesso giorno nella battaglia di Filippi. (77) *candida luna*: in contrasto col *sangue* del verso precedente. (78) *fu-*

all'ausonio valor campagna esplori.
80 Cognati petti il vincitor calpesta,
fremono i poggi, dalle somme vette
Roma antica ruina;
tu sì placida sei? Tu la nascente
lavinia prole, e gli anni
85 lieti vedesti, e i memorandi allori;
e tu su l'alpe l'immutato raggio
tacita verserai quando ne' danni
del servo italo nome,
sotto barbaro piede
90 rintronerà quella solinga sede.

Ecco tra nudi sassi o in verde ramo
e la fera e l'augello,
del consueto obblio gravido il petto,
l'alta ruina ignora e le mutate
95 sorti del mondo: e come prima il tetto
rosseggerà del villanello industre,
al mattutino canto

nesta: separato dall'iperbato dal suo sostantivo *campagna*: ‹mcr-
tale per il valore italico (*ausonio*)›. [80] *Cognati petti*: di con-
sanguinei, perché si trattava di guerra civile. [81] *i poggi*: le
colline di Filippi. [81-2] *dalle somme vette... ruina*: cfr. Virgilio,
Aen., II, 290: « ruit alto a culmine Troia »; e vedi la nota al v.3.
ruina è voce del verbo *ruinare*. [85] *i memorandi allori*, ‹le imprese gloriose›. [87] *ne' danni*, ‹nella rovina›. [88] *del servo
italo nome*: del popolo romano ormai schiavo (a causa della caduta della Repubblica). [90] *quella solinga sede*: è *l'alpe* del
v.86 da cui caleranno i barbari. [91-105]: ancora assonanze con
fonicità convergente nell'ambito delle coppie rimaste: *augello*
con *petto* e *tetto*; *belve* con *plebe* e *glebe*; *balze* e *parte* mantengono il vocalismo di *ramo*. [91] *Ecco* introduce un ulteriore
argomento: l'indifferenza della natura alle vicende dell'uomo.
[92] *e la fera e l'augello*, rapportati a *sassi* e *ramo*. [93] *del consueto obblio*: l'oblio abituale del sonno notturno. [94] *l'alta ruina*: quella di Roma di cui ai vv.81-2. [94-5] *le mutate / sorti*:
in contrappunto con *l'immutato raggio* della luna al v.86 e con
l'*obblio* degli animali. [95] *e come prima*, latinismo, ‹e non ap-

quel desterà le valli, e per le balze
quella l'inferma plebe
100   agiterà delle minori belve.
Oh casi! oh gener vano! abbietta parte
siam delle cose; e non le tinte glebe,
non gli ululati spechi
turbò nostra sciagura,
105·   né scolorò le stelle umana cura.

Non io d'Olimpo o di Cocito i sordi
regi, o la terra indegna,
e non la notte moribondo appello;
non te, dell'atra morte ultimo raggio,
110   conscia futura età. Sdegnoso avello
placàr singulti, ornàr parole e doni

pena›.   (⁹⁸) *quel*: l'uccello.   (⁹⁹) *quella*: la fiera.   (⁹⁹) *l'infer-ma plebe*, da unire a *delle minori belve*: ‹la debole moltitudine degli animali più piccoli›.   (¹⁰⁰) *agiterà*: ‹inseguirà cacciando›, latinismo; cfr. Virgilio, *Aen.*, VIII, 478: « insidiis cursuque *feras agitabat* Iulus ».   (¹⁰¹) *casi*, ‹sventure›.   *-abbietta parte*: la più bassa e misera.   (¹⁰²) *siam*: il *noi* non è qui plurale *maiestatis* ma anfibologico, relativo alla comune condizione umana.   *-e non le tinte glebe*: oggetto di *turbò* del v.104, ‹le zolle tinte dal nostro sangue›.   (¹⁰³) *gli ululati spechi*: ‹le spelonche che abbia-mo fatto risuonare dei nostri gemiti›; cfr. Stazio, *Theb.*, I, 328: « Ogygiis *ululata* furoribus *antra* ».   (¹⁰⁵) *umana cura*: ‹un'uma-na angoscia›; cfr. il passo delle *Notti* di Young (nella settecen-tesca traduzione del Loschi, I) segnalato dal Binni: « Non ab-biamo che le stelle per testimonii; sembrano esse talor sospende-re il corso delle loro orbite per inchinarsi a udire le voci delle tua mestizia: ahi! tutta la natura sorda solamente e insensibile è al mio lamento ».   (¹⁰⁶⁻²⁰): anche nell'ultima strofa copiosa pre-senza di assonanze, spesso con lo stesso vocalismo delle coppie ri-maste: *peggio* e *nembo* assonanti con *appello* e *avello*; *sordi* e *doni* con *nepoti* e *roti*; *indegna* col lontano *suprema*.   (¹⁰⁶⁻⁷) *d'Olimpo... regi*: gli dei, signori del cielo e dell'inferno.   (¹⁰⁸) *moribondo*: ‹determinato a morire›, come in Virgilio, *Aen.*, IV, 323: « Cui me *moribundam* deseris, hospes »?   *-appello*: ‹chiamo a testimoni›.   (¹⁰⁹⁻¹⁰) *non te... età*: ‹non te, o posterità, ultima luce di conforto nella morte oscura, che sola saprai rico-noscere (*conscia*) la grandezza›.   (¹¹⁰⁻²) *Sdegnoso... caterva*: ‹I pianti di una turba vile (*vil caterva*) hanno mai placato la tomba

di vil caterva? In peggio
precipitano i tempi; e mal s'affida
a putridi nepoti
115 l'onor d'egregie menti e la suprema
de' miseri vendetta. A me dintorno
le penne il bruno augello avido roti;
prema la fera, e il nembo
tratti l'ignota spoglia;
120 e l'aura il nome e la memoria accoglia.

di un cuore sdegnoso? Poterono mai ornarla le lodi e i doni di
simile gente?> (112-3) *In peggio / precipitano* ecc.: cfr. Virgilio,
Georg., I, 199-200: « sic omnia fatis / in peius ruere ». (113) *mal,*
‹inutilmente›. (114) *a putridi nepoti*: a discendenti guastati dal-
l'ozio. (115-6) *l'onor... vendetta*: ‹l'onore degli antenati d'animo
grande e la vendetta postuma (*suprema*) dei vinti›. (117) *il bruno augello*: il corvo. (118) *prema,* ‹calpesti›. (119) *tratti,* ‹lace-
ri›, latinismo. (120) *e l'aura* ecc.: ‹e il mio nome e il mio ricordo
si disperdano nel vento›.

Composta a Recanati nel gennaio 1822, pubblicata la prima volta in B24.

La capacità di animare le cose, che era propria dell'immaginazione antica, come è stata propria di ogni uomo nella sua fanciullezza, è rimpianta in questa canzone al di là di ogni immediata polemica tra classicisti e romantici. Si tratta in Leopardi di un'esperienza affatto naturale e profonda, che ogni uomo ha provato rivivendo in sé, nel suo microcosmo, le prime epoche del mondo, e che non possono far rivivere «né l'insegnamento né l'uso né la pedanteria né il *gusto classico* né le altre baie fantasticate dai romantici» (*Discorso intorno alla poesia romantica*). Nella canzone questa facoltà è data come irrimediabilmente perduta; ma mentre la visione della primavera ne suscita il fervido ricordo, c'è quasi un dubbio del poeta sul definitivo tramonto della stupenda illusione, un desiderio di riacquistare, attraverso l'esperienza poetica, una *favilla* di quell'antico sentimento. La rottura avvenuta nel *Bruto* è qui linguisticamente risarcita dalla fitta trama di ipotetiche, concessive, interrogative, con cui il poeta modula il proprio discorso, cercando d'instaurare con un patetico vocativo quel rapporto tra uomo e natura che nella precedente canzone si era definitivamente spezzato.

Metro: canzone di cinque strofe con schema *a*BCD*b*EFGH-G*ikl*MN*o*MPP (su 19 versi solo 8 rimati, ma numerose le assonanze di cui si dà notizia nel commento).

Perché i celesti danni
ristori il sole, e perché l'aure inferme
zefiro avvivi, onde fugata e sparta
delle nubi la grave ombra s'avvalla;
5 credano il petto inerme
gli augelli al vento, e la diurna luce
novo d'amor desio, nova speranza
ne' penetrati boschi e fra le sciolte
pruine induca alle commosse belve;
10 forse alle stanche e nel dolor sepolte
umane menti riede
la bella età, cui la sciagura e l'atra
face del ver consunse

($^{1-19}$): alla rima baciata della clausola *amara / impara* si allinea-
no una serie di assonanze: *sparta* 3, *avvalla* 4, *speranza* 7, *atra*
12; e così alla rima *inferme / inerme* fanno riscontro le assonanze *belve* 9, *riede* 11, ecc.   (^{1}) *Perché*: stesso *incipit* di *Sopra il
monumento,* ‹per il fatto che›.   *-i celesti danni*: reminiscenza
di Orazio, *Carm.*, IV, 7, 12: « *damna* tamen celeres reparant
caelestia lunae ».   (^{2}) *ristori*, ‹ripari›.   *-l'aure inferme*, ‹l'aria
umida, piovosa›.   ($^{3-4}$) *onde fugata... s'avvalla*: ‹(Zefiro) per il
quale la pesante ombra delle nubi, allontanata e dispersa (*fugata e sparta*), scende lungo le valli›.   (^{5}) *credano*, ‹affidino› (latinismo).   *-inerme*, ‹fragile›.   (^{6}) *la diurna luce*: soggetto della
frase, il cui verbo è *induca* al v.9.   (^{8}) *penetrati*, da essa luce.
(^{9}) *pruine*: letteralmente ‹brine›, ma già nell'uso poetico del latino ‹nevi›.   *-induca*, ‹infonda› (*desio, speranza*, negli animali
eccitati dalla primavera).   (^{12}) *la bella età*: la giovinezza, di
ognuno e della storia umana.   ($^{12-3}$) *l'atra / face del ver*: ‹l'oscura fiaccola del vero›, ossimoro di dolorosa tensione anche se *atra*
va interpretato in senso morale e ci troviamo di fronte a un'ipallage (*atra* è infatti non la *face*, ma il *vero* la cui conoscenza è
fine della speranza e origine del dolore, cfr. *A Silvia*, vv. 60 e

innanzi tempo? Ottenebrati e spenti
15   di febo i raggi al misero non sono
in sempiterno? ed anco,
primavera odorata, inspiri e tenti
questo gelido cor, questo ch'amara
nel fior degli anni suoi vecchiezza impara?

20   Vivi tu, vivi, o santa
natura? vivi e il dissueto orecchio
della materna voce il suono accoglie?
Già di candide ninfe i rivi albergo,
placido albergo e specchio
25   furo i liquidi fonti. Arcane danze

sgg.).   (¹⁴) *Ottenebrati e spenti*: ancora l'immagine dell'oscurità
del vero come negazione della luce (i due aggettivi, riferiti ai
raggi del sole, si richiamano all'*atra face*).   (¹⁵) *di febo*, ‹del sole›.   *-al misero*, ‹al più infelice tra tutti›.   (¹⁶) *ed anco*, ‹e
ancora una volta›.   (¹⁷) *odorata*, ‹odorosa›; frequentissimo questo senso nella poesia cinquecentesca e già in Petrarca (cfr. *Rime*, CLXXXV, 12, « ne l'odorato ·et ricco grembo ».   *-inspiri e
tenti*, ‹animi e seduci›.   (¹⁸) *questo... ch'amara*: *questo* da riferir-
si ancora a *cuore*, è anafora all'interno di verso; *amara* riferito
a *vecchiezza*. Cfr. *Il sogno*, vv.51-2.   (¹⁹) *impara*: si conclude la
strofa con tre interrogative che terminano rispettivamente ai vv.14,
16, 19. Partite da moduli retorici, esse vanno via via avvicinan-
dosi, soprattutto nella ripresa della strofa successiva, verso un
reale dubbio del cuore.   (²⁰⁻³⁸): assonanze anche in questa strofa,
spesso nell'ambito della rima: *albergo* con *orecchio / specchio*;
danze e *carme*, ecc.   (²¹) *dissueto*, ‹disabituato ad intenderti›.
(²³) *Già*: come dicesse ‹eppure ci fu un tempo in cui›; cfr. per
questi versi e i seguenti, il passo di *Zibaldone*, 63-4 (del 1819):
« Che bel tempo era quello nel quale ogni cosa era viva secondo
l'immaginazione umana e viva umanamente cioè abitata di esseri
uguali a noi, quando nei boschi desertissimi si giudicava per certo che abitavano le belle Amadriadi e i fauni e i silvani e Pane
ec. ed entrandoci e vedendoci tutto solitudine pur credevi tutto
abitato e così de' fonti abitati dalle Naiadi ec. e stringendoti un
albero al seno te lo sentivi quasi palpitare fra le mani credendo-
lo un uomo o donna come Ciparisso ec! E così de' fiori ec. come appunto i fanciulli ».   (²³⁻⁵) *i rivi... i liquidi fonti*: la ripetizione di *albergo* è costruita chiasticamente.   *-liquidi*, ‹trasparen-
ti›.   (²⁵⁻⁶) *Arcane danze / d'immortal piede*: le danze misteriose

d'immortal piede i ruinosi gioghi
scossero e l'ardue selve (oggi romito
nido de' venti) : e il pastorel ch'all'ombre
meridiane incerte ed al fiorito
30   margo adducea de' fiumi
le sitibonde agnelle, arguto carme
sonar d'agresti Pani
udì lungo le ripe; e tremar l'onda
vide, e stupì, che non palese al guardo
35   la faretrata Diva
scendea ne' caldi flutti, e dall'immonda
polve tergea della sanguigna caccia
il niveo lato e le verginee braccia.

Vissero i fiori e l'erbe,
40   vissero i boschi un dì. Conscie le molli
aure, le nubi e la titania lampa

delle divinità.   (27) *scossero*: come le ninfe della primavera di
Orazio (*Carm.*, I, 4, 7) che « alterno terram quatiunt pede ».
-ardue, ‹alte, inaccessibili›.   *-romito*, ‹solitario›.   (28) *il pastorel*, da unire ad *adducea* 30, ‹che conduceva alle ombre ecc.›.
(29) *incerte*: come in Virgilio, *Buc.*, v, 5: « sub *incertas* zephyris
motantibus *umbras* ».   (30) *margo*, ‹riva›.   (31) *arguto*, ‹melo-
dioso› (non necessariamente ‹acuto, stridulo›, come in alcuni
commenti); l'aggettivo esprime nel latino l'evidenza del suono pre-
scindendo dalla natura di questo, quindi il significato può essere
diverso secondo i contesti.   (33-4) *e tremar l'onda / vide, e stupì*:
la paratassi segue l'ordine cronologico dei fatti e ha concatena-
zione causale: ‹vedendo tremare le acque capì con stupore che
Diana, invisibile ai suoi occhi, scendeva nelle tiepide onde›.
(35) *la faretrata Diva*: ‹la dea che porta la faretra›, cioè Diana;
in Virg. *Aen.*, XI, 649, « *pharetrata* Camilla ».   (38) *il niveo lato*,
‹il fianco bianco come la neve›; in Orazio, *Carm*, II, 27, 25-6
« niveum... latus », detto di Europa.   (39-40) *Vissero... vissero*: la
ripetizione quasi a risposta dell'*incipit* della strofa precedente
Vivi tu... vivi? Il passato remoto (anche nei versi seguenti) ha
quasi tono epigrafico e contrasta singolarmente col linguaggio vago che descrive la natura perduta. Anche questa strofa (39-57) è
tramata di assonanze: *notte, onte, accolse,* fonicamente vicine alla rima *molli / colli*; e altre assonanze imperfette sono *ignuda,
impuri*, ecc.   (40) *Conscie*, ‹consapevoli (e benigne)›.   (41) *la titania lampa*, ‹il sole›, con l'epiteto *titania* perché il sole fu, se-

fur dell'umana gente, allor che ignuda
te per le piagge e i colli,
ciprigna luce, alla deserta notte
45   con gli occhi intenti il viator seguendo,
te compagna alla via, te de' mortali
pensosa immaginò. Che se gl'impuri
cittadini consorzi e le fatali
ire fuggendo e l'onte,
50   gl'ispidi tronchi al petto altri nell'ime
selve remoto accolse,
viva fiamma agitar l'esangui vene,
spirar le foglie, e palpitar segreta
nel doloroso amplesso
55   Dafne o la mesta Filli, o di Climene
pianger credé la sconsolata prole

condo il mito, figlio del titano Iperione.   (⁴²) *fur*, ‹furono›.
-ignuda: non velata dalle nubi.   (⁴³) *per le piagge e i colli*, attraverso i quali si muove il viandante di cui al v.45, quindi in dipendenza da *seguendo*.   (⁴⁴) *ciprigna luce*: è la luna, adorata talvolta dagli antichi col nome di Venere.   *-alla deserta notte*: locativo indeterminato con preposizione *alla* tipicamente leopardiano, cfr. *Il passero solitario* 25 e 37 e *Le ricordanze* 13 e 52.
(⁴⁶) *compagna alla via*, costruito latinamente col dativo, ‹compagna del cammino›.   (⁴⁷) *pensosa*: attributo lunare anche nel *Canto notturno*, v.62.   (⁴⁷·⁵¹) *Che se gl'impuri... accolse*: ‹che se qualcuno (*altri*), fuggendo la società urbana piena di crimini e le lotte e le offese (*onte*), abbracciò (*al petto... accolse*) i tronchi rugosi (*ispidi*) nelle selve profonde (*ime*)› ecc.   (⁵²) *agitar*: questo infinito (e i seguenti) in dipendenza da *credé* del v.56: ‹credette che una viva fiamma agitasse le vene esangui dei tronchi›.
(⁵³) *spirar*, ‹vivere, essere animate›.   *-segreta*, latinismo, ‹chiusa, nascosta› (dentro il tronco); da riferire sia a Dafne che a Filli.
(⁵⁴) *doloroso*, perché è l'abbraccio di chi ha subito le offese della società urbana.   (⁵⁵) *Dafne*: figlia del fiume Penèo, amata da Apollo e trasformata in alloro.   *-Filli*: figlia di Licurgo, re di Tracia, che disperata per l'abbandono di Demofoonte s'impiccò e fu trasformata in mandorlo.   (⁵⁵·⁶) *di Climene... la sconsolata prole*: le Eliadi, figlie di Climene e del Sole, trasformate in pioppi per il dolore della morte di Fetonte, loro fratello; intendi ‹oppure credette che le Eliadi piangessero sulla sventura di Fetonte›; Fetonte fu fulminato da Giove per aver presunto di guidare il carro del sole e precipitò nel Po (*Erìdanus* latinamente,

quel che sommerse in Eridano il sole.

Né dell'umano affanno,
rigide balze, i luttuosi accenti
60   voi negletti ferìr mentre le vostre
paurose latebre Eco solinga,
non vano error de' venti,
ma di ninfa abitò misero spirto,
cui grave amor, cui duro fato escluse
65   delle tenere membra. Ella per grotte,
per nudi scogli e desolati alberghi,
le non ignote ambasce e l'alte e rotte
nostre querele al curvo
etra insegnava. E te d'umani eventi
70   disse la fama esperto,
musico augel che tra chiomato bosco
or vieni il rinascente anno cantando,

qui accentato sulla penultima). [58-67]: sono assonanti *affanno*,
cantando, *alto*; *vostre* con la rima *grotte / rotte*, ecc. [59] *rigide*
balze: si rivolge alle rupi perché in rupe fu trasformata Eco.
-*i luttuosi accenti* ecc.: ‹né le voci di pianto (dell'umano dolore)
vi colpirono restando inascoltate›. [61] *paurose latebre*: *paurose*
di quattro sillabe (come *luttuosi* al v.59); le *latebre* (accentato
sulla penultima) sono gli antri e le grotte in cui si nasconde Eco,
ridotta a pura voce a causa dell'infelice amore per Narciso.
[62] *non vano* ecc.: ‹non gioco ingannevole dell'aria›. [63] *abitò*
transitivo, regge le *paurose latebre* del v.61. [64] *cui*, ‹che› (forma del complemento oggetto), -*escluse*, latinismo, ‹fece uscire›
(lo *spirto*, dal fragile corpo). [66] *alberghi*, ‹dimore›. [67] *le*
non ignote ambasce e l'alte e rotte, quasi chiasmo fonico di assonanze (*o-e*, *a-e* speculare ad *a-e*, *o-e*). [68] *querele*, ‹lamenti›.
[69] *etra*, ‹aria, cielo›. -*insegnava*: come in Virgilio, *Ecl.*, 1, 5:
« formonsam resonare *doces* Amaryllida sylvas ». [69-70] *E te...*
esperto: ‹E ha tramandato la leggenda che anche tu avessi spe-
rimentato le umane vicende›. [71] *musico augel*: l'usignolo; secondo la leggenda, la fanciulla Filomela fu violata dal cognato
Teseo, che le aveva tagliato la lingua perché non svelasse l'offesa
subita; ma Filomela per comunicare con la sorella Procne si servì di un ricamo e Procne per vendicarsi imbandì al marito le
carni del figlio Iti. Filomela fu trasformata in usignolo e Procne
in rondine (ma nella tradizione mitografica è talvolta Procne a es-

e lamentar nell'alto
ozio de' campi, all'aer muto e fosco,
75 antichi danni e scellerato scorno,
e d'ira e di pietà pallido il giorno.

Ma non cognato al nostro
il gener tuo; quelle tue varie note
dolor non forma, e te di colpa ignudo,
80 men caro assai la bruna valle asconde.
Ahi ahi, poscia che vote
son le stanze d'Olimpo, e cieco il tuono
per l'atre nubi e le montagne errando,
gl'iniqui petti e gl'innocenti a paro
85 in freddo orror dissolve; e poi ch'estrano

sere trasformata in usignolo). Teseo a sua volta fu trasformato
in upupa e Iti in pettirosso (secondo altri in cardellino). (73) e
lamentar, in dipendenza da disse la fama al v.70. (73-4) nell'alto
/ ozio: nella profonda quiete, durante le ore notturne. (74) al-
l'aer muto e fosco: ‹al cielo silenzioso ed oscuro›, al quale si
rivolgono i lamenti dell'usignolo. (75) scellerato scorno, ‹la nefanda vendetta›. (76) pallido il giorno, oggetto di lamentar: ‹e
piangere nel ricordo quel giorno oscurato (pallido) dalla collera
e dal pianto›. (77) cognato, ‹consanguineo, della stessa specie›;
intendi: ‹il tuo genere non è quello umano, come credeva l'antico mito›. (79) dolor non forma, ‹non le ispira il dolore›.
-di colpa ignudo, ‹innocente, incapace di colpa›, perché è soltanto un animale. (80) men caro assai, ‹meno amato d'un tempo›
(perché non siamo più solidali, come gli antichi, con la sua dolorosa leggenda, cui non crediamo più). (81) poscia che vote:
senza più dei. -asconde, assonante con la coppia rimata note /
vote. (82) cieco il tuono, senza la giusta direzione che gli impri-
meva Giove. (84) a paro, ‹senza distinzione›. (85) in freddo orror dissolve: ‹scioglie in un freddo brivido di morte›; Leopardi
in margine cita Virgilio, Aen., III, 29-30: «mihi frigidus horror
/ membra quatit» e I, 29: «solvuntur frigore membra» (le due
fonti sono contaminate); il brivido a contrasto col fuoco del fulmine (perché noi non crediamo più alla sua origine divina ed esso
può colpire i buoni che i malvagi). -estrano: la terra ci
è diventata estranea, straniera; questo motivo anche nel Tramonto della luna, 31-3, come conseguenza della fine della giovinezza:
« e vede / che a se l'umana sede, / esso a lei veramente è fatto
estrano »; qui estrano assonante con la coppia rimata paro /

il suol nativo, e di sua prole ignaro
le meste anime educa;
tu le cure infelici e i fati indegni
tu de' mortali ascolta,
90   vaga natura, e la favilla antica
rendi allo spirto mio; se tu pur vivi,
e se de' nostri affanni
cosa veruna in ciel, se nell'aprica
terra s'alberga o nell'equoreo seno,
95   pietosa no, ma spettatrice almeno.

ignaro.   ([86]) *di sua prole ignaro*: all'oscuro dell'esistenza degli uomini che ha generato. ([87]) *educa* con l'accento sulla penultima: ‹fa crescere le meste vite›, latinismo. ([88-9]) *tu... tu*: riappare l'apostrofe alla natura, sottolineata dalla figura della ripetizione (cfr. v.20); il *tu* anaforico e in posizione chiastica, *cure* e *fati* sono entrambi oggetti di *ascolta.* ([90]) *la favilla antica*: il fervore dell'immaginazione e del sentimento, l'antica giovinezza del mondo. ([91]) *se tu pur vivi*: da rapportare alla domanda, piena di poetica incertezza, dei versi 20-1. Il Binni ha fatto notare, di questo canto, la « configurazione in forma di rabesco sottile e sinuoso: i *se*, i *forse*, i *perché* numerosissimi ». ([92-5]) *e se... almeno*: ‹e se nel cielo, nella terra illuminata dal sole (*aprica*) o nelle profondità del mare (*nell'equoreo seno*) esiste (*s'alberga*) un'entità non dico pietosa, ma almeno spettatrice dei nostri affanni›. ([95]) *pietosa no*, con forte cesura provocata dalla negazione; anche in *Sopra il monumento*, 135-6: « ma per la moribonda / Italia no; per li nemici sui » (con messa in rilievo del membro avversativo *nemici*, qui *spettatrice*).

Composto a Recanati nel luglio del 1822, dopo l'*Ultimo canto di Saffo*. Occupava perciò il nono posto delle *Canzoni* in B24. Lo spostamento avviene in F (che organizza in un libro anche i primi idilli stampati separatamente in B26). Il motivo dello spostamento è da cercarsi nella consonanza tematica con la canzone *Alla Primavera*, in una operazione che allinea, nel rimpianto della natura primitiva, sia il mito greco che il *Genesi*.

Si è cercato, in questa canzone, un legame col progetto di *Inni religiosi* di cui appare traccia nelle carte leopardiane, legame che il Fubini ha decisamente negato. Estrema difesa poetica del proprio sistema della natura, l'*Inno ai Patriarchi* è stato giustamente definito dal Binni «una battaglia di retroguardia» rispetto alle importanti acquisizioni che il poeta aveva raggiunto nell'*Ultimo canto di Saffo*. Infatti il Leopardi non tenterà più di fondare la felicità umana sulla semplice corrispondenza tra uomo e natura, aperto ormai a una più profonda e personale critica dei due termini dialettici.

Lo stile è «peregrino» e fitto di latinismi, la sintassi irta di inversioni. Della volontà d'imitare l'inno callimacheo rimane, fragile trama, il gusto di quadri rievocanti situazioni ed episodi.

Metro: endecasillabi sciolti.

E voi de' figli dolorosi il canto,
voi dell'umana prole incliti padri,
lodando ridirà; molto all'eterno
degli astri agitator più cari, e molto
5   di noi men lacrimabili nell'alma
luce prodotti. Immedicati affanni
al misero mortal, nascere al pianto,
e dell'etereo lume assai più dolci
sortir l'opaca tomba e il fato estremo,
10   non la pietà, non la diritta impose
legge del cielo. E se di vostro antico
error che l'uman seme alla tiranna
possa de' morbi e di sciagura offerse,
grido antico ragiona, altre più dire

(¹) *E voi*, ‹anche voi› (il canto ricorderà).   (³) *eterno*, da unire
ad *agitator*: ‹l'eterno motore degli astri›, Dio.   (⁵) *men lacrimabili*, ‹meno degni di pianto›.   (⁶) *prodotti*, ‹generati› (alla luce vitale).   (⁶) *Immedicati affanni*, apposizione delle oggettive *nascere... sortir*: ‹Non la pietà, non la giusta legge del cielo impo-
sero all'uomo, come sciagure senza rimedio, il nascere al pianto
e l'avere in sorte, quasi fossero cose più dolci della luce del cielo,
l'oscurità della tomba e l'estremo destino della morte›.   (¹¹⁻⁴) *E
se di vostro... ragiona*: ‹E sebbene la fama tramanda (*ragiona*) di
una vostra antica colpa che lasciò esposto (*offerse*) l'uomo alla
terribile potenza del male e del dolore, ecc.› Nota la ripetizione
di *antico* all'esterno di un chiasmo: « *antico* error... grido *antico* ».   (¹⁴⁻⁸) *altre più dire... natura*: ‹altre più empie colpe dei
figli e il loro animo insaziabile di conoscenza e una follia più grande di quella di Adamo, ci resero ostile il cielo e la mano della
natura da noi non più amata, che ci era stata madre (*altrice*)›.
La vicenda biblica non è vista nel suo specifico significato religioso ma assume funzione di mito; come scrive il Leopardi nel
suo progetto di *Inni cristiani*, « la religione nostra ha moltissimo

15   colpe de' figli, e irrequieto ingegno,
       e demenza maggior l'offeso Olimpo
       n'armaro incontra, e la negletta mano
       dell'altrice natura; onde la viva
       fiamma n'increbbe, e detestato il parto
20   fu del grembo materno, e violento
       emerse il disperato Erebo in terra.

       Tu primo il giorno, e le purpuree faci
       delle rotanti sfere, e la novella
       prole de' campi, o duce antico e padre
25   dell'umana famiglia, e tu l'errante
       per li giovani prati aura contempli:
       quando le rupi e le deserte valli
       precipite l'alpina onda feria

di quello che somigliando all'illusione è ottimo alla poesia ».
([18-9]) *la viva / fiamma n'increbbe*: ‹c'infastidì la fiamma della vita›.   ([19-20]) *e detestato... materno*: ‹e fu odiato il giorno in cui
la madre ci partorì›.   ([20-1]) *e violento... in terra*: la terra, che
era regno della vita e della felicità, divenne *disperato Erebo*, regno della morte. Cfr. Cesarotti, *Atene, Sparta e Roma* (componimento CCII della *Crestomazia* leopardiana) dove la tirannia, seguita alla caduta della repubblica romana, è paragonata a un mostro « cui vomitò da i baratri profondi / per far la terra a se
simil, l'Inferno ».   ([22]). *Tu primo*: Adamo: cfr. l'abbozzo del-
l'*Inno*: « Tu primo contempli la purpurea luce del sole, e la volta dei cieli, e le bellezze di questa terra. Descrizione dello stato
di solitudine in cui si trovava allora il mondo non abitato per
anche dagli uomini, e solamente da pochi animali... Si procuri
di destare un'idea vasta e infinita di questa solitudine, simile a
quella ch'io concepiva scrivendo l'Inno a Nettuno, e descrivendo
la scesa di Rea nella terra inabitata per darvi alla luce quel
Dio ». L'*Inno a Nettuno*, traduzione di un immaginario originale greco, fu composto dal Leopardi nel 1816.   *-purpuree* è latinismo per ‹scintillanti, abbaglianti›, aggettivo riferito ai cigni in
Orazio, *Carm.*, IV, 1, 10 e nel *Carmen ad Liviam*, attribuito ad
Albinovano, anche alla neve.   ([24]) *prole de' campi*: le piante,
appena create; *proles* detto di alberi anche in Virgilio, *Georg.*, II,
3.   ([25-6]) *l'errante... aura*: l'aria che vagava per i prati *giovani* (e
novella aveva detto della generazione degli alberi).   *-contempli*: suoi
oggetti sono *le purpuree faci*, la *prole de' campi* e *l'aura* vista

30   d'inudito fragor; quando gli ameni
      futuri seggi di lodate genti
      e di cittadi romorose, ignota
      pace regnava; e gl'inarati colli
      solo e muto ascendea l'aprico raggio
      di febo e l'aurea luna. Oh fortunata,
35   di colpe ignara e di lugubri eventi,
      erma terrena sede! Oh quanto affanno
      al gener tuo, padre infelice, e quale
      d'amarissimi casi ordine immenso
      preparano i destini! Ecco di sangue
40   gli avari colti e di fraterno scempio
      furor novello incesta, e le nefande

nel movimento dell'erba.   [29] *d'inudito fragor*: ‹di un fragore
mai prima ascoltato da orecchio umano›.   [29-32] *quando gli
ameni... regnava*: ‹quando una pace arcana dominava i luoghi
ridenti che sarebbero divenuti la sede di popoli famosi e di città
rumorose›.   [32] *inarati*, ‹che non conoscevano l'aratro›; parola presente in Virgilio e Ovidio.   [33] *solo e muto*: Leopardi in
margine: « perché anche il giorno era allora silenzioso come la
notte ».   [33-4] *l'aprico raggio / di febo*: ‹il raggio luminoso del
sole›; qui *aprico* non significa ‹esposto al sole, soleggiato› ma
‹sereno, caldo› con valore attivo testimoniato in alcuni autori latini.   [34] *e l'aurea luna*: ‹la luna color oro-argento›; aggettivo
di Virgilio in *Georg.*, I, 431: « aurea Phoebe » (citato dal Leopardi in margine). La congiunzione *e* allinea *febo* e *luna* non rispetto soltanto ad *ascendea* ma anche a *solo e muto*: ambedue
gli astri erano solitari (non seguiti da occhi umani) e silenziosi
per assenza di abitatori umani nel mondo.   [35] *lugubri*, accentata
sulla penultima (non esistono quasi in Leopardi endecasillabi di
settima; vedi le eccezioni di *All'Italia*, v.111; *Il primo amore*, vv.
39 e 88, con autorizzazione della terzina dantesca; *La sera del dì di
festa*, v.27); ‹luttuosi›, come sono spesso i fatti degli uomini, cfr.
Bruto minore, vv.61-2.   [36] *erma*, ‹solitaria, ancora disabitata›.
[39-41] *ecco... incesta*: ‹ecco un furore sconosciuto (*novello*) conta-
mina (*incesta*) di sangue fraterno i campi avari di frutti (dopo il
peccato originale)›; *di sangue... e di fraterno scempio* è un'endiadi.   [41-2] *e le nefande / ali di morte*: esempio degli « ardiri » metaforici del primo Leopardi; cfr. *l'atra / face del ver* in
Alla primavera, 12-3 dove si realizza la stessa figura retorica e la
stessa inarcatura del verso che separa aggettivo e sostantivo.
[42] *il divo etere impara*: perché la morte era ignota sulla terra

ali di morte il divo etere impara.
Trepido, errante il fratricida, e l'ombre
solitarie fuggendo e la secreta
45 nelle profonde selve ira de' venti,
primo i civili tetti, albergo e regno
alle macere cure, innalza; e primo
il disperato pentimento i ciechi
mortali egro, anelante, aduna e stringe
50 ne' consorti ricetti: onde negata
l'improba mano al curvo aratro, e vili
fur gli agresti sudori; ozio le soglie
scellerate occupò; ne' corpi inerti
domo il vigor natio, languide, ignave
55 giacquer le menti; e servitù le imbelli
umane vite, ultimo danno, accolse.

prima dell'uccisione di Abele; *divo etere*, come a dire ‹il cielo celeste›. (⁴⁴) *fuggendo*: Caino fugge le ombre della solitudine e la collera dei venti, si allontana cioè dalla natura e fonda le prime città, organizza la «società»; cfr. *Zibaldone*, 191: «Ed è bello il credere che la corruttrice della natura umana e la sorgente della massima parte de' nostri vizi e scelleraggini sia stata in certo modo effetto e figlia e consolazione della colpa» (in data 29 luglio 1820). *-secreta*, da unire ad *ira*, ‹che è chiusa, nascosta› (nelle profonde selve). (⁴⁶) *i civili tetti*, le città; cfr. *Alla primavera*, 47-8. (⁴⁷) *alle macere cure*: l'aggettivo *macere* è di solito rapportato dai commentatori al verbo ‹macerare›; si tratta soltanto di un equivalente di *macre* con interposizione di *e* per epentesi, cfr. *Sopra il monumento*, 144, «maceri e cruenti». L'espressione appartiene allo stesso ambito di significato del *viver macro* di *Bruto minore*, 57, che fu imposto all'uomo dopo la rovina dei *regni beati*; *macro* (e qui *macere*) ha il senso di ‹triste per assenza, privazione›; si veda la coppia antonimica di Orazio *macrum-opimum* in *Epist.*, II, I, 181. *-e primo*, ‹e per la prima volta›, riferito al *pentimento*. (⁴⁸) *ciechi*, perché essi stessi causa del loro male. (⁴⁹) *egro, anelante*, ‹infelice, affannato›, sempre riferito al pentimento. (⁵⁰) *ne' consorti ricetti*: ‹nei rifugi dove spartivano un'uguale sorte›. (⁵⁰⁻¹) *onde negata... aratro*: ‹per cui la mano colpevole si rifiutò al lavoro dei campi› (Caino è il fondatore della civiltà urbana); il verbo è *fur* del v.52. (⁵²) *le soglie*, ‹le case›, sineddoche. (⁵⁴) *domo il vigor natio*: ‹spento il vigore naturale del corpo›; cfr. *Nelle nozze*, 45, «scemo il valor natio». (⁵⁵⁻⁶) *e servitù... accolse*: ‹e la schia-

E tu dall'etra infesto e dal mugghiante
su i nubiferi gioghi equoreo flutto
scampi l'iniquo germe, o tu cui prima
60   dall'aer cieco e da' natanti poggi
segno arrecò d'instaurata spene
la candida colomba, e delle antiche
nubi l'occiduo Sol naufrago uscendo,
l'atro polo di vaga iri dipinse.
65   Riede alla terra, e il crudo affetto e gli empi
studi rinnova e le seguaci ambasce
la riparata gente. Agl'inaccessi
regni del mar vendicatore illude
profana destra, e la sciagura e il pianto
70   a novi liti e nove stelle insegna.

Or te, padre de' pii, te giusto e forte,

vitù, estremo dei mali, s'impadronì delle vite umane⟩ (rese deboli
dalla rottura dell'equilibrio tra i *corpi* del v.53 e le *menti* del
v.55). ⁽⁵⁷⁾ *E tu*: Noè. -*dall'etra infesto*, ⟨dal cielo minaccio-
so⟩ (in dipendenza da *scampi*, 59). ⁽⁵⁷⁻⁸⁾ *e dal mugghiante...*
flutto: il participio separato dal suo sostantivo per iperbato: ⟨dal
mare (*equoreo flutto*) che mugghia sui monti dove si formano le
nubi⟩; *nubifero*, epiteto da *Regia Parnassi*, testimoniato in Ovidio e Stazio. ⁽⁵⁹⁾ *l'iniquo germe*: la razza umana malvagia.
⁽⁶⁰⁾ *cieco*: ricoperto di nubi. -*e da' natanti poggi*: dalle balze che
emergevano dalle acque. ⁽⁶¹⁾ *instaurata*, ⟨rinnovata⟩. ⁽⁶³⁾ *l'occiduo Sol*, ⟨il sole al tramonto⟩, che per la prima volta dopo lungo tempo spuntava dalle nubi (per questo *antiche*). L'immagine
del sole al tramonto forse perché nel *Genesi* (VIII, 11) la colomba liberata da Noè tornò *ad vesperam*. -*naufrago*: in una nota
marginale del Leopardi: «come un naufrago che esce dalle
acque». ⁽⁶⁴⁾ *l'atro polo* ecc.: ⟨dipinse di un vago arcobaleno
il cielo oscuro⟩; *polo* è latinismo per ⟨cielo⟩; *iri*, ⟨arcobaleno⟩, da
Iris, Iride, celeste messaggera degli dei. ⁽⁶⁵⁾ *Riede*, ⟨ritorna⟩.
⁽⁶⁵⁻⁷⁾ *e il crudo affetto... gente*: ⟨e l'umanità salvata (*riparata*, latinismo) rinnova la sua triste inclinazione (*il crudo affetto*) e le sue
empie opere (*gli empi studi*) con tutti i dolori che ne conseguo-
no (*seguaci*)⟩. ⁽⁶⁷⁻⁹⁾ *Agl'inaccessi... destra*: ⟨la mano sacrilega
(*profana*) dell'uomo si prende gioco (*illude*) dei regni inviolati
del mare, funesto (*vendicatore*) a chi osa *attraversarlo*⟩; è il *topos* della poesia antica contro la navigazione, vista come viola-

e di tuo seme i generosi alunni
medita il petto mio. Dirò siccome
sedente, oscuro, in sul meriggio all'ombre
75   del riposato albergo, appo le molli
rive del gregge tuo nutrici e sedi,
te de' celesti peregrini occulte
beàr l'eteree menti; e quale, o figlio
della saggia Rebecca, in su la sera,
80   presso al rustico pozzo e nella dolce
di pastori e di lieti ozi frequente
aranitica valle, amor ti punse

zione delle leggi naturali e origine d'innumerevoli mali.   [71] *padre de' più*: Abramo.   [72] *alunni*, ‹figli›, latinismo.   [73] *medita*,
‹si prepara a cantare›.   [74] *sedente*: cfr. il passo del *Genesi*, VIII,
1 : « sedenti in ostio tabernaculi sui in ipso fervore diei » (*in sul
meriggio*).   -*oscuro*: cfr. i versi di Marziale, citati da Leopardi
in margine (1, 50 secondo le edizioni moderne): « Aestus serenos
aureo franges Tago / obscurus umbris arborum », quindi ‹nel-
l'oscurità delle ombre›.   [76] *nutrici e sedi*: ‹che offriva al gregge stanza e nutrimento›.   [77-8] *te... menti*: in una nota al margine Leopardi segnala un passo di Virgilio, *Georg.*, IV, 220-1:
« Esse apibus divinae mentis et haustus / aetherios dixere »; la nota tarda (su N) rivela una ricerca da parte del Leopardi delle proprie reminiscenze inconscie e del modo come si sono trasformate
nel suo testo. Qui i versi del Leopardi (‹le celesti menti degli angeli nascosti sotto veste di viandante ti resero felice›) si rifanno
non solo all'episodio del *Genesi*, XVIII, 1-22, in cui tre angeli annun-
ziano ad Abramo la prossima nascita del figlio Isacco, ma anche
« al passo di Catullo, quando gli Dei si facean vedere dagli uomini », come leggiamo nell'abbozzo dell'*Inno*. Il passo di Catullo
in *Carm.*, LXIV, 384-6: « Praesentes namque ante domos invise-
re castas / heroum et sese mortali ostendere coetu / caelicolae
nondum spreta pietate solebant ».   [78] *e quale*: ancora in dipendenza da *dirò* del v.73, e da unire ad *amor* del v.82.   [78-9] *figlio*
ecc.: Giacobbe, figlio di Rebecca e d'Isacco.   [80] *nella dolce*, separato per iperbato dal suo sostantivo *Aranitica valle*, la valle di
Haran.   [82] *amor*: nella serie di strenui stilismi che caratterizzano quest'*Inno* (e in genere le prime canzoni) è frequente l'iperbato; qui li distacco tra *quale* e *amor* è di cinque versi, all'interno
dei quali si colloca un iperbato di più breve pausa (*nella dolce...
Aranitica valle*) che racchiude a sua volta l'anastrofe, *di pastori...
frequente*: tre cerchi concentrici. Leopardi nel suo desiderio di

della vezzosa Labanide: invitto
amor, ch'a lunghi esigli e lunghi affanni
85   e di servaggio all'odiata soma
volenteroso il prode animo addisse.

Fu certo, fu (né d'error vano e d'ombra
l'aonio canto e della fama il grido
pasce l'avida plebe) amica un tempo
90   al sangue nostro e dilettosa e cara
questa misera piaggia, ed aurea corse
nostra caduca età. Non che di latte
onda rigasse intemerata il fianco
delle balze materne, o con le greggi
95   mista la tigre ai consueti ovili
né guidasse per gioco i lupi al fonte

elevata eloquenza raggiunge zone di *obscuritas* grammaticalmente
straniante. ([85]) *e di servaggio* ecc.: Giacobbe per avere in sposa
Rebecca servì per 14 anni Labano. ([86]) *il prode animo addisse*:
‹assoggettò il suo animo forte›. ([87]) *Fu certo, fu*: vedi *Alla primavera*, 39-40, dove la ripetizione ha lo stesso valore retorico-emo-
tivo e identico è il vagheggiamento di un'età dell'oro; cfr. *Zibaldone*, 2250-1, in data 13 dicembre 1821: « Quell'antica e sì famosa opinione del secol d'oro... non può ella molto bene servire
a conferma del mio sistema, a dimostrare l'antichissima tradizione di una generazione dell'uomo, di una felicità perduta dal genere umano, e felicità non consistente in altro che in uno stato
di natura e simile a quello delle bestie, e non goduta in altro che
nel primitivo, e in quello che precedette i cominciamenti della civiltà, anzi le prime alterazioni della natura umana derivate dalla
società? » ([87-9]) *né d'error... plebe*: ‹né il canto dei poeti e la
voce della tradizione alimentano nella plebe, assetata di fole (*avida*), vane illusioni e fantasmi›; *aonio* è detto il canto perché nel-
l'Aonia o Beozia risiedevano Apollo e le Muse. Il Leopardi ricorda in margine Virgilio, *Aen.*, 1, 464: « animum pictura pascit
inani ». ([89]) *amica* si unisce a *fu* del v.87. ([91]) *misera piaggia*:
la terra, sineddoche, dove la riduzione spaziale ha valore polemi-
co-espressivo come *aiuola* in Dante, *Par.*, xxii, 151. -*aurea corse*, ‹trascorse, beata, felice›. ([92-7]) *Non che di latte... il pastorel*:
‹Non già che fiumi di latte bagnassero incontaminati il fianco delle balze da cui sgorgavano (*materne*) né che il pastorello guidasse lietamente agli ovili la tigre mescolata alle sue greggi, o il lu-

il pastorel; ma di suo fato ignara
e degli affanni suoi, vota d'affanno
visse l'umana stirpe; alle secrete
100   leggi del cielo e di natura indutto
valse l'ameno error, le fraudi, il molle
pristino velo; e di sperar contenta
nostra placida nave in porto ascese.

Tal fra le vaste californie selve
105   nasce beata prole, a cui non sugge
pallida cura il petto, a cui le membra
fera tabe non doma; e vitto il bosco,
nidi l'intima rupe, onde ministra
l'irrigua valle, inopinato il giorno

po, alla stessa fonte dove si abbeveravano›; la preposizione di-
sgiuntiva *o* è grammaticalmente anticipata rispetto alla negativa.
né. (⁹⁷) *ma di suo fato ignara*: il *ma* riconosce alle favole antiche il valore di metafora, di rappresentazione mitica della realtà;
fato non nel senso di morte, ma di destino di infelicità di cui gli
uomini primitivi non erano consapevoli; cfr. il citato abbozzo del
Leopardi: « Ma s'ignorano le sventure che ignorate non sono tali ecc. E tanto è miser l'uom quant'ei si reputa » Sannazaro.
(⁹⁸) *vota d'affanno*, ‹libera da dolori›. (⁹⁹⁻¹⁰²) *alle secrete... velo*:
‹celando (*indutto*) le leggi del cielo e della natura allora nascoste,
(*secrete*) ebbero potere la dolce illusione (*l'ameno error*), gl'inganni, il pietoso velo che anticamente adombrava la verità›; *valse* è retto da tre soggetti. (¹⁰²) *e di sperar contenta*, ‹paga delle
proprie speranze› (della promessa di felicità differite). (¹⁰³) *ascese*: cfr. nota a *salivi* di *A Silvia*, v.6; il *porto* è il termine della
vita. (¹⁰⁴) *Tal*, ‹simile› (alla generazione vissuta nell'età dell'oro).
-californie: in una nota margine del Leopardi: « Da California io
fo il nome nazionale Californio. Così i latini da Arabia, Arabius ».
(¹⁰⁵⁻⁶) *cui non sugge / pallida cura il petto*: in una nota marginale Leopardi segnala Virgilio, *Aen.*, v, 137-8: « haurit / corda pa-
vor » (anche in *Georg.*, III, 105); il riferimento vuol mettere in luce l'uso figurato di ‹suggere›, analogo a quello virgiliano di *hau-
rire*, nel senso di ‹svuotare, consumare›. (¹⁰⁷) *fera tabe*, ‹malattia implacabile›. (¹⁰⁷⁻¹⁰) *e vitto... incombe*: ‹alla quale la foresta
fornisce il cibo, la cavità delle rocce l'abitazione e la valle irrigua le acque (*onde*) e inaspettato arriva il giorno della morte›;
ministra da ‹ministrare›, latinismo, nel senso di ‹procurare, fornire›. Sulla vita di natura dei popoli della California frequenti

110   dell'atra morte incombe. Oh contra il nostro
        scellerato ardimento inermi regni
        della saggia natura! I lidi e gli antri
        e le quiete selve apre l'invitto
        nostro furor; le violate genti
115   al peregrino affanno, agl'ignorati
        desiri educa; e la fugace, ignuda
        felicità per l'imo sole incalza.

note sullo *Zibaldone* (3180, 3304, 3360, 3801-2). E importanti,
sempre nello *Zibaldone*, le riflessioni sullo stato selvaggio.
([110-2]) *Oh contra... natura*: ‹Oh regni della natura benigna, senza
difesa contro la nostra empia volontà›; accusa del colonialismo
bianco che distrugge nei popoli primitivi la felicità dello stato
di natura.   ([113-4]) *apre l'invitto / nostro furor*: il furore insaziabile della colonizzazione da parte dei popoli civili è visto dal Leopardi come iniqua esportazione dell'infelicità. Nel citato abbozzo
dell'*Inno*: « qual erinni ci spinge e ci sollecita a scacciare la felicità da tutto il genere umano, a snidarla dagli ultimi suoi recessi,
da quei piccoli avanzi del nostro secolo, ai quali ell'è ancora concessa...? » Qui *invitto nostro furor* equivalente ad *erinni* dell'abbozzo.   ([115]) *peregrino affanno*: *peregrino* perché straniero, im-
portato da lontano.   ([116]) *educa* accentato sulla penultima.
([116]) *fugace*, ‹fuggente, irraggiungibile›.   *-ignuda*: in una nota
marginale Leopardi spiega: « *ignuda*, cioè *inerme*; e però facile
a vincere, ch'è appunto quello che voglio dire; ovvero spogliata
di tutti i suoi possedimenti ec., ovvero misera, povera, ec., che
in qualunque modo sta bene »; dove si vede come il Leopardi
ami le parole ricche di *nuances* semantiche e che si prestano a
pluralità di sensi.   ([117]) *per l'imo sole*: ‹dove il sole tocca la
terra, tramonta›, cioè nell'estremità occidentale del Continente.

Composta nel maggio 1822.

È il risultato più alto del Leopardi nella direzione delle prime canzoni. Qui i toni «gridati» del *Bruto* e quelli più effusi della *Primavera* si fondono, dando uno schietto sapore autobiografico al tema dell'«animo delicato, tenero, nobile e caldo, posto in un corpo brutto e giovane», come dalle parole del Leopardi stesso; animo che si affabula sullo sfondo di una natura tempestosa ricca di echi ossianeschi. È stato notato dal Binni come le settecentesche *prose di romanzi* (la *Delphine* e la *Corinne* della De Staël, le *Avventure di Saffo* del Verri), lette dal poeta con fervore a giudicare dagli influssi che qui e altrove hanno esercitato, agiscono da «*Kurzweg* accelerante nello sgorgo dei suoi sentimenti»; che è espressione dello stesso Leopardi in *Zibaldone*, 42 (1818): «... la lettura de' libri non ha veramente prodotto in me né affetti o sentimenti che non avessi... ma pure gli ha accelerati, e fatti sviluppare più presto...» E aleggia pure, sullo sfondo, la figura alfieriana della *Mirra*, vittima incolpevole di un delitto insinuatole dai celesti.

Il tono d'individuale affabulazione del componimento viene superato dal rimando, che la canzone opera, a un comune destino dell'umanità che vede la natura indifferente e superba di fronte al proprio dolore.

Metro: canzone di quattro strofe con schema ABCDEFGHILMNOPQRSS, quindi coi due soli versi finali in rima. La scomparsa quasi totale della rima provoca un più ricco infittirsi delle assonanze, di cui si dà notizia nel commento.

Placida notte, e verecondo raggio
della cadente luna; e tu che spunti
fra la tacita selva in su la rupe,
nunzio del giorno; oh dilettose e care
5   mentre ignote mi fur l'erinni e il fato,
sembianze agli occhi miei; già non arride
spettacol molle ai disperati affetti.
Noi l'insueto allor gaudio ravviva
quando per l'etra liquido si volve
10   e per li campi trepidanti il flutto
polveroso de' Noti, e quando il carro,
grave carro di Giove a noi sul capo,

(1-18) La strofa, che comprende un'unica rima nei due versi finali, è ricca di assonanze tra cui predominanti quelle con vocalismo di *a*: *raggio, care, fato, carro, capo* (allitterante con la superiore clausola), *valli, vasta* (anch'essa allitterante), *alto*, ecc.   (1) *Placida notte*: apostrofe di Saffo che si rivolge alla luna, ai segni labili della notte che sta per finire e a quelli del giorno che spunta: situazione di dilucolo che si ritroverà anche nel *Tramonto della luna*.   -*verecondo*, ‹pudico› e anche ‹rosco› secondo l'uso latino, com'è il raggio della luna quando tràmonta.   (4) *nunzio del giorno*: la stella Venere.   (5) *l'erinni*: le furie, simbolo della passione; anche in *Aspasia*, 10: « mia delizia ed erinni ».   (6) *già*, ‹ormai›.   (7) *spettacol molle*: in una nota al margine del Leopardi la metafora ottenuta con *molle* al posto di *dolce* è difesa come « ardita », perché « se il poeta, massime il lirico non è ardito nelle metafore, e teme l'insolito, sarà anche privo del nuovo ».   -*ai disperati affetti*: il contrasto tra la bellezza della natura e l'angoscia di Saffo anche in Verri, *Avventure di Saffo*: « Placida è tutta la natura, tranquillo è il cielo... Spettacolo invero gratissimo per chi sorgendo dal soave sonno dia principio ai tranquilli uffici diurni; ma insipidi oggetti per un cuore trafitto da stimolo così pungente... »   (8-11) *Noi l'insueto... Noti*: ‹noi siamo presi da

tonando, il tenebroso aere divide.
Noi per le balze e le profonde valli
15   natar giova tra' nembi, e noi la vasta
fuga de' greggi sbigottiti, o d'alto
fiume alla dubbia sponda
il suono e la vittrice ira dell'onda.

Bello il tuo manto, o divo cielo, e bella
20   sei tu, rorida terra. Ahi di cotesta

una gioia strana quando, attraverso lo spazio aperto (*liquido*) e
per i campi sconvolti, turbina (*si volve*) l'onda polverosa dei venti (*Noti*)›. L'animo infelice è rallegrato dalla vista della natura
tempestosa. *Noti* definisce per antonomasia i venti in generale.
(¹²) *grave carro di Giove*: anadiplosi con pausa del contatto per
interposizione dell'aggettivo; cfr. Orazio, *Carm.*, I, 12, 58: «Tu
gravi curru quaties Olympum», citato anche da Leopardi in una
nota al margine: è la personificazione mitologica del tuono e
del lampo.   (¹³) *il tenebroso aere divide*: ancora una reminiscenza oraziana da *Carm.*, I, 34, 5-6: «Diespiter / igni corusco nubila *dividens*», incrociata con Virgilio, *Aen.*, V, 839: «*aera* dimovit *tenebrosum*». Le reminiscenze classiche danno solennità di
eroica antica alla Saffo tenera e romantica del Verri e alla *Corinne* di M.me De Staël, qui presenti nel ricordo del Leopardi.
(¹⁴⁻⁵) *Noi... giova*: ‹a noi piace immergerci (*natar*) nella tempesta per montagne e valli profonde›.   (¹⁶⁻⁸) *o d'alto... dell'onda*:
‹o il fragore e la collera trionfante (*vittrice*) di un fiume gonfiato dalla pioggia (*alto*) lungo la sua sponda insidiosa (*dubbia*)›. Nota al v.15 l'iterazione di *i* nei successivi accenti di
sesta e di settima.   (¹⁹⁻³⁶) Anche nella seconda strofa numerose
le assonanze che tramano la segreta musicalità del testo: *bella,
cotesta, empia, addetta, dispiega*, con predominanza di *e*; ma
anche *invano* e *canto, porta* e *ombra* ecc. L'eco delle assonanze
anche all'interno di verso con *fenno* 23 e *intendo* 27, che chiudono due periodi successivi.   (¹⁹) *Bello il tuo manto*: al *tu* è
affidato ogni attributo di bellezza e felicità, mentre «la negazione entra in diretto rapporto di contrasto col pronome di prima
persona» (Galimberti); cfr. *a me non ride*, 27; *me non il canto*,
29, ecc.   (²⁰) *rorida*, ‹rugiadosa›.   (²³⁻⁷) *A' tuoi superbi... intendo*: ‹Io, o natura, assegnata (*addetta*) ai tuoi regni superbi
come un'estranea (*ospite*) di poco conto e molesta (*vile* e *grave*)
e come un'amante da te rifiutata, invano supplicando rivolgo lo
sguardo (*le pupille... intendo*) e il cuore alla tua bellezza›.

infinita beltà parte nessuna
alla misera Saffo i numi e l'empia
sorte non fenno. A' tuoi superbi regni
vile, o natura, e grave ospite addetta,
25   e dispregiata amante, alle vezzose
tue forme il core e le pupille invano
supplichevole intendo. A me non ride
l'aprico margo, e dall'eterea porta
il mattutino albor; me non il canto
30   de' colorati augelli, e non de' faggi
il murmure saluta : e dove all'ombra
degl'inchinati salici dispiega
candido rivo il puro seno, al mio
lubrico piè le flessuose linfe
35   disdegnando sottragge,
e preme in fuga l'odorate spiagge.

Qual fallo mai, qual sì nefando eccesso
macchiommi anzi il natale, onde sì torvo
il ciel mi fosse e di fortuna il volto?
40   In che peccai bambina, allor che ignara

(²⁸) *l'aprico margo*: i luoghi illuminati dal sole.   *-dall'eterea porta*: ‹la porta del cielo› (l'Oriente).   (²⁹) *albor*: parola usata dal Leopardi per luci di crepuscolo: cfr. *Il sogno* 3, *Canto notturno* 11, *Il tramonto della luna* 17.   (³⁰) *de' colorati augelli*: espressione di ascendenza virgiliana, «pictae volucres» in *Aen.*, IV, 525 (anche in *Georg.*, III, 243).   (³¹⁻⁶) *e dove... spiagge*: ‹e dove all'ombra dei salici piangenti (*inchinati*) un ruscello lucente (*candido*) fa scorrere (*dispiega*) la sua pura corrente (*seno*), esso sottrae al mio piede che scivola (*lubrico*) sulla sua sponda le sue acque serpeggianti (*le flessuose linfe*), come se provasse fastidio di me (*disdegnando*), e urta (*preme*) nella sua fuga le rive profumate›.   (³⁷⁻⁵⁴): nella strofa assonanze con dominante vocalica in *e*: *eccesso, scemo, grembo, regno; volvesse, speme, imprese*; in *torvo* e *volto* (vv.38 e 39) l'assonanza è quasi un anagramma.

(³⁸) *anzi il natale*, ‹prima della nascita›; cfr. il *Dialogo della Natura e di un'Anima*: «Che male ho io commesso prima di vivere, che tu mi condanni a cotesta pena? »   (³⁸⁻⁹) *onde sì torvo... il volto*: ‹perché fosse così irato con me il cielo e il volto della fortuna?›   (⁴⁰) *bambina*: cfr. nota ad *Aspasia*, 23.   (⁴¹⁻⁴) *onde poi scemo... stame*: ‹cosicché poi, privo di giovinezza e senza il

di misfatto è la vita, onde poi scemo
di giovanezza, e disfiorato, al fuso
dell'indomita Parca si volvesse
il ferrigno mio stame? Incaute voci
45 spande il tuo labbro: i destinati eventi
move arcano consiglio. Arcano è tutto,
fuor che il nostro dolor. Negletta prole
nascemmo al pianto, e la ragione in grembo
de' celesti si posa. Oh cure, oh speme
50 de' più verd'anni! Alle sembianze il Padre,
alle amene sembianze eterno regno
diè nelle genti; e per virili imprese,
per dotta lira o canto,
virtù non luce in disadorno ammanto.

55 Morremo. Il velo indegno a terra sparto
rifuggirà l'ignudo animo a Dite,

suo fiore (*disfiorato*), si avvolgesse al fuso della Parca implacabile (*indomita*) il filo oscuro (*ferrigno*) della mia vita?> [44] *Incaute voci*, <parole imprudenti>. [45] *spande il tuo labbro*: Saffo si
rivolge a se stessa. [45-6] *i destinati... consiglio*: <una volontà misteriosa regge il corso degli eventi>. [47] *nascemmo al pianto*, riferito da Saffo a se stessa; l'analoga espressione nell'*Inno ai Patriarchi*, 7, riguarda in generale il destino dell'uomo e nel *Sogno*,
55, i due amanti. [48-9] *e la ragione... si posa*: *topos* della poesia antica; citato in Omero da Leopardi nella sua lettera al Giordani del 6 agosto 1821. [49] *cure*: i pensieri d'amore. [50] *il
Padre*: riferito a Giove e dolorosamente antifrastico. [51] *alle
amene sembianze*: anadiplosi con interruzione del contatto a causa dell'aggettivo, come in *grave carro*, v.11. [51-2] *alle amene...
genti*: <concesse a chi possiede la bellezza di dominare il mon-
do>. [52] *e per virili imprese*: la *e* con valore avversativo: <ma
per le grandi imprese ecc.>. [53] *per dotta lira o canto*: <per chi
si dedica alla musica o alla poesia>. [54] *in disadorno ammon-
to*, <in un corpo senza bellezza>; *ammanto* perché il corpo è quasi
la veste dell'anima, cfr. anche *velo* al verso seguente. [55-72]: anche nell'ultima strofa serie di assonanze: *sparto, vano, avaro; cieco, lieto, ingegno*, ecc. [55-6] *velo indegno... ignudo animo*: gli
attributi del corpo e dell'anima in posizione chiastica e allittera-
ti; *indegno*, dell'anima di Saffo. *-sparto*, latinismo, <separato,
diviso>. [56] *Dite*, nome latino di Plutone, re degli Inferi.

e il crudo fallo emenderà del cieco
dispensator de' casi. E tu cui lungo
amore indarno, e lunga fede, e vano
60   d'implacato desio furor mi strinse,
vivi felice, se felice in terra
visse nato mortal. Me non asperse
del soave licor del doglio avaro
Giove, poi che perìr gl'inganni e il sogno
65   della mia fanciullezza. Ogni più lieto
giorno di nostra età primo s'invola.
Sottentra il morbo, e la vecchiezza, e l'ombra
della gelida morte. Ecco di tante
sperate palme e dilettosi errori,

(57-8) *e il crudo... de' casi*: ‹e correggerà il crudele errore del destino (di aver posto un'anima bella in un corpo deforme) che cie-
camente dispensa le sorti›. (58-60) *E tu... mi strinse*: ‹E tu Faone (mitico amante di Saffo) al quale mi strinse invano un lungo
amore e una lunga fede e un'inutile passione che nasceva dal desiderio inappagato›. (62-4) *Me... Giove*. ‹Non mi bagnò (quasi
in un rito della nascita) Giove con la sua acqua di felicità che
tiene gelosamente chiusa nel suo vaso›. Come annota il Leopardi: «vuole intendere quel vaso pieno di felicità che Omero pone in casa di Giove», (*Il.*, XXIV, 527-30). (64) *perìr*, ‹perirono›.
(65-8) *Ogni più lieto... morte*: traduce quasi alla lettera Virgilio,
Georg., III, 66-8: «Optima quaeque dies miseris mortalibus aevi
/ prima fugit; subeunt morbi tristisque senectus / et labor, et
durae rapit inclementia mortis». La fonte è segnalata dal Leopardi stesso che commenta: «*Primo* dipende da *età* o spetta a
s'invola? Domandatelo a Virgilio»; intendendo con questo affermare che anche nel testo virgiliano *prima* ha valore avverbiale.
Anche La Fontaine traducendo questi versi delle *Georgiche* per
la versione di Pintrel delle *Epistole* di Seneca: «La plus belle
saison fuit toujours *la première*». (68) *tante*: in una nota del
Leopardi: «La voce *tante* è da conservare a tutti i patti, ché nessun'altra potrebbe supplire all'effetto suo», e cfr. *Zibaldone*,
1164: «*Tanto* essendo indefinito fa maggior effetto che non farebbe *molto*». (69) *dilettosi errori*: parola chiave del lessico
leopardiano, accompagnata da aggettivi che appartengono a un
medesimo campo nozionale nell'*Angelo Mai* (*felici errori*, 110), in
Inno ai Patriarchi (*ameno error*, 101), nel *Risorgimento* (*beato
errore*, 43), nel *Pensiero dominante* (*leggiadri errori*, 111, e in

70   il Tartaro m'avanza; e il prode ingegno
han la tenaria Diva,
e l'atra notte, e la silente riva.

Aspasia (*gentili errori,* 107); si veda anche *inganno* (i).   ([70]) *il Tartaro m'avanza*: ‹non mi resta che la morte› (Tartaro è chiamato dagli antichi il luogo più profondo degli Inferi); in una nota in margine del Leopardi: «Il Tartaro è forse una palma, o un error dilettoso? Tutto l'opposto, ma ciò appunto dà maggior forza a questo luogo, venendoci a entrare una come ironia. Oltracciò si può spiegare questo luogo anche esattamente, e con un senso molto naturale. Cioè, queste tante speranze e questi errori così piacevoli si vanno a risolvere nella morte: di tanta speranza, e di tanti amabili errori, non esce, non risulta, non si realizza altro che la morte. Così il *di* viene a stare naturalmente per *da* o *per* o cosa simile. Che se la frase è ardita o rara, non per questo è oscura, ma il senso n'esce chiarissimo. E di queste tali espressioni incerte, e più incerte ancora di questa, n'abbonda la poesia latina, Virgilio, Orazio, che sono i più perfetti... Si tratta di quel *vago* che sarà sempre in sommo pregio appresso chiunque conosce intimamente la poesia e le lingue poetiche antiche, anzi presso chiunque conosce la vera natura della poesia».
([71]) *la tenaria Diva*: Proserpina; l'aggettivo dal capo Tenaro, oggi Matapan, dove gli antichi ponevano l'ingresso dell'inferno (le *Taenaria fauces, alta ostia Ditis* di cui Virgilio, *Georg.,* IV, 467).
([72]) *la silente riva,* dei fiumi d'Averno.

Forse composta al tempo dell'amore di Leopardi per la cugina Gertrude Cassi, venuta in visita a Recanati nel dicembre 1817, amore che il poeta racconta nel suo giovanile *Diario*. L'accenno che in esso è fatto di «versi» d'amore, potrebbe portare a quell'anno la composizione di questa poesia, anche se non nella forma che noi possediamo. Secondo il Porena, invece, la data di composizione andrebbe spostata alla seconda metà del 1818, e questo componimento avrebbe dovuto essere inserito in un rifacimento dell'*Appressamento della morte* cui allora il poeta lavorava.

In F (dove per la prima volta il Leopardi unifica la sua produzione «eroica» ed idillica), il *Primo amore* appare per la prima volta, collocato al decimo posto forse come esempio della sua preistoria di poeta idillico e quasi lieve increspatura ai limiti di una transizione del tono.

Ricco di reminiscenze petrarchesche, il componimento è scritto in terzine seguendo la tradizione della settecentesca elegia amorosa.

Tornami a mente il dì che la battaglia
d'amor sentii la prima volta, e dissi:
3   oimè, se quest'è amor, com'ei travaglia!

Che gli occhi al suol tuttora intenti e fissi,
io mirava colei ch'a questo core
6   primiera il varco ed innocente aprissi.

Ahi come mal mi governasti, amore!
Perché seco dovea sì dolce affetto
9   recar tanto desio, tanto dolore?

E non sereno, e non intero e schietto,
anzi pien di travaglio e di lamento
12   al cor mi discendea tanto diletto?

Dimmi, tenero core, or che spavento,
che angoscia era la tua fra quel pensiero
15   presso al qual t'era noia ogni contento?

(¹) *Tornami a mente*: *incipit* petrarchesco, cfr. *Rime*, CCCXXXVI:
« Tornami a mente, anzi v'è dentro, quella / ch'indi per Lethe
esser non pò sbandita »; l'eco petrarchesca anche nell'*incipit* di
Aspasia che registra il più concreto amore della maturità. -*bat-*
taglia: termine del lessico amoroso del Petrarca, cfr. *Rime*, CIV,
2: « quando amor cominciò darvi *battaglia* ».   (³) *travaglia*, ‹affanna›.   (⁴) *Che gli occhi* ecc.: l'espressione *occhi intenti* in Petrarca, *Rime*, XXXV, 3; è forma di ablativo assoluto (guardando
il suolo continuava a vedere l'immagine della donna amata).
(⁶) *primiera... ed innocente*: ‹per prima e senza volerlo, inconsciamente›.   (⁷) *mi governasti*: verbo del lessico amoroso petrarchesco, cfr. *Rime*, LXXIX, 5-7: « Amor, con cui pensier mai non
amezzo / ... / tal *mi governa* », col significato di ‹trattare, dominare›.   (¹⁵) *presso al qual*, ‹a paragone del quale›. -*noia*, nel

quel pensier che nel dì, che lusinghiero
ti si offeriva nella notte, quando
18   tutto queto parea nell'emisfero:

tu inquieto, e felice e miserando,
m'affaticavi in su le piume il fianco,
21   ad ogni or fortemente palpitando.

E dove io tristo ed affannato e stanco
gli occhi al sonno chiudea, come per febre
24   rotto e deliro il sonno venia manco.

Oh come viva in mezzo alle tenebre
sorgea la dolce imago, e gli occhi chiusi
27   la contemplavan sotto alle palpebre!

Oh come soavissimi diffusi
moti per l'ossa mi serpeano, oh come
30   mille nell'alma instabili, confusi

pensieri si volgean! qual tra le chiome
d'antica selva zefiro scorrendo,
33   un lungo, incerto mormorar ne prome.

E mentre io taccio, e mentre io non contendo,
che dicevi, o mio cor, che si partia

significato arcaico di ‹dolore, angoscia›.   (16-7) *quel pensier... nella notte*: ‹quell'amoroso pensiero che giorno e notte ti si offriva ricco di lusinghe›.   (19) *tu*, sempre rivolto al proprio cuore. *-e felice e miserando*, ‹degno di compassione per quella tua gioia›.   (20) *in su le piume*: scontata sineddoche letteraria, anche in *La sera del dì di festa*, 43.   *-m'affaticavi... il fianco*, ‹mi opprimevi il petto›.   (24) *rotto e deliro il sonno*: cfr. il *Diario del primo amore*: «Ieri, avendo passato la seconda notte *con sonno interrotto e delirante...*».   (25 e 28) *tenebre, palpebre*, ambedue accentate sulla penultima.   (29) *mi serpeano*, ‹mi serpeggiavano›.   (31) *si volgean*, ‹si aggiravano›.   (33) *ne prome*, ‹ne fa uscire›, latinismo di ascendenza dantesca, cfr. *Par.*, xx, 93.   (34) *non contendo*, ‹non mi oppongo› (alla sua partenza); il presente rivela una sintassi latineggiante (*mentre* come *dum*).   (35) *che si partia*,

36   quella per che penando ivi e battendo?

       Il cuocer non più tosto io mi sentia
       della vampa d'amor, che il venticello
39   che l'aleggiava, volossene via.

       Senza sonno io giacea sul dì novello,
       e i destrier che dovean farmi deserto,
42   battean la zampa sotto al patrio ostello.

       Ed io timido e cheto ed inesperto,
       ver lo balcone al buio protendea
45   l'orecchio avido e l'occhio indarno aperto,

       la voce ad ascoltar, se ne dovea
       di quelle labbra uscir, ch'ultima fosse;
48   la voce, ch'altro il cielo, ahi, mi togliea.

‹dato che si allontanava›.   ([37-9]) Il cuocer... via: ‹avevo appena
sentito l'ardore del fuoco amoroso che la brezza che vi soffiava
sopra con le sue ali se ne volò via› (cioè, l'oggetto del mio amore
partì).   ([39]) che l'aleggiava: usato transitivamente (intransitivo
nel Tramonto della luna, 3: « là 've zefiro aleggia »); stesso trat-
tamento per ‹aliare› nel giovanile Appressamento della morte,
III, 29: « il chiarore / ch'iva aliando fosca tenebrìa ». Nel Diario cit.: « volendo pur dare qualche aleggiamento al mio cuore ».
([41]) farmi deserto, ‹farmi privo di lei, lasciarmi solo›; ‹deserto›
in questo senso anche nelle parole di Anna a Didone morente:
« Quid primum deserta querar? » (Virgilio, Aen., IV, 677).
([42]) patrio ostello, ‹la casa paterna›; cfr. A Silvia 19 e Le ricordanze 17. La situazione, di cui in questi versi e nei seguenti, è
descritta nel Diario del primo amore: « E perché la finestra della mia stanza risponde in un cortile che dà lume all'androne di casa, io sentendo passar gente così per tempo, subito mi sono accorto
che i forestieri si preparavano al partire, e con grandissima pazienza e impazienza, sentendo prima passare i cavalli, poi arrivar
la carrozza, poi andar gente su e giù, ho aspettato un buon pezzo
coll'orecchio avidissimamente teso, credendo a ogni momento che
discendesse la Signora, per sentirne la voce l'ultima volta; e l'ho
sentita »; pezzo vagamente alla Stendhal, più vivace, come tutto
il Diario del resto, della convenzionalità della resa poetica.

Quante volte plebea voce percosse
il dubitoso orecchio, e un gel mi prese,
51 e il core in forse a palpitar si mosse!

E poi che finalmente mi discese
la cara voce al core, e de' cavai
54 e delle rote il romorio s'intese;

orbo rimaso allor, mi rannicchiai
palpitando nel letto e, chiusi gli occhi,
57 strinsi il cor con la mano, e sospirai.

Poscia traendo i tremuli ginocchi
stupidamente per la muta stanza,
60 ch'altro sarà, dicea, che il cor mi tocchi?

Amarissima allor la ricordanza
locommisi nel petto, e mi serrava
63 ad ogni voce il core, a ogni sembianza.

E lunga doglia il sen mi ricercava,
com'è quando a distesa Olimpo piove
66 malinconicamente e i campi lava.

Ned io ti conoscea, garzon di nove
e nove Soli, in questo a pianger nato

(⁵⁵) *orbo rimaso*, ‹rimasto privo della mia luce›.   (⁵⁹) *traendo i tremuli ginocchi*, ‹trascinandomi›; cfr. Virgilio, *Aen.*, v, 468: « genua aegra trahentem ».   (⁵⁹) *stupidamente*, ‹con aria smarrita›.   (⁶²) *locommisi nel petto*, ‹prese stabile dimora nel mio cuore›.   (⁶²⁻³) *e mi serrava... sembianza*: ‹e chiudeva il mio cuore a ogni altra voce, a ogni altro viso›; cfr. il *Diario* cit.: « tanto ch'io non soffro di fissare lo sguardo nel viso... a chicchessia... come veramente mi mette a soqquadro lo stomaco e mi fa disperare il sentir discorsi allegri, e in genere tacendo, sfuggo quanto più posso il sentir parlare, massime negli accessi di quei pensieri »; il *serrava* è spiegato da una frase del *Diario* che introduce il brano qui citato: « il quale [cuore] tenerissimo, teneramente *si apre*, ma *solo solissimo* per quel suo oggetto... »   (⁶⁴) *mi ricercava*, ‹s'insinuava in me›.   (⁶⁵) *Olimpo*, ‹il cielo›.   (⁶⁷⁻⁸) *garzon*

69   quando facevi, amor, le prime prove.

   Quando in ispregio ogni piacer, né grato
   m'era degli astri il riso, o dell'aurora
72   queta il silenzio, o il verdeggiar del prato.

   Anche di gloria amor taceami allora
   nel petto, cui scaldar tanto solea,
75   che di beltade amor vi fea dimora.

   Né gli occhi ai noti studi io rivolgea,
   e quelli m'apparian vani per cui
78   vano ogni altro desir creduto avea.

   Deh come mai da me sì vario fui,
   e tanto amor mi tolse un altro amore?
81   Deh quanto, in verità, vani siam nui!

   Solo il mio cor piaceami, e col mio core
   in un perenne ragionar sepolto,
84   alla guardia seder del mio dolore.

---

di nove / e nove Soli: il Leopardi aveva 19 anni, non 18; l'espressione è scelta contro la verità perché più vaga e poetica.
(⁶⁹⁻⁹) *in questo... prove*: costruisci: ‹quando tu, amore, facevi le tue prime prove su questo infelice nato al pianto›. (⁷³) *Anche di gloria* ecc.: cfr. il *Diario* cit.: «ogni cosa mi par feccia, anche lo studio, al quale ho l'intelletto chiarissimo, e quasi anche, benché non del tutto, la gloria»; e cfr. le lettere al Giordani del 22 dicembre 1817 e del 16 gennaio 1818. (⁷⁴) *cui scaldar solea* ‹che solevo riscaldare in me›; *cui*, ‹che›, compl. oggetto.
(⁷⁷) *e quelli* ecc.: ‹e proprio quegli studi per i quali ecc.›; la noia per i libri e gli studi a causa dell'amore anche nel *Werther* di Goethe, cfr. la lettera XXXIII della settecentesca traduzione del Salom. (⁷⁹) *da me sì vario*: ‹così diverso da quello che ero abitualmente›. (⁸⁰) *un altro amore*, per gli studi e la gloria.
(⁸¹) *nui*, forma tradizionale dell'antica poesia italiana. (⁸²) *Solo il mio cor* ecc.: nella citata lettera al Giordani del 16 gennaio 1818: «Ha sentito qualche cosa questo mio cuore per la quale mi par pure ch'egli sia nobile... chè posso ben io farmi glorioso presso me stesso, avendo ogni cosa in me». (⁸⁴) *alla guardia*

E l'occhio a terra chino o in se raccolto,
di riscontrarsi fuggitivo e vago
87   né in leggiadro soffria né in turpe volto:

che la illibata, la candida imago
turbare egli temea pinta nel seno,
90   come all'aure si turba onda di lago.

E quel di non aver goduto appieno
pentimento, che l'anima ci grava,
93   e il piacer che passò cangia in veleno,

per li fuggiti dì mi stimolava
tuttora il sen: che la vergogna il duro
96   suo morso in questo cor già non oprava.

Al cielo, a voi, gentili anime, io giuro
che voglia non m'entrò bassa nel petto,
99   ch'arsi di foco intaminato e puro.

Vive quel foco ancor, vive l'affetto,
spira nel pensier mio la bella imago,

ecc.: nel *Diario* cit.: « il mio caro dolore ».   ([85-7]) *E l'occhio... volto*: cfr. il *Diario*: « tanto ch'io non soffro di fissare lo sguardo nel
viso sia deforme... o sia bello a chicchessia ».   ([88]) *imago*, ‹immagine›, latinismo.   ([89]) *egli*: è *l'occhio* del v.85.   *-pinta*, ‹dipinta›; cfr. Petrarca, *Rime*, xcvi, 5-6: « Ma 'l bel viso leggiadro
che *depinto* / porto nel petto ».   ([91]) *E quel*, da unire a *pentimento* del verso seguente. Per questa terzina cfr. il *Diario*: « quella dolorosa ricordanza spesso accompagnata da quell'incerto scontento o dispiacere o dubbio di non aver forse goduto bastante-
mente, che fu il primo sintoma [sic] della mia malattia, e che
ancor dura ». Il tema dello ‹scontento› riapparirà nella finale del
Passero solitario.   ([95-6]) *che la vergogna... non oprava*: ‹perché
la vergogna non faceva sentire il suo morso in questo cuore›, essendo l'amore del poeta, com'egli stesso scrive nel *Diario del primo amore*: « puro e platonico ed eccessivamente e stranissima-
mente schivo d'ogni menomissima ombra d'immondezza ».
([99]) *intaminato*, ‹incontaminato›.   ([101]) *spira*, ‹respira, vive›.

da cui, se non celeste, altro diletto

giammai non ebbi, e sol di lei m'appago.

($^{102\text{-}3}$) *da cui... non ebbi*: costruisci: ‹da cui non ebbi nessuna gioia se non celeste›.   (^{103}) *e sol di lei m'appago*: della *bella imago*; come il Petrarca che disegnando con la mente *nel primo sasso* il volto della donna amata aveva scritto «che del suo proprio error l'alma s'appaga» (cfr. *Rime*, CXXIX, 37).

Complessa la questione della datazione di questo canto. La critica si basava un tempo su un appunto «Passero solitario», presente in alcune carte del poeta del 1819-1820. Ma il canto appare per la prima volta in N nel 1835 e non può, in ogni caso, essere contemporaneo ai primi idilli per le sue caratteristiche metriche (la canzone libera e sintatticamente sciolta da misure di strofa risale all'esperienza dei grandi idilli), come dimostrò il Monteverdi. La data di composizione va dunque collocata fra il 1831, data dell'edizione fiorentina dei *Canti*, e il 1835, data dell'edizione napoletana, anche se può essere esistito un precedente abbozzo. Un poeta può, d'altronde, evocare un mondo di sentimenti, uno stato d'animo, anche remoti, perché spesso per l'ispirazione (come scrive il Leopardi in *Zibaldone*, 258-9) «ci vuole un tempo di forza, ma tranquilla; un tempo di genio attuale piuttosto che di entusiasmo attuale... un influsso dell'entusiasmo passato o futuro o abituale, piuttosto che la sua presenza, e possiamo dire il suo crepuscolo, piuttosto che il mezzogiorno».

Il passero solitario è un uccello della famiglia dei turdidi (*monticola solitarius*) di colore bruno-azzurro. La nota ignoranza ornitologica dei letterati italiani ha fatto scorrere fiumi d'inchiostro su una questione assai semplice: *passero solitario* è denominazione antichissima, almeno dai tempi di Alberto Magno, di questo uccello; presente come tale da secoli in molti dialetti italiani e in numerose lingue europee. Il Leopardi, così estraneo all'uso di un linguaggio tecnico (al contrario del Pascoli, irritato dalla genericità delle leopardiane *rose* e *viole*), può qui riferire il nome preciso di una specie per la sua naturale anche se dubbia identificazione col *passer solitarius in tecto* del salmo 102 della Vulgata — costantemente citato anche nei manuali ornitologici del sei e settecento — e col noto *incipit* petrarchesco (*Rime*, ccxxvi) che da quel salmo deriva. I candidi biografi del Leopardi pensano a una reale osservazione del turdide, da parte del poeta, sul campanile della vecchia chiesa di Sant'Agostino («In cima a quel cono v'era una croce, dove spesso vedevasi un passero solitario», scrive il Mestica). Ma la descrizione che il Leopardi ne fa (la preferenza dell'uccello per le torri in rovina, i vari tratti del suo «costume») è simile a quello dell'*Histoire des oiseaux* del Buffon (cfr. *Le merle solitaire*) dove già il passero è umanizzato come simbolo patetico della solitudine.

D'in su la vetta della torre antica,
passero solitario, alla campagna
cantando vai finché non more il giorno;
ed erra l'armonia per questa valle.
5 Primavera dintorno
brilla nell'aria, e per li campi esulta,
sì ch'a mirarla intenerisce il core.
Odi greggi belar, muggire armenti;
gli altri augelli contenti, a gara insieme
10 per lo libero ciel fan mille giri,
pur festeggiando il lor tempo migliore:
tu pensoso in disparte il tutto miri;
non compagni, non voli,

(¹) *D'in su la vetta* ecc.: il luogo del canto; anche nella descrizione che ne fa il Buffon, il passero solitario ama posarsi « sur le coq d'un clocher ou sur la girouette de cette tour ». (²) *alla campagna*: *alla* è indicatore spaziale indeterminato in dipendenza da *cantando vai*; anche nelle *Ricordanze*, 12-3, « il canto / della rana rimota *alla campagna* ». (³) *finché non more il giorno*: cfr. Dante, *Purg.*, VIII, 6: « ... che paia il *giorno* pianger *che si more* ». (⁴) *l'armonia*: cfr. *Zibaldone*, 159 (7 luglio 1820): « Ed io sono persuaso che il canto degli uccelli li diletti non solo come canto, ma come contenente bellezza, cioè *armonia* »; e Buffon a proposito del canto del passero solitario: « Ce chant, tout pathétique qu' il est, ne suffit pas à l'expression du sentiment dont il est plein: un oiseau solitaire sent plus, et plus profondement qu'un autre ». (⁷) *intenerisce*: reminiscenza dantesca dal luogo già citato dal *Purgatorio*; ma qui *intenerisce* è di forma intransitivo-assoluta (con soggetto *core*). (⁸⁻¹⁰) *Odi greggi... giri*: il Buffon scrive che il passero solitario sceglie i luoghi abitati staccandosi dai suoi simili « dans le moment où la plupart des animaux... se passeroit de tout l'Univers » (cfr. *in disparte* al v.12).

non ti cal d'allegria, schivi gli spassi;
15   canti, e così trapassi
dell'anno e di tua vita il più bel fiore.

Oimè, quanto somiglia
al tuo costume il mio! Sollazzo e riso,
della novella età dolce famiglia,
20   e te german di giovinezza, amore,
sospiro acerbo de' provetti giorni,
non curo, io non so come; anzi da loro
quasi fuggo lontano;
quasi romito, e strano
25   al mio loco natio,
passo del viver mio la primavera.
Questo giorno ch'omai cede alla sera,

(¹⁴) *non ti cal,* ‹non t'importa›   (¹⁵) *così trapassi*: cfr. Tasso, *Gerus. Lib.*, XVI, 15: « *Così trapassa* al trapassar d'un giorno / *della vita* mortale *il fiore* e il verde ».   (¹⁶) *fiore* in rima col lontano *core* del v.7, ma la rima ha valore strutturale più che semplicemente fonico, fungendo da sigillo tra i due periodi che compongono la strofa e marcando l'unità poetica dell'organizzazione sintattica. La rima *dintorno* 5 (con *giorno* 3) era invece separativa, segnale di un momento di transizione (dalla solitudine del passero all'esultanza della primavera e degli altri animali).
(¹⁸) *al tuo... il mio*: « Su somiglianza e contrasto (contrasto fra passero e altri uccelli, somiglianza fra passero e poeta, contrasto fra poeta e altri giovani, contrasto fra passero e poeta) è tutto strutturato il *Passero solitario* » (Getto). *-costume,* ‹abitudine di vita›; è anche termine tecnico dell'ornitologia ottocentesca.
(¹⁸) *Sollazzo e riso*: oggetti di *non curo* del v.22.   (¹⁹) *dolce famiglia,* apposizione di *sollazzo e riso*: ‹dolce compagnia (della giovinezza)›.   (²⁰) *german,* ‹fratello›.   (²¹) *sospiro acerbo* ecc., ‹rimpianto amaro dell'età avanzata›; anticipa il motivo del finale. *L'età provetta* ha intitolato il Leopardi, nella sua *Crestomazia,* *Il Brindisi* del Parini dov'è svolto il tema del rimpianto della giovinezza.   (²⁴) *quasi romito, e strano* ecc., ‹come un solitario, ed estraneo alla mia città natale›. Per l'aggettivo *romito* vedi quanto scrive il Leopardi in *Zibaldone* 2629 su voci come *ermo, romito,* ecc., « tutte poetiche per l'infinità e vastità dell'idea ».
(²⁷) *sera*: anche qui la rima, in un verso che inizia un nuovo periodo, sottolinea un momento di transizione (dalla giovinezza solitaria del poeta a quella festosa dei suoi coetanei), come la rima

festeggiar si costuma al nostro borgo.
Odi per lo sereno un suon di squilla,
30   odi spesso un tonar di ferree canne,
che rimbomba lontan di villa in villa.
Tutta vestita a festa
la gioventù del loco
lascia le case, e per le vie si spande;
35   e mira ed è mirata, e in cor s'allegra.
Io solitario in questa
rimota parte alla campagna uscendo,
ogni diletto e gioco
indugio in altro tempo: e intanto il guardo
40   steso nell'aria aprica
mi fere il Sol che tra lontani monti,
dopo il giorno sereno,
cadendo si dilegua, e par che dica
che la beata gioventù vien meno.

45   Tu, solingo augellin, venuto a sera

dintorno, 5, a inizio di un nuovo periodo segnalava il passaggio dalla solitudine del passero alla letizia degli altri uccelli e animali, cfr. la nota 16. (29) *per lo sereno*: un significato simile (come segnala il Peruzzi) in *per sudum* di Virgilio, *Aen.*, VIII, 528-9: « arma inter nubem caeli in regione serena / *per sudum* rutilare vident et pulsa *tonare* » (cfr. al verso seguente « un *tonar* di ferree canne »). *Sereno* sostantivo si afferma in Leopardi, secondo il Peruzzi, come « elemento conduttore di risonanze fisiche e di simpatie spirituali ». E si noti come la parola *sereno* abbia coperto, con *aria*, l'area occupata nelle prime canzoni da *etra, etere*, arricchendola di nuovi tratti. -*squilla*, nel campo lessicale del già citato inizio del canto VIII del *Purgatorio*, cfr. le note ai vv.3 e 7. (30) *ferree canne*, ‹fucili›; la perifrasi, caratteristica del classicismo del Settecento e del primo Ottocento, per evitare l'equivalente prosastico o troppo tecnico. Migliorini nella *Storia della lingua italiana* cita un *ferrea canna* nella commedia del Chiari *Il poeta comico* (II, sc. 5). (36) *Io solitario*: somiglianza del *costume* del poeta con quello del passero solitario. (37) *rimota parte*, lontana dall'animazione del borgo; con movimento opposto a quello del passero che per fuggire i suoi simili lascia la campagna. (39) *indugio*, ‹differisco, rinvio›. (40) *steso*, ‹che si estende, spazia›. (41) *mi fere*, ‹mi colpisce›. (45-6) *venuto a se-*

del viver che daranno a te le stelle,
certo del tuo costume
non ti dorrai; che di natura è frutto
ogni vostra vaghezza.

50   A me, se di vecchiezza
la detestata soglia
evitar non impetro,
quando muti questi occhi all'altrui core,
e lor fia vòto il mondo, e il dì futuro

55   del dì presente più noioso e tetro,

---

ra ecc.: l'immagine si lega alla visione del tramonto.   ([49]) *vaghezza*, ‹inclinazione›.   ([50]) *A me* dipende da *che parrà di tal voglia* del v.56.   ([52]) *non impetro*, ‹non ottengo di› ecc.   ([53-4]) *quando muti... il mondo*, ‹quando i miei occhi non avranno più niente da dire a un altro cuore e il mondo apparirà vuoto ad essi›. La vecchiaia è vista come perdita di comunicabilità affettiva, cfr. *Zibaldone*, 4284, in data 1 luglio 1827: «È ben trista quell'età nella quale l'uomo sente di non ispirar più nulla. Il gran desiderio dell'uomo, il gran mobile de' suoi atti, delle sue parole, de' suoi sguardi, de' suoi contegni fino alla vecchiezza, è il desiderio d'inspirare, di communicar qualche cosa di se agli spettatori o uditori»; stesso concetto in *Pensieri*, LXI. Ma vedi anche nella *Corinne* di M.me De Staël il capitolo *Fragments des pensées de Corinne* che molte suggestioni ha esercitato sul Leopardi, dove l'eroina prefigurando la propria vecchiaia afferma: «... et c'est en vain alors que j'éprouverais les affections plus tendres: des yeux éteints ne pendraient plus mon âme, n'attendriraient plus ma prière».   ([58-9]) *Ahi pentirommi* ecc.: cfr. *Zibaldone*, 3841, in data 5 novembre 1823, dove il Leopardi parla del rimpianto di coloro che non hanno vissuto pienamente la loro giovinezza: «*la quale opinione e il qual pentimento* [*che parrà... pentirommi*] è la più amara parte che possa trovarsi in qualunque abituale o attuale infelicità o sventura o privazione ecc. e il colmo dell'infelicità»; tema presente anche nella poesia del Sannazaro, e Maria Corti indica per questo luogo un'eco dall'*Arcadia*, VIII, 37-42: «Questa vita mortal al dì somigliasi, / il qual, poi che si vede giunto al termine, / pien di scorno all'occaso rinvermigliasi. // Così, quando vecchiezza avvien che termine / i mal

che parrà di tal voglia?
che di quest'anni miei? che di me stesso?
Ahi pentirommi, e spesso,
ma sconsolato, volgerommi indietro.

spesi anni che sì ratti volano, / vergogna e duol convien c'al cor si germine », versi nei quali è svolta anche la stessa similitudine fra il tramonto e il dileguarsi della giovinezza.

Composto a Recanati tra la primavera e l'autunno del 1819. Falsi alcuni abbozzi, per lungo tempo accettati e editi, come già aveva compreso il Monteverdi attraverso l'analisi stilistica delle varianti e come dimostrerà il Timpanaro.

La sensazione dell'infinito come piacere illimitato nasce quando «in luogo della vista sorge l'immaginazione e il fantastico sottentra al reale»; il suo contrario è «una veduta ristretta e confinata in certi modi, come nelle situazioni romantiche» (*Zibaldone*, 171); si tratta di un piacere «vago e indefinito», il cui effetto naturale consiste nel fatto che «tien sempre all'infinito», mentre fuori dall'immaginazione e dalla disposizione fantastica dei primi uomini e dei fanciulli «il piacere di quella sensazione si determina subito e si circoscrive» (*Zibaldone*, 514). In questi, e altri luoghi dello *Zibaldone*, dove Leopardi discorre dell'infinito, il piacere della sensazione indeterminata, infinita, è sempre posto a confronto col suo contrario. Ma esiste anche una speciale condizione dell'uomo moderno, che è la sua possibilità di avvertire questa inclinazione dell'uomo verso l'infinito «in modo chiaro e definito» (*Zibaldone*, 1574). Sono in gran parte riflessioni posteriori alla composizione dell'idillio; nel quale il modo «chiaro e definito» di riferire la sensazione dell'infinito è affidato a un uso strenuo della deissi, che ha il compito di fornire lo spessore dello spazio-tempo, ora avvicinando al poeta, ora allontanandoli, i dati esterni del mondo e/o gli oggetti dell'immaginazione fantastica. Il finale sembra contraddire questa volontà di lucida critica e favorire una interpretazione misticheggiante del testo; ma il confronto con le fonti, segnalate dagli studiosi, dimostra l'assenza nel testo leopardiano di ogni sia pur vago teismo. Si veda questo passo di Rousseau (che il Leopardi poteva aver letto precocemente nell'antologia francese del Noël e Delaplace, quasi *livre de chevet* della sua adolescenza, dove appare nella prima parte nella sezione *Morale religieuse ou philosophie pratique*): «Bientôt, de la surface de la terre, j'élevois mes idées à tous les êtres de la nature, au système universel des choses, à l'être-suprême qui embrasse tout; alors, *l'esprit perdu dans cette immensité*, je ne pensois pas, je ne rasonnois pas, je ne philosophois pas: je me sentois avec une sorte de volupté accablé du poids de cet univers; je me livrois avec attendrissement à la confusion des grandes idées; j'amois *à me perdre en imagination dans l'espace*; mon coeur resserré même dans les bornes des êtres s'y trouvait trop à l'étroit, j'étouffois dans l'univers. J'aurais voulu *m'élancer dans l'infini*». Il confronto, a parte talune possibili coincidenze, rende evidente in Leopardi l'assenza di ogni accenno a un essere supremo e una più lucida coerenza sensistica.

Metro: endecasillabi sciolti (ma si veda l'acuto esame del Fubini in *Metrica e poesia*).

Sempre caro mi fu quest'ermo colle,
e questa siepe, che da tanta parte
dell'ultimo orizzonte il guardo esclude.
Ma sedendo e mirando, interminati
5   spazi di là da quella, e sovrumani
silenzi, e profondissima quiete
io nel pensier mi fingo; ove per poco
il cor non si spaura. E come il vento
odo stormir tra queste piante, io quello
10   infinito silenzio a questa voce

(¹) *ermo*, ‹deserto›.   (²) *che da tanta parte*: *parte* è parola cara al Leopardi per la sua indeterminatezza, quindi usata per vaghe definizioni di luogo: cfr. « Talor m'assido in *solitaria parte* »
(*Il sogno*, 23); « Io solitario in questa / *rimota parte* alla campagna uscendo » (*Il passero solitario*, 36-7).   (⁵) *di là da quella*:
non riferito alla parte esclusa dell'orizzonte, come proposto da
Antonio Baldini e accettato da Bacchelli, ma alla siepe; la siepe,
che prima era indicata con *questa*, ora, attraverso la riflessione
che ha messo il poeta in contatto con la sua interiorità, viene sentita come lontana.   (⁷) *nel pensier mi fingo*: ‹costruisco con la
mia immaginazione›.   -*ove*, cioè in quelle immaginate entità.
(⁸) *non si spaura*: spontanea, pur nel diverso quadro ideologico
la coincidenza con Pascal, *Pensées*, 205: « le silence éternel de
ces éspaces infinis *m'effraie* ».   -*e come*, ‹e allorché›.   (⁹) *tra
queste piante*: uscito dalla sua interiorità — a causa del suono
del vento — il poeta si riavvicina (« *queste* piante ») agli oggetti che
stimolano la sua *fictio*.   (⁹⁻¹⁰) *quello / infinito silenzio*: il silenzio
prima immaginato al di là della siepe; *quello*, oltre a indicare
una distanza di natura grammaticale (i *silenzi* sono stati nominati tre versi prima), segnala anche il momentaneo distacco del
poeta dalla sua *rêverie*, il suo guardare criticamente la propria interiorità (e si osservi come a questi dati minimi della realtà ester-
na, del paesaggio, il poeta affidi un compito « argomentativo »,

vo comparando : e mi sovvien l'eterno,
e le morte stagioni, e la presente
e viva, e il suon di lei. Così tra questa
immensità s'annega il pensier mio :
15   e il naufragar m'è dolce in questo mare.

quasi di dimostrazione filosofica). Nella fitta serie dei dimostrativi presenti nell'idillio, *quello* del v.9 acquista un forte rilievo per lo strappo dell'*enjambement*, come avverrà per *questa* al v.13.

([11]) *l'eterno*: illusione dell'uomo, come dirà il poeta in una sua nota dell'1 agosto 1821 in *Zibaldone*, 1429: « L'antico non è eterno, e quindi non è infinito, ma il concepire che fa l'anima di uno spazio di molti secoli, produce una sensazione indefinita, l'idea di un tempo indeterminato, dove l'anima si perde, e sebbene sa che vi sono confini, non li discerne, e non sa quali sieno ».

([13]) *il suon di lei*: il rumore dell'età presente, paragonato al silenzio delle epoche morte; allo stesso modo che lo stormire del vento veniva paragonato ai *sovrumani silenzi* immaginati al di là della siepe.   -*tra questa*: la preposizione *tra* come al v.9 (*tra queste piante*) suppone il frondoso infittirsi delle sensazioni che, sommate una all'altra, formano nella mente del poeta il sentimento dell'*immensità*. L'indicativo *questa*, applicato per la prima volta agli oggetti della *rêverie* interiore, segnala il definitivo rinchiudersi del poeta nel mondo delle sue immaginazioni, con totale estraniamento dalla realtà circostante che le ha provocate.   ([15]) *e il naufragar m'è dolce*: non naufragio mistico, ma piacere e abbandono del sentimento e della fantasia, « un piacere che l'anima non possa abbracciare, cagione vera per cui l'infinito le piace » (*Zibaldone*, 180); e a Leopardi sembra che questa facoltà dell'immaginazione umana di concepire « un certo infinito », su cui egli riflette nel quadro delle settecentesche teorie del piacere, « la natura l'abbia posta in noi solamente per la nostra felicità temporale, che non poteva stare senza illusioni » (ivi).

Composto quasi sicuramente nel 1820, l'idillio appare la prima volta in Nr col titolo *La sera del giorno festivo*, quindi in F e, col titolo attuale, in N.

La sofferta autobiografia del poeta si distribuisce tra i toni dell'idillio — con l'omerica descrizione della notte di luna — e l'irrompere nel clima idillico della struggente nostalgia del mondo antico (ma già i concitati versi 21-4 hanno increspato il calmo dettato iniziale). Nella trama sottile degli echi e degli influssi, produttivo risulta il *topos* dell'*ubi sunt*, che lega nel ricordo leopardiano la poesia degli umanisti a quella di Ossian. Canto di singolare fortuna tra i lettori europei, già tradotto da Sainte-Beuve, se ne legge una traduzione-imitazione, quasi un plagio, nelle prime poesie di Jules Laforgue, con la sostituzione di Recanati con Parigi (e in Laforgue il tema lunare, anche nella successiva più originale produzione, manterrà evidentissime radici leopardiane).

Metro: endecasillabi sciolti.

Dolce e chiara è la notte e senza vento,
e queta sovra i tetti e in mezzo agli orti
posa la luna, e di lontan rivela
serena ogni montagna. O donna mia,
5   già tace ogni sentiero, e pei balconi
rara traluce la notturna lampa:
tu dormi, che t'accolse agevol sonno
nelle tue chete stanze; e non ti morde
cura nessuna; e già non sai né pensi
10   quanta piaga m'apristi in mezzo al petto.

(¹⁻⁴) *Dolce... ogni montagna*: il paesaggio lunare è ispirato a un ricordo di Omero, citato dal Leopardi stesso in sua traduzione nel *Discorso intorno alla poesia romantica*: « Sì come quando graziosi in cielo / rifulgon gli astri intorno della luna, / e l'aere è senza vento, e si discopre / ogni cima dei monti ed ogni selva / ed ogni torre... ». Il polisindeto che lega singole parole e commi (cinque *e*) provoca un effetto di musicale « staccato ».   (³) *posa la luna*: la luna è tranquilla come in un profondo riposo, cfr. ai vv.38-9: « tutto posa / il mondo ».   (⁴) *serena ogni montagna*: « ogni montagna, tutte cioè e ognuna » (G. De Robertis); *serena* si riferisce a *montagna* ma implica in qualche modo anche *luna*.   (⁵⁻⁶) *già tace... la notturna lampa*: oltre al *silet omnis ager* di Virgilio, *Aen.*, IV, 525, il Lonardi segnala l'incrocio con un altro luogo virgiliano di *Aen.*, IX, 383: « *rara* per occultos *lucebat* semita semita calles* » — ma la tradizione fornisce anche la variante *ducebat* (già in una glossa di Servio: « *ducebat*, legitur et *lucebat* »).   (⁷) *che*, ‹perché›. *-agevol sonno*, ‹un sonno facile, tranquillo›.   (⁸) *chete stanze*: presente in Leopardi nelle varie forme ‹quieto›, ‹cheto›, ‹queto›, è nel suo lessico, come ha osservato il Peruzzi, aggettivo di ‹silenzio› più che di ‹pace.›.   (⁹) *cura nessuna*, ‹nessun affanno›.   (¹⁰) *quanta piaga*: *piaga* è parola del petrarchismo nella costellazione lessicale dei danni

Tu dormi: io questo ciel, che sì benigno
appare in vista, a salutar m'affaccio,
e l'antica natura onnipossente,
che mi fece all'affanno. A te la speme
15   nego, mi disse, anche la speme; e d'altro
non brillin gli occhi tuoi se non di pianto.
Questo dì fu solenne: or da' trastulli
prendi riposo; e forse ti rimembra
in sogno a quanti oggi piacesti, e quanti
20   piacquero a te: non io, non già, ch'io speri,
al pensier ti ricorro. Intanto io chieggo
quanto a viver mi resti, e qui per terra
mi getto, e grido, e fremo. Oh giorni orrendi
in così verde etate! Ahi, per la via
25   odo non lunge il solitario canto
dell'artigian, che riede a tarda notte,
dopo i sollazzi, al suo povero ostello;
e fieramente mi si stringe il core,
a pensar come tutto al mondo passa,
30   e quasi orma non lascia. Ecco è fuggito

d'amore. (11-2) *che sì benigno / appare in vista*: ‹che così benignamente si offre allo sguardo›. (14) *che mi fece all'affanno*: ‹che mi creò per il dolore› (e *l'affanno* dell'io appare fragile di fronte alla natura *antica, onnipossente*). (17) *fu solenne*: festivo per solennità religiosa. *-trastulli*, ‹svaghi›, ma la scelta della parola non esclude una benevola ironia. (18) *ti rimembra*, ‹ti ricordi›. (20) *non già*, da unire con *al pensier ti ricorro*; già rafforzante la negazione. *-ch'io speri*: per quanto possa sperarlo. (21) *al pensier ti ricorro*, ‹appaio nei tuoi pensieri›. (23) *mi getto, e grido, e fremo*: l'accumulazione, ricca di enfasi, preannuncia l'interiezione *oh* col suo sintagma nominale (e *ahi* più avanti) ma, malgrado il cattivo esito poetico, si tratta di atteggiamento autobiograficamente sincero; cfr. la lettera al Giordani del 24 aprile 1820: «Io mi getto e mi ravvolgo per terra, domandando quanto mi resta ancora da vivere» (nell'autografo dell'idillio si leggeva: «per terra / *mi getto e mi ravvolgo*»). (25) *non lunge*, ‹non lontano›. (26) *riede*, ‹ritorna›. (27) *ostello*, ‹casa›. (28) *fieramente*, ‹crudelmente›. (30) *non lascia*, in forte assonanza con *passa*. Il motivo del canto notturno del viandante già in *Zibaldone*, 50-1: «Dolor mio nel sentire a tarda notte seguente

il dì festivo, ed al festivo il giorno
volgar succede, e se ne porta il tempo
ogni umano accidente. Or dov'è il suono
di que' popoli antichi? or dov'è il grido
35   de' nostri avi famosi, e il grande impero
di quella Roma, e l'armi, e il fragorio
che n'andò per la terra e l'oceano?
Tutto è pace e silenzio, e tutto posa
il mondo, e più di lor non si ragiona.
40   Nella mia prima età, quando s'aspetta
bramosamente il dì festivo, or poscia
ch'egli era spento, io doloroso, in veglia,
premea le piume; ed alla tarda notte
un canto che s'udia per li sentieri

il giorno di qualche festa il canto notturno de' villani passeggeri.
Infinità del passato che mi veniva in mente, ripensando ai romani così caduti dopo tanto romore e ai tanti avvenimenti ora passati, ch'io paragonava dolorosamente con quella profonda quiete
e silenzio della notte, a farmi avvedere del quale giovava il risalto di quella voce o canto villanesco». (³²) *volgar*, ‹feriale›, ma
nel termine c'è una sfumatura di squallore.   (³³⁻⁷) *Or dov'è...
l'oceano*: cfr. Sannazaro, *Arcadia*, ecl. VI: « Ov'è il valore? ov'è
l'antica gloria? / U' son or quelle genti (oimè son cenere) / de
le quai grida ogni famosa storia? » Il *topos dell'ubi sunt*, frequentissimo nella tradizione letteraria, permette numerosi riscontri da Petrarca (*Trionfo della Morte*, 1) ai settecente-
schi Young e Ossian. *suono* sta per ‹rumore› e « indica a un
tempo il rumore delle gesta e la voce che se ne propagò per
il mondo » (Flora); cfr. *grido* al v.34.   (³⁷) *oceano* è accentato sulla penultima. La rievocazione del mondo antico, uno dei
miti più vivi della prima poesia leopardiana, si è inserita prepo-
tentemente nel clima idilliaco del canto.   (³⁸⁻⁹) *tutto posa /
il mondo*, in ideale corrispondenza col *posa* della luna al v.3: silenzio della notte dopo la giornata festiva, silenzio del mondo di
fronte al trascorrere della storia.   (⁴¹⁻²) *or poscia / ch'egli era
spento*: ‹ecco, dopo ch'esso non splendeva più›.   (⁴²) *doloroso*,
‹addolorato›; cfr. *Zibaldone*, 529, in data 20 gennaio 1821: « Os-
servate ancora che dolor cupo e vivo sperimentavamo noi da fanciulli, terminato un divertimento, passata una giornata di festa
ec. Ed è ben naturale che il dolore seguente dovesse corrispon-
dere all'aspettazione, al giubilo precedente: e che il dolore della

45   lontanando morire a poco a poco,
        già similmente mi stringeva il core.

speranza delusa sia proporzionato alla misura di detta speranza ». (⁴⁵) *lontanando*, ‹allontanandosi›, verbo assai raro nella tradizione letteraria e che sembra derivare ad essa, successivamente, da questo luogo del Leopardi. Il motivo dello svanire delle voci ha riscontri ossianeschi; cfr. nella traduzione del Cesarotti: « In sul mattino / s'infiochì la sua voce, *e a poco a poco* / s'andò spegnendo » (*Canti di Selma*, 345-7); e: « Intesi il lento degradar soave / del canto *dilungantesi* » (*Temora*, II, 485-6).
(⁴⁶) *già similmente*: ‹allo stesso modo› del canto di stanotte. Gli ultimi vv.40-6 rappresentano un'improvvisa intrusione del ricordo nel presente, segnalata dall'apparizione dell'imperfetto; ma il filo di svolgimento è la *speme* negata, di cui ai vv.14-5, che riporta alla mente del poeta l'altra speranza delusa delle sue sere di festa infantili (vedi il passo dello *Zibaldone* alla nota 42).

Apparso la prima vola in ɴʀ col titolo *La ricordanza* che ancora recava in ʙ26, fu composto probabilmente nel 1819. Fubini nel suo commento vi rileva «una letterarietà meno sensibile che negli altri Idilli», per cui «la stessa struttura ritmica dell'endecasillabo sciolto appare più piana e sommessa, caratterizzata com'è da movimenti sintattici dolci e pacati e da *enjambements* più teneramente discorsivi che indefiniti e drammatici».

Metro: endecasillabi sciolti.

O graziosa luna, io mi rammento
che, or volge l'anno, sovra questo colle
io venia pien d'angoscia a rimirarti :
e tu pendevi allor su quella selva
5   siccome or fai, che tutta la rischiari.
Ma nebuloso e tremulo dal pianto
che mi sorgea sul ciglio, alle mie luci
il tuo volto appària, che travagliosa
era mia vita : ed è, né cangia stile,
10   o mia diletta luna. E pur mi giova
la ricordanza, e il noverar l'etate
del mio dolore. Oh come grato occorre
nel tempo giovanil, quando ancor lungo

(²) *questo colle*, forse l'*ermo colle* dell'*Infinito*.   (³) *venia*, ‹veni-vo›.   (⁴) *pendevi*, ‹eri sospesa›.   (⁶) *nebuloso e tremulo*, ‹velato e tremante›, da riferire al *volto* della luna (v.8).   (⁷) *alle mie luci*, ‹ai miei occhi›.   (⁸) *travagliosa*, ‹piena di affanni›.   (⁹) *ed è* ecc., ‹e così rimane né muta›.   (¹⁰) *E pur mi giova*, ‹e tuttavia mi piace›.   (¹¹) *e il noverar l'etate*, ‹contare gli anni (di dolore)›.   (¹²) *come grato occorre* (da unire a *il rimembrar* del v.15): ‹come giunge gradito il ricordo›.   (¹³⁻⁴) *quando ancor lungo* ecc.: cfr. il passo della *Rettorica* di Aristotele, nel volgarizzamento di Annibal Caro, riportato nella leopardiana *Crestomazia* della prosa col titolo *Costume dei giovani*: «Vivono per la più parte con la speranza; perché *lo sperare è dell'avvenire, e lo ricordarsi del passato*; ma i giovani, *dell'avvenire hanno assai, e del passato poco*». I versi 13 e 14 appaiono per la prima volta nell'edizione postuma del '45 e furono aggiunti di mano del poeta su un esemplare dello Starita; «intrusione intellettualistica» secondo il Bacchelli, ma ben ha colto il Fubini il loro significato, «quasi una rilettura del Leopardi maturo, che rinnova in sé il sentimento di un tempo, non senza un sorriso di rimpianto per la giovinezza». Si noti tuttavia come l'inserto adegui la partitura formale, evi-

la speme e breve ha la memoria il corso,
15   il rimembrar delle passate cose,
ancor che triste, e che l'affanno duri!

tando la troppo rapida chiusa, alla sintassi lenta e pacata che
contraddistingue l'idillo fino al verso 10.   ([16]) *ancor che triste*
ecc.: *triste* è plurale di *trista*; cfr. per questi due ultimi versi la
dedicatoria a Serafina Basvecchi della canzone *Per una donna inferma* (1819) mai pubblicata dal poeta. «... la rimembranza delle cose passate è cara, non solamente per quanto siano infelici,
ma anche durando la stessa calamità». Ma cfr. anche Ossian,
La morte di Cucullino nella versione del Cesarotti, 142-3: «A
rimembranza di passate gioie / ch'a un tempo all'alma è dilettosa e triste»; e *L'incendio di Tura*, 607-8 (nella versione dei
Nuovi canti del Leoni): «Gioconda è sempre / la rimembranza,
benché al pianto invogli», detto nel corso di una patetica invocazione alle stelle (e l'edizione napoletana del '35, prima delle
correzioni apportate dal poeta, reca «*ancor che il pianto* duri»).

L'idillio comparve la prima volta il 13 agosto 1825 in cp («Il caffè di Petronio», rivista bolognese diretta dal Brighenti). La data di composizione si colloca tra il 1819 e il 1821; è del 3 dicembre 1820 l'appunto *Del fingere poetando un sogno*.

Il De Lollis ha sottolineato la consonanza dell'idillio con «l'accorata, ma non scorata, melanconia del canto secondo del *Trionfo della morte*, che per primo aveva individuato Licurgo Pieretti». Ma più sottile, filtrato da un personale sentimento, è il tema leopardiano non tanto dell'amore, quanto del comune mondo di illusioni e inquietudini che unisce due giovinezze; al di là della provvisorietà attuale dei risultati, già si configura uno dei motivi più intensi della poesia leopardiana.

Metro: endecasillabi sciolti.

Era il mattino, e tra le chiuse imposte
per lo balcone insinuava il sole
nella mia cieca stanza il primo albore;
quando in sul tempo che più leve il sonno
5   e più soave le pupille adombra,
stettemi allato e riguardommi in viso
il simulacro di colei che amore
prima insegnommi, e poi lasciommi in pianto.
Morta non mi parea, ma trista, e quale
10   degl'infelici è la sembianza. Al capo
appressommi la destra, e sospirando,
vivi, mi disse, e ricordanza alcuna
serbi di noi? Donde, risposi, e come
vieni, o cara beltà? Quanto, deh quanto
15   di te mi dolse e duol: né mi credea
che risaper tu lo dovessi; e questo
facea più sconsolato il dolor mio.

(³) *cieca*, ‹buia›.   *-il primo albore*: cfr. Montale, *Ossi di seppia*, *Quasi una fantasia*: « Raggiorna, lo presento / da un albore di frusto / argento alle pareti: / lista un barlume, le finestre chiuse. / Torna l'avvenimento / del sole... », dove sembra che Montale « diversamente da quello che avviene nel *Sogno*, all'interno dei versi, *leopardizzi* questo Leopardi giovane » (Lonardi).   (⁴) *quando*, ‹allorché›.   (⁵) *le pupille adombra*, ‹oscura gli occhi›; cfr. il secondo idillio di Mosco tradotto dal Leopardi, di cui sono in questi versi molti echi: « allor che omai / era presso il mattino, un dolce sogno / mandò, quando il sopor su le palpèbre / più soave del mèl siede, e le membra / lieve rilassa, ritenendo intanto / in molle laccio avviluppati i lumi ».   (⁶) *stettemi allato e riguardommi*: ‹apparve al mio fianco e mi fissò›; cfr. Petrarca, *Rime*, CCCLIX, 3: « del letto in su la sponda manca », luogo dell'apparizione di Laura defunta.   (¹³) *Donde, risposi* ecc.: cfr. Petrarca, cit.: « dico: Onde vien' tu ora, o felice alma? ».   (¹⁵) *mi*

> Ma seï tu per lasciarmi un'altra volta?
> Io n'ho gran tema. Or dimmi, e che t'avvenne?
> 20   Sei tu quella di prima? E che ti strugge
> internàmente? Obblivione ingombra
> i tuoi pensieri, e gli avviluppa il sonno,
> disse colei. Son morta, e mi vedesti
> l'ultima volta, or son più lune. Immensa
> 25   doglia m'oppresse a queste voci il petto.
> Ella seguì : nel fior degli anni estinta,
> quand'è il viver più dolce, e pria che il core
> certo si renda com'è tutta indarno
> l'umana speme. A desiar colei
> 30   che d'ogni affanno il tragge, ha poco andare
> l'egro mortal; ma sconsolata arriva
> la morte ai giovanetti, e duro è il fato
> di quella speme che sotterra è spenta.
> Vano è saper quel che natura asconde
> 35   agl'inesperti della vita, e molto
> all'immatura sapienza il cieco
> dolor prevale. Oh sfortunata, oh cara,
> taci, taci, diss'io, che tu mi schianti
> con questi detti il cor. Dunque sei morta,
> 40   o mia diletta, ed io son vivo, ed era
> pur fisso in ciel che quei sudori estremi

dolse impersonale, come in *A Silvia*, 35.   ([19]) *tema*, ‹timore›.
([21]) *obblivione*, ‹oblio›.   ([22]) *avviluppa*: cfr. l'ultimo verso di
Mosco nella nota al v.5.   ([24]) *più lune*, ‹più mesi›.   ([26]) *seguì*,
‹proseguì›, (il discorso che il poeta aveva interrotto per descrivere il proprio dolore).   ([28]) *com'è tutta indarno*: ‹com'è del
tutto inutile›.   ([30]) *d'ogni affanno il tragge*: ‹lo libera da ogni
dolore›.   *-ha poco andare*, ‹giunge in fretta› (a desiderare la
morte); espressione petrarchesca in *Rime*,LXXVI, 14: « questi *avea
poco andare* ad esser morto », ripresa dal Leopardi già nel giovanile *Appressamento della morte*, V, 10: « Poco andare ha il
mio corpo ad esser morto ».   ([32]) *il fato*, ‹la sorte›.   ([34-7]) *Vano...
prevale*: ‹È inutile per quelli che sono inesperti della vita cercare d'indagarne il mistero, perché il cieco dolore è molto più
forte di ogni acerba esperienza›; *e* del verso 35 organizza una
paratattica con implicito valore dichiarativo.   ([41]) *pur fisso in
ciel*: ‹davvero stabilito nel cielo›; espressione petrarchesca.
([41]) *sudori estremi*, della morte.   ([48]) *s'addimanda*, ‹si chiama›.

cotesta cara e tenerella salma
provar dovesse, a me restasse intera
questa misera spoglia? Oh quante volte
45   in ripensar che più non vivi, e mai
non avverrà ch'io ti ritrovi al mondo,
creder nol posso. Ahi ahi, che cosa è questa
che morte s'addimanda? Oggi per prova
intenderlo potessi, e il capo inerme
50   agli atroci del fato odii sottrarre.
Giovane son, ma si consuma e perde
la giovanezza mia come vecchiezza;
la qual pavento, e pur m'è lunge assai.
Ma poco da vecchiezza si discorda
55   il fior dell'età mia. Nascemmo al pianto,
disse, ambedue; felicità non rise
al viver nostro; e dilettossi il cielo
de' nostri affanni. Or se di pianto il ciglio,
soggiunsi, e di pallor velato il viso
60   per la tua dipartita, e se d'angoscia
porto gravido il cor; dimmi: d'amore
favilla alcuna, o di pietà, giammai
verso il misero amante il cor t'assalse
mentre vivesti? Io disperando allora
65   e sperando traea le notti e i giorni;
oggi nel vano dubitar si stanca

(⁵²) *come vecchiezza*: cfr. la lettera del Leopardi a Giulio Perticari del 30 marzo 1821: « La fortuna ha condannato la mia vita a mancar di gioventù: perché dalla fanciullezza io sono passato alla vecchiezza di salto, anzi alla decrepitezza sì del corpo come dell'animo ».   (⁵³) *pavento*, ‹temo›.   *-e pur m'è lunge assai*: ‹e tuttavia mi è tanto lontana›.   (⁵⁴) *si discorda*, ‹si differenzia›. (⁵⁵) *Nascemmo al pianto* ecc.: anche nel frammento della *Telesilla*, giovanile tentativo di dramma pastorale, verso la fine: « O cara, al pianto / siam prodotti ambedue ».   (⁵⁸) *Or se di pianto il ciglio*, in dipendenza da *porto gravido* al v.61.   (⁶⁰) *per la tua dipartita*, ‹per la tua partenza› (dal mondo).   (⁶¹) *gravido*, ‹colmo›.   (⁶⁵) *traea*, ‹trascorrevo›, nell'alternarsi della speranza e della disperazione.   (⁶⁶) *nel vano dubitar*: l'incertezza, resa inutile dalla morte della fanciulla, se il poeta fosse o no amato; si noti l'infinito sostantivato, che spessissimo in Leopardi definisce

la mente mia. Che se una volta sola
dolor ti strinse di mia negra vita,
non mel celar, ti prego, e mi soccorra
70   la rimembranza or che il futuro è tolto
ai nostri giorni. E quella : ti conforta,
o sventurato. Io di pietade avara
non ti fui mentre vissi, ed or non sono,
che fui misera anch'io. Non far querela
75   di questa infelicissima fanciulla.
Per le sventure nostre, e per l'amore
che mi strugge, esclamai; per lo diletto
nome di giovanezza e la perduta
speme dei nostri dì, concedi, o cara,
80   che la tua destra io tocchi. Ed ella, in atto
soave e tristo, la porgeva. Or mentre
di baci la ricopro, e d'affannosa
dolcezza palpitando all'anelante
seno la stringo, di sudore il volto
85   ferveva e il petto, nelle fauci stava
la voce, al guardo traballava il giorno.
Quando colei teneramente affissi
gli occhi negli occhi miei, già scordi, o caro,
disse, che di beltà son fatta ignuda?
90   E tu d'amore, o sfortunato, indarno

entità morali,   *-si stanca*, ‹si strugge›.   [68] *negra*, ‹oscura›.
[67-71] *Che se... giorni* : ‹se una volta, quand'eri ancor viva, hai
avuto pietà di me amandomi, non me lo nascondere, perché io
abbia il conforto del ricordo ora che ci è negato un futuro›.
[73] *ed or non sono* : ‹e neanche adesso lo sono› (avara di pietà).
[74] *Non far querela*, ‹non lamentarti›.   [77] *diletto*, ‹amato,
caro›.   [82] *la ricopro*, la mano.   [85] *ferveva*, al singolare con
due soggetti (*volto* e *petto*).   *-nelle fauci stava*: cfr. Virgilio,
Aen., II, 774: « vox faucibus haesit »; anche nella sua giovanile
traduzione del secondo libro dell'*Eneide* Leopardi traduce *haere-
re* con ‹stare›.   [86] *al guardo traballava il giorno*: ‹la luce va-
cillava davanti ai miei occhi›; ‹traballare› è verbo di inusitato
espressionismo in Leopardi; anche in *Telesilla*, vv.293-4: « ed
ogni cosa al guardo / mi traballa » (e situazioni sentimentali e
forme linguistiche della *Telesilla* trovano frequenti riscontri in
vari luoghi di quest'idillio).   [89] *son fatta ignuda*: cfr. Petrarca,
Rime, CCCLIX, 60-1 : « Spirito ignudo sono, e 'n ciel mi godo; /

ti scaldi e fremi. Or finalmente addio.
Nostre misere menti e nostre salme
son disgiunte in eterno. A me non vivi
e mai più non vivrai : già ruppe il fato

95   la fé che mi giurasti. Allor d'angoscia
gridar volendo, e spasimando, e pregne
di sconsolato pianto le pupille,
dal sonno mi disciolsi. Ella negli occhi
pur mi restava, e nell'incerto raggio

100   del Sol vederla io mi credeva ancora.

quel che tu cerchi è terra, già molt'anni ».   (⁹¹) *Or finalmente*
addio: così Leopardi aveva tradotto, nella giovanile succitata
versione del secondo libro dell'*Eneide*, il virgiliano *Iamque vale*
(*Aen.*, II, 789).   (⁹³) *in eterno*, perché né i corpi né le anime dei
due innamorati potranno più ricongiungersi, in questo differendo
l'atteggiamento ideologico del Leopardi da quello del Petrarca
nella più volte citata canzone.   (⁹³) *A me*, ‹per me›.   (⁹⁵) *la fé,*
‹la fedeltà›.   (⁹⁶) *pregne*: al v.61 aveva detto *gravido*.   (⁹⁹) *pur
mi restava*, ‹continuava a rimanermi›.   *-nell'incerto raggio*, è il
primo albore del v.3.

Pubblicato in NR, poi in B26, composto tra l'estate e l'autunno del 1821.

Il tema della vita solitaria è frequente nella poesia settecentesca preromantica, dal Monti al Pindemonte. La convenzionalità letteraria dell'apertura e di molti versi (quelli, ad esempio, parineggianti relativi alla notte), è compensata dalla presenza di motivi schiettamente leopardiani, tra i quali risalta la descrizione del meriggio (vv. 23-38).

Metro: endecasillabi sciolti. Contini (nella sua *Memoria di Angelo Monteverdi*, ora in *Altri esercizî*, Torino 1972) segnala numerose assonanze e interessanti peculiarità della partitura fonica.

La mattutina pioggia, allor che l'ale
battendo esulta nella chiusa stanza
la gallinella, ed al balcon s'affaccia
l'abitator de' campi, e il Sol che nasce
5   i suoi tremuli rai fra le cadenti
stille saetta, alla capanna mia
dolcemente picchiando, mi risveglia;
e sorgo, e i lievi nugoletti, e il primo
degli augelli susurro, e l'aura fresca,
10   e le ridenti piagge benedico:
poiché voi, cittadine infauste mura,
vidi e conobbi assai, là dove segue
odio al dolor compagno; e doloroso
io vivo, e tal morrò, deh tosto! Alcuna
15   benché scarsa pietà pur mi dimostra

(²) *esulta,* nel significato latino di ‹salta›.   *-chiusa stanza*: il pol-
laio.   (⁵⁻⁶) *le cadenti / stille*: il sole nascente sta rompendo le
nuvole.   (⁶) *saetta*: cfr. Dante, *Purg.*, II, 55-6: «da tutte parti *saet-
tava* il giorno / lo sol».   *-alla capanna mia*: da unire a *la
mattutina pioggia* del primo verso. La *capanna* è la villa di San
Lopardo, residenza estiva della famiglia, così chiamata secondo
le convenzioni del travestimento arcadico.   (¹¹) *cittadine infauste
mura*: le città funeste, sedi di preoccupazioni e dolori.   (¹²) *vidi
e conobbi*: cfr. Tasso, *Gerus. lib.*, VII, 12: «*vidi e conobbi* pur
le inique corti», detto dal vecchio pastore ad Erminia fuggiasca,
e quindi consentaneo al tono di quest'idillio.   (¹²) *assai*, ‹abbastanza›.   (¹²⁻³) *là dove... compagno*: ‹dove l'odio segue il dolore come suo compagno inseparabile›.   (¹⁴) *Alcuna*, ‹qualche›.
(¹⁵) *pur mi dimostra* (malgrado io viva ormai dolorosamente);
cfr. *Zibaldone*, 681, in data 20 febbraio 1821: «L'uomo disin-
gannato, stanco, esperto, esaurito di tutti i desiderii, nella solitudine appoco appoco si rifà, ricupera se stesso, ripiglia quasi carne e lena, e più o meno vivamente, a ogni modo risorge, ancor-

natura in questi lochi, un giorno oh quanto
verso me più cortese! E tu pur volgi
dai miseri lo sguardo; e tu, sdegnando
le sciagure e gli affanni, alla reina

20   felicità servi, o natura. In cielo,
in terra amico agl'infelici alcuno
e rifugio non resta altro che il ferro.

Talor m'assido in solitaria parte,
sovra un rialto, al margine d'un lago

?5   di taciturne piante incoronato.
Ivi, quando il meriggio in ciel si volve,
la sua tranquilla imago il Sol dipinge,
ed erba o foglia non si crolla al vento,
e non onda incresparsi, e non cicala

ché penetrantissimo d'ingegno e sventuratissimo. Come questo?
forse per la cognizione del vero? Anzi per la dimenticanza del
vero ».   (17-20) *E tu... o natura*: ‹e anche tu, o natura, volti le
spalle all'infelice; anche tu, disprezzando affanni e sciagure, fa-
vorisci soltanto la felicità, tua unica signora› (come tra gli uomini, dove l'*odio* è sempre compagno del dolore, dove cioè l'uomo
infelice non trova amicizia e conforto, anzi è rifuggito).   (21-2) *in
terra... il ferro*: ‹non resta quaggiù nessun amico e nessuna possibilità di scampo se non nel suicidio (*il ferro*)›; la variante presente in B26: *altro che il pianto*, fu imposta, secondo un'ipotesi del
Moroncini, dalla censura.   (23 e sgg.) *Talor m'assido* ecc.: toni
alla Pindemonte in quest'idillio sono assai frequenti, cfr. nell'*Epistola al Bertola*: « sovra un torrente *io siedo / talvolta* e guardo... » Il primo spunto di questa parte già nell'*Appressamento
alla morte*, IV, 70-2: « Qual da limpido ciel su queto lago / cinto di piante in ermo loco il sole / versa sua luce e sua tranquilla
imago ». L'immagine del lago al meriggio discende dall'*Elegia
sopra un cimitero di campagna* di Gray, conosciuta dal Leopardi
nella versione del Cesarotti, fino all'*Ortis*, dove il Foscolo ritradu-
ce lo stesso passo.   (24) *sovra un rialto*, ‹su una piccola altura›.
(25) *di taciturne piante*: anche il pastore di Orazio, *Carm.*, III, 29,
23-4, si ripara dal sole di luglio tra le piante, « caretque / ripa
vagis *taciturna* ventis ».   (28-32) *ed erba... vedi*: lungo elenco di
oggetti in stato d'inerzia, ottenuto con verbi di moto inseriti in
un enunciato negativo, in un ordine che muove dal distinto all'indistinto (*erba, foglia, onda* ecc. all'inizio, e alla fine *voce moto*).
(29) *e non onda incresparsi*: questo infinito e i seguenti in dipen-

30   strider, né batter penna augello in ramo,
          né farfalla ronzar, né voce o moto
          da presso né da lunge odi né vedi.
          Tien quelle rive altissima quiete;
          ond'io quasi me stesso e il mondo obblio
35   sedendo immoto; e già mi par che sciolte
          giaccian le membra mie, né spirto o senso
          più le commova, e lor quiete antica   .

denza da *odi né vedi* del v.32.   (³¹) *né farfalla ronzar*: nella descrizione del meriggio nel *Saggio sopra gli errori popolari degli
antichi* (cap. VIII): « la zanzara che passa *ronzando* vicino al-
l'orecchio ». Fenomeno d'inconscia *Klangassoziation*, nel ricordo,
tra *zanzara* e *farfalla*? Scelta diversa per eufonia o maggior nobiltà del soggetto? È certo che il verbo ‹ronzare› conviene più alla prima che alla seconda.   (³³ e sgg.) *Tien quelle rive* ecc.: appaiono segnali del lessico dell'*Infinito*: *altissima quiete* (nell'*Infinito*, 6, *profondissima*) e *sedendo, silenzi*; ma limpidamente nel
suo commento, malgrado le somiglianze di situazione, il Fubini
osserva che nell'*Infinito* « è rappresentato un movimento vitale,
che comporta un'intensificazione del sentimento e della fantasia,
qui invece il Leopardi intende esprimere piuttosto il venir meno
di tutti i moti vitali in una quiete antica e obliosa, all'unisono
con la quiete universale del meriggio »;·cfr. anche nel *Cantico
del gallo silvestre* il tema della quiete profondissima del mezzogiorno, immagine di sonno-morte « sotto l'astro diurno ».   (³⁴) *me
stesso e il mondo obblio*: stato d'inerzia, di sospensione dei moti
vitali, su cui Leopardi ha riflettuto nella sua giovanile teoria del
piacere, cfr. ad es. *Zibaldone*, 172: « Un assopimento dell'anima è piacevole. I turchi se lo procurano coll'oppio, ed è grato
all'anima perché in quei momenti non è affannata dal desiderio,
perché è come un riposo dal desiderio tormentoso, e impossibile
a soddisfar pienamente; un intervallo come il sonno nel quale
se ben l'anima forse non lascia di pensare, tuttavia non se n'avvede ».   (³⁵⁻⁶) *che sciolte / giaccian le membra mie*: l'espressione si addice al sonno (più che alla morte, come vogliono alcuni
commentatori), cfr. il passo dello *Zibaldone* alla nota precedente.   (³⁶⁻⁷) *né spirto... commova*: ‹e sembra che né pensiero né
sensazione più le stimoli (le *membra*, cioè il corpo)›; mentre nel-
l'*Infinito* lo spirito è vigilante e si fa strenuo interprete della sensazione.   *-e lor quiete antica*: ambiguissimo questo *lor*, di solito dai commentatori riferito a *membra*, interpretando che al poeta sembra di esistere, in questa sospensione della coscienza, da
tempo immemorabile; ma la ripresa della parola *quiete* può far

co' silenzi del loco si confonda.

Amore, amore, assai lungi volasti
40   dal petto mio, che fu sì caldo un giorno,
        anzi rovente. Con sua fredda mano
        lo stringe la sciaura, e in ghiaccio è volto
        nel fior degli anni. Mi sovvien del tempo
        che mi scendesti in seno. Era quel dolce
45   e irrevocabil tempo, allor che s'apre
        al guardo giovanil questa infelice
        scena del mondo, e gli sorride in vista
        di paradiso. Al garzoncello il core
        di vergine speranza e di desio
50   balza nel petto; e già s'accinge all'opra
        di questa vita come a danza o gioco

pensare anche alle *rive* del v.33: la quiete è così profonda che
il poeta dimentica se stesso, e anche le *rive* perdono i loro concreti contorni dissolvendosi nell'indistinto silenzio del paesaggio
circostante. Si tenga presente la numerosa varietà di valori generati in Leopardi dalla congiunzione *e*, che qui probabilmente significa ‹e anche› in rapporto a *già mi par*: ‹mi sembra che il
mio corpo sia sciolto da un profondo sonno e che anche la quiete antica delle rive, ecc.›. L'espressione *quiete antica*, attribuita
a *lidi remoti*, anche in *Al conte Carlo Pepoli*, 97.   (³⁹) *Amore,
amore*: transizione brusca, giustificata a posteriori nei vv.59 e
sgg.; la sensazione di forte stacco è aumentata dalla perentorietà
del vocativo nei confronti del precedente stato di quiete e di sonno.   (⁴²) *in ghiaccio è volto*, ‹si è trasformato in ghiaccio›; cfr.
la lettera al Brighenti del 28 agosto 1820: «ho l'animo così agghiacciato e appassito dalla continua infelicità ed anche dalla
misera cognizione del vero, che prima di avere amato, ho perduto la facoltà di amare».   -*sciaura*, e al v.19 *sciagure* (che in
B26 era *sciaure*); qui il Leopardi non opera il medesimo ripristi-
no della forma corrente per evitare la ripetizione di *gh* già presente in *ghiaccio*, con la consueta attenzione alla partitura fonica del verso.   (⁴⁵) *irrevocabil tempo*: anche in Lucrezio, *De rer.
nat.*, I, 468: «irrevocabilis... praeterita aetas»; in *Zibaldone*, 1534,
in data 20 agosto 1821: «Le parole *irrevocabile, irremeabile* e
altre tali, produrranno sempre una sensazione piacevole (se l'uomo non vi si avvezza troppo), perché destano un'idea senza limiti,
e non possibile a concepirsi interamente. E però saranno sempre
poeticissime: e di queste tali parole sa far uso, e giovarsi con

il misero mortal. Ma non sì tosto,
amor, di te m'accorsi, e il viver mio
fortuna avea già rotto, ed a questi occhi
55   non altro convenia che il pianger sempre.
Pur se talvolta per le piagge apriche,
su la tacita aurora o quando al sole
brillano i tetti e i poggi e le campagne,
scontro di vaga donzelletta il viso;
60   o qualor nella placida quiete
d'estiva notte, il vagabondo passo
di rincontro alle ville soffermando,
l'erma terra contemplo, e di fanciulla
che all'opre di sua man la notte aggiunge
65   odo sonar nelle romite stanze
l'arguto canto; a palpitar si move
questo mio còr di sasso: ahi, ma ritorna
tosto al ferreo sopor; ch'è fatto estrano
ogni moto soave al petto mio.

70   O cara luna, al cui tranquillo raggio

grandissimo effetto il vero poeta ».   (⁵²) *Ma non sì tosto*, ‹ma appena›.   (⁵³) *e il viver mio*: la congiunzione *e* ha valore temporale (in correlazione con l'avverbio di tempo *non sì tosto*) come spesso nella lingua poetica latina, cfr. Virgilio, *Aen.*, II, 692-3: « *vix* ea fatus erat senior *subitoque* fragore / intonuit laevum »; costruzione viva anche nell'italiano antico, cfr. Dante, *Purg.*, VII, 94: « *Com'*ei parlava, *e* Sordello a sé il trasse ».
(⁵⁶) *per le piagge apriche*, al v.10 *ridenti*.   (⁶⁰) *qualor*, ‹ogni volta che›.   (⁶²) *di rincontro alle ville*: davanti alle case sparse per la campagna.   (⁶³) *erma*, ‹solitaria, deserta› (nella notte).   -*di fanciulla*, da unire a *l'arguto canto* del v.66.   (⁶⁴) *che all'opre* ecc.: ‹che aggiunge alla fatica (diurna) delle sue mani anche una parte della notte›; traduzione di un noto emistichio di Virgilio in *Aen.*, VIII, 411: « noctem addens operi » (in Virgilio riferito alle ore notturne che precedono l'alba, aggiunte al lavoro quotidiano).   (⁶⁶) *l'arguto canto*: cfr. *A Silvia*, v.9, e la nota; e per *arguto*, *Alla primavera*, nota al v.31.   (⁶⁸) *ferreo*: cfr. Virgilio, *Aen.*, X, 745-6: « ferrus urget / somnus »; ‹duro torpore›, diverso dall'assopimento dell'anima con cui si chiudeva la precedente sezione.
(⁷⁰) *O cara luna*: come sempre alto emblema della solitudine in Leopardi; qui l'ultima sezione del canto sviluppa una tematica

danzan le lepri nelle selve; e duolsi
alla mattina il cacciator, che trova
l'orme intricate e false, e dai covili
error vario lo svia; salve, o benigna
75   delle notti reina. Infesto scende
il raggio tuo fra macchie e balze o dentro
a deserti edifici, in su l'acciaro
del pallido ladron ch'a teso orecchio
il fragor delle rote e de' cavalli
80   da lungi osserva o il calpestio de' piedi
su la tacita via; poscia improvviso
col suon dell'armi e con la rauca voce
e col funereo ceffo il core agghiaccia
al passegger, cui semivivo e nudo
85   lascia in breve tra' sassi. Infesto occorre
per le contrade cittadine il bianco
tuo lume al drudo vil, che degli alberghi
va radendo le mura e la secreta
ombra seguendo, e resta, e si spaura

letteraria sul ladrone e il drudo ai quali il lume della luna è *infesto*, con toni caratteristici della poesia sepolcrale e notturna del Settecento (si ricordi l'inizio della *Notte* del Parini). (71) *danzan le lepri*: cfr. l'abbozzo dell'*Erminia*: « Lepri che saltano fuor dei loro covili nelle selve ec. e ballano al lume della luna, onde ingannano il cacciatore co' loro vestigi »; e anche nell'*Elogio degli uccelli*: « delle lepri si dice che la notte, ai tempi della luna, e massime della luna piena, saltano e giuocano insieme, compiacendosi di quel chiaro, secondo che scrive Senofonte ». (Leopardi stesso indica la fonte in Senofonte, *Cyneget.*, cap. 5, 4). (73) *false*, ‹ingannatrici›. (74) *error vario*: ‹il vagare confuso› (delle orme). (75) *delle notti reina*: nella seconda delle *Odae adespotae* greche, finzione letteraria del giovane Leopardi, « quietae noctis imperium / ... tenes » (la traduzione latina è dello stesso Leopardi). -*Infesto*, ‹ostile›. (77) *in su l'acciaro*, retto da *scende*; il coltello su cui scintilla il raggio della luna. Nell'ode greca cit.: « Te fures quidem reformidant / universum orbem inspectantem ». (80) *osserva*, ‹spia›. (84) *cui*, ‹che›, compl. oggetto. (85) *occorre*, ‹si fa incontro›, latinismo. (87) *drudo vil*: ‹l'amante pauroso›; descritto anche nella *Notte* del Parini mentre « lento / col cappel su le ciglia e tutto avvolto / entro 'l manto sen gìa con l'arme ascose » (vv. 21-3). -*degli alberghi*, ‹delle case›. (88) *ombra*,

90   delle ardenti lucerne e degli aperti
       balconi. Infesto alle malvage menti,
       a me sempre benigno il tuo cospetto
       sarà per queste piagge, ove non altro
       che lieti colli e spaziosi campi
95   m'apri alla vista. Ed ancor io soleva,
       bench'innocente io fossi, il tuo vezzoso
       raggio accusar negli abitati lochi,
       quand'ei m'offriva al guardo umano, e quando
       scopriva umani aspetti al guardo mio.
100   Or sempre loderollo, o ch'io ti miri
       veleggiar tra le nubi, o che serena
       dominatrice dell'etereo campo,
       questa flebil riguardi umana sede.
       Me spesso rivedrai solingo e muto
105   errar pe' boschi e per le verdi rive,
       o seder sovra l'erbe, assai contento
       se core e lena a sospirar m'avanza.

sempre *degli alberghi*. *-resta*, ‹s'arresta›.   [92] *cospetto*, ‹vista›
(della luna); *aspetto* in *Le Ricordanze*, 8, detto delle stelle del-
l'Orsa.   [95] *Ed ancor*, ‹eppure già da allora›.   *-soleva*: come
lontano, anche *soleva* è per Leopardi « parola di significato ugualmente vasto per la copia delle rimembranze che contiene » (*Zibaldone*, 1789).   [96] *innocente*, in contrapposizione alle *malvage
menti* del v.91.   [97] *accusar*, ‹dolermi› (della tua luce); in Petrarca, *Rime*, XXIII, 112: « accusando il fuggitivo raggio » (la
scomparsa dell'amoroso lume di Laura).   [98-9] *quand'ei... al guardo
mio*: ‹quando il suo raggio mi esponeva allo sguardo degli altri
o rivelava visi d'uomini al mio sguardo›.   [102] *dell'etereo campo*,
‹dello spazio›, espressione classicheggiante, anche nel *Tramonto
della luna*, 62.   [103] *flebil*, ‹degna di pianto›, in contrasto con
la luna *serena dominatrice*. *-riguardi*, ‹contempli›.   [104] *Me
spesso rivedrai*: la finale della poesia sospesa su un futuro che
regge degli infiniti, come in *Amore e morte*: « Me certo troverai », vv.108 e sgg. Finali organizzate attorno a un futuro anche
nel *Passero solitario, Il tramonto della luna, La ginestra*.   [107] *se
core... m'avanza*: ‹se avrò ancora forza nel mio cuore per sospirare› (*core e lena* sono un'endiadi); cfr. Petrarca, *Rime*, CCXCIV,
11: « ch'altro che sospirar nulla m'avanza ».

Composta forse nella primavera del 1833, appartiene al ciclo delle poesie per Aspasia (Fanny Targioni Tozzetti) e fu pubblicata la prima volta in N.

È la poesia che più ha favorito una lettura romantica del Leopardi (ne era rimasto entusiasta anche il giovane De Sanctis), presente ancora come citazione ironica sull'amore romantico nella *Ketty* del Gozzano. Costituisce un faticoso contributo al gusto della novella in versi. Ne individuò subito i tratti negativi il Carducci, con un giudizio allora impopolare ma oggi da tutti condiviso.

Il *topos* del bacio al morente e antico, appare già in un idillio di Teocrito ed è frequente nella poesia alessandrina. E si ricordi l'episodio tassesco di Olindo e Sofronia.

I nomi dei personaggi provengono da un poema del Graziani, imitatore seicentesco del Tasso, *Il conquisto di Granata*, di cui Leopardi riporta dei brani nella sua *Crestomazia*; si veda, sempre nello stesso poema, l'episodio del bacio che Silvera dà ad Osmino morente (canto XIV, ott. 84).

Metro: endecasillabi sciolti.

Presso alla fin di sua dimora in terra,
giacea Consalvo; disdegnoso un tempo
del suo destino; or già non più, che a mezzo
il quinto lustro, gli pendea sul capo
5   il sospirato obblio. Qual da gran tempo,
così giacea nel funeral suo giorno
dai più diletti amici abbandonato:
ch'amico in terra al lungo andar nessuno
resta a colui che della terra è schivo.
10   Pur gli era al fianco, da pietà condotta
a consolare il suo deserto stato,
quella che sola e sempre eragli a mente,
per divina beltà famosa Elvira;
conscia del suo poter, conscia che un guardo
15   suo lieto, un detto d'alcun dolce asperso,
ben mille volte ripetuto e mille

(³⁻⁴) *che a mezzo / il quinto lustro*: nell'autografo aveva scritto *al mezzo di sua vita*, identificando Consalvo con se stesso a trentacinque anni, nel periodo dell'amore per Fanny Targioni Tozzetti; il dato autobiografico viene espunto, anche per la collocazione, cronologicamente regressa, del componimento nel testo dei *Canti*. (⁵) *Qual da gran tempo*, ‹come accadeva ormai da molto tempo›. (⁸) *al lungo andar*, con la preposizione articolata come in Petrarca, *Rime*, CIV, 3. (⁹) *chi della terra è schivo*, ‹chi disprezza le cose del mondo›. (¹¹) *il suo deserto stato*, ‹la sua condizione di totale abbandono›. (¹³) *per divina beltà famosa Elvira*: inconscia *Klangassoziation* con un verso del Petrarca, *Rime*, CLIX, 19: « *per divina bellezza indarno ammira* ». (¹⁵) *d'alcun dolce*: uso neutro dell'aggettivo come in Petrarca, *Rime*, LVII, 12: « Et s'i' ò *alcun dolce*, è dopo tanti amari » (e CXCIII, 3-4; CCLXII, 9); anche in Dante nella canzone *Io son venuto al punto de la rota*, v.65. (¹⁶) *ben*: l'avverbio che qui

nel costante pensier, sostegno e cibo
esser solea dell'infelice amante:
benché nulla d'amor parola udita
20   avess'ella da lui. Sempre in quell'alma
era del gran desio stato più forte
un sovran timor. Così l'avea
fatto schiavo e fanciullo il troppo amore.

Ma ruppe alfin la morte il nodo antico
25   alla sua lingua. Poiché certi i segni
sentendo di quel dì che l'uom discioglie,
lei, già mossa a partir, presa per mano,
e quella man bianchissima stringendo,
disse: tu parti, e l'ora omai ti sforza:
30   Elvira, addio. Non ti vedrò, ch'io creda,
un'altra volta. Or dunque addio. Ti rendo
qual maggior grazia mai delle tue cure
dar possa il labbro mio. Premio daratti
chi può, se premio ai pii dal ciel si rende.
35   Impallidia la bella, e il petto anelo
udendo le si fea: che sempre stringe
all'uomo il cor dogliosamente, ancora

adempie a specifica funzione davanti a un numerale, è zeppa
enfatica assai numerosa nel componimento (su 19 occorrenze in
tutti i *Canti*, ben 7 solo nel *Consalvo*).   *-ripetuto*, da unire a
esser solea del v.18, che regge (ci troviamo in presenza di uno
zeugma) anche il predicato *sostegno e cibo*. (24-5) *Ma ruppe... lingua*: cfr. Petrarca, *Rime*, CXIX, 76-7: « Ruppesi intanto di vergogna il nodo / ch'a la mia lingua era distretto intorno ».   (26) *che
l'uom discioglie*: (*l'uom* è oggetto) ‹che libera l'uomo›.   (27) *già
mossa a partir*: ‹mentre stava allontanandosi›.   (29) *l'ora omai ti
sforza*: cfr. Petrarca, *Rime*, CCL, 9-11: « Non ti soven di quella
ultima sera / — dice ella — ch'i' lasciai li occhi tuoi molli / et
sforzata dal tempo me n'andai? »; fitto mosaico di echi petrar-
cheschi come nel *Primo amore*, malgrado la distanza di anni.
(31-3) *Ti rendo... il labbro mio*: ‹ti ringrazio della tua attenzione
quanto più posso con le mie parole›.   (33-5) *Premio... si rende*:
formula gratulatoria di Enea a Didone: « Di, tibi, si qua pios
respectant numina... / praemia digna ferant », Virgilio, *Aen.*, 1,
603 e 650.   (35) *anelo*, ‹affannoso›.   (36) *si fea*, ‹si faceva, diveniva›.   (37) *dogliosamente*, ‹dolorosamente›.   (37-8) *ancora /*

ch'estranio sia, chi si diparte e dice,
addio per sempre. E contraddir voleva,
40   dissimulando l'appressar del fato,
al moribondo. Ma il suo dir prevenne
quegli, e soggiunse : desiata, e molto,
come sai, ripregata a me discende,
non temuta, la morte; e lieto apparmi
45   questo feral mio dì. Pesami, è vero,
che te perdo per sempre. Oimè per sempre
parto da te. Mi si divide il core
in questo dir. Più non vedrò quegli occhi,
né la tua voce udrò! Dimmi : ma pria
50   di lasciarmi in eterno, Elvira, un bacio
non vorrai tu donarmi? un bacio solo
in tutto il viver mio? Grazia ch'ei chiegga
non si nega a chi muor. Né già vantarmi
potrò del dono, io semispento, a cui
55   straniera man le labbra oggi fra poco
eternamente chiuderà. Ciò detto
con un sospiro, all'adorata destra
le fredde labbra supplicando affisse.

Stette sospesa e pensierosa in atto

ch'estranio sia: numerose le riflessioni nello *Zibaldone* sulla commozione che procurano le partenze definitive e la morte, cfr. *Zibaldone*, 644-6 in data 11 febbraio 1821: « Non c'è forse persona
tanto indifferente per te, la quale, salutandoti nel partire per
qualunque luogo, o lasciarti in qualsivoglia maniera, e dicendoti
Non ci rivedremo mai più, per poco d'anima che tu abbia non
ti commuova, non ti produca una sensazione più o meno trista... »
e cfr. anche *Zibaldone*, 2242-3.   [38] *si diparte*, ‹si allontana›,
legato al concetto della partenza più che a quello della morte.
[40] *dissimulando l'appressar del fato*, ‹fingendo d'ignorare la sua
morte ormai prossima›.   [41] *al moribondo*, dipendente da *contraddir voleva* del v.39.   [42-4] *desiata... ripregata... non temuta*:
l'accumulazione dei tre predicativi legati da sinonimia si organizza con disordine (*non temuta*, il terzo aggettivo, è meno forte
di *ripregata*); retoricamente vuole esprimere la rotta emozione
delle parole di Consalvo.   [45] *feral*, ‹funebre›.   [55] *straniera
man*, ‹una mano estranea›, non legata da alcun affetto al morente.   [59] *in atto*, ‹nell'atteggiamento› (del volto).   [60] *fiso*, ‹fis-

60   la bellissima donna; e fiso il guardo,
di mille vezzi sfavillante, in quello
tenea dell'infelice, ove l'estrema
lacrima rilucea. Né dielle il core
di sprezzar la dimanda, e il mesto addio
65   rinacerbir col niego; anzi la vinse
misericordia dei ben noti ardori.
E quel volto celeste, e quella bocca,
già tanto desiata, e per molt'anni
argomento di sogno e di sospiro,
70   dolcemente appressando al volto afflitto
e scolorato dal mortale affanno,
più baci e più, tutta benigna e in vista
d'alta pietà, su le convulse labbra
del trepido, rapito amante impresse.

75   Che divenisti allor? quali appariro
vita, morte, sventura agli occhi tuoi,
fuggitivo Consalvo? Egli la mano,
ch'ancor tenea, della diletta Elvira
postasi al cor, che gli ultimi battea
80   palpiti della morte e dell'amore,
oh, disse, Elvira, Elvira mia! ben sono

so›, da unire a *in quello* del verso seguente.   (⁶¹) *di mille vezzi sfavillante*, ‹di mille dolci malizie›, con una femminilità quasi crudele che non si oscura nemmeno di fronte alla morte.   (⁶³) *Né dielle il core*: ‹né il cuore le permise›.   (⁶⁵) *rinacerbir col niego*: ‹rendere ancora più acerbo con un rifiuto›.   (⁶⁶) *ben noti ardori*: ‹la passione a lei ben nota›.   (⁶⁷) *quella bocca*, è oggetto di *appressando* al v.70.   (⁶⁸) *già tanto desiata*: cfr. Petrarca, *Trionfo della morte*, II, 10: « e quella man *già tanto desiata* ».
(⁶⁹) *argomento*, ‹oggetto›, come nelle *Ricordanze*, 32, con identica costruzione con due genitivi; qui *sogno* e *sospiro* allitteranti.
(⁷²⁻³) *in vista / d'alta pietà*: ‹col viso che mostrava profonda compassione›.   (⁷⁴) *rapito amante* anche in *Aspasia*, 43.   (⁷⁷) *fuggitivo*, nel significato di ‹in procinto di morire› anche nelle *Ricordanze*, 117, e altrove; cfr. anche la nota al v.4 di *A Silvia*.   (⁸¹ e sgg): il lungo discorso che qui si apre è esemplare della costruita retorica del *Consalvo* e si organizza secondo la successione di *propositio-argumentatio-recapitulatio*: si veda il v.86 *quanto debbo alla morte* (*propositio*); i vv.86-94 (*argumentatio*); i

in su la terra ancor; ben quelle labbra
fur le tue labbra, e la tua mano io stringo!
Ahi vision d'estinto, o sogno, o cosa
85 incredibil mi par. Deh quanto, Elvira,
quanto debbo alla morte! Ascoso innanzi
non ti fu l'amor mio per alcun tempo;
non a te, non altrui; che non si cela
vero amore alla terra. Assai palese
90 agli atti, al volto sbigottito, agli occhi,
ti fu: ma non ai detti. Ancora e sempre
muto sarebbe l'infinito affetto
che governa il cor mio, se non l'avesse
fatto ardito il morir. Morrò contento
95 del mio destino omai, né più mi dolgo
ch'aprii le luci al dì. Non vissi indarno,
poscia che quella bocca alla mia bocca
premer fu dato. Anzi felice estimo
la sorte mia. Due cose belle ha il mondo:
100 amore e morte. All'una il ciel mi guida
in sul fior dell'età; nell'altro, assai
fortunato mi tengo. Ah, se una volta,
solo una volta il lungo amor quieto
e pago avessi tu, fora la terra

vv. 94-9 (*ricapitulatio*); i vv. 99-102 (ripetizione della sentenza). Ai
vv.102-11, esposizione di un dettaglio dialettico (‹la morte mi è
cara, ma questo bacio non potrebbe rendermi grata una vita che
odiavo›), con affermazione dell'impossibilità dell'ipotesi (‹non è
concessa all'uomo tanta felicità, anche se per essa affronterei la
vecchiaia e i più terribili tormenti›). Le frequenti ripetizioni, le
anadiplosi (102-3, 106-7) tendono a realizzare modi di tesa foga
emotiva. E nei vv.119 e sgg. si rovesciano clamorosamente le tesi
della felicità impossibile a natura terrena, per sottolineare l'eccezione (romantica) della propria individuale infelicità.   (81-2) *ben
sono / in su la terra*, cioè ‹non sogno›.   (83) *fur*, ‹furono›.
(84) *vision d'estinto*, quasi visione ultraterrena che si contempli dopo là morte.   (86-7) *Ascoso... tempo*: ‹Anche prima di oggi il mio
amore non ti fu nascosto nemmeno per un attimo›.   (89) *alla terra*, ‹sulla terra›.   (90) *sbigottito*, ‹smarrito›.   (96) *ch'aprii le luci
al dì*, ‹di aver visto la luce›.   (99) *Due cose belle ha il mondo*:
cfr. la lettera di Leopardi a Fanny del 26 agosto 1832: « E pure
certamente l'amore e la morte sono le sole cose belle che ha il

105 fatta quindi per sempre un paradiso
ai cangiati occhi miei. Fin la vecchiezza,
l'abborrita vecchiezza, avrei sofferto
con riposato cor : che a sostentarla
bastato sempre il rimembrar sarebbe
110 d'un solo istante, e il dir : felice io fui
sovra tutti i felici. Ahi, ma cotanto
esser beato non consente il cielo
a natura terrena. Amar tant'oltre
non è dato con gioia. E ben per patto
115 in poter del carnefice ai flagelli,
alle ruote, alle faci ito volando
sarei dalle tue braccia; e ben disceso
nel paventato sempiterno scempio.

120 O Elvira, Elvira, oh lui felice, oh sovra
gl'immortali beato, a cui tu schiuda
il sorriso d'amor! felice appresso
chi per te sparga con la vita il sangue!
Lice, lice al mortal, non è già sogno
come stimai gran tempo, ahi lice in terra
125 provar felicità. Ciò seppi il giorno
che fiso io ti mirai. Ben per mia morte
questo m'accadde. E non però quel giorno
con certo cor giammai, fra tante ambasce,
quel fiero giorno biasimar sostenni.

mondo, e le sole solissime degne di essere desiderate ». [101] *assai* nel significato di ‹abbastanza›. [103-4] *quieto / e pago avessi tu*: ‹avessi appagato e acquietato›. *-fora* (da unire a *fatta* del verso seguente): ‹sarebbe divenuta›. [111] *cotanto*, ‹così tanto›. [113] *tant'oltre*, ‹fino a tal punto›, con idea di confini vietati. [114] *per patto*: ‹se mi fosse stato posto come condizione›; il *ben* qui e al v.117 ha il significato di ‹volentieri›. [116] *alle ruote, alle faci*, ‹alla tortura, al rogo›. *-ito*, ‹andato›. [117] *dalle tue braccia*, direttamente, pur di ottenere un tuo amplesso. [118] *nel paventato* ecc.: nell'inferno. [121] *felice appresso*, ‹felice pure›. [123] *Lice*, ‹è lecito, permesso dal destino› (in inconscia rima ricca con *felice*). [126-7] *Ben per mia morte* ecc.: ‹ed è vero che questo mi è accaduto perché dovessi morirne›. [127-9] *E non però... sostenni*: ‹E non per questo ebbi forza (*sostenni*), pur fra tanti affanni, di biasimare con ferma persuasione (*con certo core*) quel giorno,

130 Or tu vivi beata, e il mondo abbella,
Elvira mia, col tuo sembiante. Alcuno
non l'amerà quant'io l'amai. Non nasce
un altrettale amor. Quanto, deh quanto
dal misero Consalvo in sì gran tempo
135 chiamata fosti, e lamentata, e pianta!
Come al nome d'Elvira, in cor gelando
impallidir; come tremar son uso
all'amaro calcar della tua soglia,
a quella voce angelica, all'aspetto
140 di quella fronte, io ch'al morir non tremo!
Ma la lena e la vita or vengon meno
agli accenti d'amor. Passato è il tempo,
né questo dì rimemorar m'è dato.
Elvira, addio. Con la vital favilla
145 la tua diletta immagine si parte
dal mio cor finalmente. Addio. Se grave
non ti fu quest'affetto, al mio feretro
dimani all'annottar manda un sospiro.

Tacque: né molto andò, che a lui col suono
150 mancò lo spirto; e innanzi sera il primo
suo dì felice gli fuggia dal guardo.

terribile giorno della morte>. Fortemente allentato il contatto del-
l'onodiplosi (*quel giorno... quel fero giorno*) per l'interposizione di
un intero verso. ([130]) *vivi... abbella* sono imperativi. ([131]) *col tuo
sembiante*, ‹col tuo viso›. ([137]) *impallidir*: sottinteso *son uso*.
-son uso, con valore di perfetto come nella forma mediale latina
solitus sum. ([138]) *all'amaro calcar* ecc.: ‹al primo toccare la tua
soglia per me così amaro›. ([144]) *la vital favilla*, ‹il calore della
vita›. ([146]) *finalmente*, ‹alla fine› (e per sempre). *-grave*, ‹mo-
lesto›. ([147]) *feretro*, accentato sulla penultima, somigliante nel
suono ad *affetto* ed assonante. ([149]) *né molto andò*, ‹né passò molto tempo›. *-col suono*, ‹con la voce›. ([151]) *dal guardo*, ‹dallo
sguardo› (che si spegneva).

Composta nel settembre del 1823 dopo più di un anno
d'inoperosità poetica, perdurando ancora la delusione e l'a-
marezza susseguenti al viaggio romano. Ultima delle canzoni in в24, appare in ϝ separata da queste e dopo *La vita
solitaria* (forse perché sentita, come spiega il Fubini, come
sintesi delle *Canzoni* e degl'*Idilli*).

Apparentemente eccentrico questo componimento costituisce senza dubbio, per l'interna tensione sentimentale e la
stupenda realizzazione formale, uno dei più alti risultati del
Leopardi. Savarese, sulla scia del De Sanctis, ha visto giustamente in questa canzone «la sfida alla proclamata e riconosciuta impoeticità del mondo moderno». È di questo
periodo la riflessione del Leopardi (in *Zibaldone* 2944-6, un
mese prima della composizone di *Alla sua donna*) sulla impossibilità di rappresentare poeticamente i tempi moderni,
quasi hegeliana ipotesi di morte dell'arte. Per cui, come ha
scritto il Binni, l'apparente liturgia platonica di questa canzone è di sostanza essenzialmente atea e lo slancio volonta-
ristico verso la poesia si produce in una «zona di delusione
totale e di rifiuto di ogni sensibile compenso». Partendo da
questa situazione psicologica di arida, lucida consapevolezza, Leopardi realizza un intenso scarto lirico che si afferma
come sintesi di sentimenti e idee, come affermazione di un
possibile sublime di ragione. Il desiderio d'illudersi nella
«donna che non si trova» (per usare le parole con cui il
Leopardi definiva l'oggetto della sua poesia), è affidato a
una fitta trama di ipotesi, a frequentissimi *se*, di fronte ai
quali l'immaginazione esalta la sua limpida forza vitale.
Appare qui quello che sarà un atteggiamento costante del
Leopardi: la capacità di spendersi nella gioia formale della
poesia, nel suo mondo di fantasmi e illusioni, «senza smar-

rire per un momento la coscienza della propria *storicità*» (Savarese).

È in questa direzione che si afferma la funzionalità del petrarchismo leopardiano, particolarmente vivo in questa canzone, che si pone paradigmaticamente come metafora perenne della poesia, di una poesia da serbare nella sua figura di *alta specie*, progetto della sua sopravvivenza *nel secol tetro e in questo aer nefando*. Questa coscienza a livello delle scelte stilistico-formali, suppone un nodo di contraddizioni che il poeta affronta e patisce; si veda il passo delle succitate pagine dello *Zibaldone*: «Perdóno dunque se il poeta segue le cose antiche e lo stile e la maniera antica... Perdóno se il poeta, se la poesia moderna non si mostrano, non sono contemporanee a questo secolo» (confessione il cui modulo stilistico ricorda il *pitié de nos erreurs* di Apollinaire in *La jolie rousse*).

Metro: canzone con schemi diversi per ogni strofa; st. I: *a*Bacd*b*eFeGG; st. II: *ab*CBDECFEGG; st. III; *a*BCD*b*DEFEGG; st. IV: *a*BCACDEFEGG; st. V: *a*BCd*c*CEDFEGG. Le strofe sono di II versi e per ognuna appaiono 3 versi non rimati, uno dei quali costantemente nell'ottava sede. In tutte le strofe permane la rima baciata nei due endecasillabi della chiusa (ma spesso i versi irrelati assuonano coi versi rimati).

Cara beltà che amore
lunge m'inspiri o nascondendo il viso,
fuor se nel sonno il core
ombra diva mi scuoti,
5   o ne' campi ove splenda
più vago il giorno e di natura il riso;
forse tu l'innocente
secol beasti che dall'oro ha nome,
or leve intra la gente
10   anima voli? o te la sorte avara
ch'a noi t'asconde, agli avvenir prepara?

Viva mirarti omai
nulla spene m'avanza;
s'allor non fosse, allor che ignudo e solo

(¹⁻¹¹) Tutta la strofa svolge una serie di antitesi: l'idea della beltà
è vagheggiata di lontano — o in un viso vicino che si nasconde allo sguardo; può apparire in sogno — o concretamente nella luce del
sole; è realmente esistita nell'età dell'oro — e ora è un fantasma;
è negata al presente — ma forse si prepara a realizzarsi nell'avvenire (quasi paolina *forma futuri*). (²) *o nascondendo il viso*:
impedimento che suscita la fantasia, cfr. *Zibaldone*, 1667 (10 settembre 1821): « *T'è nascosto il viso*, e il personale o altro, ti par
bello, o ti muove curiosità di conoscerla? Tu non sei contento se
non la miri in viso »; e cfr. Petrarca, *Rime*, CXIX, 20-1: « mo-
strandomi pur l'ombra o 'l velo o' panni / talor di sé, *ma 'l viso
nascondendo* ». (³) *nel sonno*, ‹in sogno›, latinismo. (⁴) *ombra
diva*, ‹divino fantasma›. (⁵) *o ne' campi* ecc.: non più *ombra*
ma trasfigurata dalla bellezza della natura. (⁸) *beasti* ecc.: ‹ren-
desti felice l'età dell'oro›. (⁹) *or*, con valore avversativo, ‹invece
adesso›. *-leve*, da unire a *anima*, ‹pura idea›. (¹⁰⁻¹) *o te... prepara*: ‹o la sorte avara che a noi ti nasconde ti tiene serbata per
il futuro?› (¹³) *spene*, ‹speranza›. (¹⁴) *s'allor... allor*: l'evasione

15　　　per novo calle a peregrina stanza
　　　　verrà lo spirto mio. Già sul novello
　　　　aprir di mia giornata incerta e bruna,
　　　　te viatrice in questo arido suolo
　　　　io mi pensai. Ma non è cosa in terra
20　　　che ti somigli; e s'anco pari alcuna
　　　　ti fosse al volto, agli atti, alla favella,
　　　　saria, così conforme, assai men bella.

　　　　Fra cotanto dolore
　　　　quanto all'umana età propose il fato,
25　　　se vera e quale il mio pensier ti pinge,
　　　　alcun t'amasse in terra, a lui pur fora
　　　　questo viver beato:
　　　　e ben chiaro vegg'io siccome ancora
　　　　seguir loda e virtù qual ne' prim'anni
30　　　l'amor tuo mi farebbe. Or non aggiunse
　　　　il ciel nullo conforto ai nostri affanni;

verso il « sentimento », contro l'evidenza del « vero », è allentata da questa ripetizione e dall'infittirsi delle ipotetiche.　(15) *novo calle... peregrina stanza*: ‹sentiero inusitato e straniera dimora›, ipotesi di sopravvivenza dopo la morte.　(16) *Già*, ‹altre volte in passato›.　(16-7) *sul novello... giornata*: ‹al primo schiudersi della giovinezza›.　(18) *viatrice*, ‹compagna nel viaggio della vita›.
(19) *Ma*: « perentorio nella sua apparente irrilevanza » (Savarese); l'avversativa introduce una negazione a metà dell'ottavo verso, come nella strofa successiva (v.30), dove *Or* ha anch'esso valore avversativo; e la stessa pausa sintattica si realizza nella quarta strofa (v.41) in identica sede metrica.　(20-2) *e s'anco... men bella*: ‹e se anche ci fosse cosa che ti somigliasse nel volto, nei gesti, nelle parole, sarebbe, pur nella somiglianza, assai meno bella di te›.
(24) *propose il fato*: ‹prescrisse il destino›.　(25) *se vera e quale*: continua la serie delle ipotetiche cui il poeta affida la condizione *sine qua non* delle possibili (impossibili) illusioni di felicità.
(26) *fora*, ‹sarebbe›.　(28) *e ben chiaro vegg'io* esprime un momento di dolorosa consapevolezza, come nelle *Ricordanze*, 87, *ben veggo*, che precederà, come qui, un'avversativa di forte intonazione sentimentale.　(28-30) *siccome ancora... mi farebbe*: ‹che ancora il tuo amore mi farebbe perseguire gloria e virtù come nei miei anni giovanili›.　(30) *Or* avversativo, cfr. nota 19.　-ag-

e teco la mortal vita saria
simile a quella che nel cielo india.

Per le valli, ove suona
35 del faticoso agricoltore il canto,
ed io seggo e mi lagno
del giovanile error che m'abbandona;
e per li poggi, ov'io rimembro e piagno
i perduti desiri, e la perduta
40 speme de' giorni miei; di te pensando,
a palpitar mi sveglio. E potess'io,
nel secol tetro e in questo aer nefando,
l'alta specie serbar; che dell'imago,
poi che del ver m'è tolto, assai m'appago.

45 Se dell'eterne idee
l'una sei tu, cui di sensibil forma
sdegni l'eterno senno esser vestita,
e fra caduche spoglie
provar gli affanni di funerea vita;
50 o s'altra terra ne' superni giri

giunse, ‹concesse›. (³¹) *nullo*, ‹nessuno›. (³³) *india*, ‹fa divi-
namente felici›, verbo dantesco. (³⁵) *faticoso*, ‹affaticato›.
(³⁷) *del giovanile error*, ‹delle illusioni giovanili›. (⁴¹) *a palpitar
mi sveglio*, ‹ritorno a palpitare›. -*E potess'io*: cfr. nota al v.19.
(⁴²) *nel secol tetro* ecc.: ‹in questo secolo oscuro e in questo clima mortale›; l'amore eroico per la donna introvabile è opposto
allo squallore del presente, nemico dei nobili sentimenti e della
poesia. (⁴³) *l'alta specie*: la celeste immagine della tua bellezza; latinismo da *species* nel significato di ‹immagine che si vede
con la mente›. (⁴³⁻⁴) *che dell'imago... m'appago*: ‹perché mi
appago di questa immagine, dato che mi è negato di appagarmi
del vero›. (⁴⁵) *Se dell'eterne idee*: qui l'ipotetica coprirà l'intera strofa. (⁴⁶) *l'una sei tu*, ‹tu sei l'unica›. (⁴⁶⁻⁷) *cui... esser vestita*, ‹che l'eterna sapienza rifiuta sia rivestita di forma sensibile›. (⁴⁸) *fra caduche spoglie*, ‹fra apparenze mortali›; il poeta
le chiama *spoglie* in confronto alle *eterne idee*, come ‹vesti› este-
riori di queste. (⁴⁹) *provar gli affanni*, ancora in dipendenza da
sdegni, il cui soggetto è sempre *l'eterno senno*: ‹e l'unica cui la
divina sapienza rifiuti di provare i dolori di una vita destinata
alla morte›. (⁵⁰) *o s'altra terra*, ‹un altro pianeta›; osserva, in

fra’ mondi innumerabili t’accoglie,
e più vaga del Sol prossima stella
t’irraggia, e più benigno etere spiri;
di qua dove son gli anni infausti e brevi,
55   questo d’ignoto amante inno ricevi.

tutta la cànzone, la fitta presenza degli *o*, in trapassi alternativi a sempre nuovi campi ideali, dove l’immagine della donna fugge ed elude il poeta.   -*superni giri*; espressione di colore dantesco, ‹nei cieli›.   (⁵³) *più benigno etere spiri*: ‹respiri un’aria più benigna›, cfr. l’*aer nefando* del v.42.   (⁵⁴) *di qua*: ‹dalla terra›, in confronto a quell’astro; avverbio che spesso in Leopardi è designatore d’esilio, cfr. *Le ricordanze*, 21-2: « quei monti azzurri / che *di qua* scopro ».

Fu composta a Bologna nel marzo del 1826 e letta pub-
blicamente il mese successivo nella sala dell'Accademia dei
Felsinei (con scarso successo, malgrado l'entusiasmo con
cui, in una lettera del 4 aprile, il Leopardi riferisce della
serata al fratello Carluccio). Appare la prima volta in в26
col titolo *Epistola al conte Carlo Pepoli*. Il Pepoli (1796-1881),
amico del Leopardi durante il soggiorno bolognese, fu
membro del Comitato provvisorio durante i moti del '31 e
dopo un periodo d'incarcerazione a Venezia emigrò a Parigi, Ginevra, e infine a Londra dove insegnò letteratura italiana all'Università. È l'autore del libretto dei *Puritani* di
Bellini.

Luogo di massima depressione dei *Canti*, il componimento si rifà a moduli classicistici propri dell'epistola oraziana,
e non mancano superficiali influssi del Parini. Solo il tema
dell'abbandono della poesia per la filosofia, come conseguenza della fine della giovinezza, immette qualche trasali-
mento «leopardiano» nell'opaca medietà del dettato.

Metro: endecasillabi sciolti.

Questo affannoso e travagliato sonno
che noi vita nomiam, come sopporti,
Pepoli mio? di che speranze il core
vai sostentando? in che pensieri, in quanto
5   o gioconde o moleste opre dispensi
l'ozio che ti lasciàr gli avi remoti,
grave retaggio e faticoso? È tutta,
in ogni umano stato, ozio la vita,
se quell'oprar, quel procurar che a degno
10   obbietto non intende, o che all'intento
giunger mai non potria, ben si conviene
ozioso nomar. La schiera industre
cui franger glebe o curar piante e greggi
vede l'alba tranquilla e vede il vespro,
15   se oziosa dirai, da che sua vita
è per campar la vita, e per se sola

(²) *nomiam*, ‹chiamiamo›; segnalato dal Binni un verso dell'Alfieri nella *Congiura dei Pazzi*: «in questa morte che nomiam
noi vita», atto v, 74.   (⁴) *quanto*, avverbio degli aggettivi *gioconde* e *moleste*.   (⁵) *dispensi*, ‹spendi, occupi›.   (⁶) *l'ozio*: tema centrale dell'epistola; è il tempo libero da occupazioni e
preoccupazioni di cui il Pepoli può godere per la sua apparte-
nenza alla classe aristocratica.   -*lasciàr*, ‹lasciarono, in eredità›
(il *grave retaggio* del verso successivo).   (⁹⁻¹²) *se quell'oprar... nomar*: ‹se è giusto chiamare ozioso, improduttivo, quell'operare
e affaticarsi che non tende a un degno scopo, e che non potrebbe
mai conseguire, anche se lo volesse, il proprio intento di felicità›.   (¹²) *La schiera industre*, dei lavoratori dei campi.   (¹³) *cui*,
‹che›, oggetto; il soggetto della relativa è *l'alba* e *il vespro*.
(¹⁶) *è per campar la vita*: cfr. *Zibaldone*, 4164, in data 4 febbraio
1826 (un mese prima della composizione dell'epistola): «Spessissimo noi, come un malato, un convalescente, che si cura, un povero che si procaccia il vitto con gran fatica, usando una infini-

la vita all'uom non ha pregio nessuno,
dritto e vero dirai. Le notti e i giorni
tragge in ozio il nocchiero; ozio il perenne
20 sudar nelle officine, ozio le vegghie
son de' guerrieri e il perigliar nell'armi;
e il mercatante avaro in ozio vive:
che non a sé, non ad altrui, la bella
felicità, cui solo agogna e cerca
25 la natura mortal, veruno acquista
per cura o per sudor, vegghia o periglio.
Pure all'aspro desire onde i mortali
già sempre infin dal dì che il mondo nacque
d'esser beati sospiraro indarno,
30 di medicina in loco apparecchiate
nella vita infelice avea natura
necessità diverse, a cui non senza
opra e pensier si provvedesse, e pieno,
poi che lieto non può, corresse il giorno
35 all'umana famiglia; onde agitato
e confuso il desio, men loco avesse

ta pazienza per solo conservarci la vita, non facciamo altro che
patire infinitamente per conservarci, per non perdere la facoltà
di patire... » -e per se sola, ‹in sé, per il suo valore›. (¹⁸) dritto e vero, ‹giustamente e con verità›. (¹⁹) tragge, ‹trascorre›.
-il nocchiero: i tipi umani proposti in questi versi vengono dalla tradizione della satira latina, cfr. Orazio, Sat., 1, 1 e Persio,
Sat., 5. (²¹) il perigliar, ‹i pericoli›, tipico infinito sostantivato
leopardiano. (²³⁻⁶) che non a sé... periglio: ‹perché nessuno può
acquistare per sé o per gli altri la bella felicità, unica cosa che
la natura umana brama e alla quale tende attraverso le occupazioni e la fatica, le veglie e il pericolo›; cfr. in Zibaldone, 4168-9,
dell'11 marzo 1826 (mese della composizione dell'epistola) la
pagina famosa in cui Leopardi afferma che l'esistente non è per
l'esistente ma per l'esistenza, per cui è impossibile la felicità degl'individui, « suprema e terribile conclusione » come egli la definisce. Qui la desolata conquista del pensiero leopardiano incre-
spa appena la superficie di un dettato monotono, orazianamente
sermocinante, senza lirici trasalimenti. (²⁷) Pure, ‹tuttavia›.
-all'aspro desire, ‹al desiderio doloroso, fiero›; in dipendenza da
apparecchiate... avea natura (vv.30-1). -onde, ‹per il quale›. (²⁹) sospiraro indarno, ‹si attesero invano›. (³⁰⁻⁷) di medi-

al travagliarne il cor. Così de' bruti
la progenie infinita, a cui pur solo,
né men vano che a noi, vive nel petto
40 desio d'esser beati; a quello intenta
che a lor vita è mestier, di noi men tristo
condur si scopre e men gravoso il tempo,
né la lentezza accagionar dell'ore.
Ma noi, che il viver nostro all'altrui mano
45 provveder commettiamo, una più grave
necessità, cui provveder non puote
altri che noi, già senza tedio e pena
non adempiam: necessitate, io dico,
di consumar la vita: improba, invitta
50 necessità, cui non tesoro accolto,
non di greggi dovizia, o pingui campi,
non aula puote e non purpureo manto
sottrar l'umana prole. Or s'altri, a sdegno

cina... *il cor*: ‹la natura aveva predisposto numerosi bisogni in
modo che fungessero da medicina all'infelicità della vita, per
soddisfare i quali non si potevano evitare preoccupazione e fatica, di modo che la vita dell'uomo trascorresse piena, visto che
non può essere lieta, e il desiderio confuso e agitato della felicità avesse meno possibilità di affliggerci il cuore›. ([37]) *de' bruti,*
‹degli animali›. ([38]) *solo* ‹unico›, da unire a *desio*, v.40.
([40-1]) *a quello... è mestier*: ‹intenta a quello che necessita alla loro
sopravvivenza›. ([42]) *condur si scopre*, ‹ci si avvede che conduce›. ([43]) *né la lentezza* ecc.: ‹né lamentare la lentezza con cui
passa il tempo›; cfr. *Detti memorabili di Filippo Ottonieri* al
cap. v: «Quelli che non hanno necessità di provvedere essi medesimi ai loro bisogni, e però ne lasciano la cura agli altri, non
possono per l'ordinario provvedere; o in guisa alcuna, o solo con
grandissima difficoltà, e meno sufficientemente che gli altri, a un
bisogno principalissimo che in ogni modo hanno. Dico quello di
occupare la vita... » ([49]) *improba, invitta,* ‹dura, indomabile›. ([50]) *cui*, in dipendenza da *non puote... sottrar* (vv.52 e 53).
([52]) *aula... purpureo manto*: ‹fastosi palazzi... abiti sontuosi›.
([53-62]) *Or s'altri... mal si compensa*: ‹Ora, se qualcuno, sdegnando
una vita vuota di senso, e odiando la luce del sole, non preferisce
ritorcere contro di sé la mano per uccidersi, volendo anticipare una
morte troppo lenta a venire (*i tardi fati*); si procurerà, cercando
ovunque mille rimedi che non hanno efficacia contro il doloroso
morso di una brama insaziabile che inutilmente aspira alla felicità,

i vòti anni prendendo, e la superna
55 luce odiando, l'omicida mano,
i tardi fati a prevenir condotto,
in se stesso non torce; al duro morso
della brama insanabile che invano
felicità richiede, esso da tutti
60 lati cercando, mille inefficaci
medicine procaccia, onde quell'una
cui natura apprestò, mal si compensa.

Lui delle vesti e delle chiome il culto
e degli atti e dei passi, e i vani studi
65 di cocchi e di cavalli, e le frequenti
sale, e le piazze romorose, e gli orti,
lui giochi e cene e invidiate danze
tengon la notte e il giorno; a lui dal labbro
mai non si parte il riso; ahi, ma nel petto,
70 nell'imo petto, grave, salda, immota
come colonna adamantina, siede
noia immortale, incontro a cui non puote
vigor di giovanezza, e non la crolla
dolce parola di rosato labbro,
75 e non lo sguardo tenero, tremante,
di due nere pupille, il caro sguardo,
la più degna del ciel cosa mortale.

rimedi mediante i quali mal si sostituisce quell'unico rimedio che
la natura ha predisposto (cioè le occupazioni della vita attiva).›
(⁶³) *Lui*, complemento oggetto di *tengon* del v.68 e correlato
con *lui* del v.67 (e 69): ‹questo... un altro... a un altro ancora›.
(⁶³) *il culto*, ‹la cura eccessiva›.   (⁶⁴) *i vani studi*, ‹le vane occupazioni›; in tutto questo gruppo di versi, vaghe reminiscenze del
Giorno del Parini, ma diversa è la posizione da cui Leopardi
critica l'ozio aristocratico (visto come generatore di noia e infelicità).   (⁶⁵⁻⁶) *le frequenti / sale*: i ricevimenti nei palazzi patri-
zi.   (⁶⁶) *e gli orti*, ‹i giardini›, cfr. la nota al v.24 di *A Silvia*.
(⁶⁷) *tengon*, ‹occupano›.   (⁷⁰) *nell'imo petto*, ‹nel profondo del
cuore›.   (⁷¹) *adamantina*: ‹dura e fredda›, come il diamante.
(⁷²) *non puote*, ‹non può nulla›.   (⁷³) *e non la crolla*, ‹e non l'ab-
batte›; legato all'immagine della colonna. I versi che seguono
appaiono convenzionalmente letterari, anche se li sentiamo pros-

Altri, quasi a fuggir volto la trista
umana sorte, in cangiar terre e climi
80 l'età spendendo, e mari e poggi errando,
tutto l'orbe trascorre, ogni confine
degli spazi che all'uom negl'infiniti
campi del tutto la natura aperse,
peregrinando aggiunge. Ahi ahi, s'asside
85 su l'alte prue la negra cura, e sotto
ogni clima, ogni ciel, si chiama indarno
felicità, vive tristezza e regna.

Havvi chi le crudeli opre di marte
si elegge a passar l'ore, e nel fraterno
90 sangue la man tinge per ozio; ed havvi
chi d'altrui danni si conforta, e pensa
con far misero altrui far se men tristo,
sì che nocendo usar procaccia il tempo.
E chi virtute o sapienza ed arti
95 perseguitando; e chi la propria gente
conculcando e l'estrane, o di remoti
lidi turbando la quiete antica
col mercatar, con l'armi, e con le frodi,
la destinata sua vita consuma.

100 Te più mite desio, cura più dolce

simi ad altri memorabili risultati.   (78) *Altri*: riprende la serie
degli *exempla* di comportamento   *-volto*, ‹rivolto›.   (80) *errando* usato transitivamente, ‹percorrendo›.   (81) *ogni confine* è
compl. oggetto di *aggiunge* (v.84).   (83) *campi del tutto*, ‹i campi dell'universo›   (85) *la negra cura*, ‹la nera angoscia,› personificazione oraziana, cfr. *Carm.*, ii, 16, 21-2 e iii, 1, 37-40.
(86) *si chiama indarno*, ‹s'invoca invano›.   (88) *Havvi*, ‹vi è›.
-le crudeli opre di marte, ‹l'arte della guerra›.   (89) *si elegge*,
‹sceglie›.   *-a passar l'ore*, ‹per trascorrere il tempo›.   (91-3) *chi
d'altrui... tempo*: ‹chi gode del male altrui e pensa di essere
meno infelice col rendere gli altri infelici, cosicché si affatica a
impegnare il suo tempo in nuocere›.   (94) *E chi virtute* ecc.:
allusione ai tiranni.   (95-6) *e chi la propria... o l'estrane*: ‹chi
tiranneggiando la propria patria o soggiogando gli altri popoli›.
(97) *la quiete antica*, ‹la pace mai fino ad allora turbata›.   (99) *destinata*, ‹assegnatagli in sorte›   (100) *più mite desio*, in confron-

regge nel fior di gioventù, nel bello
april degli anni, altrui giocondo e primo
dono del ciel, ma grave, amaro, infesto
a chi patria non ha. Te punge e move

105   studio de' carmi e di ritrar parlando
il bel che raro e scarso e fuggitivo
appar nel mondo, e quel che più benigna
di natura e del ciel, fecondamente
a noi la vaga fantasia produce

110   e il nostro proprio error. Ben mille volte
fortunato colui che la caduca
virtù del caro immaginar non perde
per volger d'anni; a cui serbare eterna
la gioventù del cor diedero i fati;

115   che nella ferma e nella stanca etade,
così come solea nell'età verde,
in suo chiuso pensier natura abbella,
morte, deserto avviva. A te conceda
tanta ventura il ciel; ti faccia un tempo

120   la favilla che il petto oggi ti scalda,

to ai comportamenti descritti dal v.89 in poi.   *-cura*, ‹pensiero›.   ([101]) *regge*, ‹guida›.   ([102]) *altrui giocondo*, ‹lieto agli altri›, in contrapposizione a *grave, infesto*, com'è il tempo della giovinezza per quelli che non possiedono patria.   ([103]) *infesto*, ‹ostile›.   ([104]) *punge*, ‹sprona›.   ([105]) *studio de' carmi* ecc.: ‹l'amore della poesia e di imitare con la parola la bellezza rara e fugace del mondo›, in opposizione ai *vani studi* dei versi 60 e sgg.   ([106]) *il bel che raro e scarso*: in una osservazione di *Zibaldone*, 4259, del 21 marzo 1827: «A veder se sia più il bene o il male nell'universo, guardi ciascuno la propria vita; se più il bello o il brutto, guardi il genere umano, guardi una moltitudine di gente adunata. Ognun sa e dice che i belli son rari, e *che raro è il bello*».   ([110]) *il nostro proprio error*: ‹la facoltà d'illuderci, propria alla nostra natura›.   ([111]) *caduca*, così chiama la forza (*virtù*) dell'immaginazione, perché destinata ad estinguersi presto; cfr. *Ad Angelo Mai*, 100-3: «A noi ti vieta / il vero appena è giunto / o caro immaginar».   ([115]) *nella ferma* ecc.: ‹nell'età adulta e nella vecchiaia›.   ([117]) *in suo chiuso pensier*: ‹nell'intimo dei suoi pensieri›.   *-natura abbella*: ‹egli abbellisce (con l'immaginazione) la natura ostile›.   ([118]) *morte, deserto avviva*: ‹rende vita a un'età diventata squallida e fredda›.

di poesia canuto amante. Io tutti
della prima stagione i dolci inganni
mancar già sento, e dileguar dagli occhi
le dilettose immagini, che tanto
125 amai, che sempre infino all'ora estrema
mi fieno, a ricordar, bramate e piante.
Or quando al tutto irrigidito e freddo
questo petto sarà, né degli aprichi
campi il sereno e solitario riso,
130 né degli augelli mattutini il canto
di primavera, né per colli e piagge
sotto limpido ciel tacita luna
commoverammi il cor; quando mi fia
ogni beltate o di natura o d'arte,
135 fatta inanime e muta; ogni alto senso,
ogni tenero affetto, ignoto e strano;
del mio solo conforto allor mendico,
altri studi men dolci, in ch'io riponga
l'ingrato avanzo della ferrea vita,
140 eleggerò. L'acerbo vero, i ciechi
destini investigar delle mortali

---

(119) *un tempo*, ‹in futuro›. (121) *di poesia canuto amante*, ‹amante della poesia anche quando sarai vecchio›; il soggetto è la *favilla* al verso precedente. (126) *mi fieno*, ‹mi saranno›. (128) *aprichi*, ‹aperti alla luce del sole›. (129) *il sereno e solitario riso*:
l'ipallage attribuisce alla luce (*il riso*) gli attributi che riguardano i campi (attributi che sono tra loro allitteranti). (131) *per
colli e piagge*: luoghi del passaggio della luna. (133) *mi fia*, ‹mi
sarà›, da unire a *fatta* del v.135, ‹mi sarà divenuta›. (134) *o di
natura o d'arte*: la bellezza naturale o quella poetica. (135) *inanime*, il latinismo ‹senza soffio› per dire ‹senza più ispirazione
per me›. (135-6) *senso... affetto*: la parola *senso* quasi sempre in
una coppia; cfr. fra gli altri esempi *Le ricordanze*, 172-3: « i
miei teneri *sensi*, i tristi e cari / *moti* del cuor ». -*ignoto e strano*, ‹sconosciuto e straniero›; la coppia diventerà *romito e strano*
nel più vibrato accento del *Passero solitario*, 136, emblema di
una condizione di giovinezza, non di vecchiaia. (137) *del mio
solo conforto* ecc.: ‹privato allora del mio unico conforto›.
(138) *altri studi*, oggetto di *eleggerò*, ‹sceglierò›, del v.140.
(139) *l'ingrato avanzo*: ‹quanto resta di vita dopo la giovinezza›.

e dell'eterne cose; a che prodotta,
a che d'affanni e di miserie carca
l'umana stirpe; a quale ultimo intento
145 lei spinga il fato e la natura; a cui
tanto nostro dolor diletti o giovi:
con quali ordini e leggi a che si volva
questo arcano universo; il qual di lode
colmano i saggi, io d'ammirar son pago.

150 In questo specolar gli ozi traendo
verrò: che conosciuto, ancor che tristo,
ha suoi diletti il vero. E se del vero
ragionando talor, fieno alle genti
o mal grati i miei detti o non intesi,
155 non mi dorrò, che già del tutto il vago
desio di gloria antico in me fia spento:
vana Diva non pur, ma di fortuna
e del fato e d'amor, Diva più cieca.

-*ferrea*, ‹dura da sopportare›.   ([142]) *a che*, ‹per quale scopo›.
([143]) *carca*, ‹carica›.   ([145]) *cui*, ‹a chi›, a quale entità misteriosa.
([148-9]) *il qual di lode... son pago*: cfr. *Zibaldone*, 4277 e sgg.:
« Lodasi senza fine il gran magisterio della natura, l'ordine incomparabile dell'universo. Non si hanno parole sufficienti per
commendarlo. Or che ha egli, perch'ei possa dirsi lodevole?...
Ammiriamo dunque quest'ordine, questo universo: io l'ammiro
più degli altri: lo ammiro per la sua pravità e deformità, che a
me paiono estreme » (in data 21 marzo 1827).   ([150]) *In questo
specolar*: ‹in questa speculazione filosofica›.   ([152]) *ha suoi diletti
il vero*: cfr. *Zibaldone*, 2653: « Il vero certamente non è bello:
ma pur anch'esso appaga, o se non altro, affetta in qualche modo l'anima, ed esiste senza dubbio il piacere della verità e della
conoscenza del vero, arrivando al quale, l'uom pur si diletta e si
compiace, ancorché brutto e misero e terribile sia questo tal vero » (in data 13 dicembre 1822).   ([153]) *fieno*, ‹saranno›.   ([156]) *fia
spento* ecc.: ‹sarà spento in me il dolce desiderio d'un tempo di
aver gloria e consensi›.   ([157-8]) *vana Diva... più cieca*: ‹per me
vana essendo ormai la gloria, non soltanto (*non pur*) una dea vana, ma una dea più cieca della fortuna, del destino e dell'amore›.

Composto a Pisa dal 7 al 13 aprile del 1828 e pubblicato per la prima volta in F. Dall'epistola al Pepoli, documento di un periodo di grande aridità, erano passati due anni, e il titolo stesso vuol sottolineare questa improvvisa rinascita del sentimento poetico malgrado la caduta irrimediabile di tante illusioni (cfr. vv. 111-4). Il ritmo della canzonetta settecentesca, scelto dal Leopardi, s'inquadra perfettamente nel tono di scioltezza sentimentale e limpida lucidità intellettuale che caratterizzano il canto; dietro a questo metro noi sentiamo la nostalgia del Leopardi per le sue letture adolescenti — letture riattraversate di recente durante la preparazione della *Crestomazia* poetica.

Metro: canzonetta arcadica di doppie quartine di settenari, con sdruccioli al primo e al quinto verso, e il quarto e l'ottavo rimati fra loro con rime ossitone.

Credei ch'al tutto fossero
in me, sul fior degli anni,
mancati i dolci affanni
della mia prima età:
5 i dolci affanni, i teneri
moti del cor profondo,
qualunque cosa al mondo
grato il sentir ci fa.

Quante querele e lacrime
10 sparsi nel novo stato,
quando al mio cor gelato
prima il dolor mancò!
Mancàr gli usati palpiti,
l'amor mi venne meno,
15 e irrigidito il seno
di sospirar cessò!

Piansi spogliata, esanime
fatta per me la vita;
la terra inaridita,
20 chiusa in eterno gel;

(³) *i dolci affanni*: cfr. Petrarca, *Rime*, LXI, 5: « et benedetto il primo *dolce affanno* »; il ritrovamento della poesia comincia in Leopardi risillabando l'alto modello petrarchesco. (⁶) *del cor profondo*: espressione petrarchesca, cfr. *Rime*, XCIV, 1-2: « Quando giugne per gli occhi al cor profondo / l'immagin donna » (*donna*, ‹dominatrice›); cfr. anche *Amore e morte*, 28.
(⁷⁻⁸) *qualunque... ci fa*: ‹ogni cosa che ci rende cara la giovanile facoltà di provare emozioni›. (¹²) *prima*, ‹per la prima volta›. (¹³) *Mancàr*, ‹mancarono›. (¹⁵) *irrigidito il seno*; replica di *cor gelato* del v.11. (¹⁷⁻²⁰) *Piansi... gel*: vaga eco di que-

deserto il dì; la tacita
notte più sola e bruna;
spenta per me la luna,
spente le stelle in ciel.

25   Pur di quel pianto origine
era l'antico affetto:
nell'intimo del petto
ancor viveva il cor.
Chiedea l'usate immagini
30   la stanca fantasia;
e la tristezza mia
era dolore ancor.

Fra poco in me quell'ultimo
dolore anco fu spento,
35   e di più far lamento
valor non mi restò.
Giacqui: insensato, attonito,
non dimandai conforto:
quasi perduto e morto,
40   il cor s'abbandonò.

Qual fui! quanto dissimile
da quel che tanto ardore,

---

sta quartina in Carducci, *Pianto antico*: « Tu fior della mia
pianta, / percossa e inaridita ecc. », con la stessa rima *inaridita
/ vita* e somiglianza del metro.   (²¹) *deserto*, ‹disabitato›.
(²⁵) *Pur*, ‹tuttavia›.   (²⁶) *affetto*: la capacità di sentire d'un tempo.   (²⁹) *Chiedea*, ‹invocavo›.   *-usate*, ‹note, care›.   (³⁰) *la
stanca fantasia*, quasi dantesca virtù organica che aveva perduto
la sua *possa* per l'amaro svelamento del vero.   (³²) *era dolore
ancor*: sintomo, questo dolore, della sopravvivenza dei sentimenti;
il verso si organizza a chiasmo rispetto a quello finale della precedente quartina, figura di carattere melico più che istituzional-
mente retorico.   (³³) *Fra poco*, ‹poco dopo›; come in *A Silvia*,
49, « Anche peria *fra poco* ».   (³⁶) *valor*, ‹capacità, forza›.
(⁴⁰) *s'abbandonò*, al suo stato di ardità e di morte.   (⁴¹) *Qual fui*,
dopo questo gelarsi del cuore; cioè ‹cosa divenni› (mentre alcuni
commentatori lo riferiscono erroneamente al tempo dei beati er-

che sì beato errore
nutrii nell'alma un dì!

45   La rondinella vigile,
alle finestre intorno
cantando al novo giorno,
il cor non mi ferì:

non all'autunno pallido
50   in solitaria villa,
la vespertina squilla,
il fuggitivo Sol.
Invan brillare il vespero
vidi per muto calle,
55   invan sonò la valle
del flebile usignol.

E voi, pupille tenere,
sguardi furtivi, erranti,
voi de' gentili amanti
60   primo, immortale amor,
ed alla mano offertami
candida ignuda mano,
foste voi pure invano
al duro mio sopor.

65   D'ogni dolcezza vedovo,

rori).   [43] *beato errore* designa tutte le illusioni ‹beatificanti›
della giovinezza.   [45] *vigile*, ‹sveglia› (sul far dell'alba).
[50-1] *villa... squilla* sono rime anche del *Passero solitario*, 29 e 31,
di cui qui appare uno spunto (il sole al tramonto) che verrà ampiamente svolto in quel canto.   [54] *per muto calle*, ‹per silenzioso
sentiero›.   [56] *flebile*, ‹lamentoso›.   [57-8] *E voi... erranti*: ripresa dell'epistola *Al conte Pepoli*, 75-6, ma con una più fresca
pronuncia.   [59-60] *voi... amor*: stessa struttura sintattico-metrica
nella quartina carducciana citata ai vv. 17-20, forse in virtù del
superiore modello arcadico e metastasiano: « tu dell'inutil vita
/ estremo, unico fior ».   [62] *ignuda mano*: anche in Petrarca,
Rime, CC, 1: « quell'una *ignuda mano* ».   [63] *foste voi pure invano*: col dativo come per il latino *frustra esse*, ‹essere senza
effetto›; intendi: ‹anche voi (occhi e mano) non produceste alcun effetto ecc.›.   [65] *vedovo*, ‹privo›; vedi *Il tramonto della*

tristo; ma non turbato,
ma placido il mio stato,
il volto era seren.
Desiderato il termine
70   avrei del viver mio;
ma spento era il desio
nello spossato sen.

Qual dell'età decrepita
l'avanzo ignudo e vile,
75   io conducea l'aprile
degli anni miei così:
così quegl'ineffabili
giorni, o mio cor, traevi,
che sì fugaci e brevi
80   il cielo a noi sortì.

Chi dalla grave, immemore
quiete or mi ridesta?
che virtù nova è questa,
questa che sento in me?
85   Moti soavi, immagini,
palpiti, error beato,
per sempre a voi negato
questo mio cor non è?

Siete pur voi quell'unica
90   luce de' giorni miei?
gli affetti ch'io perdei

luna, v.66 e nota. ⁽⁷¹⁻²⁾ ma spento... sen: ‹ma lo stesso desiderio della morte era spento nel mio cuore distrutto›. ⁽⁷³⁻⁶⁾ Qual dell'età... così: ‹io trascorrevo l'aprile della mia vita come se fosse l'avanzo spoglio e spregevole della vecchiaia›; cfr. avanzo col medesimo significato in Al conte Pepoli, 139. ⁽⁷⁷⁻⁸⁾ quegl'ineffabili / giorni: sono i giorni inenarrabili delle Ricordanze, 120-1. ⁽⁷⁹⁾ fugaci: sempre nelle Ricordanze, 131, fugaci giorni. ⁽⁸⁰⁾ sortì, ‹ci diede in sorte›. ⁽⁸¹⁻²⁾ quiete: aveva detto sopor al v.64. -immemore, ‹inerte, sorda› (e chiusa al ricordo del fervido passato). ⁽⁸³⁾ che virtù nova, ‹che insolito potere›. ⁽⁸⁵⁻⁶⁾ Moti... error beato: appaiono, riassunte in elenco, le entità del rimpianto

nella novella età?
Se al ciel, s'ai verdi margini,
ovunque il guardo mira,
95   tutto un dolor mi spira,
tutto un piacer mi dà.

Meco ritorna a vivere
la piaggia, il bosco, il monte;
parla al mio core il fonte,
100   meco favella il mar.
Chi mi ridona il piangere
dopo cotanto obblio?
e come al guardo mio
cangiato il mondo appar?

105   Forse la speme, o povero
mio cor, ti volse un riso?
Ahi della speme il viso
io non vedrò mai più.
Proprii mi diede i palpiti,

di cui ha detto ai vv.6, 13, 29, 43.   ([92]) *novella età*, ‹la prima
giovinezza›, alla quale appartengono i sentimenti e le illusioni
di cui sopra (che sono appunto, nel *Passero solitario*, 19, « *della
novella età* dolce famiglia »).   ([93]) *Se al ciel* ecc.: è sottinteso
il verbo *mira* del verso seguente.   ([95]) *mi spira*, ‹m'ispira, m'infonde› (il soggetto è *il guardo*).   ([97]) *Meco ritorna a vivere* ecc.:
la rinascita della natura a primavera è paragonata alla rinascita
del cuore (si veda la significativa presenza di verbi con prefisso *ri-*:
ritorna, 97; *ridona*, 101; *rivivere*, 145).   ([101]) *Chi mi ridona il
piangere*: aveva scritto in *Zibaldone*, 4138, 12 maggio 1825:
« Molti in una certa età (dove le sventure sono pur tanto maggiori che nella fanciullezza) hanno quasi assolutamente perduto
la facoltà di piangere. Le più terribili disgrazie gli affliggeranno,
ma non gli potranno trarre una lacrima. Tanta occasione ha
l'uomo di farsi famigliare il dolore ».   ([105-6]) *o povero / mio cor*:
il *topos* dell'apostrofe al proprio cuore (già presente in Omero),
scende dal Petrarca fino all'Arcadia e al Metastasio, del quale
sono presenti nel *Risorgimento* moduli stilistici e melismi. A una
più originale, forte pronuncia dell'appello al proprio cuore arri-
verà il Leopardi nel canto *A se stesso*. Qui la parola ‹cuore› è
dominante (con dieci occorrenze).   ([106]) *ti volse un riso*: ‹forse
un sorriso ti ha riportato la speranza?›   ([109]) *Proprii*, cioè ‹insi-

110 natura, e i dolci inganni.
Sopiro in me gli affanni
l'ingenita virtù;

non l'annullàr : non vinsela
il fato e la sventura;
115 non con la vista impura
l'infausta verità.
Dalle mie vaghe immagini
so ben ch'ella discorda :
so che natura è sorda,
120 che miserar non sa.

Che non del ben sollecita
fu, ma dell'esser solo :
purché ci serbi al duolo,
or d'altro a lei non cal.
125 So che pietà fra gli uomini
il misero non trova;
che lui, fuggendo, a prova
schernisce ogni mortal.

Che ignora il tristo secolo
130 gl'ingegni e le virtudi;

ti nella mia stessa natura>.   (¹¹¹) *Sopiro*, <sopirono, addormenta-
rono>;   la paratassi ha valore avversativo: <ma gli affanni ecc.>.
(¹¹²) *l'ingenita virtù*, <la facoltà innata> (di palpitare e avere illusioni).   (¹¹³) *annullàr*, <annullarono>; in dipendenza, ancora, da
gli affanni del v.111.   (¹¹⁷) *vaghe immagini*, <bei sogni>.   (¹²⁰) *che
miserar* ecc.: <che è incapace di compassione>.   (¹²¹⁻⁴) *Che non...
cal*: concetto leopardiano della natura, volta solo alla conserva-
zione della vita e non alla felicità degli individui, cfr. *Dialogo
della Natura e di un Islandese* e numerose pagine dello *Zibaldone* (soprattutto 4099-101, 4127-30, 4169).   (¹²⁴) *or d'altro* ecc.:
<essa non si preoccupa d'altro> (se non di conservarci al dolore).
(¹²⁵⁻⁸) *So che pietà... mortal*: stesso concetto in *La vita solitaria*,
vv.12 e sgg.   (¹²⁷) *a prova*, <a gara>.   (¹²⁹⁻³⁰) *Che ignora... virtudi*: <che il mondo meschino ignora le opere dell'ingegno e le

che manca ai degni studi
l'ignuda gloria ancor.
E voi, pupille tremule,
voi, raggio sovrumano,
135   so che splendete invano,
che in voi non brilla amor.

Nessuno ignoto ed intimo
affetto in voi non brilla:
non chiude una favilla
140   quel bianco petto in se.
Anzi d'altrui le tenere
cure suol porre in gioco;
e d'un celeste foco
disprezzo è la mercé.

145   Pur sento in me rivivere
gl'inganni aperti e noti;
e de' suoi proprii moti
si maraviglia il sen.
Da te, mio cor, quest'ultimo
150   spirto, e l'ardor natio,
ogni conforto mio
solo da te mi vien.

Mancano, il sento, all'anima

imprese virtuose>; riappare in questa quartina la tematica del
primo Leopardi, segnalata dall'espressione il *tristo secolo*, cfr. in
Angelo Mai: *secol morto*, 4 e *secol di fango*, 179; e in *Alla sua
donna*: *secol tetro*, v.42.   ([133]) *E voi*: altro oggetto ideale incapace di suscitare speranze e illusioni: dopo la natura, gli uomini, la virtù e gli studi, anche l'amore.   ([143-4]) *e d'un celeste... mercè*: ‹e che un amore ardente e puro ottiene in ricambio solo
disprezzo›.   ([150]) *spirto*, quasi ‹soffio di vita›.   *-natio*, come *in-
genito* al v.112.   ([153]) *Mancano*, ‹non corrispondono alle attese
dell'anima›; impossibilità della felicità per Leopardi anche in
questa improvvisa rinascita del cuore, di cui il poeta già parlava
in una nota scritta durante il soggiorno pisano in *Zibaldone*, 4301,
19 [gennaio] 1828: « Memorie della mia vita. La privazione di
ogni speranza, succeduta al mio primo ingresso nel mondo, appoco appoco fu causa di spegnere in me quasi ogni desiderio.

alta, gentile e pura,
155   la sorte, la natura,
il mondo e la beltà.
Ma se tu vivi, o misero,
se non concedi al fato,
non chiamerò spietato
160   chi lo spirar mi dà.

Ora, per le circostanze mutate, risorta la speranza, io mi tròvo nella strana situazione di aver più speranza che desiderio, e più speranze che desiderii ec. ». L'intitolazione della nota (*Memorie della mia vita*) oltre che apparire come una ulteriore scheda di un possibile, mai realizzato romanzo autobiografico, indica anche la consapevolezza, da parte del Leopardi, dell'importanza di quel particolare momento della sua esistenza.   ([155-6]) *la sorte... la beltà*: le entità di cui ai vv.133-4; cfr. la nota al v.132. ([160]) *lo spirar*, ‹la vita›.

Composto a Pisa poco dopo il *Risorgimento* tra il 19 e 20 aprile del 1828. Pubblicato in F e poi in N.

Intensissimo il *tu* del vocativo, che era apparso l'ultima volta nella canzone *Alla sua donna* del 1823; ora riferito a una figura concreta (Teresa Fattorini, morta di tisi nel 1818), figura in cui il poeta riassume i fantasmi femminili della sua memoria per un'unica, accorata rievocazione della speranza e giovinezza perdute. Importanti a questo proposito le pagine 4310-11 dello *Zibaldone*, dove la visione di fanciulle adolescenti è sentita come impressione viva e profonda di felicità e insieme come oscuro presentimento di dolore.

Metro: «Un metro in certo senso preannunciato dalla canzone *Alla sua donna* e che qui, come si conveniva al nuovo soggetto, si libera dall'omaggio obbligato alla tradizione, scandendosi in strofe di diversa misura non architettonicamente costruite, ma svolgentesi da un nucleo lirico originario, che via via richiama a sé altri accenti e altre pause: un vero e proprio canto che dal silenzio si leva e nel silenzio si chiude e posa di strofa in strofa in momenti di silenzio, pur essi necessari alla lirica rievocazione.

Libera dunque la misura delle strofe, libero l'alternarsi dei settenari e degli endecasillabi, libere le rime ora rare ora più insistenti, soltanto in questa libertà la chiusa costante di ognuna di queste strofe differenti con un settenario rimante con uno dei versi precedenti, un settenario che in tutte le strofe, tranne nella terza, è preceduto da un endecasillabo — un accenno in questo libero canto a un'uguale cadenza, a una discreta misura» (Fubini nel suo commento, ma si veda dello stesso autore l'acuta analisi delle strutture metriche di *A Silvia* in *Metrica e poesia* Milano 1962).

Silvia, rimembri ancora
quel tempo della tua vita mortale,
quando beltà splendea
negli occhi tuoi ridenti e fuggitivi,
5   e tu, lieta e pensosa, il limitare
di gioventù salivi?

Sonavan le quiete
stanze, e le vie dintorno,
al tuo perpetuo canto,

(²) *quel tempo*, con più intensa pronuncia che *il tempo* del v.17.
(⁴) *ridenti e fuggitivi*: De Robertis interpreta *fuggitivi* « schivi,
ma anche mobili e quasi astratti »; in questo senso anche nel
Risorgimento: « E voi, pupille tenere, / sguardi *furtivi, erranti* ».
Ma il Peruzzi segnala il significato ‹morituro› che ha spesso *fuggitivo* nella lingua dei *Canti*, cfr. il *fuggitivo spirto* di *Ricordanze* 117, e *fuggitivo Consalvo* di *Consalvo* 77; per cui i due aggettivi possono esser visti come coppia ossimorica, allo stesso modo
di *lieta e pensosa* del v.5.   (⁵) *pensosa*, quasi inconsciamente pre-
saga della morte. *-il limitare*, assonante con *mortale*, 2.
(⁶) *salivi*: legato all'idea della vita come percorso ascendente, cfr.
Lucrezio, *De rerum natura*, II, 1129: « paulatimque *gradus* aeta-
tis *scandere* adultae »; intendi: ‹mettevi il piede sul primo gra-
dino della giovinezza.›   (⁷⁻⁸) *le quïete / stanze*: la dieresi in *quïete* non ha solo la funzione di recuperare una sillaba ma « crea
la profondità delle stanze e la qualità dello spazio stesso » (Peruzzi).   (⁸) *dintorno*: terza dimensione della memoria; anche nel
Passero solitario: « Primavera *dintorno* » organizza l'aereo spessore del paesaggio.   (⁹) *al tuo perpetuo canto*: cfr. Virgilio, *Aen.*,
VII, 11 e sgg.: « ubi Solis filia lucos / *assiduo resonat cantu*... /
arguto tenues percurrens pectine telas », brano spesso nominato
dal Leopardi perché « pregno di fanciullesco mirabile » (*Discorso intorno alla poesia romantica*), e che qui cade in un contesto

10   allor che all'opre femminili intenta
sedevi, assai contenta
di quel vago avvenir che in mente avevi.
Era il maggio odoroso: e tu solevi
così menare il giorno.

15   Io gli studi leggiadri
talor lasciando e le sudate carte,
ove il tempo mio primo
e di me si spendea la miglior parte,
d'in su i veroni del paterno ostello
20   porgea gli orecchi al suon della tua voce,
ed alla man veloce
che percorrea la faticosa tela.
Mirava il ciel sereno,
le vie dorate e gli orti,
25   e quinci il mar da lungi, e quindi il monte.
Lingua mortal non dice
quel ch'io sentiva in seno.

Che pensieri soavi,

d'intensa emozione.   (14) *così menare*: ‹così trascorrere›.
(15-6) *gli studi leggiadri... le sudate carte*: praticamente sinonimi
studi e *carte*, con collocazione in chiasmo di una coppia aggettivale ossimorica: ‹studi graditi e faticosi›; e nei versi seguenti il
Leopardi parla di una giovinezza consumata sui libri.   (19) *d'in
su i veroni* ecc.: cfr. *Le ricordanze* alla nota 5. In una poesia del-
l'Alamanni riportata dal Leopardi nella sua *Crestomazia* (XXIV,
v.15): *nel paterno ostello*, in medesima sede di verso.   (22) *che
percorrea*: cfr. «*percurrens* pectine telas» nel passo di Virgilio
citato alla nota 9; cancellando nel manoscritto *percotea* Leopardi
si riaccosta al memorabile modello.   (24) *le vie dorate e gli orti*:
intendi ‹dorate dalla luce del tramonto›, come già sentiva il De
Sanctis; cfr. *Ricordi d'infanzia e di adolescenza*: «miei pensieri
la sera turbamento allora e *vista della campagna e sole tramon-
tante e città indorata* ec. e valle sottoposta con case e filari»;
orti è latinismo, con un significato più ampio di quello che la parola ha nella lingua dell'uso; quindi ‹orti› ma anche ‹coltivazio-
ni d'alberi, giardini ecc.›.   (27) *quel ch'io sentiva in seno*: non
amore per Silvia, ma partecipazione con lei al profondo senti-

che speranze, che cori, o Silvia mia!
30 Quale allor ci apparia
la vita umana e il fato!
Quando sovviemmi di cotanta speme,
un affetto mi preme
acerbo e sconsolato,
35 e tornami a doler di mia sventura.
O natura, o natura,
perché non rendi poi
quel che prometti allor? perché di tanto
inganni i figli tuoi?

40 Tu pria che l'erbe inaridisse il verno,
da chiuso morbo combattuta e vinta,
perivi, o tenerella. E non vedevi
il fior degli anni tuoi;
non ti molceva il core
45 la dolce lode or delle negre chiome,
or degli sguardi innamorati e schivỉ;

mento della vita che è proprio della giovinezza.   ([29]) *che cori*:
‹che cuori allora avevamo›.   ([35]) *tornami a doler*, costruito impersonalmente.   ([37]) *rendi*, come nel latino *reddere* nel senso di ‹dare quel che è dovuto›; da intendere: ‹O natura, perché non paghi il debito di tante promesse?›.   ([41]) *da chiuso morbo*, ‹da malattia occulta, insidiosa›.   ([42]) *tenerella*: oltre che nella tradizione melodrammatica e arcadica, la parola è presente nella poesia cinquecentesca, nell'*Aminta* del Tasso, nel Guarini ecc. Nel brano dell'Alamanni citato alla nota 19: « in tenerella etade », v.17. Qui è ricca di particolare risonanza per l'isolamento dell'apostrofe.   ([43]) *Il fior degli anni tuoi*: « È un modo di dire assolutamente comune; ma che tale, senza mai del resto divenir popolare, fu reso dall'uso poetico e perciò ha ancora presso il Petrarca qualcosa di peregrino che il Leopardi gli sa stupendamente serbare nella classicità del suo contesto » (De Lollis).   ([44]) *molceva*, ‹accarezza, blandiva›.   ([45]) *la dolce lode* ecc.: cfr. Petrarca, *Rime*, CCLXX, 84-5: « l'angelica sembianza, humile et piana, / ch'or quinci or quindi *udia tanto lodarsi* ».   ([46]) *innamorati*, ‹che innamorano›, come annota Leopardi stesso in *Zibaldone*, 4140 a proposito di due luoghi del Petrarca (*Rime*, LXX, 13 e LXXIII, 69).   -*schivi* reintroduce la rima dei versi 4 e 6 sempre parlando degli occhi di Silvia; la rima   -*ivi* si alterna in con-

né teco le compagne ai dì festivi
ragionavan d'amore.

Anche peria fra poco
50   la speranza mia dolce : agli anni miei
anche negaro i fati
la giovanezza. Ahi come,
come passata sei,
cara compagna dell'età mia nova,
55   mia lacrimata speme!
Questo è quel mondo? questi
i diletti, l'amor, l'opre, gli eventi
onde cotanto ragionammo insieme?
questa la sorte dell'umane genti?
60   All'apparir del vero
tu, misera, cadesti : e con la mano
la fredda morte ed una tomba ignuda
mostravi di lontano.

---

sonanza con la rima in   -evi (avevi 12, solevi 13; e qui vedevi
42) di imperfetti che scandiscono il perdurare della memoria.
([49]) Anche ecc.: ‹allo stesso modo come tu sei morta sarebbe pe-
rita tra poco la mia giovinezza›.   ([51]) anche: l'anafora con l'anche del v.49 sarà musicalmente ripresa dall'anadiplosi di come
(52 in fine di verso, 53 all'inizio), fino alla conclusione, in questa
costanza di echi, con « mia lacrimata speme », dove viene iterata l'apostrofe.   ([54]) cara compagna: è apposizione di speme alla
quale (non a Silvia) si rivolge il poeta.   ([56]) quel mondo: stessa intensa connotazione ottenuta attraverso il dimostrativo come in
quel tempo del v.2.   ([58]) onde cotanto, ‹di cui così a lungo›.
([61]) cadesti: il vocativo è ancora rivolto alla speranza; ‹cadere›
è spesso nei Canti il verbo del tramonto dei corpi celesti e appare
in Leopardi in similitudini che significano fine della giovinezza,
sentimento del crepuscolo del mondo: cfr. Il passero solitario,
43 e Il tramonto della luna, 52.   ([63]) di lontano: di solito riferito dai commentatori a morte e tomba che si profilerebbero in
lontananza come unico esito della vita; forse per influsso sui commentatori del finale del Tramonto della luna dove è svolto analogo tema. Ma l'avverbio può essere riferito alla speranza, alla
giovinezza; quindi ‹mentre ti allontanavi›.

Composto a Recanati dal 26 agosto al 12 settembre 1829, apparso la prima volta in F.

Il Binni ha parlato, a proposito di questo canto, di «andamento a onde di ricordo». Ed è, a ben riflettere, l'andamento di molte lettere dell'*Ortis* e del *Werther* di Goethe. In questo canto, in un certo senso, Leopardi concreta finalmente il vagheggiato progetto di romanzo autobiografico di cui è rimasta traccia nelle sue carte, dalla *Storia di un'anima* agli *Appunti e ricordi* per la vita di Silvio Sarno. Ne sono spia gli echi del *Werther* (che il Leopardi aveva letto nella traduzione di Michiel Salom, Venezia 1796) assai più numerosi che in ogni altro luogo dei *Canti*. Lo stesso alternarsi di malinconia e furore, tono idillico e tragico, riporta ai modelli foscoliano e goethiano. Il controllo su una materia così varia e così pateticamente effusa è ottenuto dalla straordinaria naturalezza del respiro ritmico, che si realizza nelle transizioni, nei singoli versi e nelle pause che scandiscono le più larghe aggregazioni lirico-narrative. Giustamente Contini definisce «onniaccoglienti» le *Ricordanze*, che risultano anche linguisticamente aperte a varietà di forme come solo saranno *Aspasia* e la *Palinodia*.

Metro: endecasillabi sciolti.

Vaghe stelle dell'Orsa, io non credea
tornare ancor per uso a contemplarvi
sul paterno giardino scintillanti,
e ragionar con voi dalle finestre
5   di questo albergo ove abitai fanciullo,
e delle gioie mie vidi la fine.
Quante immagini un tempo, e quante fole
creommi nel pensier l'aspetto vostro
e delle luci a voi compagne! allora
10   che, tacito, seduto in verde zolla,

(¹) *Vaghe stelle dell'Orsa*: il sintagma è nella tradizione, cfr. Petrarca, *Rime*, ccLxxxvII, 6: « le stelle vaghe et lor viaggio torto »,
ma è nuovo il valore ‹sentimentale› dell'espressione; l'*incipit* ricorda l'ossianesco « Vaga stella di Luta » (*Berato*, 135, nella
traduzione del Cesarotti), ma cfr. anche il *Werther* nella traduzione del Salom (Venezia 1796): « Vidi anco il Carro della Grand'Orsa, costellazion la più cara; quand'io veniva alla tua porta, quan-
d'io partiva da te la sera, essa mi stava lampeggiando in faccia;
con quanta ebbrezza di core sovente la fissai! Spesso con le braccia tese ed aperte tentai di prenderla in sacra testimonianza della
mia felicità » (ultimo biglietto dell'eroe goethiano a Lotte). Qui
testimone della felicità e della sua *fine* anche l'*albergo* della fanciullezza. -*io non credea*: l'impf. di questo verbo quasi sempre carico, in Leopardi, d'intensa sentimentalità: cfr. *Il sogno*, 15-6: « né
mi credea / che risaper tu lo dovessi », e altrove.   (³) *scintillanti*:
hapax del lessico poetico leopardiano (non ha riscontri nei *Canti*
né nell'altra produzione poetica).   (⁵) *di questo albergo*, la casa
paterna; era *ostello* nel *Primo amore*, 42 e in *A Silvia*, 19.   (⁷)
fole: la parola ha già fatto le sue prove nella canzone *Ad Angelo
Mai* in coppie significative: *sogno e fola*, 37; *fole e strani pensieri*, 116.   (⁹) *a voi compagne*: frequenti in questo canto gli escla-
mativi in sincope (all'interno della frase, fuori della normale pausa sintattica), quasi a sottolineare improvvisi trasalimenti dell'ani-

delle sere io solea passar gran parte
mirando il cielo, ed ascoltando il canto
della rana rimota alla campagna!
E la lucciola errava appo le siepi
15 e in su l'aiuole, susurrando al vento
i viali odorati, ed i cipressi
là nella selva; e sotto al patrio tetto
sonavan voci alterne, e le tranquille
opre de' servi. E che pensieri immensi,
20 che dolci sogni mi spirò la vista
di quel lontano mar, quei monti azzurri,
che di qua scopro, e che varcare un giorno
io mi pensava, arcani mondi, arcana
felicità fingendo al viver mio!
25 ignaro del mio fato, e quante volte
questa mia vita dolorosa e nuda
volentier con la morte avrei cangiato.

mo; cfr. v.24.   (^{13}) *della rana rimota*: l'allitterazione ha valore
fonosimbolico.   *-alla campagna*: la preposizione funziona da indicatore spaziale indeterminato, cfr. *Il passero solitario*, 2; da unire
a *canto*.   (^{14}) *E*: comincia la lunga serie di frasi introdotte da *e*;
il polisindeto segnala l'affollarsi delle immagini nella memoria.
(^{15}) *susurrando al vento*: gerundio assoluto, ‹mentre sussurravano
al vento›.   ($^{21-2}$) *quei monti azzurri / che di qua scopro*: accurato calibramento di elementi deittici (*quei* monti... *di qua*) tipico
del linguaggio poetico leopardiano che tende a rendere lo spessore
di spazi e distanze (reali e mentali) quasi attraverso l'evidenza di
un gesto; per la particolare connotazione dell'avverbio *di qua* cfr.
Alla sua donna, 54.   (^{22}) *e che varcare un giorno*: cfr. nel *Werther*,
traduzione cit., lettera del 7 maggio 1772: « Io mi vedeva dinanzi le montagne, che mille volte avevano formato l'oggetto de'
desideri miei. Io mi stava assiso le ore intiere, contemplando *col-
l'ardente brama di oltrepassarle* ».   (^{24}) *fingendo*: verbo dell'immaginazione in Leopardi, soprattutto di quella prodotta dalle lon-
tananze, cfr. *L'infinito*, 7; *Il tramonto della luna*, 6.   (^{25}) *ignaro
del mio fato*, da unire a *io mi pensava* del v. 23 (malgrado l'interruzione dell'esclamativo, per il quale vedi nota al v.9).   *-e quante
volte*: ripresa del movimento sintattico del v.19: *E che pensieri.*   (^{28}) *Né mi diceva il cor*: nei versi seguenti c'è quasi un riapparire del linguaggio delle prime canzoni e l'invettiva contro Recanati ricorda quella contro il *secol morto* dell'*Angelo Mai*, elementi che vengono « riassorbiti come base intima di risonanza e

Né mi diceva il cor che l'età verde
sarei dannato a consumare in questo
30   natio borgo selvaggio, intra una gente
zotica, vil; cui nomi strani, e spesso
argomento di riso e di trastullo,
son dottrina e saper; che m'odia e fugge,
per invidia non già, che non mi tiene
35   maggior di se, ma perché tale estima
ch'io mi tenga in cor mio, sebben di fuori
a persona giammai non ne fo segno.
Qui passo gli anni, abbandonato, occulto,
senz'amor, senza vita; ed aspro a forza
40   tra lo stuol de' malevoli divengo:
qui di pietà mi spoglio e di virtudi,
e sprezzator degli uomini mi rendo,
per la greggia ch'ho appresso: e intanto vola
il caro tempo giovanil; più caro
45   che la fama e l'allor, più che la pura
luce del giorno, e lo spirar: ti perdo
senza un diletto, inutilmente, in questo
soggiorno disumano, intra gli affanni,
o dell'arida vita unico fiore.

di tensione dentro la poesia idillica » (Binni).   ([32]) *argomento*
ecc.: in un passo dell'*Invito a Lesbia Cidonia* del Mascheroni
(componimento ccxxii della leopardiana *Crestomazia*, vv.6-7):
« le morbide fragranze americane / *argomento di studio e di diletto* »; i passaggi prosastici, anche nella loro inconfondibile individualità sentimentale, trovano spesso in Leopardi riscontro e legitti-
mità nel linguaggio didascalico e satirico della poesia settecentesca.
([33]) *son dottrina e saper*: intendi: ‹per la quale (gente) la cultura,
chi vi si dedica, è oggetto di allegre battute di scherno›; cfr. la
lettera al Giordani del 5 dicembre 1817: « In Recanati poi io son
tenuto quello che sono, un vero e pretto ragazzo, e i più ci aggiungono i titoli di saccentuzzo di filosofo d'eremita e che so
io. » · ([43]) *per la*, ‹a causa della›.   ([45]) *la fama e l'allor*: la ‹so-
vrabbondanza› che il De Robertis nota in questo luogo del canto
è dovuta alla presenza di un linguaggio non idillico; ma lo sfogo
eroico è l'increspatura che accompagna funzionalmente e prelude
a zone di alta trasparenza poetica.   ([46]) *lo spirar*, ‹il respiro, la
vita›.   ([49]) *o dell'arida*: trapasso di grande naturalezza a un vocativo nuovo (la giovinezza), finora, anche dov'era implicito, rivol-

50 Viene il vento recando il suon dell'ora
della torre del borgo. Era conforto
questo suon, mi rimembra, alle mie notti
quando fanciullo, nella buia stanza,
per assidui terrori io vigilava,

55 sospirando il mattin. Qui non è cosa
ch'io vegga o senta, onde un'immagin dentro
non torni, e un dolce rimembrar non sorga.
Dolce per se; ma con dolor sottentra
il pensier del presente, un van desio

60 del passato, ancor tristo, e il dire: io fui.
Quella loggia colà, volta agli estremi
raggi del dì; queste dipinte mura,
quei figurati armenti, e il Sol che nasce
su romita campagna, agli ozi miei

65 porser mille diletti allor che al fianco
m'era, parlando, il mio possente errore
sempre, ov'io fossi. In queste sale antiche,

to alle stelle dell'Orsa. (⁵⁰) *il suon dell'ora*: cfr. *Zibaldone*, 36:
« Sento dal mio letto suonare (battere) l'orologio della torre. Rimembranze di quelle notti estive nelle quali essendo fanciullo e
lasciato in letto in camera oscura, chiuse le sole persiane, tra la
paura e il coraggio sentiva battere un tale orologio ».   (⁵⁴) *per
assidui terrori*: cfr. *Zibaldone*, 531: « timor di pericoli di ogni
sorta, timore di vanità e chimere proprio solamente di quell'età,
e di nessun'altra; timor delle larve, sogni, cadaveri, strepiti notturni, immagini reali, spaventose per quell'età e indifferenti poi,
come maschere ec. ec. » (e si veda nel *Saggio sugli Errori popolari degli antichi* il paragrafo dedicato agli spaventi notturni
dei bambini).   (⁵⁸) *per se*, ‹in se stesso›.   (⁶⁰) *ancor tristo*, da
riferire a *van desio*: ‹anch'esso doloroso›.   (⁶³) *quei figurati armenti*: calibramento dello spazio e anche gesto, cfr. la nota al v.20. Il
poeta si riferisce a scene di vita pastorale che affrescavano la casa
paterna, cfr. *Discorso di un Italiano intorno alla poesia romantica*: « Io mi ricordo d'essermi figurato nella fantasia, guardando
alcuni pastori e pecorelle dipinte sul cielo della mia stanza, tali
bellezze di vita pastorale che se fosse conceduta a noi così fatta
vita, questa già non sarebbe terra, ma paradiso, e albergo non
d'uomini, ma d'immortali ».   (⁶³) *il Sol che nasce*: altri affre-
schi.   (⁶⁶) *il mio possente errore*: l'illusione della fantasia,
che lo accompagnava *parlando*, in una conversazione ininterrotta;
possente per la forza con cui domina l'anima, come l'amore nel

al chiaror delle nevi, intorno a queste
ampie finestre sibilando il vento,
70   rimbombaro i sollazzi e le festose
mie voci al tempo che l'acerbo, indegno
mistero delle cose a noi si mostra
pien di dolcezza; indelibata, intera
il garzoncel, come inesperto amante,
75   la sua vita ingannevole vagheggia,
e celeste beltà fingendo ammira.

O speranze, speranze; ameni inganni
della mia prima età! sempre, parlando,
ritorno a voi; che per andar di tempo,
80   per variar d'affetti e di pensieri,
obbliarvi non so. Fantasmi, intendo,
son la gloria e l'onor; diletti e beni
mero desio; non ha la vita un frutto,
inutile miseria. E sebben vòti
85   son gli anni miei, sebben deserto, oscuro
il mio stato mortal, poco mi toglie

Pensiero dominante, 1.   [70] *rimbombaro i sollazzi*, ‹echeggiarono
i giochi› (nelle vaste sale).   [71] *acerbo*, ‹duro›.   -*indegno*, ‹non
meritevole di essere conosciuto›.   [73] *indelibata*, da riferire a
vita del v. 75: ‹non ancora sperimentata (e ancora tutta da vivere)›.   [74] *il garzoncel*: cfr. *Il sabato del villaggio*, vv.43 e
sgg.   [75] *vagheggia*, ‹si figura nel sogno› (una vita *indelibata e
intera*); cfr. *Zibaldone*, 4287: « *Vagheggiare*, bellissimo verbo ».
Il Tommaseo nel suo *Dizionario* spiega: « rimirare chechessia
con dilettosa compiacenza, quasi vagare con gli sguardi sull'oggetto ». È soprattutto verbo di *Aspasia* dove appare altre due volte (su tre occorrenze in tutti i *Canti*).   [76] *e celeste beltà* ecc.:
‹e ammira una celeste bellezza, vista con l'immaginazione (*fingendo*)›; anche qui ‹fingere› legato all'idea di lontananza, irraggiun-
gibilità.   [76] *inganni*, nello stesso campo nozionale del *possente
errore*.   [77] *parlando*, ‹coi miei versi›.   [81] *intendo*: l'incidentale esprime l'amara consapevolezza della ragione (riappare al
v. 87 con *ben veggo*) e suppone un *ma* avversativo che colga gli
irrazionali moti del cuore, cfr. v.87.   [81-3] *Fantasmi... desio*: i
predicati in posizione chiastica rispetto ai soggetti.   [84] *inutile
miseria*: apposizione di *vita*, ma con un legame implicito con le
precedenti proposizioni copulative.   -*vòti*, ‹vuoti› (sulla soglia

la fortuna, ben veggo. Ahi, ma qualvolta
a voi ripenso, o mie speranze antiche,
ed a quel caro immaginar mio primo;
90   indi riguardo il viver mio sì vile
e sì dolente, e che la morte è quello
che di cotanta speme oggi m'avanza;
sento serrarmi il cor, sento ch'al tutto
consolarmi non so del mio destino.

95   E quando pur questa invocata morte
saràmmi allato, e sarà giunto il fine
della sventura mia; quando la terra
mi fia straniera valle, e dal mio sguardo
fuggirà l'avvenir; di voi per certo
100   risovverrammi; e quell'imago ancora
sospirar mi farà, faràmmi acerbo
l'esser vissuto indarno, e la dolcezza
del dì fatal tempererà d'affanno.

E già nel primo giovanil tumulto
105   di contenti, d'angosce e di desio,
morte chiamai più volte, e lungamente
mi sedetti colà su la fontana

del *deserto* di cui al verso seguente).   (⁸⁶) *il mio stato mortal*:
la condizione umana, anche nel *Canto notturno,* v.49.   -*poco mi
toglie*: ‹la fortuna ha ben poco da prendersi di me›.   (⁹⁰) *sì vile*, ‹così inutile, senza scopo›.   (⁹²) *che di cotanta* ecc.: cfr. Petrarca, *Rime*, CCLXVIII, 38: «Questo m'avanza di cotanta speme».   (⁹⁸) *mi fia*, ‹mi sarà›.   -*straniera valle*, con la
sfumatura che la parola *valle* ha acquistato nel linguaggio biblico-cristiano di ‹esilio, luogo di dolore›; cfr. anche *valli* nel
Canto notturno, v. 8.   (¹⁰⁰) *imago*, della vita sognata da giovane;
parola privilegiata del lessico poetico leopardiano (vedi anche
immagine), quasi sempre riferita alla visione interiore.   (¹⁰¹) *fa-
rammi acerbo*, ‹mi renderà doloroso›.   (¹⁰²) *indarno*, ‹invano›.
(¹⁰³) *tempererà* latinismo, ‹mescolerà›.   (¹⁰⁵) *di desio*: anche il
desiderio può far invocare la morte, cfr. *Zibaldone*, 2988, 18 luglio 1823: «Il giovane moltissimo desidera e nulla ha, neppure
ha come distrarre, divertire, ingannare il suo desiderio, e occupare
la sua forza vitale, adoperarla, sfogarla. Quindi più giovani suicidi oggidì che fra gli antichi non pur giovani solamente, ma giovani e vecchi insieme».   (¹⁰⁷) *colà*: cfr. la nota al v.21. L'episo-

pensoso di cessar dentro quell'acque
la speme e il dolor mio. Poscia, per cieco
110   malor, condotto della vita in forse,
piansi la bella giovanezza, e il fiore
de' miei poveri dì, che sì per tempo
cadeva : e spesso all'ore tarde, assiso
sul conscio letto, dolorosamente
115   alla fioca lucerna poetando,
lamentai co' silenzi e con la notte
il fuggitivo spirto, ed a me stesso
in sul languir cantai funereo canto.

Chi rimembrar vi può senza sospiri,
120   o primo entrar di giovinezza, o giorni
vezzosi, inenarrabili, allor quando
al rapito mortal primieramente
sorridon le donzelle; a gara intorno
ogni cosa sorride; invidia tace,
125   non desta ancora ovver benigna; e quasi
(inusitata maraviglia!) il mondo
la destra soccorrevole gli porge,

dio del pensiero suicida, sull'orlo della vasca del giardino, in *Zibaldone*, 82. ([109]) *la speme*, anch'essa un peso doloroso, cfr. la nota al v.105. ([109-10]) *per cieco / malor*: l'agg. separato dal suo sostantivo per l'*enjambement*, come nel *Sogno*, 36-7; « il cieco / dolor »; esempio della permanenza di prediletti moduli fonici nell'officina leopardiana. Intendi *cieco* come ‹occulto, insidioso›. ([110]) *della vita in forse*, ‹in pericolo della vita›; cfr. Ariosto, *Orl. Fur.*, XXXI, 75, 3: « e de la vita era venuto in forse ». ([114]) *conscio*, ‹testimone›, latinismo; cfr. Virgilio, *Aen.*, IV, 519-20: « *conscia* fati / sidera ». ([116]) *lamentai*: ‹piansi la vita che fuggiva› (*il fuggitivo spirto*). ([118]) *in sul languir*, ‹nel momento in cui la vita mancava›. *-funereo canto*: allude al giovanile *Appressamento della morte* scritto nel dicembre 1816. ([119-24]) *Chi rimembrar... sorride*: cfr. I. Pindemonte, *Prose e poesie campestri* (Verona 1817, p. 14-7): « L'anima nostra... con piacer grande ricorre sempre ai giorni della prima giovinezza... Che tempi quelli non sono, quando tra per que' primi bisogni d'un cuore vergine e pieno di vigore e di vita, e per l'inesperienza degli uomini, e la consolante fiducia che ne risulta, tu t'abbandoni subito ai tuoi sentimenti ». ([127]) *gli porge*, al *rapito mortal* del v.122.

scusa gli errori suoi, festeggia il novo
suo venir nella vita, ed inchinando
130   mostra che per signor l'accolga e chiami?
Fugaci giorni! a somigliar d'un lampo
son dileguati. E qual mortale ignaro
di sventura esser può, se a lui già scorsa
quella vaga stagion, se il suo buon tempo,
135   se giovanezza, ahi giovanezza, è spenta?

O Nerina! e di te forse non odo
questi luoghi parlar? caduta forse
dal mio pensier sei tu? Dove sei gita,
che qui sola di te la ricordanza
140   trovo, dolcezza mia? Più non ti vede
questa Terra natal: quella finestra,
ond'eri usata favellarmi, ed onde
mesto riluce delle stelle il raggio,
è deserta. Ove sei, che più non odo
145   la tua voce sonar, siccome un giorno,
quando soleva ogni lontano accento

[129] *inchinando*, ‹rendendogli omaggio›.   [130] *che per signor lo accolga e chiami*: lo zeugma è figura frequente del linguaggio poetico del Leopardi (sottintendendo: ‹e *tale* lo chiami›).   [134] *quella vaga stagion*: si approssima con tremore (vedi anche *il suo buon tempo*) all'intensa pronuncia di *giovanezza*.   [135] *spenta*: « spegnersi » nel codice poetico leopardiano è sempre intensamente connotato come metafora dell'oscuramento, del tramonto della felicità.   [136] *Nerina*, nome fittizio, derivato come quello di Silvia dall'*Aminta* del Tasso; secondo i biografi forse Maria Belardinelli, morta giovane nel 1827; incarna comunque il mito della fanciulla morta precocemente, così vivo nella poesia leopardiana.   [138] *gita*, ‹andata›.   [139-40] *che qui sola... trovo*: cfr. il *Werther* di Goethe, ultima lettera del protagonista a Lotte (nella settecentesca traduzione del Salom): « Ed ora... oh Carolina. Quale è la cosa che non mi faccia risovvenire di te? Non mi circondi forse? ».   [141] *quella finestra*: cfr. la nota al v.21.   [142-3] *ed onde / mesto riluce* ecc.: ‹e dove si specchia mestamente la luce delle stelle›.   [144] *è deserta*: il Bollati segnala Baldassar Castiglione (prosa XXXIII della *Crestomazia* leopardiana): « carissimo talor vedere una finestra benché chiusa, perché alcuna volta quivi avrà avuto grazia di contemplar la sua don-

del labbro tuo, ch'a me giungesse, il volto
scolorarmi? Altro tempo. I giorni tuoi
furo, mio dolce amor. Passasti. Ad altri

150   il passar per la terra oggi è sortito,
e l'abitar questi odorati colli.
Ma rapida passasti; e come un sogno
fu la tua vita. Iva danzando; in fronte
la gioia ti splendea, splendea negli occhi

155   quel confidente immaginar, quel lume
di gioventù, quando spegneali il fato,
e giacevi. Ahi Nerina! In cor mi regna
l'antico amor. Se a feste anco talvolta,
se a radunanze io movo, infra me stesso

160   dico: o Nerina, a radunanze, a feste
tu non ti acconci più, tu più non movi.
Se torna maggio, e ramoscelli e suoni
van gli amanti recando alle fanciulle,
dico: Nerina mia, per te non torna

165   primavera giammai, non torna amore.
Ogni giorno sereno, ogni fiorita
piaggia ch'io miro, ogni goder ch'io sento,
dico: Nerina or più non gode; i campi,
l'aria non mira. Ahi tu passasti, eterno

na ».   (148) *Altro tempo*: comincia una serie di brevi frasi che,
più che di tono epigrafico, andranno considerate come un infittirsi dei *sospiri* provocati dal *ricordare* (cfr. v.119).   (149) *Passasti*:
il fuggire della giovinezza e quello della vita s'incarnano nell'immagine della fanciulla morta in giovane età.   (150) *è sortito*, ‹è
dato in sorte›.   (152) *Ma rapida*, ‹ma troppo in fretta›.   (153) *Iva
danzando*: ‹camminavi nel mondo come con un gioioso passo di
danza›.   (154) *splendea negli occhi*: cfr. *A Silvia*, 3-4: *quando
beltà splendea / negli occhi tuoi...*   (155) *confidente*, ‹fiducioso
nella vita›.   (156) *spegneali* (gli occhi).   (157) *e giacevi*, nella
morte.   (161) *non ti acconci*, ‹non ti abbigli›. *Acconci* e *muovi*
spostano alternativamente il valore della preposizione *a* del verso
precedente: nel caso di *acconci* ha valore finale, in quello di
muovi valore di direzione.   (162) *e ramoscelli e suoni*: nel folk-
lore di primavera, quando i giovani vanno con rami fioriti a cantare davanti alle case delle più belle.   (164) *per te non torna* ecc.:
cfr. Petrarca, *Rime*, IX, 14: « primavera per me pur non è
mai ».   (169) *l'aria non mira*, invertendo l'ordine degli oggetti già

170   sospiro mio : passasti : e fia compagna
        d'ogni mio vago immaginar, di tutti
        i miei teneri sensi, i tristi e cari
        moti del cor, la rimembranza acerba.

nominati ai vv. 166-7.   ([169]) *Ahi tu passasti*: ripresa del v.149;
in quel luogo il *passasti* veniva iterato al v.152, e anche qui nel
verso seguente.   ([170]) *fia compagna*, ‹sarà compagna›, da riferire
a *la rimembranza acerba* dell'ultimo verso.   ([171]) *immaginar*: l'infinito sostantivato ben definisce la natura fenomenica del sogno
nella lingua poetica del Leopardi; l'*immaginar è caro* nella canzone *Ad Angelo Mai*, 102 e nell'epistola *Al conte Carlo Pepoli*,
112; in questo canto rispettivamente *caro*, 89 e *vago*; *vago*, nel
senso di ‹dolce, amato› si oppone all'acerbità della rimembranza di cui alla chiusa.

Composto a Recanati tra il 22 ottobre 1829 e il 9 aprile 1830. Suggerito dalla lettura di un articolo del barone Mcyendorff apparso nel «Journal des Savants» nel settembre 1826, *Voyage d'Orembourg à Boukhara*, dove si parlava di nomadi che improvvisano canti contemplando la luna, di cui il Leopardi trascrive un brano in *Zibaldone*, 4399-400 (3 ottobre 1828).

Al di là di ogni immediato suggerimento, il canto prende le mosse da un nucleo profondo della riflessione leopardiana, quella relativa alla lirica che solo accomuna, tra i generi, l'uomo primitivo e l'uomo moderno, «genere, siccome privo di tempo, così eterno ed universale, cioè proprio dell'uomo perpetuamente in ogni tempo e in ogni luogo, come la poesia» (cfr. *Zibaldone*, 4476-7 e altrove). L'identificazione *tout court* della lirica con la poesia suppone anche la facoltà, che la poesia concede perfino al semplice pastore, di parlare da filosofo. In corrispondenza al proprio assunto Leopardi cerca di realizzare, in questo canto, modi stilistici di sobria per quanto drammatica effusione, quasi attratto dal mito di quelle nenie asiatiche del Meyendorff; ma la sobrietà è ottenuta ancora una volta con un frequente ricorso al modello petrarchesco delle zone più limpide; come attraverso il petrarchismo sono filtrate le reminiscenze di testi più recenti, ad esempio delle *Notti* di Young.

Metro: canzone di lasse disuguali, variamente ritmate di endecasillabi e settenari e liberamente rimate. Costante la rima in -*ale* nella chiusa delle lasse, che introduce nella canzone un elemento di ripresa da cantilena popolare.

Che fai tu, luna, in ciel? dimmi, che fai,
silenziosa luna?
Sorgi la sera, e vai,
contemplando i deserti; indi ti posi.
5   Ancor non sei tu paga
di riandare i sempiterni calli?
Ancor non prendi a schivo, ancor sei vaga
di mirar queste valli?
Somiglia alla tua vita
10   la vita del pastore.
Sorge in sul primo albore;
move la greggia oltre pel campo, e vede
greggi, fontane ed erbe;
poi stanco si riposa in su la sera:
15   altro mai non ispera.
Dimmi, o luna: a che vale
al pastor la sua vita,
la vostra vita a voi? dimmi: ove tende

(¹) *Che fai*: apre e chiude il verso, in un canto dove iterazioni e
riprese costituiscono una predominante stilistica.   (²) *silenziosa*:
hapax della lingua poetica leopardiana; la parola è di cinque sillabe.   (³) *e vai*: cfr. la pseudo-anacreontica del giovane Leopardi
(che citiamo nella traduzione latina del poeta stesso): « Medium
per caelum tacite / nocturna solaque *iter facis* », vv.14-5.   (⁴) *ti
posi*, ‹tramonti›; il verbo fa pensare alla luna come a una creatura animata.   (⁶) *i sempiterni calli*, ‹le eterne vie del cielo›.
(⁷) *non prendi a schivo*, ‹non ti annoi›.   *-vaga*, ‹desiderosa›.
(⁸) *queste valli*, quasi luoghi di esilio, cfr. la nota al v.98 delle *Ricordanze*.   (¹¹) *Sorge*: stesso verbo per il pastore e la luna, cfr.
v. 3; la ripresa anaforica evidenzia il paragone in atto.   (¹²) *move
la greggia* ecc.: reminiscenza del pastore del Petrarca in *Rime*, L.,
29-38.   *-oltre*: avverbialmente legato a *move*, ‹spinge avanti›,
cfr. Virgilio, *Buc.*, I, 12-3: « En ipse capellas / *protinus* aeger

questo vagar mio breve,

20   il tuo corso immortale?

Vecchierel bianco, infermo,

mezzo vestito e scalzo,

con gravissimo fascio in su le spalle,

per montagna e per valle,

25   per sassi acuti, ed alta rena, e fratte,

al vento, alla tempesta, e quando avvampa

l'ora, e quando poi gela,

corre via, corre, anela,

varca torrenti e stagni,

30   cade, risorge, e più e più s'affretta,

ago ».   [18] *la vostra vita*: rivolto ai corpi celesti.   [19] *questo vagar mio breve*: a specchio con *il tuo corso immortale*, con forte evidenza di antonimie: *vagar* contro *corso*, *breve* contro *immortale*; i due brevi versi finali stringono da vicino, nella rapidità dell'asindeto, il confronto tra la luna e il pastore su cui si regge la lassa.   [21] *Vecchierel bianco, infermo*: echeggia il *vecchierel canuto e bianco* di Petrarca, *Rime*, XVI; cfr. *Zibaldone*, 4162-3, in data 17 gennaio 1826: « Che cosa è la vita? il viaggio di un zoppo e infermo che con un gravissimo carico in sul dosso per montagne ertissime e luoghi sommamente aspri, faticosi e difficili, alla neve, al gelo, alla pioggia, al vento, all'ardore del sole, cammina senza mai riposarsi dì e notte uno spazio di molte giornate per arrivare a un cotal precipizio o un fosso e quivi inevitabilmente cadere ». Ma l'immagine viene al Leopardi da Bossuet (e importanti sono per la formazione del poeta i predicatori che con eloquenza interpretano pessimisticamente, per indurre al distacco dal mondo, la realtà della vita); cfr. il brano del *Bossuet* riportato nell'antologia Noël-Delaplace: « La vie humaine est semblable à un chemin, dont l'issue est un précipice affreux... Mille traverses, mille peines nous fatiguent et nous inquiétent dans la route; encore si je pouvois éviter ce précipice affreux. Non, non, il faut marcher, il faut courir... ».   [23] *con gravissimo fascio*, ‹con un pesantissimo carico›; l'aggettivo anche nel succitato passo dello *Zibaldone*.   [25] *alta rena*, ‹alta sabbia› (che impaccia il cammino). -*fratte*, ‹luoghi impraticabil per l'intrico di pruni e sterpi›; *fratte* è assonante con la coppia rimata *spalle / valle* dei due versi precedenti, come *stesso*, 42, con *nascimento / tormento*.   [26-7] *e quando... poi gela*: *l'ora* è metonimia per stagione: ‹nell'ora avvampante del meriggio estivo e nelle gelide ore invernali›.   [30] *e*

senza posa o ristoro,
lacero, sanguinoso; infin ch'arriva
colà dove la via
e dove il tanto affaticar fu volto:
35   abisso orrido, immenso,
ov'ei precipitando, il tutto obblia.
Vergine luna, tale
è la vita mortale.

Nasce l'uomo a fatica,
40   ed è rischio di morte il nascimento.
Prova pena e tormento
per prima cosa; e in sul principio stesso
la madre e il genitore
il prende a consolar dell'esser nato.
45   Poi che crescendo viene,
l'uno e l'altro il sostiene, e via pur sempre
con atti e con parole
studiasi fargli core,

---

più e più s'affretta: espressione petrarchesca nella canzone L (che
tante suggestioni ha esercitato su Leopardi): « la stanca vecchiarella
pellegrina / raddoppia i passi, *et più et più s'affretta* »; e anche
l'*obblia* di Leopardi al v.36 (con *la via* del v.32) appartiene alla costellazione lessicale di quella canzone. (33-4) *colà... fu volto*: ‹là
dove il suo viaggio pieno di affannose fatiche era destinato a giungere fin dal primo momento›. (35) *abisso orrido, immenso*: senza
articolo come *Vecchierel bianco, infermo*, nel primo verso della
lassa al quale si richiama non solo per la medesima costruzione
sintattica (un nome più due aggettivi) ma anche per l'assonanza
di *immenso* con *infermo*. (37) *Vergine luna*: la chiamerà *intatta*
al v.57; gli aggettivi, di chiara derivazione classica come attributi
di Diana, vogliono nel canto sottolineare l'estraneità della luna ai
mali della terra, la sua remota purezza celeste. (39) *Nasce l'uomo*: cfr. *Zibaldone*, 68: « Il nascere istesso dell'uomo cioè il co-
minciamento della sua vita, è un pericolo della vita, come apparisce dal gran numero di coloro per cui la nascita è cagione di
morte, non reggendo al travaglio e ai disagi che il bambino prova
nel nascere ». (44) *il prende a consolar*: cfr. *Zibaldone*, 2607,
13 agosto 1822: « Così tosto come il bambino è nato, convien che
la madre che in quel punto lo mette al mondo, lo consoli, accheti
il suo pianto, e gli alleggerisca il peso di quell'esistenza che gli dà.

e consolarlo dell'umano stato:
50   altro ufficio più grato
non si fa da parenti alla lor prole.
Ma perché dare al sole,
perché reggere in vita
chi poi di quella consolar convenga?
55   Se la vita è sventura
perché da noi si dura?
Intatta luna, tale
è lo stato mortale.
Ma tu mortal non sei,
60   e forse del mio dir poco ti cale.

Pur tu, solinga, eterna peregrina,
che sì pensosa sei, tu forse intendi,
questo viver terreno,
il patir nostro, il sospirar, che sia;
65   che sia questo morir, questo supremo
scolorar del sembiante,
e perir dalla terra, e venir meno

E l'uno de' principali uffizi de' buoni genitori nella fanciullezza e nella prima gioventù de' loro figliuoli, si è quello di consolarli, di incoraggiarli alla vita ». (⁵⁴) *chi poi di quella* ecc.: nel succitato passo dello *Zibaldone*: « Per Dio! perché dunque nasce l'uomo? e perché genera? per poi racconsolar quelli che ha generati del medesimo essere generati? ». (⁵⁶) *si dura*, ‹si sopporta›. (⁶⁰) *ti cale*, ‹t'importa›. (⁶¹) *Pur*, ‹eppure›; avversative del sentimento, frequenti in Leopardi, che dialetticamente si oppongono all'evidenza della ragione. (⁶²) *pensosa*: l'aggettivo ripropone l'animazione dell'astro come creatura vivente, è *pensosa* e *solinga* come il passero solitario; ma attorno si estende un campo lessicale relativo alla grandezza dell'universo, alla sua desolazione e immensità. (⁶³) *questo viver terreno*: si annuncia una serie d'infiniti sostantivati, spesso accompagnati da dimostrativi in funzione d'intensi attualizzatori. (⁶⁴) *che sia*, in dipendenza da *intendi* del v. 62: ‹comprendi cosa significhi questo nostro sospirare e patire›. (⁶⁵⁻⁶) *questo supremo / scolorar del sembiante*: ‹questo definitivo impallidire del volto›; verbo del *Tramonto della luna*: « e *si scolora* il mondo »; la quale luna quando è tramontata può risorgere e la vicenda dei corpi celesti riprende, al contrario dell'uomo, della sua giovinezza e della sua vita (concetto svolto appunto nel fi-

ad ogni usata, amante compagnia.
E tu certo comprendi
70   il perché delle cose, e vedi il frutto
del mattin, della sera,
del tacito, infinito andar del tempo.
Tu sai, tu certo, a qual suo dolce amore
rida la primavera,
75   a chi giovi l'ardore, e che procacci
il verno co' suoi ghiacci.
Mille cose sai tu, mille discopri,
che son celate al semplice pastore.
Spesso quand'io ti miro
80   star così muta in sul deserto piano,
che, in suo giro lontano, al ciel confina;
ovver con la mia greggia
seguirmi viaggiando a mano a mano;
e quando miro in cielo arder le stelle;
85   dico fra me pensando:
a che tante facelle?
che fa l'aria infinita, e quel profondo

nale di quel canto, dove i versi 20-2: « Tal si dilegua e tale /
lascia l'età mortale / la giovinezza » ricordano il *Canto notturno*
per la rima in *-ale* memorabile). (⁶⁷) *e perir dalla terra*, ‹scom-
parire dalla terra›. (⁶⁷⁻⁸) *venir meno... compagnia*: il verbo ‹venir meno› (come ‹cadere›, vedi *A Silvia*, nota al v.61) in qualche
modo legato, in Leopardi, all'idea di eclissi, di tramonto dei corpi
celesti: così nel *Passero solitario* il sole calante « par che dica /
che la beata gioventù *vien meno* » (43-4); e ncl *Tramonto della luna*,
« *vengon meno* / le lontane speranze, / ove s'appoggia la mortal
natura ». (⁶⁹) *E tu certo comprendi*: aveva detto al v.62 « tu *forse*
intendi »; la luna *forse* conosce il significato della vita umana; in
ogni caso conosce *certamente* il perché dell'universo, del tempo e
delle stagioni. (⁷⁵) *che procacci*, ‹quale utilità consegua›.
(⁸¹) *che, in suo giro* ecc.: ‹che col remoto giro dell'orizzonte tocca
il cielo›. (⁸⁵) *dico fra me pensando*: cfr. le ottave di Vittoria Colonna « Quando miro la terra ornata e bella », riportate da Leopardi nella sua *Crestomazia*, dove la contemplazione della primavera fa scattare analoga espressione: « *dico fra me pensando*: quanto è breve / questa nostra mortal misera vita ». (⁸⁶) *facelle*, ‹luci›.
(⁸⁷) *che fa*, sempre nel significato di ‹a che giova, che scopo ha›.
(⁸⁷⁻⁸) *aria infinita... infinito seren*: gli aggettivi all'interno di un

ınfinito seren? che vuol dir questa
solitudine immensa? ed io che sono?
90 Così meco ragiono : e della stanza
smisurata e superba,
e dell'innumerabile famiglia;
poi di tanto adoprar, di tanti moti
d'ogni celeste, ogni terrena cosa,
95 girando senza posa,
per tornar sempre là donde son mosse;
uso alcuno, alcun frutto
indovinar non so. Ma tu per certo,
giovinetta immortal, conosci il tutto.
100 Questo io conosco e sento,,
che degli eterni giri,
che dell'esser mio frale,
qualche bene o contento

chiasmo; appaiono nell'aggettivazione modi del vago e dell'inde-
fınito: cfr. più avanti « stanza *smisurata* », « solitudine *immensa* », ecc.   [90] *e della stanza*: l'universo; non è in dipendenza da
meco ragiono ma *da uso alcuno, alcun frutto / indovinar non so*
al v.97.   [93] *di tanto adoprar*: ancora retto, come i precedenti
genitivi, dai vv.97-8; ‹di tanto affaccendarsi›.   [95] *girando*: gerundio con valore di participio presente, secondo l'uso dell'italiano antico, da riferire a *ogni celeste, ogni terrena cosa*: ‹le quali
girano›.   [97] *uso... frutto*, ‹utilità... scopo›. Dal v.80 il poeta ha
svolto una riflessione sull'inutilità dello spettacolo della vita e delle cose, che già appare in *Zibaldone*, 2936-8, in data 10 luglio 1823;
le cose dell'universo « son nulla alla felicità dell'uomo, non essendo un nulla per se medesime. E chi potrebbe chiamare un nulla la miracolosa e stupenda opera della natura, e l'immensa
egualmente che artificiosissima macchina e mole dei mondi, benché a noi per verità ed in sostanza nulla serva? poiché non ci porta in niun modo alla felicità? » (*ivi*, 2937).   [98] *per certo*: cfr.
i vv.69-70, dei quali qui si realizza una rapida ripresa, melodica-
mente conclusa nella rima *tutto*.   [101-2] *che degli eterni giri* ecc.:
i due settenari a specchio pongono a confronto l'eternità dell'universo e la fragilità della vita umana con lo stesso procedimento dei
vv.19-20 (vedi la nota). Il modulo contrastivo è caratteristico della
chiusa delle lasse, la quale svolge toni gnomici e sentenziosi, col
gusto di *pointes* epigrammatiche in cui il lamento del pastore si
riassume nella secca enunciazione di una verità (stesso procedi-

avrà fors'altri; a me la vita è male.

105   O greggia mia che posi, oh te beata,
che la miseria tua, credo, non sai!
Quanta invidia ti porto!
Non sol perché d'affanno
quasi libera vai;
110   ch'ogni stento, ogni danno,
ogni estremo timor subito scordi;
ma più perché giammai tedio non provi.
Quando tu siedi all'ombra, sovra l'erbe,
tu se' queta e contenta;
115   e gran parte dell'anno
senza noia consumi in quello stato.

mento in clausola di strofa nell'*Angelo Mai*).   (105) *O greggia mia*: il vocativo si trasferisce dalla luna al gregge con una transizione lirica che sottende però un passaggio argomentativo. La luna rappresentava una conoscenza delle cose del mondo priva di angoscia, vergine di *souffrance*; il gregge costituisce un'altra ipotesi di felicità, quella della non-conoscenza, dell'incoscienza beata; ad ambedue le entità, la luna e il gregge, il pastore oppone il proprio stato d'infelicità. Come ha dimostrato il Monteverdi, la stanza IV originariamente veniva subito dopo la II di cui costituisce il naturale sviluppo: dopo aver nominato l'infelice nascita dell'uomo e il suo bisogno di essere confortato a vivere, nella prima stesura il poeta istituiva il confronto con gli animali che, come in un luogo di Lucrezio (*De rer. nat.*, V, 222 e sgg.), al contrario dell'uomo che nasce piangendo non hanno bisogno di sonagli né della lingua del *pappo* e del *dindi* di un'amorosa nutrice: «nec crepitacillis opus est nec cuiquam adhibendast / almae nutricis blanda atque infracta loquela»; cfr. *Zibaldone*, citato alla nota 38: «*Beati voi se le miserie vostre / Non sapete.* - Detto, per esempio, a qualche animale, alle api ec.».   (107-16) *Quanta invidia... in quello stato*: gli animali sono visti come creature felici per la loro estraneità al sentimento della noia, «come i cani; i quali ho ammirati e invidiati più volte, vedendoli passar le ore sdraiati, con occhio sereno e tranquillo, che annunzia l'assenza della noia non meno che dei desiderii» (*Zibaldone*, 4306, 15 maggio 1828). Il Binni segnala una fonte leopardiana nelle *Notti* di Young, poeta ricco di spiriti pre-romantici: «... guida la tua gregge in un pascolo pingue. Tu non la udirai belare mestamente... Ma la pace di cui godono è negata ai loro padroni. Un tedio, una

Ed io pur seggo sovra l'erbe, all'ombra,
e un fastidio m'ingombra
la mente, ed uno spron quasi mi punge
120 sì che, sedendo, più che mai son lunge
da trovar pace o loco.
E pur nulla non bramo,
e non ho fino a qui cagion di pianto.
Quel che tu goda o quanto,
125 non so già dir; ma fortunata sei.
Ed io godo ancor poco,
o greggia mia, né di ciò sol mi lagno.
Se tu parlar sapessi, io chiederei:
dimmi: perché giacendo
130 a bell'agio, ozioso,
s'appaga ogni animale;
me, s'io giaccio in riposo, il tedio assale?

Forse s'avess'io l'ale
da volar su le nubi,

scontentezza che non dà tregua rode l'uomo e lo tormenta da mane a sera » (nella versione in prosa del Loschi, Venezia 1726, II, p. 22); il concetto è svolto qui nei versi seguenti. (117) *E io pur,* ‹eppure anch'io›; la mia vita non è, cioè, diversa dalla tua (come non era molto diversa da quella della luna). (118) *e*: la congiunzione introduce una proposizione con implicito valore avversativo: ‹ma ciò nonostante›. (121) *pace e loco,* ‹pace e riposo›. (122-32) *E pur nulla... il tedio assale*: il pastore è un uomo che non ha desideri né dolori, ma si veda quanto scrive il Leopardi in *Zibaldone*, 4498, in data 4 maggio 1829: « L'assenza di ogni special sentimento di male e di bene, ch'è lo stato più ordinario della vita, non è né indifferente, né bene, né piacere, ma dolore e male. Ciò solo, quando d'altronde i mali non fossero più che i beni, né maggiori di essi, basterebbe a spiegare incomparabilmente la bilancia della vita e della sorte umana dal lato della infelicità. Quando l'uomo non ha sentimento di alcun bene o male particolare, sente in generale l'infelicità nativa dell'uomo, e questo è quel sentimento nativo che si chiama noia. » (131-2) *s'appaga... assale*: ancora una chiusa su modulo contrastivo costruito per asindeto (cfr. vv.19-20, 101-2, e note). (133) *Forse s'avess'io l'ale* ecc.: « Favorito da un *forse* (‹Forse s'avess'io l'ale...›) il sogno del

135   e noverar le stelle ad una ad una,
       o come il tuono errar di giogo in giogo,
       più felice sarei, dolce mia greggia,
       più felice sarei, candida luna.
       O forse erra dal vero,
140   mirando all'altrui sorte, il mio pensiero:
       forse in qual forma, in quale
       stato che sia, dentro covile o cuna,
       è funesto a chi nasce il dì natale.

pastore è poi respinto da un altro *forse* (‹O forse erra dal vero...›) che inizia la seconda parte, sconsolata, della lassa, e che, ripetuto anche una volta, sembra quasi maturarsi in un *certo* » (Monteverdi). ([133-38]) *Forse... candida luna*: l'idea di una *vita vitale* capace di superare il sentimento della noia è frequente nella riflessione leopardiana, in molti passi dello *Zibaldone* e delle *Operette morali* (cfr. ad esempio il *Dialogo di un fisico e di un metafisico*); ma qui la *vita vitale* è immaginata in una fuga dall'umano che è fuga nel sogno. ([142]) *dentro covile o cuna*: la parità di condizione tra uomo e animali sembra ulteriormente sottolineata dall'allitterazione.

Composto a Recanati dal 17 al 20 settembre 1829. Pubblicato la prima volta in F.

Fra le due parti che compongono il canto (la descrizione della vita che rinasce nella prima strofa e la riflessione che si sviluppa nelle strofe seguenti) è stato scorto spesso, anche da chi ne ammette la reciproca necessità, un certo brusco passaggio di tono. Ma l'unità tonale si realizza forse proprio nell'ascesa a spirale (con scatto di quota da stanza a stanza) verso zone di alta, commossa definizione del destino generale dell'uomo. Il procedimento non è molto diverso da quello del *Passero solitario* (dove la *moralità* riguarda però la personale vicenda del poeta) e da quello del *Tramonto della luna*: canti che si distinguono per una maggior naturalezza delle transizioni che qui invece sembrano affidate a valori «atonali».

Metro: tre stanze libere, nella prima delle quali il Fubini ha scorto una qualche vicinanza col madrigale cinquecentesco più che con la canzone vera e propria. Vario il gioco di rime, rime al mezzo e assonanze. Una rima-ponte tra le due ultime stanze è *offese*, 40 con *cortese*, 42. Cfr. l'analisi del Fubini in *Metrica e poesia* (Milano 1962).

Passata è la tempesta:
odo augelli far festa, e la gallina,
tornata in su la via,
che ripete il suo verso. Ecco il sereno
5   rompe là da ponente, alla montagna;
sgombrasi la campagna,
e chiaro nella valle il fiume appare.
Ogni cor si rallegra, in ogni lato
risorge il romorio
10   torna il lavoro usato.
L'artigiano a mirar l'umido cielo,
con l'opra in man, cantando,
fassi in su l'uscio; a prova
vien fuor la femminetta a còr dell'acqua
15   della novella piova;
e l'erbaiuol rinnova
di sentiero in sentiero
il grido giornaliero.
Ecco il Sol che ritorna, ecco sorride
20   per li poggi e le ville. Apre i balconi,
apre terrazzi e logge la famiglia:

(⁵) *alla montagna*: la preposizione funziona da indicatore spaziale indeterminato. Una simile atmosfera nell'*Ortis* (lettera del 20 novembre): « Il sole squarcia le nubi, e consola la mesta natura, diffondendo su la faccia di lei un suo raggio... L'aria torna tranquilla e la campagna [...] pare più allegra di quel che fosse prima della tempesta. »   (⁶) *sgombrasi*, dalle nubi che coprivano la valle.   (⁹) *romorio*: il rumore abituale della vita d'ogni giorno. (¹³) *a prova*, ‹a gara›.   (¹⁴) *a còr*, ‹a raccogliere›.   (¹⁶) *l'erbaiuol*: il venditore ambulante di verdure; il termine s'inquadra in un lessico domestico e umile, tipico dei due ultimi idilli. (²⁰) *balconi*, ‹finestre›.   (²¹) *la famiglia*: ‹la servitù›, termine ar-

e, dalla via corrente, odi lontano
tintinnio di sonagli; il carro stride
del passeggier che il suo cammin ripiglia.

25   Si rallegra ogni core.
Sì dolce, sì gradita
quand'è, com'or, la vita?
Quando con tanto amore
l'uomo a' suoi studi intende?
30   o torna all'opre? o cosa nova imprende?
quando de' mali suoi men si ricorda?
Piacer figlio d'affanno;
gioia vana, ch'è frutto
del passato timore, onde si scosse
35   e paventò la morte
chi la vita abborria;
onde in lungo tormento,
fredde, tacite, smorte,
sudàr le genti e palpitàr, vedendo
40   mossi alle nostre offese
folgori, nembi e vento.

O natura cortese,

caico. (²²) *dalla via corrente*, ‹dalla strada maestra›. (²³) *il carro stride*: cfr. l'abbozzo di versi con cui si apre lo *Zibaldone* (testimonianza di un'impressione remota della sensibilità leopardiana): «Nella (dalla) maestra via s'udiva il carro / del passegger, che stritolando i sassi / mandava un suon, cui precedea da lungi / il tintinnio de' mobili sonagli.» (²⁹) *a' suoi studi*, ‹alle sue occupazioni›. (³²) *Piacer* ecc.: costruzione ellittica; intendi: ‹questo è un piacere che nasce dall'affanno›. (³⁴) *del passato timore*, ‹del timore cessato›. (³⁴) *si scosse*, ‹trasalì›; il Bacchelli interpreta «quasi si riscosse, si rianimò», ma il senso di questi versi è: ‹ebbe paura anche chi odiava la vita›. (³⁷) *onde*, ‹per cui›. (³⁹) *sudàr... palpitàr...*: terze plurali di passato remoto. (⁴¹) *folgori, nembi e vento*: cfr. *Zibaldone*, 2601-2, 7 agosto 1822: «Le convulsioni degli elementi e altre tali cose che cagionano l'affanno e il male del timore all'uomo naturale o civile, e parimenti agli animali ec... si riconoscono per conducenti, e in certo modo necessarii alla felicità dei viventi, e quindi con ragione contenuti e collocati e ricevuti nell'ordine na-

son questi i doni tuoi,
questi i diletti sono
45   che tu porgi ai mortali. Uscir di pena
è diletto fra noi.
Pene tu spargi a larga mano; il duolo
spontaneo sorge: e di piacer, quel tanto
che per mostro e miracolo talvolta
50   nasce d'affanno, è gran guadagno. Umana
prole cara agli eterni! assai felice
se respirar ti lice
d'alcun dolor: beata
se te d'ogni dolor morte risana.

turale, il qual mira in tutti i modi alla predetta felicità. E ciò non
solo perch'essi mali danno risalto ai beni, e perché più si gusta la
sanità dopo la malattia *e la calma dopo la tempesta*: ma perché
senza essi mali, i beni non sarebbero neppur beni a poco andare,
venendo a noia... ».   [42] *cortese*, detto ironicamente.   [45] *Uscir
di pena*: la gioia è per noi la cessazione del dolore.   [47] *Pene tu
spargi* ecc.: ‹pena› è per Leopardi lo stato di perenne desiderio
(cfr. *Zibaldone*, 2861) dal quale il dolore si sviluppa spontaneamente (*spontaneo sorge*, v.48).   [48-50] *e di piacer... guadagno*: ‹e
quel tanto di piacere che qualche volta nasce prodigiosamente o
miracolosamente dall'affanno (cfr. la nota al v.41) è *gran guadagno*, cioè gratuitamente donato›.   [50-1] *Umana / prole* ecc.: dalla
natura cortese il vocativo si sposta all'umanità illusa di essere figlia
di una divinità cui è cara; antifrastico come in *O natura cortese*.
Di segno opposto l'ironia di Dio contro la superbia di Adamo:
« Ecce Adam quasi unus ex nobis », citata da Pascal (*Provincia-
les*, IX) come esempio di antifrasi in bocca di Dio.   [52-3] *se respirar... dolor*: ‹se ti è lecito aver qualche tregua in qualcuno dei
tuoi dolori›.   [53] *beata*: ‹più che felice› (se la morte ti libera
definitivamente di ogni dolore).

Composto tra il 20 e il 29 settembre 1829 subito dopo la *Quiete*. Pubblicato la prima volta in F.

La fresca tensione del canto è frutto del particolare atteggiamento del poeta che, conscio della vanità di ogni speranza, ne contempla con commozione il continuo risorgere negli uomini semplici, non forniti degli strumenti intellettuali che portano alla giusta, amara conoscenza del vero. Questo momento di solidarietà si risolve nell'invito finale al *garzoncello scherzoso* a vivere intensamente le speranze e i sogni da lui posti nella sopravveniente giovinezza.

Metro: canzone libera con rime variamente alternate, rime al mezzo e assonanze. Le rime operano legature anche da sedi lontanissime (*riposo* al v. 30 in chiusura di stanza e *scherzoso* al v. 41 in apertura). Anche la rima *estrampa* del v. 41 è in qualche modo risarcita nel v. 48 («travaglio *usato*» / «*stato* soave», con sotterraneo collegamento anche attraverso la figura del chiasmo).

La donzelletta vien dalla campagna,
in sul calar del sole,
col suo fascio dell'erba; e reca in mano
un mazzolin di rose e di viole,
5   onde, siccome suole,
ornare ella si appresta
dimani, al dì di festa, il petto e il crine.
Siede con le vicine
su la scala a filar la vecchierella,
10   incontro là dove si perde il giorno;
e novellando vien del suo buon tempo,
quando ai dì della festa ella si ornava,
ed ancor sana e snella
solea danzar la sera intra di quei
15   ch'ebbe compagni dell'età più bella.
Già tutta l'aria imbruna,

(¹) *La donzelletta*: diminutivo con vago sapore d'Arcadia. « I diminutivi sogliono essere sempre graziosi, e recar grazia e leggiadria ed eleganza, al discorso, alla frase ec. » (*Zibaldone*, 2304).
(³) *erba*: timbro predominante al mezzo, con assonanze che si producono, anche con le parole rimate, in sede di quinta e di settima: cfr. *festa* 7, *sera* 14, *pensa* 30, *bottega* 35 (stesso vocalismo nelle rime *vecchierella, snella, bella*). ecc.   (⁴) *un mazzolin di rose e di viole*: fiori scontati della botanica letteraria, cfr. Filicaia, *La poesia*: «Così di rose e viole / ogni donzella il vago crin s'adorna ». Niente di più estraneo alla poesia leopardiana di un lessico tecnico come quello che prevarrà nel Pascoli per nomi di erbe e uccelli.   (⁹) *a filar la vecchierella*: cfr. Petrarca, *Rime*, XXXIII, 5: « levata era a filar la vecchiarella ».   (¹⁰) *incontro là* ecc. ‹rivolta verso il sole che tramonta›; cfr. Fortiguerri, *Ricciardetto*, XIV: « Volta colà dove si muore il giorno »; qui *si perde*, ‹svanisce›.   (¹⁶) *Già tutta l'aria imbruna*: cfr. Petrarca, *Rime*,

torna azzurro il sereno, e tornan l'ombre
giù da' colli e da' tetti,
al biancheggiar della recente luna.
20 Or la squilla dà segno
della festa che viene;
ed a quel suon diresti
che il cor si riconforta.
I fanciulli gridando
25 su la piazzuola in frotta,
e qua e là saltando,
fanno un lieto romore:
e intanto riede alla sua parca mensa,
fischiando, il zappatore,
30 e seco pensa al dì del suo riposo.

CCXXIII, 1-2: « Quando 'l sol bagna in mar l'aurato carro, / et
l'aere nostro et la mia mente *imbruna* », dove *aere* è però oggetto;
l'Agosti segnala Sannazaro, *Arcadia*, II, 133: « Ecco la notte e il
ciel tutto *s'imbruna* ». L'espressione, per influsso del Petrarca, anche nel sonetto del Boiardo *Con che dolce concento*: « E come l'aria intorno a noi *se imbruna* » e nella canzone del Carriteo
Errando solo: « né mai l'aere *imbruna* » (con *imbruna* assoluto per
il riflessivo come in Leopardi). Ma anche la versione dei *Canti di
Selma* nel già citato *Verter* del Salom: « Quando la notte il cielo
intorno *imbruna* » (sebbene non sia da escludere, come nella versione cesarottiana dell'Ossian, il petrarchismo del traduttore).
(17) *torna azzurro il sereno*: nella sopraccitata versione dei *Canti
di Selma*: « Il vento e la tempesta ormai cessaro; / *torna chiaro
il meriggio* ». (17) *tornan l'ombre*: erano scomparse col calare
del sole e riappaiono suscitate dalla luce della luna. (19) *al biancheggiar* ecc.: in F: « a la luce del vespro e de la luna »; nella lezione definitiva si afferma da un lato la predilezione del Leopardi
per gl'infiniti sostantivati che traspongono l'idea verbale sul piano
funzionale del sostantivo, dall'altro acquista predominio l'immagine della luna come referente unico. (23) *che il cor* ecc.: ‹cuore›
in vicinanza di *squilla* come nel *Passero solitario*, cfr. nota al v.29.
(25) *frotta*: assonante con *riconforta*, v.23. (28) *riede*, ‹torna›.
(29) *fischiando, il zappatore*: verso composto di due parole rimate
rispetto ai vv.24, 26 e 27. (30) *riposo*: apparentemente irrelato
il verso, ma è come il rapido accenno, in un pezzo musicale, di
un motivo che troverà sviluppo più avanti; prepara infatti la rima con cui si apre la strofa finale: « Garzoncello *scherzoso* ».

Poi quando intorno è spenta ogni altra face,
e tutto l'altro tace,
odi il martel picchiare, odi la sega
del legnaiuol, che veglia
35   nella chiusa bottega alla lucerna,
e s'affretta, e s'adopra
di fornir l'opra anzi il chiarir dell'alba.

Questo di sette è il più gradito giorno,
pien di speme e di gioia:
40   diman tristezza e noia
recheran l'ore, ed al travaglio usato
ciascuno in suo pensier farà ritorno.

Garzoncello scherzoso,
cotesta età fiorita
45   è come un giorno d'allegrezza pieno,
giorno chiaro, sereno,
che precorre alla festa di tua vita.
Godi, fanciullo mio; stato soave,
stagion lieta è cotesta.
50   Altro dirti non vo'; ma la tua festa
ch'anco tardi a venir non ti sia grave.

([31]) *spenta*: graffetta timbrica che unisce l'inizio della strofa con la chiusura della strofa precedente, è infatti assonante con *pensa*. -*face*, ‹lume›. ([37]) *di fornir l'opra*, ‹di finire il lavoro›; cfr. Petrarca, *Rime*, XL, 9: «Ma però che mi manca *a fornir l'opra*». ([41]) *travaglio*, ‹lavoro› e anche ‹pena›. ([44]) *cotesta età fiorita*: cfr. nelle ottave di Baldassar Castiglione, riportate nella *Crestomazia* leopardiana col titolo *Invito a Galatea*, il v.64: «se non goder l'età fiorita in festa», importante «per l'impasto lessicale di *godere-età fiorita-festa* che dà al Leopardi la materia semantica per la bellissima strofa conclusiva del *Sabato*, in cui egli opera una scomposizione ideale dei termini del Castiglione, facendoli rivivere in un'altra atmosfera» (Savoca). ([47]) *che precorre*, ‹che precede›; col dativo come in Dante, *Par.*, XXXIII, 18: «liberamente *al* dimandar precorre». ([50]) *vo'*, ‹voglio›. ([51]) *ch'anco tardi* ecc.: ‹ma non ti pesi che la tua festa tardi ancora a venire›.

Composto tra il 1831 (data di F in cui il canto ancora non appare) e il 1835 (data di N in cui è pubblicato per la prima volta).

Ispirato all'amore per Fanny Targioni Tozzetti, il *Pensiero dominante* segna nei *Canti* un salto di qualità della poesia leopardiana. Con una più agguerrita, limpida coscienza di sé, il Leopardi affronta ora i temi drammatici del suo presente; e l'amore sdegnoso e solitario (che già modulava gli alti accenti della canzone *Alla sua donna*), passato attraverso la concreta esperienza della passione per Fanny-Aspasia, si fa tutt'uno col rifiuto del proprio tempo, delle sue meschinità, del suo futile ottimismo che giustifica i propri fini utilitaristici (oggi diremmo «di classe») con una ideologia spiritualistica dell'uomo. Scompaiono, in questa nuova fase della poesia leopardiana, gli elementi del paesaggio e della memoria; e il linguaggio neo-platonico (da petrarchismo cinquecentesco) che già in *Alla sua donna* era assunto a metafora stessa della poesia, ora appare carico di una nuova energia sentimentale. Senza nessuna forma di facile evasione, il Leopardi vive intensamente la positività del sentimento amoroso e della poesia, trascrivendone l'esperienza sulla scheda di un giudizio storico negativo.

Metro: canzone libera, con stanze di diversa misura, con gioco sciolto di rime, rime al mezzo e assonanze; l'insieme metrico dà l'impressione di una catena di madrigali, trascendentalmente saldati da un «pensiero dominante» la cui forte intensità tematica fonde quella che il Binni ha chiamato «composizione a raggio».

Dolcissimo, possente
dominator di mia profonda mente;
terribile, ma caro
dono del ciel; consorte
5 ai lúgubri miei giorni,
pensier che innanzi a me sì spesso torni.

Di tua natura arcana
chi non favella? il suo poter fra noi
chi non sentì? Pur sempre
10 che in dir gli effetti suoi
le umane lingue il sentir proprio sprona,
par novo ad ascoltar ciò ch'ei ragiona.

(¹⁻⁶) Senza verbo la prima strofa, quasi dedicatoria di una lettera
solenne. Il destinatario della lettera, *pensier*, 6, è preceduto dai
suoi appellativi di rispetto *dominator* e *dono*, tra loro allitteranti
e di significato antitetico (l'antitesi anche nelle coppie aggettivali
dolcissimo, possente... terribile, ma caro). (²) *profonda mente*, come *cor profondo* in *Amore e morte*, 28. (⁴) *consorte*, compar-
tecipe, compagno. (⁹⁻¹²) *Pur sempre... ragiona*: ‹Ma tutte le
volte che (*sempre/che*) gli uomini sono stimolati dal proprio
interno sentimento a descrivere quello che provano per causa
sua, il modo come questo pensiero (*ei*) vive e si muove dentro
ognuno di noi, sembra nuovo e inatteso a chi ascolta›. Il senso
della strofa è: ‹Malgrado si sia tanto parlato e scritto dell'amore e sia esperienza comune tra gli uomini (vv.7-9), ognuno vive
in modo irrepetibile questa esperienza›. La commossa apostrofe
della prima strofa costituiva l'*exordium*, cui segue, in questa, la
propositio del canto, il suo scopo dimostrativo. (¹²) *ragiona* è
verbo dantesco, cfr. *Purg.*, II, 112. « Amor che ne la mente mi
ragiona » (che è il primo verso della seconda canzone del *Con-*

Come solinga è fatta
la mente mia d'allora
15 che tu quivi prendesti a far dimora!
Ratto d'intorno intorno al par del lampo
gli altri pensieri miei
tutti si dileguàr. Siccome torre
in solitario campo,
20 tu stai solo, gigante, in mezzo a lei.

Che divenute son, fuor di te solo,
tutte l'opre terrene,
tutta intera la vita al guardo mio!
Che intollerabil noia
25 gli ozi, i commerci usati,
e di vano piacer la vana spene,
allato a quella gioia,

vivio). (¹³⁻²⁸): le due strofe sembrano svolgere poeticamente una riflessione giovanile dello *Zibaldone*, 59 (dell'anno 1819): « Quando l'uomo concepisce amore tutto il mondo si dilega dagli occhi suoi, non si vede più se non l'oggetto amato, si sta in mezzo alla moltitudine, alle conversazioni ec. come si stasse in solitudine, astratti e facendo quei gesti che v'ispira il vostro pensiero sempre sempre immobile e potentissimo senza curarsi delle meraviglie né del disprezzo altrui, tutto si dimentica e riesce noioso ec. fuorché quel solo pensiero e quella vista ». Si notino i punti di contatto lessicale e semantico: « tutto il mondo si dilegua dagli occhi suoi » — *gli altri pensieri miei / tutti si dileguàr*, 17-8; « come si stasse in solitudine, astratti » — *solinga è fatta / la mente mia*, 13-4; « il vostro pensiero sempre immobile e potentissimo » — *Siccome torre / ... / tu stai*, 18 e 20, ecc. (¹³) *solinga*, ‹sola col suo pensiero›. (¹⁵) *quivi*: nella mente. (¹⁸) *si dileguàr*, ‹si dileguarono›, cfr. Petrarca, *Rime*, LXXI, 78-81: « una dolcezza inusitata et nova, / la qual ogni altra salma / di noiosi pensier' disgombra allora, / sì che di mille un sol vi si ritrova... »; e LXXII, 40-4: « come sparisce et fugge / ogni altro lume dove 'l vostro splende, / così de lo mio core, / quando tanta dolcezza in lui discende, / ogni altra cosa, ogni penser va fore... »; ‹dileguare in un lampo›, con più patetica pronuncia, anche nelle *Ricordanze*, 131-2. (²⁵) *i commerci usati*, ‹i quotidiani rapporti›. (²⁶) *e di vano* ecc. ‹l'inutile speranza d'illusori piaceri›. (²⁷) *allato*, ‹in confronto›. (²⁷⁻⁸) *gioia / gioia celeste*: anadisplosi con gioia celeste che da te mi viene!

Come da' nudi sassi
30   dello scabro Apennino
a un campo verde che lontan sorrida
volge gli occhi bramoso il pellegrino;
tal io dal secco ed aspro
mondano conversar vogliosamente,
35   quasi in lieto giardino, a te ritorno,
e ristora i miei sensi il tuo soggiorno.

Quasi incredibil parmi
che la vita infelice e il mondo sciocco
già per gran tempo assai
40   senza te sopportai;
quasi intender non posso
come d'altri desiri,
fuor ch'a te somiglianti, altri sospiri.

Giammai d'allor che in pria
45   questa vita che sia per prova intesi,
timor di morte non mi strinse il petto.
Oggi mi pare un gioco
quella che il mondo inetto,
talor lodando, ognora abborre e trema,
50   necessitade estrema;

intensificazione prodotta dall'aggettivo.   (29-30) *Come... Apen-*
nino: cfr. *Paralipomeni*, III, 7, vv.1-4: « Come chi d'Apennin
varcato il dorso / presso Fuligno, per la culta valle / cui rompe
il monte di Spoleto il corso / prende l'aperto e dilettoso calle... »;
concreta esperienza del poeta durante il suo primo viaggio romano.   (31) *a un campo verde*: « stato di luce » (Peruzzi) più
che concreta notazione di colore (cfr. *Aspasia*, la nota ai vv.16-
7).   (36) *il tuo soggiorno*, ‹rimanere con te›.   (42-3) *come d'altri...*
sospiri: ‹come vi sia chi (*altri* impersonale) sospiri per altri desideri (*di* con valore causale) che non siano somiglianti a te›; equivocità fra *altri* del v.42 e *altri* del v.43.   (44-5) ‹Mai da allora
che per la prima volta compresi, per personale esperienza (*per*
prova), cosa fosse la vita...›   (48) *inetto*, ‹incapace di forti sentimenti›.   (49) *trema*, usato transitivamente, come nella canzone
del Petrarca *Spirto gentil*, *Rime*, LIII, 30.   (50) *necessitade estre-*

e se periglio appar, con un sorriso
le sue minacce a contemplar m'affiso.

Sempre i codardi, e l'alme
ingenerose, abbiette
55   ebbi in dispregio. Or punge ogni atto indegno
subito i sensi miei;
move l'alma ogni esempio
dell'umana viltà subito a sdegno.
Di questa età superba,
60   che di vote speranze si nutrica,
vaga di ciance, e di virtù nemica;
stolta, che l'util chiede,

ma: l'oraziana *necessitas lethi* (*Carm.*, 1, 3, 32-3).   ([51-2]): in una
lettera al padre Monaldo del 3 luglio 1832, il Leopardi confessa
« come ad ogni leggera speranza di pericolo vicino o lontano, *gli*
brilli il cuore per l'allegrezza », con eroico desiderio della morte.
([53]) *Sempre i codardi* ecc.: spunti di questo pensiero già nel giovanile *Diario del primo amore*; e cfr. *Zibaldone*, 59, nel passo
già citato alla nota 13-28: « Io soglio sempre stomacare delle
sciocchezze degli uomini e di tante piccolezze e viltà e ridicolez-
ze ch'io vedo fare e sento dire massime a questi coi quali vivo
che ne abbondano. Ma io non ho mai provato un tal senso di
schifo orribile e propriamente tormentoso (come chi è mosso al
vomito) per queste cose, quanto allora ch'io mi sentiva amore o
qualche aura di amore, dove mi bisognava rannicchiarmi ogni
momento in me stesso, fatto sensibilissimo oltre ogni mio costume, a qualunque piccolezza e bassezza e rozzezza sia di fatti sia
di parole, sia morale sia fisica sia anche solamente filologica, come motti insulsi, ciarle insipide, scherzi grossolani, maniere ruvi-
de e cento cose tali ».   ([57]) *move* da unire con *a sdegno* del verso successivo.   ([59-60]) *Di questa età... si nutrica*: già si enucleano,
nelle poesie amorose per Aspasia, i toni alti e drammaticamente
sferzanti del Leopardi della *Palinodia* e della *Ginestra*.   ([60]) *vote
speranze*, del vacuo spiritualismo del secolo.   *-si nutrica*, ‹si
nutre›.   ([61]) *vaga di ciance*, ‹amante di parole senza senso›.
([62]) *che l'util chiede*: è la polemica leopardiana per il prevalere
nel suo tempo, contro gli studi letterari intesi a sviluppare l'immaginazione e gli affetti, degli studi economici e politici, « discipline secchissime le quali, anche ottenendo i loro fini, giovereb-
bero pochissimo alla felicità vera degli uomini » (lettera al Giordani del 24 luglio 1828). La polemica del Leopardi nasce dalla

e inutile la vita
quindi più sempre divenir non vede;
65   maggior mi sento. A scherno
ho gli umani giudizi; e il vario volgo
a' bei pensieri infesto,
e degno tuo disprezzator, calpesto.

A quello onde tu movi,
70   quale affetto non cede?
anzi qual altro affetto
se non quell'uno intra i mortali ha sede?
Avarizia, superbia, odio, disdegno,
studio d'onor, di regno,
75   che sono altro che voglie
al paragon di lui? Solo un affetto
vive tra noi: quest'uno,
prepotente signore,
dieder l'eterne leggi all'uman core.

80   Pregio non ha, non ha ragion la vita
se non per lui, per lui ch'all'uomo è tutto;

scoperta traumatica del rifiuto della poesia da parte dei nuovi tempi (quasi una sua consapevolezza di ‹morte dell'arte› nella sopravveniente società industriale) e dal disprezzo per l'orgoglioso ottimismo che le scienze economico-storiche infondevano, assieme alle *vote speranze* dello spiritualismo, alle *élites* intellettuali del suo secolo. (64) *non vede*, ‹non si accorge che la vita, ecc.›. (65) *maggior mi sento*: è la forte consapevolezza del Leopardi maturo, che solleva la presente esperienza amorosa dall'ambito delle giovanili riflessioni, qui sopra citate al v.53. (66) *il vario volgo*, definito nei *Sepolcri*, 142: « il dotto e il ricco ed il patrizio vulgo ». (67) *a' bei pensieri infesto*, ‹nemico dei pensieri nobili, generosi›. (68) *degno tuo disprezzator*, da riferire a *volgo*, che disprezza l'amore nobile e alto in maniera degna della sua meschinità. (69-70) *A quello... cede*: ‹a quel sentimento amoroso dal quale tu nasci, quale altro non cede in qualità e forza?› (72) *se non quell'uno* ecc.: ‹quale altro sentimento, se non quello soltanto, domina gli uomini?›; volendo dire che tutti i sentimenti umani sgorgano dall'amore e sono ad esso riconducibili. (74) *studio*, ‹desiderio› (di fama e di potere). (75) *voglie*, ‹appetiti di natura inferiore›. (80-81): nota il parallelismo delle ripeti-

sola discolpa al fato,
che noi mortali in terra
pose a tanto patir senz'altro frutto;
85   solo per cui talvolta,
non alla gente stolta, al cor non vile
la vita della morte è più gentile.

Per còr le gioie tue, dolce pensiero,
provar gli umani affanni,
90   e sostener molt'anni
questa vita mortal, fu non indegno;
ed ancor tornerei,
così qual son de' nostri mali esperto,
verso un tal segno a incominciare il corso:
95   che tra le sabbie e tra il vipereo morso,
giammai finor sì stanco
per lo mortal deserto
non venni a te, che queste nostre pene
vincer non mi paresse un tanto bene.

zioni in identica cesura metrico-sintattica; stilismo melico come quelli indicati nella nota al v.141. (82) *discolpa* è apposizione di *lui* (il pensiero) al verso precedente. (86) *non alla gente* ecc.: costruzione asindetica con implicita coordinazione avversativa: ‹non alla gente stolta *ma* al cuore non vile›. Molti commentatori interpretano ‹alla gente *non stolta*› supponendo l'anastrofe (poco credibile) dell'avverbio *non*; ma occorre tener presente il valore generico, talora spregiativo, che *gente* ha nel lessico del Leopardi maturo (cfr. *Amore e morte*, 12, «la codarda gente»; ivi, 116: «per antica viltà l'umana gente», ecc.). (87) *la vita* ecc.: cfr. nel già citato passo dello *Zibaldone*, 59: «Io non ho mai sentito di vivere quanto amando, benché tutto il resto del mondo fosse per me come morto». (88) *còr*, ‹cogliere›. (89) *provar* dipende da *fu non indegno* del v.91 (e così *sostener* del verso seguente). (91) *fu non indegno*, ‹non fu ingiusto, inopportuno (valse la pena)›. (92-4) *ed ancor... il corso*: ‹e tornerei così, con questa mia esperienza dei mali del mondo, a ricominciare la vita (*il corso*) se avessi davanti a me una tale meta (*verso tal segno*). (93) *nostri mali* (e *nostre pene* al v.98) reintroduce un ‹noi› relativo alla comune condizione umana che già era apparso al v.8, cui fa da contrappunto l'*io* dell'esperienza amorosa leopardiana. (95) *che tra le sabbie* ecc.: sabbie e vipere sono

100   Che mondo mai, che nova
     immensità, che paradiso è quello
     là dove spesso il tuo stupendo incanto
     parmi innalzar! dov'io,
     sott'altra luce che l'usata errando,
105   il mio terreno stato
     e tutto quanto il ver pongo in obblio!
     Tali son, credo, i sogni
     degl'immortali. Ahi finalmente un sogno
     in molta parte onde s'abbella il vero
110   sei tu, dolce pensiero;
     sogno e palese error. Ma di natura,
     infra i leggiadri errori,
     divina sei; perché sì viva e forte,
     che incontro al ver tenacemente dura,
115   e spesso al ver s'adegua,
     né si dilegua pria, che in grembo a morte.

     E tu per certo, o mio pensier, tu solo
     vitale ai giorni miei,
     cagion diletta d'infiniti affanni,
120   meco sarai per morte a un tempo spento:

metafora dell'aridità della vita e della malvagità degli uomini.
[103] *parmi innalzar* con spostamento interno del pronome: ‹pare innalzarmi›.   [104] *sott'altra luce* ecc.: ‹camminando sotto una luce diversa da quella d'ogni giorno›.   [106] *il ver*, ‹il vero, la dura realtà›; ripetuto più volte nei versi successivi in contrappunto con *sogno* ed *errore*.   [108] *finalmente*, ‹alla fine purtroppo›. [109] *in molta parte* ecc.: ‹sei un sogno in gran parte, di cui la dura verità si abbellisce›.   [111] *palese error*, ‹chiara illusione›. -*di natura*, da unire a *divina*, suo aggettivo, del v.113.   [114] *che incontro* ecc.: ‹che resiste tenacemente al vero (distruttore di ogni illusione)›; il passaggio alla terza persona quasi a librare la propria riflessione sopra il colloquio col *tu*, come ai vv.80-7.
[115] *al ver s'adegua*, ‹spesso s'identifica col vero›, impedendo talvolta l'amore di distinguere tra illusione e realtà.   [116] *pria, che in grembo a morte*, con ellissi del verbo.   [119] *cagion diletta* ecc.: nota il chiasmo e l'antitesi (figura di ascendenza petrarchesca frequente in questo Leopardi amoroso) tra *diletta* e *affanni*.
[120] *meco sarai* ecc.: anche il Petrarca, a proposito del suo *pen-*

ch'a vivi segni dentro l'alma io sento
che in perpetuo signor dato mi sei.
Altri gentili inganni
soleami il vero aspetto
125   più sempre infievolir. Quanto più torno
a riveder colei
della qual teco ragionando io vivo,
cresce quel gran diletto,
cresce quel gran delirio, ond'io respiro.
130   Angelica beltade!
parmi ogni più bel volto, ovunque io miro,
quasi una finta imago
il tuo volto imitar. Tu sola fonte
d'ogni altra leggiadria,
135   sola vera beltà parmi che sia.

Da che ti vidi pria,
di qual mia seria cura ultimo obbietto
non fosti tu? quanto del giorno è scorso,
ch'io di te non pensassi? ai sogni miei
140   la tua sovrana imago

---

sier dolce et argo: « e temo ch'*un sepolcro ambedue chiuda* » (*Ri-me*, cclxiv, 65).   (¹²¹) *a vivi segni*, ‹per chiarissimi indizi›.
(¹²³⁻⁵) *Altri gentili... infievolir*: ‹altre volte le dolci e nobili illu-sioni si smorzavano alla vista concreta delle donne che le aveva-no provocate›; ma la parola « donna » è metodicamente assente qui e in *Amore e morte*, e appare (con quattro occorrenze) solo in *Aspasia*. Per il significato di questi versi, oltre al giovanile *Dia-rio del primo amore*, cfr. la lettera ad A. Jacopssen, letterato bel-ga conosciuto dal Leopardi a Roma, del 23 giugno 1823: « Plu-sieurs fois j'ai évité pendant quelques jours de rencontrer l'objet qui m'avait charmé dans un songe délicieux. Je savais que ce charme aurait été détruit en s'approchant de la réalité »; e cfr. anche il *Dialogo di Torquato Tasso e del suo Genio familiare*, all'inizio.   (¹²⁶) *colei*: primo riferimento, in tutto il canto, a un concreto oggetto d'amore.   (¹²⁹) *cresce quel gran delirio*: nell'ana-fora *delirio* è allitterante con *diletto* e in gradazione semantica-mente ascendente.   (¹²⁹) *ond'io respiro*, ‹per cui io vivo›.
(¹³²) *finta*, latinismo per ‹effigiata, dipinta›.   (¹³⁵) *che sia*, di se-conda persona.   (¹³⁶) *Da che ti vidi pria*: modulo analogo al

quante volte mancò? Bella qual sogno,
angelica sembianza,
nella terrena stanza,
nell'alte vie dell'universo intero,
145   che chiedo io mai, che spero
altro che gli occhi tuoi veder più vago?
altro più dolce aver che il tuo pensiero?

v.44.   ([141]) *Bella qual sogno*: appaiono qua e là « echi di libretti d'opera » (Fubini), cfr. *che paradiso è quello,* 101 e *angelica
beltade,* 130; vedi nota ai vv.80-1.   ([145-7]) *che spero... il tuo pensiero?*: ‹cos'altro spero di veder che sia più dolce dei tuoi occhi,
cos'altro spero di provare che sia più dolce del pensiero di te?›;
i due versi legati dall'anafora collocano gli aggettivi *vago* e *dolce*
all'interno di un chiasmo, con effetto di canto. La poesia si chiude con una serie d'interrogative, a proposito delle quali il Flora
commenta che « l'interrogazione non chiude mai una musica: e
qui certamente manca il senso musicale di una risposta, quella
pausa che tacitamente affermi e rinchiuda ». Ma si pensi alle ri-
sposte implicite, di alto valore emotivo, che la formulazione delle
interrogative sottende: vv.138-9 = ‹nessun momento›; vv.139-41
= ‹mai›; vv.141-7 = ‹nulla›. Frequente la clausola con interrogazione nel Petrarca, qui rivissuto in maniera intima e originale
(si ricordi il sonetto *Onde tolse Amor l'oro, Rime,* ccxx, tutto
costruito su interrogative).

Composto tra il 1831 e il 1835 (vedi quanto scritto per il *Pensiero dominante*).

La stessa forte ispirazione (che nel *Pensiero dominante* faceva risuonare di nuovi accenti il linguaggio tradizionale della poesia amorosa) domina questo canto, tra i più alti della poesia leopardiana. L'amore vi è cantato come capace d'infondere negli uomini il sentimento di una vita vitale, contro l'inerzia dei meri propositi intellettuali. Ed espressione di questo slancio è il fatto che esso induce alla fraternità e alla confidenza con la morte, provocando, di fronte a quell'immagine di possibile compiuta felicità, il disvelamento del deserto, dell'inabilità della terra.

Ma il Leopardi non sigilla il suo canto nella semplice, romantica affermazione del nesso che lega amore e morte; l'ultima strofa enuclea l'*aut aut* che dopo aver affratellato l'amore e la morte, li distingue e li oppone quando l'idea di quell'amore si dimostra irrealizzabile; con una scelta del poeta verso la *bella Morte pietosa*, con una chiara decisione a non benedire il castigo di nessuna mano celeste, a non accettare nessuna spiegazione trascendente dei mali dell'uomo. Qui il canto trova un naturale punto di contatto col finale del *Dialogo di Tristano e di un amico*, e il desiderio di morire si connota in Leopardi come rifiuto di un orizzonte umano sempre alla ricerca di facili compensi e falsi conforti, fino a trascrivere nel testo la propria volontà di cancellazione.

Metro: canzone libera, con una più fitta presenza di rime rispetto alla canzone precedente, e più articolate strutture strofico-sintattiche.

Ου οἱ θεοὶ φιλοῦσιν ἀποθνήσκει νέος.
Muor giovane colui ch'al cielo è caro.

MENANDRO

Fratelli, a un tempo stesso, Amore e Morte
ingenerò la sorte.
Cose quaggiù sì belle
altre il mondo non ha, non han le stelle.
5   Nasce dall'uno il bene,
nasce il piacer maggiore
che per lo mar dell'essere si trova;
l'altra ogni gran dolore,
ogni gran male annulla.
10   Bellissima fanciulla,
dolce a veder, non quale
la si dipinge la codarda gente,
gode il fanciullo Amore
accompagnar sovente;
15   e sorvolano insiem la via mortale,
primi conforti d'ogni saggio core.
Né cor fu mai più saggio
che percosso d'amor, né mai più forte
sprezzò l'infausta vita,

(³) *Cose quaggiù sì belle*: cfr. la lettera del Leopardi a Fanny
Targioni Tozzetti citata per i vv.99-100 del *Consalvo*   (⁷) *per lo
mar dell'essere*: espressione dantesca, cfr. *Par.*, I, 113.   (¹⁰) *Bellissima fanciulla*: la morte.   (¹²) *la si dipinge*, ‹se la dipinge› (con
raffigurazioni paurose).   *-la codarda gente*: modulo espressivo
del Leopardi eroico delle canzoni, che qui riappare in un più
maturo slancio etico-lirico.   (¹³) *il fanciullo Amore* è oggetto (il
soggetto è *Bellissima fanciulla*).   (¹⁵) *e sorvolano* ecc.: ‹e sorvolano insieme le strade della vita›, senza mescolarsi alle miserie
del mondo.   (¹⁶) *primi*, ‹unici e principali›.   (¹⁸) *che percosso
d'amor*: ‹come il cuore che è colpito da amore›.   (¹⁸⁻⁹) *né mai... vita*: ‹né mai (quel cuore) disprezzò con più forza la vita infelice›.

20   né per altro signore
        come per questo a perigliar fu pronto :
        ch'ove tu porgi aita,
        Amor, nasce il coraggio,
        o si ridesta; e sapiente in opre,
25   non in pensiero invan, siccome suole,
        divien l'umana prole.

        Quando novellamente
        nasce nel cor profondo
        un amoroso affetto,
30   languido e stanco insiem con esso in petto
        un desiderio di morir si sente :
        come, non so : ma tale
        d'amor vero e possente è il primo effetto.
        Forse gli occhi spaura
35   allor questo deserto : a se la terra
        forse il mortale inabitabil fatta
        vede omai senza quella
        nova, sola, infinita
        felicità che il suo pensier figura :

(²¹) *a perigliar*, ‹ad affrontare pericoli e avversità›.   (²²) *ch'ove* ecc.:
‹perché quando tu porgi il tuo soccorso›.   (²⁴⁻⁶) *e sapiente... prole*: ‹e l'uomo acquista la sapienza dell'agire, non solo quella
dell'ozioso pensiero che gli è solita›.   (²⁷) *Quando novellamente*,
‹non appena›.   (²⁸) *nel cor profondo*: stessa espressione nel *Risorgimento*, v.6 (di derivazione petrarchesca, vedi nota al luogo
citato).   (³³) *possente*, in rima interna con *sente* del v.31, aumenta l'evidenza di *effetto* rimante con *petto* in funzione di marcata
pausa sintattica.   (³⁴⁻⁵) *Forse... deserto*: stessa immagine nel *Pensiero dominante*, 97; ma là era attraversamento necessario per
raggiungere la meta, qui effetto dell'amore, cfr. *Zibaldone*, 59:
« Io non ho mai sentito tanto di vivere quanto amando, benché
tutto il resto del mondo fosse per me come morto ».   (³⁸) *nova*,
‹inattesa, che stupisce›.   (⁴⁰) *di lei*: della felicità senza la quale
la terra sembra inabitabile, e ora teme il dolore che gliene verrà.
È lo *spavento della bellezza* di cui Leopardi parla in un celebre
passo dello *Zibaldone*, 3443-6, in data 16 settembre 1823, perché « a chi s'innamora pare impossibile di star mai più senza
quel tale oggetto » (cfr. i vv.35-9), e d'altra parte « la forza del
desiderio ch'ei concepisce in quel punto, l'atterrisce per ciò ch'ei

40   ma per cagion di lei grave procella
presentendo in suo cor, brama quiete,
brama raccorsi in porto
dinanzi al fier disio,
che già, rugghiando, intorno intorno oscura.

45   Poi, quando tutto avvolge
la formidabil possa,
e fulmina nel cor l'invitta cura,
quante volte implorata
con desiderio intenso,
50   Morte, sei tu dall'affannoso amante!
quante la sera, e quante,
abbandonando all'alba il corpo stanco,
se beato chiamò s'indi giammai
non rilevasse il fianco,

si rappresenta subito tutte in un tratto, benché confusamente, al
pensiero le pene che per questo desiderio dovrà soffrire; perocché
il desiderio è pena, e il vivissimo desiderio, vivissima e somma, e
il desiderio perpetuo e non mai soddisfatto è pena perpetua ».
(⁴⁰) *procella*, ‹tempesta›.   (⁴²) *raccorsi in porto*, ‹rifugiarsi in un
porto›; *porto* per ‹morte› spesso in Petrarca.   (⁴³) *fier disio*:
cfr. il furore *d'implacato desio* nell'*Ultimo canto di Saffo*, v.6o;
sempre *desio* nei *Canti*, qui soltanto *disio*, forse per dissimilazione dall'*e* di *fier*.   (⁴⁴) *rugghiando*, in rapporto alla metafora
della *procella*.   -*intorno intorno*: l'avverbio raddoppiato anche
nel *Pensiero dominante*, v.16.   -*oscura*: assoluto per il riflessivo,
come nel *Sabato*, 16, *imbruna*.   (⁴⁵) *Poi, quando* ecc.: l'*incipit*
strofico (forma di transizione) anche nel *Sabato*, 31: « Poi, quando intorno è spenta ogni altra face ».   -*avvolge*, nel medesimo
campo di *procella* e di *intorno intorno oscura*.   (⁴⁶) *formidabil*,
nel senso di ‹paurosa› (da *formido*, ‹spavento, terrore sacro›);
possa, ‹potenza›.   (⁴⁷) *e fulmina*: dall'accumularsi della tempesta, descritto nei versi precedenti, scaturisce la folgore; *fulmina*,
‹scaglia le sue folgori›.   -*l'invitta cura*, ‹l'affanno indomabile›.
(⁴⁸) *implorata*: nel *Consalvo*, 43, *ripregata*.   (⁵⁰) *affannoso*: indica in Leopardi tanto condizione abituale che situazione, cfr. *Al
conte Carlo Pepoli*, 1: « Questo *affannoso* e travagliato sonno »,
e *Il sogno*, 82-3: « *d'affannosa / dolcezza palpitando* ».
(⁵¹) *quante*, sottinteso *volte*.   (⁵²) *all'alba*, dopo una notte insonne.   (⁵³) *s'indi*, ‹se di lì› (dal suo letto).   (⁵⁴) *non rilevasse*

55   né tornasse a veder l'amara luce!
E spesso al suon della funebre squilla,
al canto che conduce
la gente morta al sempiterno obblio,
con più sospiri ardenti
60   dall'imo petto invidiò colui
che tra gli spenti ad abitar sen giva.
Fin la negletta plebe,
l'uom della villa, ignaro
d'ogni virtù che da saper deriva,
65   fin la donzella timidetta e schiva,
che già di morte al nome
sentì rizzar le chiome,
osa alla tomba, alle funeree bende
fermar lo sguardo di costanza pieno,
70   osa ferro e veleno
meditar lungamente,
e nell'indotta mente
la gentilezza del morìr comprende.
Tanto alla morte inclina
75   d'amor la disciplina. Anco sovente,

ecc.: ‹non si rialzasse mai più (*giammai*)›.   ([56]) *funebre* accentato sulla penultima.   ([59]) *con più sospiri ardenti*: anastrofe dell'avverbio che permette la sua estensione tanto a *sospiri* che ad *ardenti*: ‹con sospiri più numerosi e più ardenti›.   ([60]) *dall'imo petto*, ‹dal profondo del cuore›.   ([61]) *sen giva*, ‹se ne andava›. ([63]) *l'uom della villa*, come in Dante, *Purg.*, IV, 23.   ([64]) *d'ogni virtù* ecc.: ‹ignaro di quel disprezzo della vita che è proprio dei filosofi›.   ([68]) *funeree bende*, ‹paramenti funebri›.   ([69]) *di costanza pieno*: in una lettera da Roma (29 ottobre 1831) a Carlotta Lenzoni, Leopardi parla, a proposito dello scultore Tenerani, di «un bassorilievo di una giovane, *pieno* di dolore e *di costanza* sublime » (*costanza*, ‹fermezza, forza›).   ([72]) *nell'indotta mente*: cfr. v.64 e nota.   ([73]) *la gentilezza del morìr*, ‹la nobile bellezza della morte›; mentre nel *Pensiero dominante* (85-7) l'amore provocava provvisoria accettazione della vita, «solo per cui talvolta, / non alla gente stolta, al cor non vile / la vita della morte è più *gentile* » (ma in ambedue i passi identico rifiuto di ogni meschinità in nome di una concezione eroica dell'amore).   ([75]) *la disciplina*, ‹la scuola, l'insegnamento›; la rima interna è punto di demarcazione sintattica.   -*Anco sovente*, ‹in

a tal venuto il gran travaglio interno
che sostener nol può forza mortale,
o cede il corpo frale
ai terribili moti, e in questa forma
80   pel fraterno poter Morte prevale;
o così sprona Amor là nel profondo,
che da se stessi il villanello ignaro,
la tenera donzella
con la man violenta
85   pongon le membra giovanili in terra.
Ride ai lor casi il mondo,
a cui pace e vecchiezza il ciel consenta.

Ai fervidi, ai felici,
agli animosi ingegni
90   l'uno o l'altro di voi conceda il fato,
dolci signori, amici
all'umana famiglia,
al cui poter nessun poter somiglia

più, spesso>. [76] *a tal venute*, <arrivate a tal punto>. [78-85] *o cede... in terra*: <o la forza dell'amore è così forte che il corpo non può reggerla, e allora subentra naturalmente la Morte per la potenza del fratello Amore (vv.78-80); oppure i giovani e le fanciulle, anche più semplici, si danno la morte, in ciò consigliati da Amore nel profondo del loro cuore (vv.81-5)>. [78] *frale*, <fragile>. [79] *ai terribili moti* (della passione). [80] *fraterno poter*, di Amore, fratello della morte. [81] *là nel profondo*, <nel profondo del cuore>; *là* non tanto per significare <dove tutti sappiamo>, ma in riferimento ai *terribili moti* e al *poter* dei versi precedenti. [82] *ignaro*: cfr. vv.63-4. [85] *pongon le membra* ecc.: cfr. Petrarca, *Rime*, XXXVI, 1-4: «S'io credesse per morte essere scarco / del pensiero amoroso che m'atterra, / colle mie mani *avrei già posto in terra* / queste *membra* noiose, et quello incarco»; qui *terra* assonante con *donzella* 83, nella zona della rima *violenta / consenta*, vv.84 e 87. [87] *consenta*: ottativo antifrastico, essendo la vecchiaia per Leopardi il peggiore dei mali (cfr. *Il passero solitario*, 51-2 e *Consalvo*, 107, dove la vecchiaia è rispettivamente *detestata* e *abborrita*). [88] *Ai fervidi* ecc.: con un nuovo ottativo Leopardi augura agli uomini coraggiosi grazie diverse da *pace* e *vecchiezza*. [91] *dolci signori*, vocativo rivolto

|95| nell'immenso universo, e non l'avanza,
se non quella del fato, altra possanza.
E tu, cui già dal cominciar degli anni
sempre onorata invoco,
bella Morte, pietosa
tu sola al mondo dei terreni affanni,
|100| se celebrata mai
fosti da me, s'al tuo divino stato
l'onte del volgo ingrato
ricompensar tentai,
non tardar più, t'inchina
|105| a disusati preghi,
chiudi alla luce omai
questi occhi tristi, o dell'età reina.
Ma certo troverai, qual si sia l'ora
che tu le penne al mio pregar dispieghi,
|110| erta la fronte, armato,
e renitente al fato,
la man che flagellando si colora
nel mio sangue innocente
non ricolmar di lode,

ad Amore e Morte.   (⁹⁴) *e non l'avanza*, ‹e non la supera› (nessun'altra potenza se non quella del fato).   (⁹⁶) *E tu*: « tu altissimo di superiore, assoluto colloquio » (Binni). Si veda per quest'inno finale alla morte, la finale del *Dialogo di Tristano e di un amico. -cui*, ‹che›, *oggetto*.   (¹⁰¹⁻³) *s'al tuo divino... tentai*: ‹se mai ho cercato di ricompensare la tua divina potenza per le offese del mondo che non sa riconoscere la tua bellezza e pietà›.
(¹⁰¹) *s'al tuo divino stato*, dativo d'oggetto.   (¹⁰²) *volgo ingrato*, nello stesso campo nozionale di *mondo*, al v.86.   (¹⁰⁴) *t'inchina*, ‹piegati, sii benigna›.   (¹⁰⁵) *a disusati preghi*, ‹a preghiere rare, insolite›, (per la viltà dei più).   (¹¹⁰) *erta la fronte, armato*: ‹con la fronte alta e intrepido›; cfr. il sonetto dell'Alfieri « Uom di sensi e di cor libero e nato » di cui qui si riecheggia un verso: « nuda la fronte e tutto il resto armato ».   (¹¹¹) *renitente*: cfr. il finale del *Dialogo di Tristano e di un amico*: « E più vi dico francamente ch'io non mi sottometto alla mia infelicità, *né piego il capo al destino*, o vengo seco a patti, come fanno gli altri uomini... »; *non renitente* alla morte sarà il fiore della *Ginestra*, v.305.   (¹¹²⁻⁴) *la man... di lode*: cfr. la lettera di Ferdinanda Melchiorri, zia affettuosa del poeta, in data 17 gennaio 1821, che

115   non benedir, com'usa
per antica viltà l'umana gente;
ogni vana speranza onde consola
se coi fanciulli il mondo,
ogni conforto stolto
120   gittar da me; null'altro in alcun tempo
sperar, se non te sola;
solo aspettar sereno
quel dì ch'io pieghi addormentato il volto
nel tuo virgineo seno.

volendo confortare il nipote scriveva: « L'uomo virtuoso e cristiano si ricorda di esser soggetto al suo Dio, e però *bacia la mano che lo percote*, si ricorda che ha nel suo Dio un Padre che veglia sopra di lui, che lo ama, che non lo abbandonerà... », al polo opposto di questi versi; *non ricolmar* è infinito dipendente da *Me certo troverai*, v.108, come *benedir* del verso successivo: ‹non mi troverai, sopraggiungendo, a ricolmarti di lode ecc.›.
(¹¹⁷) *ogni vana speranza*: costruzione asindetica con valore avversativo, sempre dipendenti gli infiniti da *Me certo troverai*: ‹ma mi vedrai gettar lontano da me ogni vana speranza ecc.›; la *vana speranza* è quella di una vita ultraterrena. (¹¹⁷⁻⁸) *onde consola... il mondo*: ‹con cui il mondo si consola come fanno i fanciulli›, col dogma dell'immortalità, contro il quale il Leopardi ironizza anche nei *Paralipomeni*, VIII, 12: « perch'un rozzo del tutto e *quasi infante* / la morte a concepir non è bastante ». (¹²¹⁻²) *sola; / solo*: la particolare *annominatio* tra aggettivo e avverbio provoca, attraverso l'anadiplosi, un rallentamento e uno stacco del solenne finale.

Composto nella primavera del 1835 secondo il Bosco, che pone in quel periodo la fine della passione di Leopardi per Fanny Targioni Tozzetti; appare la prima volta in N.

Posto a sigillo dei grandi canti amorosi (e prima di *Aspasia* dove la propria vicenda è guardata già con amaro distacco) segna il punto più lucido e desolato dell'esistenzialismo eroico del Leopardi, con un congedo-epigrafe al proprio cuore, sorgente di tante illusioni.

Negativo il giudizio del Croce che vi scorge «un programma volitivo» che invano tenta di colmare «l'assenza di visione poetica».

Ma Spitzer obiettava in nome della sincerità morale della poesia amorosa leopardiana, affermando che questo breve canto è «un epitaffio sul sepolcro vivo che il poeta sente di esser diventato».

Si tratta di un esempio, tra i tanti in Leopardi, di una poesia dove commozione e retorica sono inscindibili, dove saranno le ragioni del cuore a svolgere i modi dell'*amplificatio*, dove anzi la retorica si è trasformata in sostanza stessa del dettato poetico; e Monteverdi esaminerà con acutezza l'elaborata e complessa struttura formale del componimento.

Metro: il componimento sembra imitare la struttura di un madrigale a forma tripartita, con strofe di cinque versi ognuna che presentano due settenari sempre al primo e al quarto verso e con coda di un endecasillabo a solenne sigillo (vi appaiono rime e assonanze). Esiste quindi, sottostante al discorso, una partizione strofica, proprio a livello di quelle riprese sintattiche (*Or poserai... Posa per sempre... T'acqueta omai*) indicate dal Monteverdi come struttura di fondo del canto, nel quale «il progressivo variar dei concetti, dall'uno all'altro dei tre gruppi, ogni volta s'irradia, conseguente, da quel fermo spunto iniziale».

Or poserai per sempre,
stanco mio cor. Perì l'inganno estremo,
ch'eterno io mi credei. Perì. Ben sento,
in noi di cari inganni,
5   non che la speme, il desiderio è spento.
Posa per sempre. Assai
palpitasti. Non val cosa nessuna
i moti tuoi, né di sospiri è degna
la terra. Amaro e noia
10   la vita, altro mai nulla; e fango è il mondo.

(¹) *poserai*, ‹riposerai›.   (²) *stanco mio cor*: già in un passo di
Zibaldone, 4149, l'epigrafe del proprio cuore: « Io sono, mi si
perdoni la metafora, un sepolcro ambulante, che porto dentro di
me un uomo morto, un cuore già sensibilissimo che più non sente ». L'ulteriore esperienza amorosa è stata *l'inganno estremo*.
(³) *ch'eterno io mi credei*: ‹che pensai mi dovesse durare eternamente›.   *-Ben sento*: ‹capisco ormai chiaramente›.   (⁴) *in noi*,
‹in me e in te (cuore)›.   (⁵) *non che la speme* ecc.: ‹non solo
la speranza ma anche il desiderio›.   (⁶) *Posa per sempre*: il verbo dell'*incipit*, che segnalava la definitiva morte del cuore, è ora
ripreso all'imperativo, invito al cuore ad accettare come inevitabile e conseguente il proprio destino.   *-Assai*, ‹abbastanza› (detto con dolorosa ironia).   (⁶⁻⁷) *Assai / palpitasti*: cfr. Metastasio,
Attilio Regolo, atto II, scena 7: « Assai si pianse, assai / si palpi-
tò », con forte straniamento metrico della fonte; in →Leopardi
« l'accento sulla terza non trascina nessuna eco monotona, ma spegne in sé un verso arido e grandioso nel singhiozzo di tre sillabe » (Chiodaroli).   (⁷⁻⁸) *Non val... tuoi*: ‹non c'è cosa che meriti
le tue emozioni›.   (⁹⁻¹⁰) *Amaro e noia... nulla*: cfr. Petrarca,
Rime, CCCXII, 9-12: « né *altro sarà mai* ch'al cor m'aggiunga /
sì seco il seppe quella sepelire / ... / *Noia* m'è il viver ».   *-è
fango è il mondo*: altra vaga reminiscenza petrarchesca dal *Trionfo della Morte*, II, 35-6: « all'altre è *noia* / ch'ànno posto nel
fango ogni lor brama ». Ma le parole del Leopardi risuonano di

T'acqueta omai. Dispera
l'ultima volta. Al gener nostro il fato
non donò che il morire. Omai disprezza
te, la natura, il brutto
15   poter che, ascoso, a comun danno impera,
e l'infinita vanità del tutto.

un più moderno e drammatico contenuto ideologico.   (11-2) *Di-*
spera / l'ultima volta, anche la disperazione essendo un sentimento
vitale che cessa con la morte del cuore.   (13) *Omai disprezza*:
imperativo come i precedenti, ‹disprezza te stesso, ecc.›; in costruzione chiastica rispetto a *T'acqueta omai*, paronomasico e
allitterante con *dispera* di cui amplia, quasi in un *climax*, la materia fonica.   (14-5) *il brutto / poter*: non apposizione di *natura*
ma elemento distinto, apostrofato nell'abbozzo *Ad Arimane* come
« arcana / malvagità, sommo potere e somma / intelligenza,
eterno / dator de' mali ».

Posto dopo i due grandi canti d'amore e dopo *A se stesso*, quasi un consuntivo della propria passione compiuto con animo distaccato e impietoso rigore, il componimento appare per la prima volta in N e fu scritto quasi certamente a Napoli tra il 1833 e il 1835. Lo Spitzer, in una sua nota lettura di *Aspasia*, ha scorto nell'ideologia e nella struttura formale del canto il propagarsi di una concezione dualistica che ne costituirebbe l'elemento compositivo fondamentale. Ma l'amara ironia caratteristica di questo canto non risparmia le stesse zone di linguaggio platonizzante, cui Leopardi affidava, nel *Pensiero dominante*, la descrizione dei sublimi effetti prodotti nell'uomo dall'amore e dalla bellezza femminile. E sono semmai da segnalare gli esempi di un lessico significativamente derogante dal canone, come *fianco* del v. 18 per la prima volta, come ha ben visto il Peruzzi, al posto di *lato* (*fianco* è usato, nei *Canti*, soltanto per gli animali); come *bambini* al v. 23, ecc. Così è da sottolineare la rappresentazione realistica di interni e arredamenti; e se le *nitide pelli* discenderanno dalle *tiepide pelli* del Parini (*Mattino*, 259), non è senza significato che su un divano feticisticamente contemplato abbandoni il suo fianco un'«angelica forma», con chiaro indizio di amore-passione anche in questo contrasto tra situazione rappresentata e linguaggio. E così dicasi del *senhal* scelto per designare Fanny, col quale Leopardi «dà corpo all'inferiorità morale ed intellettuale della donna, e a lei dà il nome, classico ed infamante della πορνη concubina di Pericle» (Peruzzi).

Metro: endecasillabi sciolti.

Torna dinanzi al mio pensier talora
il tuo sembiante, Aspasia. O fuggitivo
per abitati lochi a me lampeggia
in altri volti; o per deserti campi,
5   al dì sereno, alle tacenti stelle,
da soave armonia quasi ridesta,
nell'alma a sgomentarsi ancor vicina
quella superba vision risorge.
Quanto adorata, o numi, e quale un giorno
10   mia delizia ed erinni! E mai non sento
mover profumo di fiorita piaggia,
né di fiori olezzar vie cittadine,

(²) *Aspasia*: nei canti precedenti anonima (nel *Pensiero domi-nante* e in *Amore e morte* non compare mai nemmeno il comune ‹donna›). Qui il nome proprio (Aspasia fu l'etera amata da Pericle) è segnale di *historia sui* e di amore-passione.   (²⁻⁴) *O fuggitivo... o per deserti campi*: le disgiuntive fanno pensare all'*incipit* della canzone *Alla sua donna*.   (³) *lampeggia*, come un improvviso balenare della passione sopita, cfr. *a sgomentarsi ancor vicina* detto dell'anima al v.7.   (⁵) *al dì sereno, alle tacenti stelle*, è temporale rispetto a *per deserti campi*: ‹quando il giorno è tranquillo e quando le stelle sono silenziose› (in contrapposizione al turbamento della passione di cui ai versi seguenti).
(⁶) *da soave armonia* ecc.: ‹quasi svegliata da una dolce musica›; ancora il contrasto tra la pace della natura, che risveglia il ricordo, e il possibile conseguente tumulto dell'anima (il *quasi* sembra voler sottolineare il paradosso).   (⁷) *ancor vicina*, perché può ancora essere trascinata nel giro del suo potere.   (⁸) *superba vision*: espressione collocata, quasi come un ossimoro, di fronte alla *soave armonia* che l'ha suscitata.   (¹⁰) *mia delizia ed erinni*: sintetizza, in concreta coppia ossimorica, la serie dei contrasti già enunciati; *erinni*, una delle Furie, usato come sineddoche per ‹furore, delirio›; cfr. *erinni* anche nell'*Ultimo canto di*

ch'io non ti vegga ancor qual eri il giorno
che ne' vezzosi appartamenti accolta,
15   tutti odorati de' novelli fiori
di primavera, del color vestita
della bruna viola, a me si offerse
l'angelica tua forma, inchino il fianco
sovra nitide pelli, e circonfusa
20   d'arcana voluttà; quando tu, dotta
allettatrice, fervidi sonanti
baci scoccavi nelle curve labbra
de' tuoi bambini, il niveo collo intanto
porgendo, e lor di tue cagioni ignari
25   con la man leggiadrissima stringevi
al seno ascoso e disiato. Apparve
novo ciel, nova terra, e quasi un raggio
divino al pensier mio. Così nel fianco

Saffo, 5.   ([13]) *ch'io non ti vegga*: la memoria va dall'esterno verso gli *appartamenti* per effetto proustiano del *profumo*, v.11 (la parola *appartamenti*, anche se di origine cinquecentesca, assai rara in poesia).   ([16-7]) *del color vestita / della bruna viola*: elemento coloristico concreto molto raro in Leopardi, « forse la sua unica vera notazione di colore » (Peruzzi). Il Solmi parla di « rilievo e colore che possono far pensare a un ritratto di pittore contemporaneo, per esempio dell'Appiani ».   ([18]) *forma*, nel significato di ‹figura›.   -*inchino il fianco*, ‹col fianco abbandonato›. ([20]) *dotta*, ‹esperta›.   ([22]) *baci*, ai bimbi « vivi quasi in una procacità incestuosa » (Binni); sulla seduzione del bacio ai bambini si ricordi il noto passo di una canzonetta del poeta veneziano Leonardo Giustinian (sec. xvi: « Talor tieni la man sotto la golta / tanto pietosamente; / poi prendi un putto in brazzo qualche volta / bàsilo dolcemente; / e poi vezzosamente / tu me riguardi e ridi, / che tu m'alcidi e struzi de dolcezza ».   ([23]) *bambini*: « Il Manzoni ha *pargoli* e *bamboli*; il Borghi *bamboli*; ecc... Il Manzoni, che nella prima edizione dei *Promessi Sposi* (cap. xxxv) aveva scritto: ‹balie con *bamboli* al petto›, nella seconda edizione corresse in *bambini* » (Migliorini, *Storia della lingua italiana*, il quale afferma che Leopardi, usando la parola *bambini* « fu certo ardito agli occhi dei classicisti »).   ([24]) *di tue cagioni*, ‹delle tue vere intenzioni›.   ([26]) *al seno* ecc.: G. De Robertis avverte un contrasto tra questo particolare sensuale e le successive espressioni « caste esultanti »; ma in quelle espressioni bisogna leggere amarezza e ironia per la capacità d'illusione del cuore umano, accecato finc

30 non punto inerme a viva forza impresse
    il tuo braccio lo stral, che poscia fitto
    ululando portai finch'a quel giorno
    si fu due volte ricondotto il sole.

    Raggio divino al mio pensiero apparve,
    donna, la tua beltà. Simile effetto
35 fan la bellezza e i musicali accordi,
    ch'alto mistero d'ignorati Elisi

a non scorgere *l'errore e gli scambiati oggetti* (v.46).   [28-32] *Così
nel fianco... il sole*: similitudine letteraria ricca di esempi nella
tradizione, applicata da Virgilio all'*infelix Dido* che vaga per la
città come una cerva ferita (*Aen.*, IV, 68 e sgg.) e ripresa dal
Petrarca, *Rime*, CCIX, 9 e sgg.: « Et qual cervo ferito di saetta /
[...] tal io, con quello stral dal lato manco, ecc. ». I versi del
Leopardi, pur nella loro enfasi retorica, vanno visti come segnale
di eros crudele; da essi direttamente discende il noto *refrain* di
Saba in *Brama*: « O nell'antica carne / dell'uomo addentro in-
fitta / antica brama, ecc. » (cfr. Lonardi, *Leopardismo*).   [29] *non
punto inerme*, ‹per niente indifeso› (perché non del tutto ignaro
dell'amore).   [31] *ululando*: « troppo, anche se vero » (De Robertis); ma è un uso simbolico, e non naturalistico, del verbo, come simbolicamente sono designati i due anni di passione al verso
seguente.   [32] *si fu due volte*, ‹il sole tornò due volte›, vedi nota al verso precedente.   [33] *Raggio divino* ecc.: ripetizione della
frase dei vv.26-8, con *apparve* posposto; suppone la ripresa del
concetto con una intensificazione della pronuncia poetica.
[34-7] *Simile effetto... rivelar*: cfr. *Zibaldone*, 1785-6 in data 24
settembre 1821, dove Leopardi parla degli effetti che sono prodotti sull'uomo dalla bellezza femminile e dalla musica, conclu-
dendo che « quanto vi ha d'innato, naturale, e universale, nel-
l'effetto della bellezza musicale ed umana, non appartiene alla
bellezza, ma al puro piacere, o all'inclinazione e natura dell'uomo che produce questo... »; frase che indica come il linguaggio
platonizzante del Leopardi non vada preso alla lettera, ma visto
come metafora poetica delle sue concezioni sensistiche (l'emozione generata non è nella qualità degli oggetti ma dentro di noi,
anche se questo *dentro* non suppone, nella filosofia leopardiana,
nessun innatismo).   [35-7] *ch'alto mistero... rivelar*: ‹che sembrano svelare l'arcano segreto di sconosciuti paradisi›; anche Montale in *Corno inglese* sull'effetto musicale del vento che suona
gli strumenti dei fitti alberi: « Nuvole in viaggio, chiari / reami

paion sovente rivelar. Vagheggia
il piagato mortal quindi la figlia
della sua mente, l'amorosa idea,
40   che gran parte d'Olimpo in se racchiude,
tutta al volto ai costumi alla favella
pari alla donna che il rapito amante
vagheggiare ed amar confuso estima.
Or questa egli non già, ma quella, ancora
45   nei corporali amplessi, inchina ed ama.
Alfin l'errore e gli scambiati oggetti
conoscendo, s'adira; e spesso incolpa
la donna a torto. A quella eccelsa imago
sorge di rado il femminile ingegno;

di lassù! D'alti Eldoradi / malchiuse porte! ». (37) *Vagheggia*: è verbo privilegiato di questo canto (due volte su tre occorrenze nei *Canti*), cfr. nota a *Le ricordanze*, v.75. (38) *il piagato mortal*, ‹l'uomo ferito›; il Fubini cita il sonetto di Alessandro Guidi (sec. XVII): « Non è costei della più bella idea », ricco di precise consonanze coi concetti sviluppati dal Leopardi nei versi seguenti, e di corrispondenze lessicali (ad es. Guidi: « io conosco l'errore e soffro il danno / perché mia colpa è 'l crudo oprar di lei »; e qui, ai vv.46-8: « alfin l'errore... / conoscendo s'adira; e spesso incolpa / la donna a torto »); ma cfr. anche, per l'amoroso inganno dell'immaginazione, il *Dialogo di T. Tasso e del suo Genio familiare*. (40) *che gran parte* ecc.: non donna reale, ma creata dall'immaginazione come una creatura di perfezione celeste; la *gran parte d'Olimpo* in una riflessione dello *Zibaldone*, 3914, 26 novembre 1823: « ...e nell'oggetto amato o goduto o amabile anche la persona più brutale sempre considera alquanto e in qualche modo *una parte occulta di esso oggetto* che accompagna ed anima e strettamente appartiene, abbraccia ed è congiunta a quella parte e a quelle membra che egli desidera, o ch'ei si gode, o ch'ei riguarda come amabili e desiderabili »; ‹modificazione› provocata, nelle epoche civili, dall'immaginazione e dal mistero, e ignota all'amore sessuale nello stato di natura. (41-2) *tutta* ecc.: cfr. il passo dello *Zibaldone* cit. alla nota precedente: « che accompagna ed anima e strettamente appartiene ecc. ». (43) *vagheggiare ed amar*: la coppia si ripete con *inchina ed ama* al v.45; i due verbi sembrano distribuirsi tra le due entità, quella dell'immaginazione e quella della realtà, la *parte occulta* e *le membra* secondo il succitato passo dello *Zibaldone*. (45) *inchina* ha valore transitivo. (49) *il femminile ingegno*, ‹la

50 e ciò che inspira ai generosi amanti
 la sua stessa beltà, donna non pensa,
 né comprender potria. Non cape in quelle
 anguste fronti ugual concetto. E male
 al vivo sfolgorar di quegli sguardi
55 spera l'uomo ingannato, e mal richiede
 sensi profondi, sconosciuti, e molto
 più che virili, in chi dell'uomo al tutto
 da natura è minor. Che se più molli
 e più tenui le membra, essa la mente
60 men capace e men forte anco riceve.
 Né tu finor giammai quel che tu stessa
 inspirasti alcun tempo al mio pensiero,
 potesti, Aspasia, immaginar. Non sai
 che smisurato amor, che affanni intensi,
65 che indicibili moti e che deliri
 movesti in me; né verrà tempo alcuno
 che tu l'intenda. In simil guisa ignora
 esecutor di musici concenti
 quel ch'ei con mano o con la voce adopra
70 in chi l'ascolta. Or quell'Aspasia è morta

natura femminile›. (⁵²) *Non cape*, ‹non trova posto›. (⁵³) *anguste fronti*: « Si noti qui e nel seguito della strofa l'atteggiamento crudamente e polemicamente misogino, al quale risponde
un linguaggio impacciato e pesante » (Fubini). Se l'atteggiamento di Leopardi non è accettabile nella sua generalizzazione, non
è detto che il giudizio non risponda a verità per quanto riguarda
la donna in questione. (⁵³) *male*, da unire a *spera* del v.55, ‹a
torto›. (⁵⁷) *più che virili*, ‹superiori talvolta anche alla maggior
parte degli uomini›. (⁵⁸) *da natura*, ‹per sua natura›. (⁵⁸⁻⁶⁰) *che
se... riceve*: cfr. Ovidio, *Heroides*, xix, 6-7: « fortius ingenium
suspicor esse viris; / ut corpus, teneris ita mens infirma puellis ».
(⁶¹) *Né tu*: vibrata ripresa del vocativo, con cui il poeta si allontana dalle zone di più intellettualistica riflessione del canto, ri-
prendendo il motivo di cui ai vv.50-3. (⁶²) *alcun tempo*, ‹per
qualche tempo›, con indeterminatezza nel passato, come in *Sopra il ritratto*, 17. (⁶⁸) *esecutor* ecc.: ripresa della similitudine
del v.55, in un canto dove effetto della musica ed effetto della
bellezza femminile sono spesso comparati tra loro, cfr. il passo
dello *Zibaldone* citato per i vv.34-7. (⁶⁹) *con mano o con la voce*, ‹con uno strumento o col canto›. *-adopra*, ‹provoca›.

che tanto amai. Giace per sempre, oggetto
della mia vita un dì : se non se quanto,
pur come cara larva, ad ora ad ora
tornar costuma e disparir. Tu vivi,
75   bella non solo ancor, ma bella tanto,
al parer mio, che tutte l'altre avanzi.
Pur quell'ardor che da te nacque è spento :
perch'io te non amai, ma quella Diva
che già vita, or sepolcro, ha nel mio core.
80   Quella adorai gran tempo; e sì mi piacque
sua celeste beltà, ch'io, per insino
già dal principio conoscente e chiaro
dell'esser tuo, dell'arti e delle frodi,
pur ne' tuoi contemplando i suoi begli occhi,
85   cupido ti seguii finch'ella visse,
ingannato non già, ma dal piacere
di quella dolce somiglianza un lungo
servaggio ed aspro a tollerar condotto.

Or ti vanta, che il puoi. Narra che sola
90   sei del tuo sesso a cui piegar sostenni
l'altero capo, a cui spontaneo porsi
l'indomito mio cor. Narra che prima,
e spero ultima certo, il ciglio mio
supplichevol vedesti, a te dinanzi
95   me timido, tremante (ardo in ridirlo

[71]) *oggetto*, ‹essa che fu l'unico pensiero›.   [72]) *se non se quanto* : calco dal latino (*nisi si*), ‹se non in quanto›.   [73]) *pur come cara larva*, ‹soltanto come amato fantasma›; secondo lo Spitzer « bisogna tradurre non vagamente come sogno, fantasma, ma concretamente *spettro, corpo d'un defunto* », ma si veda *Nelle nozze della sorella Paolina*, 2-3, *le beate / larve*, ‹i dolci sogni della giovinezza›; e in una variante della canzone *Alla sua donna*, v.4, *vaga larva* prima di *ombra diva* (cfr. l'edizione Moroncini, dove però si legge *vaga larga* con evidente errore).   [78]) *quella Diva* : « non già l'Aspasia vivente, ma l'amorosa idea che la stessa Aspasia ha per qualche tempo incarnato » (Solmi).   [81-2]) *per insino / già dal principio*, ‹fin dal primo momento›.   [82]) *conoscente e chiaro* : endiade di aggettivi, ‹chiaramente consapevole›. [84]) *i suoi begli occhi*, della *Diva* di cui al v.78.   [88]) *condotto*, ‹trascinato› (*dal piacere*, v.86).   [89]) *Narra* : ripetuto due volte; e

di sdegno e di rossor), me di me privo,
ogni tua voglia, ogni parola, ogni atto
spiar sommessamente, a' tuoi superbi
fastidi impallidir, brillare in volto
100   ad un segno cortese, ad ogni sguardo
mutar forma e color. Cadde l'incanto,
e spezzato con esso, a terra sparso
il giogo: onde m'allegro. E sebben pieni
di tedio, alfin dopo il servire e dopo
105   un lungo vaneggiar, contento abbraccio
senno con libertà. Che se d'affetti
orba la vita, e di gentili errori,
è notte senza stelle a mezzo il verno,
già del fato mortale a me bastante
110   e conforto e vendetta è che su l'erba
qui neghittoso immobile giacendo,
il mar la terra e il ciel miro e sorrido.

ripetizioni con *a cui... a cui, me... me* (90-1, 95-6) [98-9] *a' tuoi superbi / fastidi*, ‹al tuo superbo disprezzo›; cfr. Virgilio, *Ecl.*, II, 14-5: « tristes Amaryllidis iras / atque *superba* pati *fastidia* ».
[103-4] *E sebben pieni / di tedio*: il *senno* e la *libertà* del v.106.
[104-5] *dopo il servire... vaneggiar*: riferiti, anche se non con ordinata *rapportatio*, a *senno* e *libertà*, i due verbi esprimono lo sbandamento rispetto a quei beni che ora il poeta dichiara di aver recuperato; *vaneggiar* vicino a quel *vagheggiar* con cui Leopardi esprimeva l'illusione dell'amore, e quasi sua demistificazione.
[108] *è notte* ecc.: ‹è come una notte senza stelle nel cuore dell'inverno›. [109-10] *già del fato... vendetta*: ‹mi è conforto e vendetta sufficiente contro il destino› (che uccide ogni illusione).
[111] *neghittoso*, in totale assenza di moto e di desideri; sulla ‹neghittosità› Leopardi scriveva a Fanny in una lettera del 5 dicembre 1831 da Roma: «... io che non presumo di beneficare, e che non aspiro alla gloria, non ho torto di passare la mia giornata disteso su un sofà, senza battere una palpebra. E trovo molto ragionevole l'usanza dei Turchi e degli altri Orientali, che si contentano di sedere sulle loro gambe tutto il giorno, e guardare stupidamente in viso questa ridicola esistenza ».

Composta tra il 1831, data dall'edizione fiorentina dei
Canti, e il 1835 in cui essa appare per la prima volta nell'e-
dizione napoletana. Non si conosce l'opera d'arte in questione (*antico* può essere aggettivo poetico più che designa-
zione reale dell'epoca del monumento). In una lettera da
Roma a Carlotta Lenzoni, del 29 ottobre 1831, Leopardi
scriveva: «Ho veduto il bravo Tenerani... Non so se Ella
conosca un'altra Psiche ch'egli sta lavorando, come anche
un bassorilievo per la sepoltura di una giovane, pieno di
dolore e di costanza sublime.»

La giovinetta è, in questo canto, simbolo paradigmatico,
privo di nome e di riferimenti all'autobiografia del poeta
come Silvia o Nerina. La morte è rappresentata nell'estremo saluto della fanciulla che si dirige verso gli Inferi con
serenità e coraggio, in contrasto col dolore inconsolabile di
quelli che la attorniano. Solo per questi la morte rappresenta un evento d'infelicità senza rimedio, perché li priva
delle persone che erano oggetto del loro amore. Leopardi
conclude questo canto, ricco di alta *pietas*, con una serie di
pressanti domande alla «natura», e con la presa d'atto del
suo freddo silenzio.

Metro: canzone libera, fitta di rime e assonanze in clausola e al mezzo, dove la sintassi è contraddistinta dal «fraseg-
giare staccato e cadente» (Fubini).

Dove vai? chi ti chiama
lunge dai cari tuoi,
bellissima donzella?
Sola, peregrinando, il patrio tetto
5   sì per tempo abbandoni? a queste soglie
tornerai tu? farai tu lieti un giorno
questi ch'oggi ti son piangendo intorno?

Asciutto il ciglio ed animosa in atto,
ma pur mesta sei tu. Grata la via
10   o dispiacevol sia, tristo il ricetto
a cui movi o giocondo,
da quel tuo grave aspetto
mal s'indovina. Ahi ahi, né già potria
fermare io stesso in me, né forse al mondo
15   s'intese ancor, se in disfavore al cielo,
se cara esser nomata,

(¹) *Dove vai?*: la poesia inizia con una serie di trepide interrogazioni, come il *Canto notturno*. (³) *bellissima donzella*: anonima e scolpita nel marmo, ma come Silvia e Nerina simbolo della caducità delle speranze e delle illusioni. (⁴) *peregrinando*, ‹muovendo verso un luogo straniero›. (⁵) *a queste soglie*, ‹alla tua casa›. *-abbandoni*, assonante al mezzo, nel luogo della pausa sintattica, con *tuoi* del v.2. (⁷) *questi ch'oggi* ecc.: ‹i parenti che oggi ti attorniano in lacrime›. (⁸) *animosa in atto*, ‹in atteggiamento di coraggio›. (⁹) *pur*, ‹tuttavia›. (⁹⁻¹³) *Grata la via... mal s'indovina*: ‹È difficile capire dalla gravità del tuo viso se il viaggio che stai per intraprendere ti sia gradito o doloroso, se il luogo (*ricetto*) verso cui ti dirigi sia triste o lieto›; le due coppie aggettivali che esprimono l'alternativa sono disposte inversamente, ferma restando la simmetria sintattica. (¹⁴) *fermare io stesso in me*, ‹esserne certo io stesso›. (¹⁵) *s'intese an-*

se misera tu debbi o fortunata.

Morte ti chiama; al cominciar del giorno
l'ultimo istante. Al nido onde ti parti,
20   non tornerai. L'aspetto
de' tuoi dolci parenti
lasci per sempre. Il loco
a cui movi, è sotterra:
ivi fia d'ogni tempo il tuo soggiorno.
25   Forse beata sei; ma pur chi mira,
seco pensando, al tuo destin, sospira.

Mai non veder la luce
era, credo, il miglior. Ma nata, al tempo
che reina bellezza si dispiega
30   nelle membra e nel volto,
ed incomincia il mondo

cor, ‹non si è ancora riusciti a comprendere›. (¹⁵⁻⁷) *se in disfa-*
vore... o fortunata: i termini dell'ipotesi alternativa chiudono la
strofa in provvisoria sospensione di giudizio: ‹non so se devo dire di te che il cielo ti è sfavorevole o che gli sei cara, se devo chia-
marti fortunata o infelice›; *cielo* è in assonanza con le rime in
-etto dei vv. 10 e 12.   (¹⁸) *al cominciar del giorno*, ‹all'inizio della tua vita›.   (¹⁹) *l'ultimo istante*: l'ellissi del verbo, epigrafica,
si adatta alla natura sepolcrale del canto.   (²⁰) *L'aspetto*, latinismo per ‹sguardo›.   (²²) *loco*: è il *ricetto* del v. 10, là sfumato
nel vago latinismo, qui acremente determinato dall'avverbio *sotterra*.   (²⁴) *ivi fia d'ogni tempo* ecc.: ‹lì sarà per sempre la tua
dimora›; nel verso ancora un ricordo della giovanile lettura di
Ossian, cfr. nella versione del Cesarotti *Temora*, VIII, 311: « *qui
fia* nel buio *il mio soggiorno* ».   (²⁵⁻⁶) *ma pur... sospira*: ‹ma tuttavia chi guarda al tuo destino sospira nel suo intimo (*seco pensando*)›.   (²⁸) *Ma nata*, ‹ma poiché avevi ormai visto la luce›.
-al tempo è in dipendenza da *dileguarsi* del lontano v. 38, che
sottende anche la similitudine dei vv. 36-7: ‹dileguarsi al tempo
della giovinezza come una nube ecc.›, proposizione infinitiva che
costituisce il soggetto dell'ampio periodo che copre tutta la strofa.   (²⁹) *che reina bellezza si dispiega*, ‹che la bellezza si manifesta regalmente›.   (³¹⁻²) *ed incomincia... ad atterrarsi*: ‹e il
mondo incomincia ad inchinarsi a lei fin dal suo primo scorger-

verso lei di lontano ad atterrarsi;
in sul fiorir d'ogni speranza, e molto
prima che incontro alla festosa fronte
35   i lúgubri suoi lampi il ver baleni;
come vapore in nuvoletta accolto
sotto forme fugaci all'orizzonte,
dileguarsi così quasi non sorta,
e cangiar con gli oscuri
40   silenzi della tomba i dì futuri,
questo se all'intelletto
appar felice, invade
d'alta pietade ai più costanti il petto.

Madre temuta e pianta
45   dal nascer già dell'animal famiglia,

la›; *di lontano* perché il mondo scorge « solo dei timidi segni
prccorritori di quell'impero che eserciterà negli animi » (Levi), diverso quindi il *di lontano* da dove la speranza accenna allontanandosi nel finale di *A Silvia*. Nota *mondo* assonante con le rime *volto* e
molto dei versi 30 e 33.   (³⁴) *incontro alla festosa fronte*: l'avverbio *incontro* « dà un senso nemico all'immagine che segue e turba anticipatamente quella *festosa fronte* » (G. De Robertis); *incontro* è assonanza al mezzo con la clausola *molto* del precedente verso.   (³⁵) *i lúgubri suoi lampi* ecc.: ‹prima che, opponendosi alla festosità del suo viso, il vero vi faccia balenare i suoi
foschi lampi›; *baleni* ha valore transitivo-causativo come in Dante, *Inf.*, III, 163-4: « La terra lacrimosa diede vento / che *bale-
nò una luce* vermiglia ».   (³⁷) *sotto forme fugaci*: ‹in forma
senza durata, che mutano continuamente›.   (³⁸) *dileguarsi* ecc.:
cfr. la nota al v.28; *quasi non sorta* è da collegare a *Ma nata*
del v.28 a inizio del periodo: ‹ma dopo essere nata, dileguarsi
così come se non fossi mai esistita ecc.›.   (³⁹⁻⁴⁰) *e cangiar... i dì
futuri*: non dice ‹avere morte in cambio di vita›, ma ‹avere morte in cambio di un futuro non ancora vissuto›, futuro che negli
anni giovanili si configura pieno di felicità; *silenzi* separato per
l'*enjambement* dal suo epiteto come in *Angelo Mai*, 165 e *L'infinito*, 6.   (⁴¹) *questo*, ‹tutto ciò›.   (⁴¹⁻³) *se all'intelletto... il petto*:
‹se alla ragione può sembrare felice, colma di un sentimento
di pietà anche il cuore degli individui più filosoficamente conse-
guenti›.   (⁴⁴⁻⁵) *Madre temuta... famiglia*: ‹O natura, madre temuta e pianta dagli esseri animati fin dalla loro nascita›, concetto svolto dal Leopardi anche nel *Canto notturno*, vv.39-44.

natura, illaudabil maraviglia,
che per uccider partorisci e nutri,
se danno è del mortale
immaturo perir, come il consenti
50   in quei capi innocenti?
Se ben, perché funesta,
perché sovra ogni male,
a chi si parte, a chi rimane in vita,
inconsolabil fai tal dipartita?

55   Misera ovunque miri,
misera onde si volga, ove ricorra,
questa sensibil prole!
Piacqueti che delusa
fosse ancor dalla vita
60   la speme giovanil; piena d'affanni

(^{46}) *natura, illaudabil meraviglia*: il dittongo *au* di *illaudabil* in
dieresi (per cui la parola risulterà di cinque sillabe); cfr. anche il
v.61 dell'*Inno ai Patriarchi*: « segno arrecò d'instaurata spene ».
(^{46}) *che per uccider* ecc.: cfr. l'abbozzo dell'*Inno ad Arimane*: « produzione e distruzione ec., *per uccider partorisce* ec., sistema del
mondo, tutto patimen[to] ».   (^{49}) *immaturo perir*, ‹una morte precoce›.   (^{50})*capi innocenti*: le creature che muoiono ancora giovani e
prive di colpa; detto anche del fiore della *Ginestra*, vv.304-6:
« E piegherai / sotto il fascio mortal non renitente / *il tuo capo
innocente* ».   (^{51}) *Se ben*, ‹se è un bene›, da collegare al v.48:
se danno, ‹se è un male›.   (^{52}) *sovra ogni male*, ‹più di
ogni altra sventura›.   (^{54}) *fai*, sempre rivolto al vocativo *natura*
del v.46.   (^{56}) *onde si volga, ove ricorra*, ‹da qualunque parte si
giri in cerca di soccorso›.   (^{57}) *questa sensibil prole*: per il particolare significato di *sensibil* (legato al concetto dell'infelicità)
cfr. *Zibaldone*, 4133, 9 aprile, *Sabato in Albis*, 1825 (ma si veda
anche il prosieguo della riflessione in 4134): « Tutta la natura
è insensibile, fuorché solamente gli animali. E questi solo sono
infelici, ed è meglio per essi il non essere che l'essere, o vogliamo dire il non vivere che il vivere. Infelici però tanto meno
quanto sono sensibili... Gli enti sensibili sono per natura enti
souffrants, una parte essenzialmente *souffrante* dell'universo ».
(^{58}) *Piacqueti*, rivolto ancora a *natura* del v.46.   (^{59}) *ancor dalla vita*: interpreta, ‹che, per sovrappiù (*ancor*), la speranza giovanile fosse delusa da quella stessa vita alla quale fiduciosamen-

l'onda degli anni; ai mali unico schermo
la morte; e questa inevitabil segno,
questa, immutata legge
ponesti all'uman corso. Ahi perché dopo

65   le travagliose strade, almen la meta
non ci prescriver lieta? anzi colei
che per certo futura
portiam sempre, vivendo, innanzi all'alma,
colei che i nostri danni

70   ebber solo conforto,
velar di neri panni,
cinger d'ombra sì trista,
e spaventoso in vista
più d'ogni flutto dimostrarci il porto?

75   Già se sventura è questo
morir che tu destini
a tutti noi che senza colpa, ignari,
né volontari al vivere abbandoni,
certo ha chi more invidiabil sorte

te guardava›.   ([61]) *l'onda degli anni*: anche in *A un vincitore
nel pallone*, vv.5-6: «veloce / *piena degli anni*».   ([62-3]) *segno...
legge*: ambedue accompagnati da aggettivi con prefisso *in-* negativo: ‹e ponesti la morte come inevitabile sigillo e legge che
non si può mutare›; la negatività si colloca spesso in Leopardi
negli aggettivi e qui la congruenza della coppia è sottolineata
dalla ripetizione enfatica di *questa*.   *-segno* assonante con *schermo*.   ([64-6]) *Ahi perché... lieta*: ‹perché, dopo che abbiamo percorso con dolore le strade della vita, non hai prescritto che fosse almeno lieta la nostra fine?›   ([66]) *colei*, la morte.   ([67-8]) *che
per certo futura / portiam* ecc.: ‹che abbiamo sempre, vivendo,
davanti agli occhi come evento inevitabile e sicuro›.   ([71]) *velar*,
retto sempre da *perché* del v.64: ‹perché non rendere lieta ma
così triste e lugubre›.   ([73-4]) *e spaventoso... il porto*: ‹e farci apparire allo sguardo un porto più pauroso della stessa burrasca›;
stessa immagine nel *Dialogo di Plotino e di Porfirio*: «tu sei cagione che si veggano gl'infelicissimi mortali temere più il porto
che la tempesta»; *porto* di segno positivo nell'*Inno ai Patriarchi*,
102-3, per la rievocazione di una felice età dell'oro, nella quale
«di sperar contenta / nostra placida nave *in porto ascese*».
([78]) *né volontari*, ‹senza che noi l'abbiamo deciso, scelto›.   *-al
vivere abbandoni*, ‹lasci in balia della vita›.   ([79]) *certo ha... de'*

80   a colui che la morte
        sente de' cari suoi. Che se nel vero,
        com'io per fermo estimo,
        il vivere è sventura,
        grazia il morir, chi però mai potrebbe,
85   quel che pur si dovrebbe,
        desiar de' suoi cari il giorno estremo,
        per dover egli scemo
        rimaner di se stesso,
        veder d'in su la soglia levar via
90   la diletta persona
        con chi passato avrà molt'anni insieme,
        e dire a quella addio senz'altra speme
        di riscontrarla ancora
        per la mondana via;
95   poi solitario abbandonato in terra,
        guardando attorno, all'ore ai lochi usati

cari suoi: ‹certo chi muore ha una sorte invidiabile in confronto a colui che deve sopportare il dolore della morte dei suoi cari›; *a colui* è dativo retto, per latinismo, da *invidiabil*. [81] *nel vero*, ‹conforme a verità›. [82] *per fermo estimo*, ‹credo fermamente›. [84] *grazia il morir*: il chiasmo col verso precedente non riguarda qui soltanto l'ordine delle parole, ma mette in luce funzionalmente l'antitesi. [84-8] *chi però mai... di se stesso*: ‹chi però (per esser coerente con la propria convinzione che la morte è preferibile alla vita) riuscirebbe poi a desiderare, come sarebbe logico, la morte dei suoi cari, al punto di rimanere privo di una parte di se stesso›; *stesso* assonante con le rime in -*emo*, vv.86 e 87 (e cfr. anche *vero* al v.81). [89] *veder*, e i successivi infiniti *dire*, v.92 e *rimemorar*, v.97, tutti in dipendenza da *per dover* del v.87. Lungo brano sul lutto per la morte dei propri cari in *Zibaldone*, 4277-9, come dimostrazione « nel fondo del loro cuore » che gli uomini non credono all'immortalità. -*levar via*, quasi ‹strappare›; cfr. la canzone *Per una donna inferma di malattia lunga e mortale* (del 1819 e mai pubblicata dal Leopardi): « or non so chi né come *ce la leva* », v.23. [91] *con chi*: ancora vivi, nel primo Ottocento, gli scambi nell'uso di *che* e *chi* (il Migliorini cita un esempio dell'Amari: « la Francia, *a chi* si attribuisce... »); in questo, e nel seguente verso, ancora un'eco della canzone *Per una donna inferma*: « dirle per sempre addio ch'esser doveva / tanto tempo fra noi », vv.21-2. [92] *altra*, ‹nessuna›, come spesso in Leopardi, cfr. *Zibaldone*, 3588 e molti

rimemorar la scorsa compagnia?
Come, ahi come, o natura, il cor ti soffre
di strappar dalle braccia
100 all'amico l'amico,
al fratello il fratello,
la prole al genitore,
all'amante l'amore: e l'uno estinto,
l'altro in vita serbar? Come potesti
105 far necessario in noi
tanto dolor, che sopravviva amando
al mortale il mortal? Ma da natura
altro negli atti suoi
che nostro male o nostro ben si cura.

---

altri luoghi, dov'è registrato, con esempi della tradizione letteraria, questo significato di *altro*.   [93] *riscontrarla*, ‹rincontrarla›
(ottenuto dall'arcaico *scontrare* per ‹incontrare›).   [95] *poi solitario*, ‹poi rimasto solo sulla terra›.   [96] *all'ore ai lochi* non
dipende da *guardando attorno* ma, come segnala la virgola, da
rimemorar: ‹ricordando, in ore e luoghi dell'antica, affettuosa
abitudine, una compagnia che non c'è più›.   [103] *e l'uno estinto*: ‹e dopo aver fatto morire l'uno›.   [108] *Ma da natura* ecc.:
‹ma diverse sono le finalità della natura che non si occupa minimamente del nostro bene o della nostra felicità›; sul contrasto tra i fini generali della natura e il fine naturale dell'uomo
cfr. *Zibaldone*, 4127-32.

Per la data di composizione vedi la nota al canto precedente.

La strenua elaborazione formale (si veda l'abbondanza di rime e assonanze) si accompagna in questo canto, nei confronti del precedente, a un più esplicito proposito ideologico, suffragato da numerose riflessioni che Leopardi sullo *Zibaldone* aveva dedicato a questo argomento. La morte è qui vista come devastatrice della bellezza (con accenti alla Varano, vedi vv. 18-9), e, nel contempo, fine dei sublimi sentimenti che quella bellezza suscitava nei cuori umani; e ricorre, a questo proposito, il paragone coi sentimenti suscitati dalla musica, che risiedono dentro di noi e non nella melodia o negli strumenti. Il mistero è quello della materia che, tanto è in grado di creare le alte illusioni dell'amore e della poesia, quanto fragile e destinata a perire (*ossa* appunto e *fango*). Le domande (che appaiono nel finale come nel canto precedente) sono rivolte ancora alla «natura» per chiedere ragione dell'inevitabile spegnersi dei più nobili sentimenti per *sì basse cagioni*.

Metro: valgono le osservazioni fatte per il canto precedente, tenendo conto della presenza, ancora più fitta, di assonanze e rime (e rime e assonanze al mezzo).

Tal fosti : or qui sotterra
polve e scheletro sei. Su l'ossa e il fango
immobilmente collocato invano,
muto, mirando dell'etadi il volo,
5   sta, di memoria solo
e di dolor custode, il simulacro
della scorsa beltà. Quel dolce sguardo,
che tremar fe', se, come or sembra, immoto
in altrui s'affisò; quel labbro, ond'alto
10   par, come d'urna piena,
traboccare il piacer; quel collo, cinto
già di desio; quell'amorosa mano,
che spesso, ove fu porta,
sentì gelida far la man che strinse;
15   e il seno, onde la gente
visibilmente di pallor si tinse,

(¹) *Tal fosti*, come appari in questa scultura.   (²) *Su l'ossa e il fango* : l'amplificazione sinonimica è disposta chiasticamente rispetto alla coppia *polve e scheletro*. Con *fango* s'inizia una serie di assonanze : *simulacro* 6, *sguardo* 7, *alto* 9 (e *invano* 2 rimerà con *mano* 12).   (³) *collocato* da unire a *simulacro* del v.6.
(⁴) *mirando* è assonanza al mezzo con *invano*, vedi nota al v.2.
(⁵) *solo*, ‹solamente›, perché può soltanto servire al dolore e al ricordo, la beltà essendo *scorsa* (v.7), cioè di un tempo passato.
(⁸) *fe'*, ‹fece›. -come or sembra, ma è illusione del marmo scolpito.   (⁹) *alto*, usato avverbialmente per *traboccar*; interpreta: ‹quel labbro dal quale, come da un'urna colma, sembra profondamente traboccare il piacere›.   (¹¹) *quel collo* ecc.: ‹quel collo che il desiderio sognava di cingere›.   (¹³) *ove*, con valore temporale, ‹quando, ogni volta che›.   (¹⁴) *sentì gelida far* ecc.: ‹sentì diventare gelida› (*far* assoluto per il riflessivo).   (¹⁵) *onde*, ‹per il quale›.   (¹⁶) *di pallor si tinse* : in una traduzione del Leopardi da Archiloco (*Cosa non è che al mondo*) ritroviamo la stes-

furo alcun tempo : or fango
ed ossa sei : la vista
vituperosa e trista un sasso asconde.

20 Così riduce il fato
qual sembianza fra noi parve più viva
immagine del ciel. Misterio eterno
dell'esser nostro. Oggi d'eccelsi, immensi
pensieri e sensi inenarrabil fonte,
25 beltà grandeggia, e pare,
quale splendor vibrato
da natura immortal su queste arene,
di sovrumani fati,
di fortunati regni e d'aurei mondi
30 segno e sicura spene
dare al mortale stato :
diman, per lieve forza,
sozzo a vedere, abominoso, abbietto

sa espressione: « tal che la gente *di pallor si tinse* » (a causa del-
l'oscurarsi del sole per un'eclisse); ma cfr. anche Petrarca, *Rime*,
CCXXIV, 8: « s'un *pallor* di viola et d'amor *tinto* ». ([17]) *furo al-*
cun tempo, ‹esistettero brevemente nel passato›, cfr. la nota al
v.62 di *Aspasia*. ([17-8]) *or fango / ed ossa*, iterato dal v.2, con
scambio di posizione e forte *enjambement*. ([18]) *la vista / vitu-*
perosa e trista, oggetto di *asconde*, ‹la visione turpe e miseranda
dei suoi resti mortali›. ([21]) *qual sembianza*, ‹qualunque sembianza›. *-parve*: cfr. *Aspasia*, ai vv.26-8 e 33-4, dove il verbo,
significante una rivelazione di celeste bellezza, è *apparve*.
([22]) *Misterio eterno*, ‹mistero che non è mai stato né sarà mai
risolto› (come cioè da una *sembianza* mortale, destinata al di-
sfacimento, possano sorgere così alti sentimenti). ([23-31]) *Oggi*
d'eccelsi... al mortale stato: ‹Oggi, fonte arcana di pensieri e
sentimenti grandi e alti, trionfa la bellezza come uno splendore
che una natura immortale irraggi su questo deserto e sembra
quasi offrire alla condizione umana un'immagine e una sicura
promessa di divini destini, di regni beati e mondi d'oro; domani ecc.› ([24]) *fonte* in assonanza con *asconde* al v.19. ([32]) *per*
lieve forza, ‹per una lieve causa materiale›. ([33]) *vedere* in assonanza al mezzo con *arene* e *spene*. ‚*abominoso, abbietto* allitteranti per identità del prefisso; *abominoso* è parola rara (Fubini
cita esempi ariosteschi); ma è da notare il tono alla Varano del

divien quel che fu dianzi
35   quasi angelico aspetto,
e dalle menti insieme
quel che da lui moveva
ammirabil concetto, si dilegua.

Desiderii infiniti
40   e visioni altere
crea nel vago pensiere,
per natural virtù, dotto concento;
onde per mar delizioso, arcano
erra lo spirto umano,
45   quasi come a diporto
ardito notator per l'Oceano:
ma se un discorde accento
fere l'orecchio, in nulla
torna quel paradiso in un momento.

verso, come giustamente indica il Binni (anche per *la vista / vituperosa e trista* dei vv.18-9). (³⁶) *insieme* assonante con *arene* e *spene*. (³⁷) *quel che da lui* ecc.: ‹quell'alto concetto che nasceva contemplando il suo volto›. (³⁸) *si dilegua* assonante con *moveva*. (⁴⁰) *visioni altere*, ‹visioni alte, superbe› (*visioni* di quattro sillabe). (⁴²) *dotto concento*, ‹una musica eseguita da mani esperte›; *dotto* prepara il contrasto con *discordie* del v.47. Il poeta dice *per natural virtù* perché, come annota in una delle prime pagine dello Zibaldone, 79, « le altre arti imitano ed esprimono la natura da cui si trae il sentimento, ma la musica non imita e non esprime che lo stesso sentimento in persona, ch'ella trae da se stessa, e non dalla natura, e così l'auditore ». (¹⁵⁶) *quasi... per l'Oceano*: aggiunge ulteriori, non necessarie note alla similitudine del mare; *Oceano* accentata sulla penultima. (⁴⁷) *un discorde accento*, ‹un suono stonato›. (⁴⁸) l'*orecchio*, assonante al mezzo con *accento*. (⁴⁸⁻⁹) *in nulla / torna quel paradiso*: il paradiso che si nullifica è l'*ammirabil concetto* del v.38 che *si dilegua* insieme al corpo che l'aveva prodotto. Il paragone istituito tra musica e bellezza, non nuovo nei *Canti* (cfr. *Aspasia*, vv.34-7 e nota) trova riscontro in numerose pagine dello Zibaldone dov'è inquadrato nella leopardiana teoria del piacere; si veda ad esempio Zibaldone, 1782, sugli effetti della musica che « immerge l'ascoltante in un abisso confuso di innumerabili e indefinite sensazioni... gli desta idee e sentimenti affatto arbitrarii e indipendenti dalla qualità di quella tal musica

50 Natura umana, or come,
se frale in tutto e vile,
se polve ed ombra sei, tant'alto senti?
Se in parte anco gentile,
come i più degni tuoi moti e pensieri
55 son così di leggeri
da sì basse cagioni e desti e spenti?

e dall'intenzione dell'esecutore », effetto che dipende unicamente
dalla facoltà arbitraria che hanno suono e canto di « *afficere* piacevolmente l'orecchio e di eccitare... l'immaginazione ». Come
basta un *discorde accento*, che guasti il piacere, perché anche le
sublimi sensazioni finiscano, così l'alto sentimento prodotto dalla
bellezza femminile era qualcosa di diverso dalla bellezza e non
sopravvive alla sua corruzione e scomparsa.   ([50]) *Natura* ecc.:
il finale è formato di trepide interrogative in sospensione di giudizio. Malgrado la lucida consapevolezza razionale, il poeta esprime il suo stupore sulla capacità dell'uomo di provare pensieri e
sentimenti sublimi per una materia caduca e mortale (cfr. il *Misterio eterno* del v.22).   ([51]) *se frale in tutto e vile*: ‹se il tuo essere è composto unicamente di materia fragile e vile›.   ([52]) *se
polve ed ombra*: cfr. Orazio, *Carm.*, IV, 7, 16: « pulvis et umbra
sumus » e Petrarca, *Rime*, CCXCIV, 12: « veramente siam noi polvere et ombra ».   ([53]) *Se in parte* si contrappone a *in tutto* del
v.51: ‹se (pur essendo *in tutto* materia) hai anche in te una
parte nobile, elevata›.   ([54]) *come*, ‹come avviene che›.   *-moti
e pensieri*: cfr. *pensieri e sensi* al v.24.   ([55]) *di leggeri*, ‹facilmente›.   ([56]) *da sì basse cagioni*, ‹da cagioni materiali›, come
la bellezza dei corpi e la loro dissoluzione, che fanno nascere e
morire quegli alti sentimenti che comunemente si vorrebbero spirituali. Per il finale di interrogative vedi *Il pensiero dominante*,
nota ai vv.145-7.

Apparsa per la prima volta in N, non si conosce la data di composizione che va collocata tra il 1831, anno dell'edizione fiorentina dei *Canti*, e il 1835. Elementi interni utili alla datazione sono la parola *choléra*, che è posteriore al 1832 (cfr. Migliorini, *Storia della lingua italiana*, Firenze 1960) e l'accenno alla partenza del Tommaseo da Firenze, che è dei primi mesi del 1834 (quest'ultimo indizio è il più determinante).

È il più vicino, tra i *Canti*, ai *Paralipomeni della Batracomiomachia*, il «libro terribile» dove il Leopardi fa la satira sia del mondo tirannico della Restaurazione che dei movimenti liberal-moderati. Il tono polemico contro «l'età superba / che di vòte speranze si nutrica», trova qui i modi di una corrosiva ironia, lontani dall'accento eroico del *Pensiero dominante* e del *Dialogo di Tristano e di un amico* (1832).

La satira è concepita come genere «farcito» secondo il modulo settecentesco-pariniano, che accosta arcaismi (relativi alla propria tendenza classicistica, e operanti una specie d'ironica faziosità delle scelte linguistiche) con termini tecnici della vita contemporanea. Nella *Palinodia* l'*hapax* è di casa: accanto a parole d'uso come *sigari, gelati, gazzette, boa*, troviamo latinismi e arcaismi di forte evidenza, culta come *saver, moltiplici, auro, adamante, late*, ai quali è affidato il compito di segnalare, anche linguisticamente, la natura particolare del genere.

Metro: endecasillabi sciolti.

Errai, candido Gino; assai gran tempo,
e di gran lunga errai. Misera e vana
stimai la vita, e sovra l'altre insulsa
la stagion ch'or si volge. Intolleranda
5   parve, e fu, la mia lingua alla beata
prole mortal, se dir si dee mortale
l'uomo, o si può. Fra maraviglia e sdegno,

(¹) *candido*: l'aggettivo s'inquadra lessicalmente nel tono di « epi-stola » del canto, cfr. il noto *incipit* oraziano (*Epist.*, 1, 4): « Albi nostrorum sermonum *candide* iudex », con lo stesso significato di ‹sincero, benevolo, non prevenuto›. -*Gino*: Gino Capponi (1792-1876), nobile fiorentino, letterato e pedagogista, fondatore assie-me al Viesseux dell'« Antologia » e dell'« Archivio storico », rap-presentante delle tendenze liberalmoderate fiorentine. Il Leopardi lo conobbe nel '27 durante il suo soggiorno a Firenze. In una lettera al Tommaseo del novembre del '35 il Capponi scrive: « Il Leopardi m'ha scaricato addosso certi suoi sciolti, dove gen-tilmente mi cogliona come credente a' giornali, a' baffi, a' sigari, alla sapienza ed alla beatitudine del secolo. E poi prova al solito, come quattro e quattr'otto, che la natura ci attanaglia e chi l'ha fatta è un boia ». Più meditato il giudizio del Capponi in una lettera del 1875 al vicentino senatore Fedele Lampertico. (⁴) *la stagion ch'or si volge*, ‹il secolo presente›. -*Intolleranda*, ‹in-tollerabile›; esprime l'isolamento del poeta nel gruppo fiorentino; e ‹intollerabile› è parso ad alcuni critici il tono della *Palinodia*, così al De Robertis che lo giudica in più d'un punto « acre, di-spettoso, ingiusto ». Ma « l'estremismo polemico dell'ultimo Leo-pardi contro il *candore* moderato, può essere giudicato sconve-niente ed eccessivo solo da chi non avverta la violenza uguale e contraria contro cui si esercita, e di cui costituisce una prova indiretta non trascurabile » (Bollati). (⁷) *Fra maraviglia e sde-gno*: nel *Dialogo di Tristano e di un amico*: « *Amico*. Vi prego, non fate di codesti discorsi con troppe persone, perché vi acqui-

dall'Eden odorato in cui soggiorna,
rise l'alta progenie, e me negletto
10   disse, o mal venturoso, e di piaceri
o incapace o inesperto, il proprio fato
creder comune, e del mio mal consorte
l'umana specie. Alfin per entro il fumo
de' sigari onorato, al romorio
15   de' crepitanti pasticcini, al grido
militar, di gelati e di bevande
ordinator, fra le percosse tazze
e i branditi cucchiai, viva rifulse
agli occhi miei la giornaliera luce
20   delle gazzette. Riconobbi e vidi
la pubblica letizia, e le dolcezze

sterete molti nemici ». (8) *dall'Eden odorato*, ‹dal paradiso terrestre›, fortemente ironico contro la falsa coscienza ottimistica dei liberalmoderati. *-in cui soggiorna*, come stuolo di dei abituati a *securum agere aevum* (cfr. nel verso successivo *alta progenie*, quasi di celesti). (9) *negletto*, ‹trascurato dagli altri›. Costruisci coi versi seguenti: ‹E disse che io, essendo abbandonato dagli altri o sfortunato ecc., credevo che il mio destino individuale fosse quello comune dell'umanità›. (10) *mal venturoso*, ‹sfortunato, infelice›. (11-3): contro questo giudizio dei suoi avversari il Leopardi protesta nella nota lettera al De Sinner del 24 maggio 1832 (« l'on a voulu considérer mes opinions philosophiques comme le résultat de mes souffrances particulières ») e nel *Dialogo di Tristano e di un amico*. (13) *per entro*, ‹attraverso›; « e par che annunci un non so che di guerra » (De Robertis). (16) *militar*: un grido vibrato come un ordine marziale.
(19-20) *la giornaliera luce / delle gazzette*, ‹i giornali che vedono la luce ogni giorno›; ma *giornaliera* riferito anche alla loro caducità, e *luce* ironico nei confronti dei lumi che il secolo attinge ai giornali. Nel *Dialogo di Tristano e di un amico*: « Credo ed abbraccio la profonda filosofia de' giornali, i quali uccidendo ogni altra letteratura e ogni altro studio, massimamente grave e spiacevole, sono maestri e *luce* dell'età presente ». Anche nei *Paralipomeni*, I, (34-35), una sferzante satira dei giornali, con probabile riferimento al gabinetto di lettura del Capponi: « Gabinetto di pubblica lettura, / con legge tal, che da giornali in fuore / libro non s'accogliesse in quelle mura, / che di due fogli al più fosse maggiore; / perché credea che sopra tal misura / stender non si potesse uno scrittore / appropriato ai bisogni uni-

del destino mortal. Vidi l'eccelso
stato e il valor delle terrene cose,
e tutto fiorì il corso umano, e vidi
25   come nulla quaggiù dispiace e dura.
Né men conobbi ancor gli studi e l'opre
stupende, e il senno, e le virtudi, e l'alto
saver del secol mio. Né vidi meno
da Marrocco al Catai, dall'Orse al Nilo,
30   e da Boston a Goa, correr dell'alma
felicità su l'orme a gara ansando
regni, imperi e ducati; e già tenerla
o per le chiome fluttuanti, o certo
per l'estremo del boa. Così vedendo,
35   e meditando sovra i larghi fogli
profondamente, del mio grave, antico

versali / politici economici e morali ».   (24) *e tutto fiorì*: cfr.
l'*Eden odorato* del v.8.   (25) *come nulla quaggiù* ecc.: parodia
del verso del Petrarca: « come nulla qua giù diletta et dura »
(*Rime*, CCXI, 14); la sostituzione di *diletta* con *dispiace* sposta il
punto di più intensa connotazione a *dura*, che acquista un significato fortemente ironico.   (26) *studi*, ‹occupazioni›.   (27) *il senno, e le virtudi*, qualità rispettive degli *studi* e delle *opre*.
(28) *saver* è forma della più antica tradizione poetica (già presente
come consacrato provenzalismo in Petrarca); Leopardi lo usa solo nella *Palinodia* (anche al v.152 *savere*): voluto arcaismo con
funzione di effetto chiaroscurale rispetto alla serie di neologismi
e di parole realistiche presenti nel canto (*sigari, gelati, gazzette,
boa*, ecc.)   (29) *da Marrocco* ecc.: la perifrasi geografica per dire
‹da occidente ad oriente› (*da Marrocco al Catai*) e ‹da nord a
sud› (*dall'Orse*, i ‹semptem Triones›, *al Nilo*) è qui parodia di
un modulo classicistico, e prepara la realistica sprezzatura del
successivo *e da Boston a Goa*; cfr. Ariosto, *Satire*, III, 199: « Dal
Marrocco al Catai, dal Nilo in Dazia ».   (30-4) *correr dell'alma...
del boa*: ‹regni, ducati, imperi correre anelanti sulla traccia della felicità nostro principio vitale (*alma*), e già afferrarla per i capelli sparsi al vento o per l'estremità del boa›: figurazione della
felicità acconciata e vestita alla moda; *boa* in una nota del Leopardi.: « Pelliccia in figura di serpente, detta dal tremendo rettile di questo nome, nota alle donne gentili de' tempi nostri. Ma
come la cosa è uscita di moda, potrebbe anche il senso della parola andare fra poco in dimenticanza »; *boa* si apparenta, per in-

errore, e di me stesso, ebbi vergogna.

Auro secolo omai volgono, o Gino,
i fusi delle Parche. Ogni giornale,
40   gener vario di lingue e di colonne,
da tutti i lidi lo promette al mondo
concordemente. Universale amore,
ferrate vie, moltiplici commerci,
vapor, tipi e *choléra* i più divisi
45   popoli e climi stringeranno insieme :
né maraviglia fia se pino o quercia
suderà latte e mele, o s'anco al suono

conscia simpatia fonica, con *Goa*.   ([37]) *Aureo secolo*: il testo
prende un tono parodisticamente profetico, quasi ad imitare,
nell'annuncio dei nuovi tempi, la quarta egloga di Virgilio dove
si preannunziava la seconda età dell'oro. Qui è tradotto alla lettera un passo di Simmaco (citato per questioni di ordine grammaticale in *Zibaldone*, 1181): « iamdudum aureum saeculum
currunt fusa parcarum », a sua volta echeggiante Virgilio, *Ecl.*,
IV, 46-7: « Talia saecla, suis dixerunt, currite, fusis / concordes
stabili fatorum numine Parcae ».   ([40]) *gener vario* ecc.: ‹ genere
che varia a seconda della lingua in cui è scritto e dell'impagina-
zione › (per il resto essendo i giornali del tutto simili tra loro).
([43]) *ferrate vie*: l'aggettivo *ferrate* che ha funzione enunciativa
(*via ferrata* è l'espressione in voga nel tempo, il termine *ferro-
via* apparirà solo nel 1852) viene anteposto al sostantivo come
fosse un epiteto (l'ironia del genere satirico si avvale, secondo
l'esempio pariniano, della metaironia dei propri moduli classicistici). -*moltiplici*: voluto latinismo in funzione di espressiva mesci-
danza linguistica, cfr. la nota al v.28.   ([44]) *vapor, tipi e choléra*,
‹ le macchine a vapore, la stampa e le epidemie di colera › (più
facili a diffondersi per i maggiori contatti tra i popoli); *choléra*,
dal nome scientifico *cholera morbus* (che è del 1832). Il Leopardi
pone l'accento sulla penultima per la tendenza, diffusa al suo
tempo, di pronunciare *còlera*; in un sonetto del Belli del 1835:
« Bbasta, o sse chiami còllera o ccollèra » (cfr. Migliorini, *Storia
della lingua italiana*). Il diffondersi del morbo, con caratteri epide-
mici, dal 1832 in poi, permette l'inserto apocalittico del colera
tra le realtà che favoriscono nuovi modi di comunicazione e conoscenza tra i popoli.   ([46]) *fia*, ‹ sarà ›.   ([47]) *mele*, ‹ miele ›; il verso fa il controcanto a Virgilio, cit., v.30: « et durae quercus su-
dabunt roscida mella ».   ([48]) *walser* (nell'edizione napoletana del

d'un *walser* danzerà. Tanto la possa
infin qui de' lambicchi e delle storte,
50   e le macchine al cielo emulatrici
crebbero, e tanto cresceranno al tempo
che seguirà; poiché di meglio in meglio
senza fin vola e volerà mai sempre
di Sem, di Cam e di Giapeto il seme.

55   Ghiande non ciberà certo la terra
però, se fame non la sforza: il duro
ferro non deporrà. Ben molte volte
argento ed or disprezzerà, contenta
a polizze di cambio. E già dal caro
60   sangue de' suoi non asterrà la mano
la generosa stirpe: anzi coverte
fien di stragi l'Europa e l'altra riva
dell'atlantico mar, fresca nutrice
di pura civiltà, sempre che spinga
65   contrarie in campo le fraterne schiere
di pepe o di cannella o d'altro aroma

'35 *valse*, poi corretto a penna dall'autore); in corsivo come *choléra* al v.44 e *pamphlets* al v.206; la presenza di parole straniere
proseguirà con nomi di personaggi e città.   (⁴⁹) *infin qui*, ‹a
tutt'oggi›, da unire a *crebbero* del v.51.   *-lambicchi... storte*:
utensili della chimica alla quale il Leopardi si riferisce come capace (non più per intervento divino ma per miracolo di scienza)
di estrarre latte e miele dalle querce e far danzare gli alberi.
(⁵⁰) *e le macchine* ecc., ‹le macchine rivali del cielo› (per la loro
potenza); reminiscenza del virgiliano *aequataque machina caelo*,
Aen., ɪᴠ, 89, dove però *machina* indica ‹alte costruzioni di edifici›.   (⁵⁵) *ciberà* transitivo, ‹la terra non si ciberà di ghiande›,
spontaneo e non sudato frutto dell'età dell'oro.   (⁵⁶) *se fame* ecc.:
accenno apocalittico, come il colera, alla natura nemica.   (⁵⁶⁻⁷) *il
duro / ferro* ecc.: metallo inesistente nella prima, felice età del
mondo, dove non c'erano armi né strumenti di lavoro.   (⁵⁸) *argento ed or* ecc.: come a dire ‹la nuova epoca somiglierà a quella
prima epoca del mondo nel disprezzo dell'oro, perché lo avrà sostituito coi biglietti di banca›.   (⁶⁰) *de' suoi*, ‹dei propri simili›.
(⁶¹) *generosa*, detto ironicamente.   (⁶²) *fien*, ‹saranno›.   -*l'altra
riva*: l'America.   (⁶³) *fresca nutrice*: di nascita recente e già ci-

fatal cagione, o di melate canne,
o cagion qual si sia ch'ad auro torni.
Valor vero e virtù, modestia e fede
70   e di giustizia amor, sempre in qualunque
pubblico stato, alieni in tutto e lungi
da' comuni negozi, ovvero in tutto
sfortunati saranno, afflitti e vinti;
perché diè lor natura, in ogni tempo
75   starsene in fondo. Ardir protervo e frode,
con mediocrità, regneran sempre,
a galleggiar sortiti. Imperio e forze,
quanto più vogli o cumulate o sparse,
abuserà chiunque avralle, e sotto
80   qualunque nome. Questa legge in pria
scrisser natura e il fato in adamante;
e co' fulmini suoi Volta né Davy

tata ad esempio di *pura civiltà* (detto con ironia). Come osserva il Fubini, l'anno della *Palinodia* è lo stesso in cui esce l'opera del Tocqueville *De la démocratie en Amérique*. [67] *fatal cagione*: i genitivi collocati in anastrofe nel verso precedente (che spiegano la reale natura della ‹causa ineluttabile›) intensificano il carattere antifrastico dell'espressione. L'allusione è al colonialismo europeo e alla possibilità di guerre per lo sfruttamento di terre e risorse pregiate. *-melate canne*, ‹canne da zucchero›.
[68] *ch'ad auro torni*, ‹che si risolva in arricchimento›; *auro* solo qui nei *Canti*, altrove sempre *oro*: arcaismo della serie illustrata alle note 28 e 43. [69-73] *Valor vero... vinti*: ‹Gli uomini che veramente valgono, che hanno modestia e fede e amore della giustizia, o si asterranno (*alieni... saranno*) dall'impegno politico (*da' comuni negozi*), o se vi prenderanno parte non avranno successo e verranno sopraffatti; questo in qualunque tipo di ordinamento politico (*in qualunque / pubblico stato*)›. [75] *starsene in fondo*, ‹affondare, soccombere›. [77] *a galleggiar sortiti*, ‹destinati ad aver successo sugli altri›; *galleggiar* è antonimo di *starsene a fondo*, 75. *-Imperio e forze*, quasi un'endiadi per ‹il potere›. [78] *quanto più vogli*, ‹come tu preferisca›. *-cumulate o sparse*: ‹potere assoluto o distribuito secondo un altro sistema›, « quel che, se in verso non istesse male / avrei chiamato costituzionale » (*Paralipomeni*, III, 39, 7-8). [79] *abuserà* transitivo, suo oggetto *imperio e forze* del v.77. [80] *in pria*, ‹fin dal principio›. [81] *in adamante*, ‹nel (duro) diamante›; arcaismo nella serie di *saver, auro* ecc. [82] *Volta né Davy*:

lei non cancellerà, non Anglia tutta
con le macchine sue, né con un Gange
85   di politici scritti il secol novo.
Sempre il buono in tristezza, il vile in festa
sempre e il ribaldo : incontro all'alme eccelse
in arme tutti congiurati i mondi
fieno in perpetuo : al vero onor seguaci
90   calunnia, odio e livor : cibo de' forti
il debole, cultor de' ricchi e servo
il digiuno mendico, in ogni forma
di comun reggimento, o presso o lungi
sien l'eclittica o i poli, eternamente
95   sarà, se al gener nostro il proprio albergo
e la face del dì non vengon meno.

Queste lievi reliquie e questi segni

Alessandro Volta (1745-1827) inventore della pila e Humphry
Davy (1778-1829) chimico e inventore, che diede il suo nome alla lampada di sicurezza per minatori. (84-5) *con un Gange / di
politici scritti*: il nome proprio per il nome comune (e *Gange*
in simpatia fonica con *Anglia*); fitte le discussioni politiche nei
primi decenni del secolo, a proposito delle quali Leopardi scriveva da Roma a Fanny Targioni Tozzetti (il 5 dicembre 1831): « Sapete ch'io abbomino la politica perché credo, anzi vedo che gl'individui sono infelici sotto ogni forma di governo; colpa della natura che ha fatti gli uomini all'infelicità... » (89) *fieno*, ‹saranno›. *-seguaci*, sottinteso *fieno*, ‹si accompagneranno (irrimediabilmente) al vero onore ecc.›. (90) *cibo*, ‹nutrimento, preda›;
dipende da *sarà* del v.95. (91) *cultor*, ‹veneratore›. (92-3) *in
ogni forma / di comun reggimento*: cfr. *in qualunque / pubblico
stato*, vv. 70-71. (93-4) *o presso... i poli*, ‹in qualunque punto
del pianeta›, sia vicina o lontana l'eclittica (la zona torrida, ma
è detto impropriamente) o i poli. (95-6) *se al gener... meno*:
‹finché continuino ad esistere per l'uomo la terra e il sole›.
(97 e sgg.) *Queste lievi* ecc.: eco parodistica di una transizione
della quarta ecloga virgiliana, v.31: « Pauca tamen suberunt pri-
scae vestigia fraudis »; le tracce della passata età sono i mali che
il poeta ha nominato nei versi 55-96. Dopo aver ribadito il proprio pensiero nei versi che qui seguono (100-6), il poeta ripren-
derà il tono di parodistico, amaro annunciatore della nuova età
dell'oro: *Ma nelle cose / più gravi* ecc., come a dire: ‹I fatti
cui mi riferisco hanno una secondaria importanza di fronte alle

delle passate età, forza è che impressi
porti quella che sorge età dell'oro:
100 perché mille discordi e repugnanti
l'umana compagnia principii e parti
ha per natura; e por quegli odii in pace
non valser gl'intelletti e le possanze
degli uomini giammai, dal dì che nacque
105 l'inclita schiatta, e non varrà, quantunque
saggio sia né possente, al secol nostro
patto alcuno o giornal. Ma nelle cose
più gravi, intera, e non veduta innanzi,
fia la mortal felicità. Più molli
110 di giorno in giorno diverran le vesti
o di lana o di seta. I rozzi panni
lasciando a prova agricoltori e fabbri,
chiuderanno in coton la scabra pelle,
e di castoro copriran le schiene.
115 Meglio fatti al bisogno, o più leggiadri
certamente a veder, tappeti e coltri,
seggiole, canapè, sgabelli e mense,
letti, ed ogni altro arnese, adorneranno
di lor menstrua beltà gli appartamenti;

prospettive di benessere che si aprono per l'uomo›.   ([97]) *lievi
reliquie*, con ironia; in Virgilio, cit., « pauca vestigia ».   ([100-2]) *perché mille... per natura*: ‹perché la società umana possiede per
natura mille divisioni e mille differenti tendenze›.   ([103-4]) *non
valser... degli uomini*, ‹non furono in grado gli uomini, per quanto forniti d'intelligenza e di forza›.   ([105-7]) *e non varrà... giornal*:
di solito i commentatori interpretano *né* come ‹o›; ma s'intenda:
‹e non sarà in grado nel nostro secolo (di metter pace tra gli
odii) nemmeno un forte patto sociale o un giornale per quanto
siano saggi›; esplicazione de *gl'intelletti e le possanze* del v.103.
([107-8]) *Ma nelle cose / più gravi*, ‹ma nelle cose che più contano›,
con forte ironia. Nei versi seguenti la satira si volge contro l'ines-
senza di una civiltà che si basa soltanto su valori commerciali e
consumistici.   ([109]) *fia*, ‹sarà›.   ([112]) *a prova*, ‹a gara›.
([113]) *chiuderanno* ecc., ‹vestiranno di cotone la loro ruvida pelle›.   ([114]) *castoro*: si tratta del panno chiamato ‹castorino›.
([115]) *Meglio fatti al bisogno*, ‹più funzionali›.   ([119]) *menstrua beltà*, ‹bellezza che dura un mese›, secondo il capriccio delle mode;
menstrua è latinismo, con valore culto-espressivo, cfr. *auro* al

120   e nove forme di paiuoli, e nove
        pentole ammirerà l'arsa cucina.
        Da Parigi a Calais, di quivi a Londra,
        da Londra a Liverpool, rapido tanto
        sarà, quant'altri immaginar non osa,
125   il cammino, anzi il volo: e sotto l'ampie
        vie del Tamigi fia dischiuso il varco,
        opra ardita, immortal, ch'esser dischiuso
        dovea, già son molt'anni. Illuminate
        meglio ch'or son, benché sicure al pari,
130   nottetempo saran le vie men trite
        delle città sovrane, e talor forse
        di suddita città le vie maggiori.
        Tali dolcezze e sì beata sorte
        alla prole vegnente il ciel destina.

135   Fortunati color che mentre io scrivo
        miagolanti in su le braccia accoglie
        la levatrice! a cui veder s'aspetta
        quei sospirati dì, quando per lunghi
        studi fia noto, e imprenderà col latte
140   dalla cara nutrice ogni fanciullo,
        quanto peso di sal, quanto di carni,
        e quante moggia di farina inghiotta

v.68 e nota.   ([120]) *nove forme di paioli*, quasi una preconizzazione dell'*industrial design*.   ([121]) *arsa*: epiteto scontato della tradizione classicistica, qui in funzione ironica.   ([126]) *fia*, ‹sarà›.   *-il varco*: il tunnel ferroviario sotto il Tamigi fra Wapping e Rotherhithe. Progettato nel 1799, i lavori iniziarono nel 1804 ma furono interrotti per l'allagamento della galleria. I lavori, ripresi nel 1824 ad opera di sir Marc Isambart Brunel, termineranno nel 1842.   ([129]) *benché sicure al pari*, antifrastico.   ([131]) *sovrane*, ‹principali›.   ([136]) *miagolanti*, di cinque sillabe, riferito allo splendore delle nuove covate umane, pronte a essere supernutrite secondo le quantità di cibo che verranno registrate dalle statistiche. Si risente dell'aggettivo il De Robertis, affermando che «lo scherno qui è fuor di posto e colpisce ingiustificatamente»; e parla «di parole che tradiscono la volontà stessa del poeta». Si tratta in verità di *lingua* ideologicamente *intolleranda*.
([138-9]) *per lunghi / studi*: gli studi statistici.   ([139]) *fia noto*, ‹si conoscerà›.   *-imprenderà*, ‹imparerà›.   ([142]) *moggia*: misu-

il patrio borgo in ciascun mese; e quanti
in ciascun anno partoriti e morti
145   scriva il vecchio prior: quando, per opra
di possente vapore, a milioni
impresse in un secondo, il piano e il poggio,
e credo anco del mar gl'immensi tratti,
come d'aeree gru stuol che repente
150   alle late campagne il giorno involi,
copriran le gazzette, anima e vita
dell'universo, e di savere a questa
ed alle età venture unica fonte!

Quale un fanciullo, con assidua cura,
155   di fogliolini e di fuscelli, in forma
o di tempio o di torre o di palazzo,
un edificio innalza; e come prima
fornito il mira, ad atterrarlo è volto,
perché gli stessi a lui fuscelli e fogli
160   per novo lavorio son di mestieri;
così natura ogni opra sua, quantunque
d'alto artificio a contemplar, non prima

ra di capacità per i grani (e quantità del grano misurato).
(145) *il vecchio prior*: i parroci erano allora delegati al registro
dello stato civile.   (147) *impresse*, ‹stampate›; sono le *gazzette* di
cui al v.151, nei versi successivi paragonate a uno stuolo di gru
che oscurano il sole.   (147-8) *il piano e il poggio* ecc. sono oggetto
di *copriran*, v.151.   (149) *aeree*: epiteto classico delle gru in Omero e Virgilio.   -*repente*, ‹d'improvviso›.   (150) *late*, ‹vaste›,
solo qui nei *Canti*; appartiene alla serie dei latinismi come
menstrua, auro,. ecc., cfr. nota al v.68.   -*il giorno involi*, ‹rapi-
sca, oscuri la luce del sole›.   (152) *savere*: cfr. nota al v.28.
(154) *Quale un fanciullo*: il paragone tra l'opera distruggitrice della natura e i capricci del fanciullo che distrugge il suo gioco, anche in *Zibaldone*, 4421, 2 dicembre 1828: « La Natura è come un
fanciullo: con grandissima cura ella si affatica a produrre e a
condurre il prodotto della sua perfezione; ma non appena ve
l'ha condotto, ch'ella pensa e comincia a distruggerlo, a trava-
gliare alla sua distruzione »; e nell'abbozzo dell'inno *Ad Arimane*: « Natura è come un bambino che disfa subito il fatto ».
(155) *fogliolini*, ‹pezzetti di carta›.   (157-8) *e come prima / fornito
il mira*: ‹e non appena lo vede compiuto›.   (158) *ad atterrarlo è
volto*: ‹lo sta già abbattendo›.   (160) *son di mestieri*, ‹sono ne-

vede perfetta, ch'a disfarla imprende,
le parti sciolte dispensando altrove.

165 E indarno a preservar se stesso ed altro
dal gioco reo, la cui ragion gli è chiusa
eternamente, il mortal seme accorre
mille virtudi oprando in mille guise
con dotta man : che, d'ogni sforzo in onta,

170 la natura crudel, fanciullo invitto,
il suo capriccio adempie, e senza posa
distruggendo e formando si trastulla.
Indi varia, infinita una famiglia
di mali immedicabili e di pene

175 preme il fragil mortale, a perir fatto
irreparabilmente : indi una forza
ostil, distruggitrice, e dentro il fere
e di fuor da ogni lato, assidua, intenta
dal dì che nasce; e l'affatica e stanca,

180 essa indefatigata; insin ch'ei giace
alfin dall'empia madre oppresso e spento.

cessari›. (161-2) *quantunque... a contemplar*: ‹sebbene possa apparire, a chi la contempli, costruita con arte mirabile›. (166) *dal
gioco reo* ecc.: ‹dal gioco crudele, la cui finalità gli resterà eternamente incomprensibile›. (167) *il mortal seme*, come al v.43
della *Ginestra*. (167-72): per questi versi cfr. il passo dello *Zibaldone* citato nella nota al v.154, che così prosegue: « ... E l'uomo
la tratta [la natura] appunto com'egli tratta un fanciullo: i mezzi di preservazione impiegati da lui per prolungar la durata del-
l'esistenza o di un tale stato, o suo proprio o delle cose che gli
servono nella vita, non sono altro che quasi un levar di mano al
fanciullo il suo lavoro, tosto ch'ei l'ha compiuto, acciò ch'egli
non *imprenda* immantinente *a disfarlo* » (cfr., per l'ultima espressione, *ch'a disfarla imprende* del v.163). (168) *mille virtudi oprando*: ‹mettendo in atto mille accorgimenti›. (169) *con dotta man*,
‹con mano esperta›. (170) *invitto*, ‹indomabile›. (172) *distruggendo e formando*: cfr. nelle *Operette morali*, il *Frammento apocrifo di Stratone di Lampsaco*: « ... quelle creature che essa continuamente *forma*, essa altresì *distrugge, formando* dalla materia
loro nuove creature ». (173) *Indi*, ‹da ciò›. (175) *preme*, ‹oppri-
me›. *-a perir fatto*, ‹creato per perire›. (179) *l'affatica*: cfr.
Foscolo, *Dei Sepolcri*, 19: « e *una forza* operosa *lo affatica* », qui
una forza al v.176. (180) *indefatigata*, ‹mai stanca›. (182) *Que-*

Queste, o spirto gentil, miserie estreme
dello stato mortal; vecchiezza e morte,
ch'han principio d'allor che il labbro infante
185 preme il tenero sen che vita instilla;
emendar, mi cred'io, non può la lieta
nonadecima età più che potesse
la decima o la nona, e non potranno
più di questa giammai l'età future.
190 Però, se nominar lice talvolta
con proprio nome il ver, non altro in somma
fuor che infelice, in qualsivoglia tempo,
e non pur ne' civili ordini e modi,
ma della vita in tutte l'altre parti,
195 per essenza insanabile, e per legge
universal, che terra e cielo abbraccia,
ogni nato sarà. Ma novo e quasi
divin consiglio ritròvar gli eccelsi
spirti del secol mio: che, non potendo
200 felice in terra far persona alcuna,
l'uomo obbliando, a ricercar si diero
una comun felicitade; e quella

---

ste [...] *miserie estreme*: oggetto di *emendar*... *non può* al v.186.
-*spirto gentil*: noto *incipit* petrarchesco (*Rime*, LIII), qui riferito
al *candido Gino*. ([183]) *vecchiezza e morte*, apposizioni di *queste
miserie*; il punto e virgola ai vv.183 e 185 segnano i limiti di
una parentetica. ([186]) *emendar*, ‹risanare, correggere›. ([187]) *nonadecima età*, ‹il secolo diciannovesimo›; l'aggettivo cardinale
viene scomposto (a chiasmo) nel verso successivo. ([190]) *lice*, ‹è
lecito›. ([191-2]) *non altro*... *fuor che infelice*, in dipendenza da *ogni
nato sarà* del v.197; nota la significativa rima ricca tra *lice* e *infelice*, come in *Consalvo*, vv.121 e 123. ([193]) *e non pur* ecc.: ‹e non
soltanto negli ordinamenti e nei costumi della vita civile›. ([194]) *parti*,
‹aspetti›. ([195]) *per essenza insanabile*, ‹per irrimediabile natura in-
trinseca›. ([198]) *consiglio*, ‹provvedimento›. -*ritròvar*, ‹ritrovarono,
scopersero›. ([202]) *una comun felicitade*: riecheggia un verso di Voltaire dall'*Epitre sur le désastre de Lisbone*: « des malheurs de
chaque être un bonheur général » (il terremoto di Lisbona del
1755 fu un disastro d'immani proporzioni che mise in crisi l'ottimismo illuministico). Scrive il Leopardi sullo *Zibaldone*, 4175,
22 aprile 1826: « ... e più ancora difficile si è il comporre, come
fanno i filosofi, *des malheurs de chaque être un bonheur général*...

trovata agevolmente, essi di molti
tristi e miseri tutti, un popol fanno
205   lieto e felice : e tal portento, ancora
da *pamphlets*, da riviste e da gazzette
non dichiarato, il civil gregge ammira.

Oh menti, oh senno, oh sovrumano acume
dell'età ch'or si volge! E che sicuro
210   filosofar, che sapienza, o Gino,
in più sublimi ancora e più riposti
subbietti insegna ai secoli futuri
il mio secolo e tuo! Con che costanza
quel che ieri schernì, prosteso adora
215   oggi, e domani abbatterà, per girne
raccozzando i rottami, e per riporlo
tra il fumo degl'incensi il dì vegnente!
Quanto estimar si dee, che fede inspira

Non si comprende come dal male di tutti gl'individui senza eccezione, possa risultare il bene dell'universalità, come dalla riunione
di molti mali e non d'altro, possa risultare un bene ». Anche
nella già citata lettera del '31 alla Targioni Tozzetti: « rido della
felicità delle *masse*, perché il mio piccolo cervello non concepisce una *massa* felice, composta d'individui non felici ».   ([203-4]) *di
molti / tristi e miseri tutti*: distingue i *molti tristi*, consapevoli
dell'infelicità della vita, dagli altri, tutti ugualmente *miseri* anche
se non se ne rendono conto.   ([207]) *non dichiarato*: da unire ad
ancora del v.205; alcuni commentatori spiegano ‹non ancora reso pubblico›, nel qual caso non si capisce cosa *il civil gregge* am-
miri; dovrà intendersi ‹non ancora dimostrato› come teoria credibile, ma accettato supinamente dalle masse.   ([211-2]) *in più sublimi... subbietti*: ‹in soggetti più sublimi (dell'economia e della
politica) e arcani›; allude alla religione e alla filosofia spiritualistica; *sublimi* e *subbietti* allitteranti per identità del prefisso.
([214]) *quel che ieri schernì*: le credenze religiose, oggetto nel secolo precedente di aspra critica da parte degl'illuministi. *-pro-
steso*: il Fubini segnala i versi finali della *Notte* del Parini: « la
gloria e lo splendor di tanti eroi / che poi *prosteso* il cieco vulgo
adora ».   ([215-6]) *per girne / raccozzando i rottami*: ‹per andar
poi attorno a raccoglierne i rottami›; nota l'allitterazione tra
raccozzando e *rottami* e il valore fonico-espressivo delle conso-
nanti lunghe.   ([217]) *il dì vegnènte*, ‹il giorno dopo›.   ([218-20]) *Quan-*

del secol che si volge, anzi dell'anno,
220   il concorde sentir! con quanta cura
convienci a quel dell'anno, al qual difforme
fia quel dell'altro appresso, il sentir nostro
comparando, fuggir che mai d'un punto
non sien diversi! E di che tratto innanzi,
225   se al moderno si opponga il tempo antico,
filosofando il saper nostro è scorso!

Un già de' tuoi, lodato Gino; un franco
di poetar maestro, anzi di tutte
scienze ed arti e facoltadi umane,
230   e menti che fur mai, sono e saranno,
dottore, emendator, lascia, mi disse,
i propri affetti tuoi. Di lor non cura
questa virile età, volta ai severi
economici studi, e intenta il ciglio

to estimar... sentir: ‹quanta stima si deve fare del fatto che un'unica fede ispira il concorde sentimento di questo secolo, anzi dell'anno in cui siamo adesso›; accenna ancora alla provvisorietà delle interpretazioni religiose e spiritualistiche del mondo, che scompaiono e tornano alternativamente nella storia del pensiero umano. L'ironico *concorde* sottolinea l'estraneità del Leopardi dal suo tempo e la sua solitudine intellettuale. ⁽²²⁰⁻⁴⁾ *con quanta cura... diversi*: ‹con quanta cura, confrontando il nostro pensiero con quello dell'anno in corso, che sarà diverso da quello dell'anno prossimo, dobbiamo evitare (*convienci... fuggir*) che essi discordino in qualche maniera tra loro›. ⁽²²⁴⁻²⁶⁾: il pensiero del secolo muta di anno in anno; tanto più grande apparirà il suo progresso se paragonato al pensiero dei secoli passati: ironica dimostrazione *a fortiori*. ⁽²²⁷⁾ *Un già de' tuoi*: Niccolò Tommaseo, acre avversario del Leopardi; *già*, perché aveva da poco abbandonato Firenze per Parigi. Nel frammento *Potenze intellettuali. Niccolò Tommaseo*, il Leopardi scrive: «Dopo avere, con la luce della sua sapienza, illuminata l'Italia, Niccolò Tommaseo, maestro del presente secolo, s'è portato a illuminare la Francia». ⁽²³¹⁾ *dottor, emendator*, ‹maestro e censore› (delle *scienze ed arti* e delle *menti*); cfr. il succitato frammento del Leopardi sul Tommaseo: «Datosi agli studi, conobbe prestamente, che tutti gli uomini di tutti i secoli in tutte le discipline, così nelle

235 nelle pubbliche cose. Il proprio petto
     esplorar che ti val? Materia al canto
     non cercar dentro te. Canta i bisogni
     del secol nostro, e la matura speme.
     Memorande sentenze! ond'io solenni
240 le risa alzai quando sonava il nome
     della speranza al mio profano orecchio
     quasi comica voce, o come un suono
     di lingua che dal latte si scompagni.
     Or torno addietro, ed al passato un corso
245 contrario imprendo, per non dubbi esempi
     chiaro oggimai ch'al secol proprio vuolsi,
     non contraddir, non repugnar, se lode
     cerchi e fama appo lui, ma fedelmente
     adulando ubbidir : così per breve
250 ed agiato cammin vassi alle stelle.
     Ond'io, degli astri desioso, al canto
     del secolo i bisogni omai non penso
     materia far; che a quelli, ognor crescendo,
     provveggono i mercati e le officine
255 già largamente; ma la speme io certo
     dirò, la speme, onde visibil pegno

grandi come nelle piccole, erano andati errati dal vero e dalla
via diritta: e postosi in animo di riformare il sapere umano, venne in Italia » (il Tommaseo era nato in Dalmazia).   (²³⁸) *la matura speme*, ‹le speranze dell'uomo ormai prossime a realizzarsi›.   (²⁴¹) *profano orecchio*, ‹orecchio non iniziato› (alla religione del progresso).   (²⁴²⁻³) *come un suono... si scompagni*,
quasi la voce di un bambino appena svezzato; ripresa parodistica di un passo del Petrarca (*Rime*, cccxxv, 87-8): « con voci
anchor non preste, / di lingua che dal latte si scompagne ».
(²⁴⁴⁻⁵) *Or torno... imprendo*: ‹Ora mi ricredo e comincio un cammino opposto a quello percorso nel passato›.   (²⁴⁵⁻⁹) *per non dubbi... ubbidir*: ‹essendo ormai chiaro, per concreti esempi che ne
abbiamo avuto, che non bisogna (*vuolsi*) contraddire al proprio
secolo né opporglisi (*repugnar*), se si cerca fama presso di lui; ma
sottometterglisi fedelmente adulandolo.›   (²⁴⁹⁻⁵⁰) *così per breve...
alle stelle*: il contrario del motto *per aspera ad astra*.
(²⁵¹⁻³) *Ond'io... far*: ‹Per cui io non penso a questo punto di far
materia del mio canto i bisogni del secolo›; cfr. ai vv.237-8:
« Canta i bisogni / del secol nostro ».   (²⁵⁶) *visibil pegno* della spe-

già concedon gli Dei; già, della nova
felicità principio, ostenta il labbro
de' giovani, e la guancia, enorme il pelo.

260   O salve, o segno salutare, o prima
luce della famosa età che sorge.
Mira dinanzi a te come s'allegra
la terra e il ciel, come sfavilla il guardo
delle donzelle, e per conviti e feste
265   qual de' barbati eroi fama già vola.
Cresci, cresci alla patria, o maschia certo
moderna prole. All'ombra de' tuoi velli
Italia crescerà, crescerà tutta
dalle foci del Tago all'Ellesponto
270   Europa, e il mondo poserà sicuro.
E tu comincia a salutar col riso
gl'ispidi genitori, o prole infante,
eletta agli aurei dì: né ti spauri
l'innocuo nereggiar de' cari aspetti.
275   Ridi, o tenera prole: a te serbato
è di cotanto favellare il frutto;
veder gioia regnar, cittadi e ville,
vecchiezza e gioventù del par contente,
e le barbe ondeggiar lunghe due spanne.

ranza è *il pelo* che cresce sulle guance dei giovani liberali.
(260) *o segno salutare*: l'invocazione è rivolta alla barba, annuncio della nuova felicità.   (262) *Mira* ecc: continua il tono, parodisticamente profetico, esemplato sulla quarta ecloga virgiliana, con assunzione dello stesso finale: « Aspice convexo nutantem pondere mundum / terrasque tractusque maris caelumque profundum; / aspice venturo laetentur ut omnia saeclo » (vv.50-2).
(271) *E tu comincia* ecc: cfr. nell'ecloga di Virgilio: « Incipe, parve puer, risu cognoscere matrem » (v.60).   (274) *l'innocuo nereggiar*, delle barbe, nei cari volti dei padri.   (276) *è di cotanto* ecc.: ‹il frutto concreto di ciò che oggi è soltanto annunciato a parole›.

Pubblicato la prima volta nell'edizione postuma dei *Canti* a cura del Ranieri (Firenze, Le Monnier, 1845) esso fu composto, assieme alla *Ginestra*, nel 1836 a Torre del Greco, in una villetta sulle pendici del Vesuvio. Non accettabile la notizia, diffusa dallo Schulz, un visitatore del poeta durante i suoi ultimi giorni, che il Leopardi avrebbe dettato gli ultimi sei versi sul letto di morte, come ha dimostrato il Moroncini da un esame dei manoscritti.

Nel *Tramonto della luna* sembrano riapparire echi dei primi idilli, quasi per l'improvviso risveglio di una sensibilità poetica remota; lo stanno a dimostrare i toni gessneriani che animano il paesaggio notturno; e lo stesso tema della fine della giovinezza come fine della speranza e delle illusioni è antico. Considerato da molti critici opera non riuscita, il canto è però percorso dal tremore che ha ogni voce poetica quando ritorna ai temi dei suoi esordi, quando un certo fervore è ormai scomparso ma ne resta l'emozione nel ricordo, ed essa si specchia nei più sicuri mezzi stilistici raggiunti dalla maturità.

Metro: canzone libera, con strofe di varia lunghezza dove appaiono rime e assonanze. Il lungo periodo che apre il canto travalica la misura della stanza terminando nel terzo verso della seconda strofa. Poi la sintassi prende un andamento più rapido, con periodi brevi, spesso epigrafici, condotti musicalmente dalle rime (predomina la rima baciata) verso la sconsolata definizione del finale.

Quale in notte solinga,
sovra campagne inargentate ed acque,
là 've zefiro aleggia,
e mille vaghi aspetti
5   e ingannevoli obbietti
fingon l'ombre lontane
infra l'onde tranquille
e rami e siepi e collinette e ville;
giunta al confin del cielo,
10   dietro Apennino od Alpe, o del Tirreno
nell'infinito seno
scende la luna; e si scolora il mondo;
spariscon l'ombre, ed una
oscurità la valle e il monte imbruna;

(¹) *Quale*, da unire con *scende la luna* del v.12 (il comparato è *tal si dilegua* ecc., al v.20).   (²) *inargentate*: attributo estendibile sia alle *campagne* che alle *acque*.   (³) *là 've*, ‹là dove›, con grande indeterminatezza dei luoghi dove la luna tramonta. (⁴⁻⁶) *e mille... lontane*: ‹e là dove le ombre lontane creano mille indefinite visioni e oggetti irreali›.   (⁸) *e rami e siepi* ecc.: l'elenco non precisa, tende anzi a sfumare ancor più i dati del paesaggio.   (¹⁰) *dietro Apennino od Alpe* ecc.: il *là 've* sembra ora precisarsi in toponimi che sono però a pochi passi dall'indicare, metonimicamente, i comuni ‹montagne› e ‹mare›; procedimento noto della poesia classicistica, cfr. il *Vespro* del Parini (citato da G. De Robertis), vv.10-3: « e par che brami / rivederti, o Signor, prima che *l'Alpe* / o *l'Appennino* o *il mar curvo* ti celi / agli occhi suoi », detto del sole calante. La congiunzione *o* ha il valore di *vel* latino ed esprime indifferenza: la luna può tramontare dietro una qualunque di queste entità che forniscono uno spessore geografico-poetico all'immagine dell'allontanamento. Si noti come questi oggetti legati da *o* si collochino in simmetria rispetto a quelli elencati al v.2 e ai vv.7-8.   (¹³) *una*, ‹un'unica›, forte-

15   orba la notte resta,
      e cantando, con mesta melodia,
      l'estremo albor della fuggente luce,
      che dianzi gli fu duce,
      saluta il carrettier dalla sua via;

20   tal si dilegua, e tale
      lascia l'età mortale
      la giovinezza. In fuga
      van l'ombre e le sembianze
      dei dilettosi inganni; e vengon meno
25   le lontane speranze,
      ove s'appoggia la mortal natura.
      Abbandonata, oscura
      resta la vita. In lei porgendo il guardo,
      cerca il confuso viatore invano
30   del cammin lungo che avanzar si sente
      meta o ragione; e vede
      che a se l'umana sede,
      esso a lei veramente è fatto estrano.

mente rilevato dall'*enjambement* che lo separa dal suo sostantivo *oscurità*.   (15) *orba*, ‹privata della luce›; l'aggettivo trova rispondenza in altri del canto che esprimono ugualmente assenza, privazione: *estrano* 33, *orfane* 54, *vedova* 66.   (17) *della fuggente luce*: espressione foscoliana, cfr. i *Sepolcri*, v.123.   (18) *che dianzi* ecc.: ‹che prima lo guidava›.   (20-4) *tal si dilegua... inganni*: il paragone con la giovinezza che dilegua non è condotto soltanto sulla scomparsa della luce lunare, ma si estende anche agli *ingannevoli obbietti* che quella luce creava nel mondo notturno, simboli delle illusioni e dei vaghi sogni giovanili.   (25) *le lontane speranze*: chiama *lontane* le speranze perché riguardano il futuro; e anche gli oggetti ingannevoli del paesaggio, prima del tramonto della luna, erano creati da *ombre lontane* (v.6). (26) *s'appoggia*, ‹trova sostegno, conforto›; cfr. Petrarca, *Rime*, CXXVII, 60-1: «i begli occhi ... / ove la stancha mia vita *s'appoggia* ».   (28) *In lei porgendo il guardo*: ‹protendendo lo sguardo verso la vita che ha davanti›.   (29) *il confuso viatore*: ‹il viandante della vita›, smarrito per l'eclissarsi della luce della giovinezza (*viatore* di quattro sillabe).   (31) *meta o ragione*, oggetti di *cerca*: ‹cerca invano un fine o uno scopo al lungo cammino che capisce che ancora gli resta›.   (31-3) *e vede... estrano*: ‹e si

Troppo felice e lieta
35   nostra misera sorte
parve lassù, se il giovanile stato,
dove ogni ben di mille pene è frutto,
durasse tutto della vita il corso.

Troppo mite decreto
40   quel che sentenzia ogni animale a morte,
s'anco mezza la via
lor non si desse in pria
della terribil morte assai più dura.

D'intelletti immortali
45   degno trovato, estremo
di tutti i mali, ritrovàr gli eterni
la vecchiezza, ove fosse
incolume il desio, la speme estinta,
secche le fonti del piacer, le pene
50   maggiori sempre, e non più dato il bene.

Voi, collinette e piagge,
caduto lo splendor che all'occidente
inargentava della notte il velo,

accorge che la terra (*l'umana sede*) gli si è fatta estranea e lui stesso è divenuto davvero estraneo alla terra›.   ([34]) *Troppo felice e lieta*: tono ironico, caratteristico di Leopardi quando parla della ‹provvidenza› e del ‹cielo›. L'antifrasi si espande per tutta la strofa.   ([36]) *lassù*, in cielo; è avverbio sarcasticamente sacrale.   ([41]) *s'anco mezza la via*, ‹se in sovrappiù l'età di mezzo›.   ([42]) *in pria*, ‹come anticipo›.   ([45]) *degno trovato*, ‹invenzione degna della divinità› (col solito accento antifrastico).
([46]) *ritrovàr*, ‹scoprirono›.   ([47-8]) *ove fosse... estinta*: ‹nella quale (vecchiaia) persistesse il desiderio ma fosse spenta la speranza del suo appagamento›; cfr. *Pensieri*, CXI; « La vecchiezza è male sommo: perché priva l'uomo di tutti i piaceri, lasciandogliene gli appetiti; e porta seco tutti i dolori ».   ([51]) *Voi, collinette e piagge*: modulo stilistico frequente, in apertura della strofa conclusiva, nell'ultimo Leopardi, si veda *La ginestra*, 297: « E tu, lenta ginestra »; e anche *Il passero solitario*, 45: « Tu, solingo augellin ». L'ultima strofa recupera attraverso il vocativo la figura centrale del canto (la luna, la ginestra, il passero) dopo che essa era stata occasione di commosse divagazioni sulla realtà e sul destino.   ([58]) *della notte il velo*, ‹l'ombra della notte›; cfr. Gessner,

orfane ancor gran tempo
55 non resterete; che dall'altra parte
tosto vedrete il cielo
imbiancar novamente, e sorger l'alba:
alla qual poscia seguitando il sole,
e folgorando intorno
60 con sue fiamme possenti,
di lucidi torrenti
inonderà con voi gli eterei campi.
Ma la vita mortal, poi che la bella
giovinezza sparì, non si colora
65 d'altra luce giammai, né d'altra aurora.
Vedova è insino al fine; ed alla notte
che l'altre etadi oscura,
segno poser gli Dei la sepoltura.

La beneficienza, nella versione di padre Soave: « Cinzia che rompe *della notte il velo* » (in identico contesto lunare). (⁵⁴) *orfane*: cfr. la nota al v.15. (⁵⁸) *alla qual poscia* ecc.: ‹e il sole, venendo subito dopo l'alba›. (⁶¹⁻²) *di lucidi... campi*: ‹insieme a voi (*collinette e piagge*) riempirà di fiumi di luce la volta celeste›. (⁶³) *Ma la vita mortal* ecc.: il buio non è quello della morte, ma di una vita privata della giovinezza, cfr. al v.66: « vedova è insino al fine ». (⁶⁶⁻⁸) *ed alla notte... sepoltura*: ‹e gli dei hanno posto la sepoltura come sigillo (*segno*) di una notte che già oscurava tutte le età che si susseguono dopo la fine della giovinezza›; il finale, che confronta il ciclo perenne degli astri con l'eclissarsi definitivo della giovinezza umana e della vita stessa, riecheggia ancora Ossian, cfr. *Catula* (nella versione del Leoni), vv.13-20: « Ancor sul cielo / chiaro vedrai sfolgoreggiare il sole, / e, al tremolar del mite raggio, il ramo / torneran liete a rivestir le foglie... / ma chi una volta nella tomba scese / redir non puote per brillar di sole... ».

Composta nello stesso periodo del canto precedente (*Il
tramonto della luna*), anche la *Ginestra* apparve postuma nel-
l'edizione 1845. Secondo il Meregalli, il titolo potrebbe essere stato ispirato al Leopardi da una poesia dello spagnolo
De Cienfuegos, *Rosa del desierto*, che apparve in un periodico
napoletano durante il soggiorno del Leopardi in quella città: «Donde estás? donde estás, tú, que embalsamas / de
este desierto el solitario ambiente / con tu placido olor?»).

Le rovine, la catastrofe tellurica o vulcanica, sono temi
frequenti nella letteratura settecentesca (Volney, Delille,
Marmontel; e per l'Italia si veda il libro di Renzo Negri,
Gusto e poesia delle rovine in Italia fra il Sette e l'Ottocento, Milano 1969). I reperti archeologici (ruderi di città antiche, ca-
stelli) sono indotti in un paesaggio dove vivono alla stregua
di rocce laviche o fratture di terremoti, in una zona dove la
ragione non è più in grado di svolgere il suo discorso e l'ottimismo pratico del secolo dei lumi trova un avversario im-
previsto ed ostile. Di qui il vago teismo, presente anche in
Voltaire, degli autori in questione, e che il Leopardi rifiuta
in nome di un materialismo conseguente ed eroico. Il terremoto di Lisbona (1755), col suo enorme numero di vittime,
mette in crisi più di un intellettuale dell'epoca. Non per
niente il tema viene ereditato, e fruito in senso reazionario,
dalla letteratura della Restaurazione (Chateaubriand, De
Maistre), come polemica contro la superbia di quelli che
vogliono trasformare la storia e affermare l'inefficienza di
ogni rivoluzione che non tenga conto dei principi trascendenti e arcanamente provvidenziali che presiedono al destino umano.

Ma nella *Ginestra* il Leopardi è lontano dai contesti usua-
li del tema; e se il suo obbiettivo polemico non è tanto il
pensiero della Restaurazione quanto quello dei liberal-mo-

derati, ciò è dovuto al fatto che essi, opponendosi politicamente alla Restaurazione, ne hanno però ereditato in gran parte l'ideologia, rifiutando il pensiero critico e materialista del secolo precedente in nome di una visione spiritualistica della realtà e dell'uomo. La solitudine del Leopardi non può essere più completa: il poeta non ha compagni né tra gl'ideologi della Restaurazione, di cui rifiuta le categorie trascendenti d'interpretazione della realtà, né tra quelli del nuovo corso politico dei quali non può apprezzare l'impegno mondano nel momento in cui è mosso da filosofie basate sulla riscoperta della religione e di principi che il secolo dei lumi aveva criticato e abbattuto. Si vuole fare, di solito, della *Ginestra*, il luogo del messaggio leopardiano. Ma questo messaggio consiste soltanto nella denuncia del non-umano che, agli occhi disincantati del poeta, continua a dominare la storia malgrado le affermazioni di progresso dei suoi contemporanei.

Tale non-umano si esprime, per Leopardi, in ideologie che nate in apparenza per dare all'uomo un alto concetto di sé e dei suoi destini materiali, o inserirlo addirittura in un disegno divino, lo privano però dei suoi connotati reali spogliandolo di ogni possibile felicità. Per questo Leopardi non *descrive* i luoghi delle rovine e della morte, *è* nei luoghi della morte, e di lì affabula sia i propri concetti filosofici che la singolare, irripetibile testimonianza della sua vicenda ideale.

Proprio in nome di questa testimonianza anche le parti riflessive, prosastiche, si rivelano strutturalmente indispensabili alla completezza del discorso poetico, mentre la sapiente artificiosità dei trapassi — dove la retorica è strumento indispensabile della *persuasio* — consente il passaggio naturale a zone di più trasparente, compatta liricità, che fanno di questa poesia una delle più memorabili della nostra letteratura.

Metro: canzone libera, con stanze di diversa lunghezza che si adeguano naturalmente alla tensione della sintassi, sia quando essa è dominata dalla volontà argomentativa (quasi prosa filosofica in versi), sia quando essa si sviluppa in modi di più commossa poesia.

La partitura fonica è caratterizzata dalla presenza di rime in fine di strofa, per *pointes* di carattere gnomico d'intensa significatività, secondo un metodo già collaudato nel *Canto notturno*.

Καὶ ἠγάπησαν οἱ ἄνθρωποι μᾶλλον τὸ σκότος ἢ τὸ φῶς.
E gli uomini vollero piuttosto le tenebre che la luce.

GIOVANNI, III, 19

Qui su l'arida schiena
del formidabil monte
sterminator Vesevo,
la qual null'altro allegra arbor né fiore,
5   tuoi cespi solitari intorno spargi,
odorata ginestra,
contenta dei deserti. Anco ti vidi
de' tuoi steli abbellir l'erme contrade
che cingon la cittade
10   la qual fu donna de' mortali un tempo,
e del perduto impero
par che col grave e taciturno aspetto
faccian fede e ricordo al passeggero.
Or ti riveggo in questo suol, di tristi
15   lochi e dal mondo abbandonati amante,
e d'afflitte fortune ognor compagna.
Questi campi cosparsi
di ceneri infeconde, e ricoperti
dell'impietrata lava,
20   che sotto i passi al peregrin risona;

(¹) *Qui*: è elemento di compresenza, nel luogo della distruzione, sia del fiore che del poeta (*qui* indica luogo vicino a chi parla); verrà ripetuto per indicare il luogo dove si può sviluppare una vera conoscenza (*qui con giusta misura*, 42) e dove s'invita il proprio secolo a specchiarsi (*qui mira e qui ti specchia*, 52), a riconoscersi cioè come morte.   (³) *Vesevo*, ‹Vesuvio›, dal lat. *Vesevus*.   (⁵) *solitari*, perché gli unici a spuntare in quella desolazione.   (⁷) *Anco*, ‹ancora, altre volte›.   (⁸) *l'erme contrade*: il tema della desolazione della campagna romana in note pagine dell'*Itinéraire* di Chateaubriand, che il Leopardi poteva aver letto nell'antologia francese, più volte citata, di Noël-Delaplace.   (¹⁰) *donna*, ‹signora, dominatrice›.   (¹⁶) *d'afflitte fortune*, ‹di

dove s'annida e si contorce al sole
la serpe, e dove al noto
cavernoso covil torna il coniglio;
fur liete ville e colti,
25   e biondeggiàr di spiche, e risonaro
di muggito d'armenti;
fur giardini e palagi,
agli ozi de' potenti
gradito ospizio; e fur città famose
30   che coi torrenti suoi l'altero monte
dall'ignea bocca fulminando oppresse
con gli abitanti insieme. Or tutto intorno
una ruina involve,
dove tu siedi, o fior gentile, e quasi
35   i danni altrui commiserando, al cielo
di dolcissimo odor mandi un profumo,
che il deserto consola. A queste piagge

naufragate grandezze›.   (23) *cavernoso*, ‹scavato nel sottosuolo›.   (24) *fur*, ‹furono› (il soggetto è *Questi campi* del v.17). -*colti*, ‹campi coltivati›.   (25) *biondeggiàr*, ‹biondeggiarono›. (28-9) *agli ozi... ospizio*: si riferisce alle ville romane che sorgevano ai piedi del Vesuvio; *ospizio* nel senso di ‹dimora›.   (29) *e fur città famose*: Ercolano e Pompei, distrutte dall'eruzione del vulcano nel 79 d.C.   (31) *fulminando oppresse*, ‹distrusse scagliando fuoco›; in questo brano (vv.24-32) c'è un'eco della poesia *Les plantes* del Castel, presente nella citata antologia Noël-Delaplace: «Dieu! qui reconnatraît ces campagnes fertiles? / Des hameaux fortunés et d'opulentes villes, / des maisons qui entouraient des bocages fleuris, / charmaient à chaque pas les voyageurs surplis... / Des torrents sulfureux, des brûlantes arènes, / tous les feux des enfers, tous les fléaux des cieux, / en un vaste cercueil ont changé ces beaux lieux».   (33) *una ruina involve*: calco petrarchesco da *Rime*, LIII, 35: ‹et tutto quel ch'*una ruina involve* »; *una* è latinismo per ‹una sola, un'identica›.   (34) *dove tu siedi*, ‹dov'è la tua sede, la tua dimora›; l'*habitat* naturale del fiore, le rovine e il deserto, che è anche l'*habitat* attuale del poeta, la sede del suo canto.   (35) *i danni altrui* ecc.: il profumo del fiore è animato, come arcana espressione di *pietas*.   (36) *di dolcissimo odor* ecc., ‹diffondi un profumo che emana un odore dolcissimo›; il senso dell'odorato è l'unico che sembra sopravvivere in un quadro di totale estinzione della vita.   (37) *che il deserto consola*: cfr. *contenta dei deserti*, v.7, che esprimeva lo «stato» del fiore;

venga colui che d'esaltar con lode
il nostro stato ha in uso, e vegga quanto
40   è il gener nostro in cura
all'amante natura. E la possanza
qui con giusta misura
anco estimar potrà dell'uman seme,
cui la dura nutrice, ov'ei men teme,
45   con lieve moto in un momento annul'
in parte, e può con moti
poco men lievi ancor subitamente
annïchilare in tutto.
Dipinte in queste rive
50   son dell'umana gente
le magnifiche sorti e progressive.

Qui mira e qui ti specchia,
secol superbo e sciocco,
che il calle insino allora
55   dal risorto pensier segnato innanti
abbandonasti, e volti addietro i passi,

qui invece c'è il suo aprirsi verso l'Altro, la morte.   *-A queste
piagge*: analogo movimento in Voltaire, *Sur le désastre de Li-
sbonne*: « Allez interroger les rivages du Tage ».   ([39-40]) *e vegga... in cura*: ‹e veda quanto la nostra specie sta a cuore›.
([41]) *amante*, ‹amorosa›, antifrastico.   ([41-8]) *E la possanza... in
tutto*: ‹E qui potrà stimare nel suo giusto valore la vantata potenza delle stirpi umane che la natura, loro madre crudele, quando esse meno lo sospettano, può annullare in parte con uno scuo-
timento insignificante, o distruggere in tutto in un attimo con
un movimento appena più forte›.   ([49]) *Dipinte in queste rive*,
‹illustrate, scritte›; *rive* (cfr. *piagge* al v.37), ‹pendii›.   ([51]) *le
magnifiche sorti e progressive*: « parole di un moderno, al quale
è dovuta tutta la loro eleganza » (nota del Leopardi); si tratta
dell'espressione « le sorti magnifiche e progressive dell'umanità »,
che si legge nella *Dedica* dell'edizione 1832 degl'*Inni Sacri* di
Terenzio Mamiani (1799-1855), cugino del poeta. Ai cantori del
progresso Leopardi oppone il proprio canto sulla distruzione e le
rovine.   ([52]) *qui ti specchia*: per vedere la tua vera immagine
(per riconoscere che tu spacci, con stoltezza e frode, come progresso, quello che in verità è nuova barbarie, distruzione, deserto).
Cfr. il *Pensiero dominante*, vv.59-60.   ([54-8]) *che il calle... il chia-*

del ritornar ti vanti,
e procedere il chiami.
Al tuo pargoleggiar gl'ingegni tutti,
60 di cui lor sorte rea padre ti fece,
vanno adulando, ancora
ch'a ludibrio talora
t'abbian fra se. Non io
con tal vergogna scenderò sotterra;
65 ma il disprezzo piuttosto che si serra
di te nel petto mio,
mostrato avrò quanto si possa aperto:
ben ch'io sappia che obblio
preme chi troppo all'età propria increbbe.
70 Di questo mal, che teco
mi fia comune, assai finor mi rido.

mi: ‹che abbandonasti la strada (*il calle*) che fino ad allora era
stata additata (*segnato innanti*) dal pensiero del Rinascimento
(*dal risorto pensier*, e *Risorgimento* era il termine usato nella pub-
blicistica del tempo per indicare il Rinascimento) e volti indietro i
tuoi passi ti vanti del tuo arretramento e lo chiami progresso›. Il
Leopardi vede una brusca interruzione, nel suo tempo, di quel
pensiero critico e progressivo che, partito dal Rinascimento, era
giunto fino all'Illuminismo. (59) *Al tuo pargoleggiar*, ‹al tuo
bamboleggiare›, come per fantasie e deliri infantili, indegni di
menti mature (con riferimento alle teorie spiritualistiche dei progressisti moderni), cfr. *Amore e morte*, vv.117-8, dove appare lo
stesso confronto tra le credenze degli uomini e i fanciulli; il dativo in dipendenza da *adular* al v.61, che regge un complemento
di termine come talvolta in latino. (60) *di cui* ecc.: ‹dei quali
la malasorte ti ha fatto padre› (perché essi hanno ereditato da
te superbia e follia). (61-3) *ancora... fra se*: ‹sebbene talvolta
dentro di sé ti disprezzino› (con un dubbio sulla sincerità delle
opinioni spiritualistiche dei suoi contemporanei). (63) *Non io*:
irruzione della soggettività del poeta; la transizione ha carattere
grammaticalmente avversativo opponendosi a *gl'ingegni tutti* del
v.59, e acquista rilievo dall'isolamento del pronome in clausola
di verso. (67) *mostrato avrò*: l'aspetto verbale del futuro anteriore (che indica un processo già compiuto) suppone la morte
come già avvenuta, ed essa stessa come importante testimonianza
del proprio coerente disprezzo. -*quanto si possa aperto*, ‹il
più chiaramente possibile›. (69) *preme*, ‹avvolge, ricopre›.
(70-1) *che teco / mi fia comune*, ‹che avrò in comune, che sparti-

Libertà vai sognando, e servo a un tempo
vuoi di novo il pensiero,
sol per cui risorgemmo
75   della barbarie in parte, e per cui solo
si cresce in civiltà, che sola in meglio
guida i pubblici fati.
Così ti spiacque il vero
dell'aspra sorte e del depresso loco
80   che natura ci diè. Per questo il tergo
vigliaccamente rivolgesti al lume
che il fe' palese: e, fuggitivo, appelli
vil chi lui segue, e solo
magnanimo colui
85   che se schernendo o gli altri, astuto o folle,
fin sopra gli astri il mortal grado estolle.

Uom di povero stato e membra inferme
che sia dell'alma generoso ed alto,
non chiama se né stima
90   ricco d'or né gagliardo,
e di splendida vita o di valente

rò con te⟩.   (⁷²) *servo*, di nuovi dogmi (e di antichi).   (⁷⁴) *sol per cui*, ⟨per merito del quale soltanto⟩.   (⁷⁶) *che sola*, riferito a *civiltà*; si noti la catena di istanze, collocata a *climax*, che tende a rendere eloquente una zona di linguaggio politico-oratorio: *sol per cui... per cui solo... che sola.*   (⁷⁸⁻⁸⁰) *Così ti spiacque... ci diè*: ⟨così ti riuscì sgradita la verità intorno alla sorte dura e infelice e al basso grado (*depresso loco*) tra le creature che la natura ci ha concesso⟩.   (⁸¹) *rivolgesti*, ⟨voltasti⟩ (*il tergo*, ⟨le spalle⟩).   (⁸¹⁻²) *al lume / che il fe' palese*: ⟨alla filosofia dei lumi che questo *vero* aveva reso evidente⟩; cfr. il versetto di Giovanni posto a motto del canto.   (⁸²⁻³) *e, fuggitivo... segue*: ⟨e tu, che fuggi la verità, chiami vile chi segue quel lume⟩.   (⁸⁴) *magnanimo*, ⟨coraggioso, nobile⟩.   (⁸⁵) *astuto o folle*: in ordine inverso rispetto alle azioni cui fanno riferimento: *astuto* è chi illude gli altri, *folle* chi schernisce se stesso.   (⁸⁷⁻⁸) *Uom... ed alto*: riecheggia, ma in situazione negativa, l'inizio di un sonetto dell'Alfieri: «Uom, di sensi, e di cor, libero nato / fa di sé tosto indubitabil mostra », cfr. *risibil mostra* al v.93).   -*di povero stato*, ⟨di bassa condizione⟩.   (⁸⁸) *che sia* ecc.: ⟨che abbia un animo grande e nobile⟩.   (⁸⁹⁻⁹⁰) *non chiama... gagliardo*: ⟨non si

persona infra la gente
non fa risibil mostra;
ma se di forza e di tesor mendico
95   lascia parer senza vergogna, e noma
parlando, apertamente, e di sue cose
fa stima al vero uguale.

Magnanimo animale
non credo io già, ma stolto,
100   quel che nato a perir, nutrito in pene,
dice, a goder son fatto,
e di fetido orgoglio
empie le carte, eccelsi fati e nove
felicità, quali il ciel tutto ignora,
105   non pur quest'orbe, promettendo in terra
a popoli che un'onda
di mar commosso, un fiato
d'aura maligna, un sotterraneo crollo
distrugge sì, che avanza
110   a gran pena di lor la rimembranza.
Nobil natura è quella
che a sollevar s'ardisce
gli occhi mortali incontra

vanta né si stima ricco di danaro e robusto›.   [93] *non fa* ecc.:
‹non fa ridicola ostentazione› (di vita lussuosa o di persona forte).   [94-7] *ma sé... al vero uguale*: ‹ma si lascia scorgere senza
vergogna privo di forza e di ricchezza, e tale si definisce apertamente quando parla, e valuta la sua condizione secondo la verità›.   [98] *animale*, ‹essere animato, uomo›, senza i fini di spregio che vi scorge il De Robertis nel suo commento, ma con una
sottile ironia segnalata dalla scelta del termine in un significato
arcaico e culto.   [100] *nato a perir, nutrio in pene*: ‹che è destinato a perire e vive nel dolore›.   [102] *di fetido orgoglio*, di
orgoglio disgustoso, che fa ribrezzo.   [103] *eccelsi fati* è oggetto
(assieme a *nove felicità*) di *promettendo*, v.105.   [104-5] *quali...
quest'orbe*: ‹che sono ignoti a tutto l'universo, non soltanto a
questo pianeta›.   [106-7] *un'onda / di mar commosso*: ‹un'onda
di mare sconvolto› (dal maremoto).   [107-8] *un fiato / d'aura maligna*: ‹una pestilenza che diffonde il suo contagio›.   [109] *un
sotteraneo crollo*: un terremoto.   [112] *s'ardisce*, dal riflessivo
ardirsi; *ardire* con *a* anche in Petrarca, *Rime*, CCLXIV, 126: « ch'a
patteggiar n'ardisce co la morte ».   [113] *gli occhi mortali* ecc.:

al comun fato, e che con franca lingua,
115   nulla al ver detraendo,
confessa il mal che ci fu dato in sorte,
e il basso stato e frale;
quella che grande e forte
mostra se nel soffrir, né gli odii e l'ire
120   fraterne, ancor più gravi
d'ogni altro danno, accresce
alle miserie sue, l'uomo incolpando
del suo dolor, ma dà la colpa a quella
che veramente è rea, che de' mortali
125   madre è di parto e di voler matrigna.
Costei chiama inimica; e incontro a questa

espressione simile in Lucrezio, *De rer. nat.*, 1, 66-7, dove si parla di Epicuro che « mortales tollere contra / est oculos ausus primusque obsistere contra » (contro la superstizione e la religione). (117) *e il basso stato e frale*: cfr. il *depresso loco* del v.79.
(119-21) *né gli odii... danno*: ‹né aggiunge alle sue miserie l'odio e
la collera contro i propri fratelli, più gravi ancora di ogni altro
suo male›. (122-3) *l'uomo incolpando / del suo dolor*: il soggetto del lungo periodo è sempre *Nobil natura* del v.111, pronomi-
nalmente ripreso al v.118. Il tema qui svolto è presente in una
riflessione dello *Zibaldone*, 4428, 2 gennaio 1821, dove il Leopardi rileva « quel mal umore, quell'odio, non sistematico, ma pur
vero odio, che tanti e tanti, i quali non sono filosofi, e non vor-
rebbono esser chiamati misantropi, portano però cordialmente a'
loro simili, sia abitualmente sia in occasioni particolari, a causa
del male che, giustamente o ingiustamente, essi, come tutti gli
altri, ricevono dagli altri uomini. La mia filosofia fa rea d'ogni
cosa la natura, e discolpando gli uomini totalmente, rivolge l'odio,
o se non altro il lamento, a principio più alto, all'origine vera de'
mali de' viventi ec. ec. ». (125) *madre è di parto* ecc.: ‹è madre nel generarli ma matrigna nel suo comportamento malvagio
verso di essi› (nota il chiasmo che colloca in principio e in fine
di verso i due termini dell'opposizione); *e* con valore avversativo,
‹ma›. (126-9) *e incontro... compagnia*: ‹e pensando, com'è vero,
che proprio contro la natura si sia unita e ordinata, fin dalle sue
origini (*in pria*), la società umana›; anche in *Zibaldone*, 2679,
4 marzo 1823: « Nemici naturali degli uomini furono da principio le fiere e gli elementi ec.; quelle, soggetti di timori e d'odio
insieme, questi di solo timore... Finché durarono queste passioni
sopra questi soggetti, l'uomo non s'insanguinò dell'altro uomo,

congiunta esser pensando,
siccome è il vero, ed ordinata in pria
l'umana compagnia,
130   tutti fra se confederati estima
gli uomini, e tutti abbraccia
con vero amor, porgendo
valida e pronta ed aspettando aita
negli alterni perigli e nelle angosce
135   della guerra comune. Ed alle offese
dell'uomo armar la destra, e laccio porre
al vicino ed inciampo,
stolto crede così qual fora in campo
cinto d'oste contraria, in sul più vivo
140   incalzar degli assalti,
gl'inimici obbliando, acerbe gare
imprender con gli amici,
e sparger fuga e fulminar col brando
infra i propri guerrieri.
145   Così fatti pensieri
quando fien, come fur, palesi al volgo,
e quell'orror che primo

anzi amò e ricercò lo scontro, la compagnia, l'aiuto del suo simile... Quella fu veramente l'età dell'oro e l'uomo era sicuro tra gli uomini...»   (130) *confederati*, ‹stretti da un'unico patto›. (132-3) *porgendo... aita*, con spostamento per iperbato del secondo gerundio: ‹porgendo ed aspettandosi un aiuto (*aita*) valido e pronto›.   (135) *comune*: propria cioè di ogni uomo ugualmente minacciato dalla natura.   (136) *laccio*, ‹insidie›.   (137) *inciampo*, ‹ostacoli›.   (138-44) *stolto crede... guerrieri*: ‹lo reputa stolto come sarebbe in un campo di battaglia, circondato da un esercito nemico (*oste contraria*), quando più violenti si rinnovano gli assalti, battersi sanguinosamente con gli amici, e spargere spavento e diffondere morte con la spada fra i propri guerrieri›. Un paragone simile, polemico contro la follia delle competizioni umane, nella poesia di Voltaire *Sur la loi naturelle*: « Je crois voir des forçats dans un cachot funeste / se pouvant secourir, l'un sur l'autre acharnés / combattre avec le fer dont ils sont enchaînés ». (146) *quando fien, come fur*: ‹quando saranno, come furono in passato› (nei secoli del pensiero illuminato dal Rinascimento al Settecento).   (147) *e quell'orror*: cfr. la nota ai vv.126-7.   (149) *in*

contra l'empia natura
strinse i mortali in social catena,
150   fia ricondotto in parte
da verace saper, l'onesto e il retto
conversar cittadino,
e giustizia e pietade, altra radice
avranno allor che non superbe fole,
155   ove fondata probità del volgo
così star suole in piede
quale star può quel ch'ha in error la sede.

social catena: ‹in un patto sociale›.   ([150]) *fia ricondotto* ecc.:
‹sarà in parte ricondotto tra gli uomini› (*l'orror* del v.147).
([151]) *da verace saper*: quello che riporterà l'orrore contro la natura riconosciuta come nemica, unico *sapere* (cioè visione del
mondo, ideologia) che può permettere lo sviluppo della società
umana. Mentre il pensiero spiritualistico del tempo vedeva la
società come alleanza tra uomo e natura per fini trascendenti.
Nel materialismo leopardiano non c'è la visione di Marx per il
quale solo la fine della proprietà privata e dell'alienazione umana può ristabilire questa alleanza, « la vera resurrezione della
natura, il naturalismo compiuto dell'uomo e l'umanesimo compiuto della natura » (cfr. i giovanili *Manoscritti*, trad. N. Bobbio,
Torino 1949, p. 124); anche in Leopardi la disuguaglianza tra
gli uomini viene criticata, ma per lui « l'essenza e natura della
società, massime umana, contiene contraddizione in se stessa;
perciocché la società umana naturalmente distrugge il più necessario elemento, mezzo, nodo, vincolo della società, ch'è l'ugua-
glianza e parità scambievole degl'individui che l'hanno a comporre » (*Zibaldone*, 3809-10, ma vedi tutto il lungo brano in data 25-30 ottobre 1823). Per cui l'aspirazione a una società di
uguali si accompagna spesso in Leopardi con la nostalgia per
le società naturali e primitive. Ma la critica al proprio tempo,
che trova nella *Ginestra* i suoi accenti più espliciti, anche se si
realizza in un ambito di pura negatività, non è per questo stori-
camente meno mordente: se il tempo presente, in nome delle
sue credenze spiritualistiche, pretende che l'uomo sia il centro del-
l'universo, dovrà guardare al vero volto della natura, che è volto
di distruzione e di morte, e riconoscere la stoltezza o la superbia
o la malafede dei suoi miti.   ([152]) *conversar cittadino*: i rapporti
tra gli uomini nel consorzio civile.   ([154]) *superbe fole*: le credenze religiose e in genere spiritualistiche.   ([155]) *ove fondata* ecc.:
‹sulle quali *fole* se viene basata la probità della convivenza umana›.   ([157]) *quale star* ecc.: ‹come può reggersi tutto ciò che non

Sovente in queste rive,
che, desolate, a bruno
160   veste il flutto indurato, e par che ondeggi,
seggo la notte; e su la mesta landa
in purissimo azzurro
veggo dall'alto fiammeggiar le stelle,
cui di lontan fa specchio
165   il mare, e tutto di scintille in giro
per lo vòto seren brillare il mondo.
E poi che gli occhi a quelle luci appunto,
ch'a lor sembrano un punto,
e sono immense, in guisa
170   che un punto a petto a lor son terra e mare
veracemente; a cui
l'uomo non pur, ma questo
globo ove l'uomo è nulla,
sconosciuto è del tutto; e quando miro

ha fondamento sulla verità›.   (^{158}) *in queste rive*, come al v.49; *queste* funziona da attualizzatore, riportando il canto nella sede del deserto dove si trovano il poeta e il fiore.   (^{159}) *a bruno*, ‹di nero›, quasi segno di lutto.   (^{160}) *il flutto indurato*, ‹l'onda pietrificata› (della lava).   (^{166}) *per lo vòto seren*: cfr. la nota al *Passero solitario*, 29.   (^{167}) *appunto*, ‹fisso›.   (^{168}) *ch'a lor*, agli occhi.   *-un punto*: il motivo della smisurata grandezza dell'universo risale alla prima sensibilità leopardiana, cfr. i *Ricordi d'infanzia e d'adolescenza*: «mie considerazioni sulla pluralità dei mondi e il niente di noi e di questa terra e sulla grandezza e la forza della natura che noi misuriamo coi torrenti ec. che sono un nulla in questo globo ch'è un nulla nel mondo...»; il motivo è presente anche nella giovanile *Storia dell'Astronomia*. Ma non mancano riscontri letterari, oltre che in vari passi delle *Notti* di Young, anche nel *Newtonianismo per le dame* dell'Algarotti, dov'è svolto l'analogo concetto della terra che è un punto perduto nel cosmo; nelle *Avventure di Saffo* del Verri (in un brano riportato nella *Crestomazia* del Leopardi col titolo *La vita campestre e solitaria*): «questo interminato spazio, disseminato di astri infiniti, in mezzo ai quali non che Siracusa, ma tutta la terra è *un attimo di fango*» (cfr. per quest'ultima espressione l'*oscuro / granel di sabbia* dei vv.190-1).   (^{170}) *a petto a lor*, ‹accanto, confrontate a loro›.   (^{171}) *a cui*, ‹alle quali› (stelle).   (^{172}) *non pur*, ‹non soltanto›.   (^{174}) *sconosciuto è del tutto*: perché l'uni-

175 quegli ancor più senz'alcun fin remoti
  nodi quasi di stelle,
  ch'a noi paion qual nebbia, a cui non l'uomo
  e non la terra sol, ma tutte in uno,
  del numero infinite e della mole,
180 con l'aureo sole insiem, le nostre stelle
  o sono ignote, o così paion come
  essi alla terra, un punto
  di luce nebulosa; al pensier mio
  che sembri allora, o prole
185 dell'uomo? E rimembrando
  il tuo stato quaggiù, di cui fa segno
  il suol ch'io premo; e poi dall'altra parte,
  che te signora e fine
  credi tu data al Tutto, e quante volte
190 favoleggiar ti piacque, in questo oscuro
  granel di sabbia, il qual di terra ha nome,
  per tua cagion, dell'universe cose
  scender gli autori, e conversar sovente

verso ignora l'uomo e la terra (contro le concezioni religiose che fanno dell'uomo e della terra i punti centrali della creazione).

(175-6) *quegli ancor... di stelle*: ‹quelli che sembrano nodi di stelle, ancor più infinitamente lontani›; solenne il verso per il rallentamento dell'iperbato; *quasi* è avverbio di *nodi*, ‹le nebulose›.

(177-83) *a cui non l'uomo... di luce nebulosa*: ‹alle quali (nebulose) non soltanto la terra, ma tutte insieme (*in uno*) le stelle, infinite nel numero e nella grandezza, e lo stesso sole, o sono ignote o appaiono come dalla terra quelle nebulose (*essi*, riferito a *nodi*): un punto di nebbia lucente›. Si chiude la lunga serie di temporali e relative iniziata al v. 167; la pienezza ridondante, che quasi vuole esprimere la vastità del soggetto (l'universo), si mitiga nell'interrogativa finale: *al pensier mio / che sembri allora* ecc., per riprendere poi con una seconda accumulazione coordinante il cui soggetto è l'uomo e i suoi errori, che si placa in una seconda interrogativa: *qual moto allora* ecc., vv. 198-200. (186) *di cui fa segno*, ‹del quale testimonia›. (187) *il suol ch'io premo*: intermittente segnalazione della presenza del poeta nel luogo delle rovine. (188-9) *che te... al Tutto*: ‹che ti credi assegnata all'universo come sua dominatrice e causa finale›. *-e quante volte*, in dipendenza da *rimembrando*, 185: ‹e ricordando quante volte›.

(192-3) *per tua cagion... gli autori*: ‹scendessero per amor tuo gli

co' tuoi piacevolmente, e che i derisi
195   sogni rinnovellando, ai saggi insulta
fin la presente età, che in conoscenza
ed in civil costume
sembra tutte avanzar; qual moto allora,
mortal prole infelice, o qual pensiero
200   verso te finalmente il cor m'assale?
Non so se il riso o la pietà prevale.

Come d'arbor cadendo un picciol pomo,
cui là nel tardo autunno
maturità senz'altra forza atterra,
205   d'un popol di formiche i dolci alberghi,
cavati in molle gleba
con gran lavoro, e l'opre
e le ricchezze che adunate a prova

dei creatori del mondo›; la visita degli dei agli uomini era *topos*
della poesia antica, e così il rimpianto che questo più non avve-
nisse per la malvagità degli uomini. Il Leopardi nell'abbozzo
dell'*Inno ai Patriarchi* cita a questo proposito Catullo e le visite
di Dio e dei suoi Angeli narrate dalla Bibbia. Cfr. per questi versi *Paralipomeni*, VII, 15: «non però fermi e persuasi manco / sono i popoli tutti e son le scole / che l'uomo, in somma, senza
uguali al fianco / segga signor della creata mole, / né con modo
men lepido o men franco / si ripeton ancor le antiche fole, / che
fan dell'esser nostro e de' costumi / per nostro amor partecipare
i numi». [194-5] *i derisi / sogni*: le credenze religiose, che erano
state oggetto di scherno nel secolo precedente. -*ai saggi insulta*: col dativo, come talvolta in latino. [196] *fin la presente età*:
‹perfino questo secolo› (che sembra il più progredito). [198] *moto*, ‹sentimento›. [201] *se il riso o la pietà*: se il *riso* per l'assur-
dità dei tuoi errori, o la *pietà* per il bisogno di conforto che
t'induce in quelli. [203] *cui*, ‹che›, compl. oggetto. -*là* con
valore indeterminato, ma anche ad indicare un mondo remoto
dal luogo della desolazione, dove ancora maturano i frutti; cfr.
ai vv.223-4: «le cittadi che il mar *là* su l'estremo / lido aspergea». [204] *maturità* ecc.: ‹il solo fatto di esser maturo fa cadere a terra›. [205] *i dolci alberghi*, ‹le care dimore›, oggetto
dei verbi *schiaccia, diserta* e *copre* al v.211. [206] *cavati in molle gleba*, ‹scavati in un terreno cedevole›. [208] *adunate*, da unire ad *avea*, v.210 (il soggetto è *l'assidua gente*, v.209). -*a prova*,

con lungo affaticar l'assidua gente
210 avea provvidamente al tempo estivo,
schiaccia, diserta e copre
in un punto; così d'alto piombando,
dall'utero tonante
scagliata al ciel profondo,
215 di ceneri e di pomici e di sassi
notte e ruina, infusa
di bollenti ruscelli,
o pel montano fianco
furiosa tra l'erba
220 di liquefatti massi
e di metalli e d'infocata arena
scendendo immensa piena,
le cittadi che il mar là su l'estremo
lido aspergea, confuse
225 e infranse e ricoperse

‹gareggiando› (in fatica). (²¹²) *in un punto*, ‹in un attimo›.
-così d'alto: corrispettivo a *d'arbor* del v.202, ‹dall'alto›.
(²¹³) *dall'utero*, ‹dalle viscere, dall'interno nucleo›; *utero* e *ciel
profondo*: ambedue elementi di ostilità e minaccia. Nei versi seguenti appaiono reminiscenze di un passo di Virgilio dove si descrive l'Etna in eruzione (reminiscenze che sono presenti anche
nell'*Epistola al Benaglio* del Bettinelli, di cui Leopardi pubblica
un estratto nella sua *Crestomazia* e che è spesso citata dai commentatori): « Sed horrificis iuxta tonat Aetna ruinis / interdum-
que atram prorumpit ad aethera nubem / turbine fumantem pi-
ceo et candente favilla / attollitque globos flammarum et sidera
lambit; / interdum scopulos avulsaque viscera montis / erigit
eructans liquefactaque saxa sub auras / cum gemitu glomerat
fundoque exaestuat imo » (*Aen.*, III, 571-7, e cfr. anche *Georg.*,
I, 471-3). (²¹⁴) *scagliata*, da riferire a *notte e ruina* del v.216.
(²¹⁶) *infusa*, ‹mescolata›, cfr. *glomerat* nel citato passo di Virgilio. (²¹⁹) *furiosa*, aggettivo di *immensa piena* del v.222. (²²⁰) *di
liquefatti massi*, genitivo di *piena*, anticipato per anastrofe.
(²²²) *immensa piena*, ‹come un'immensa piena›; nei versi delle
Georgiche sopra ricordati: « effervere in agros / vidimus undan-
tem ruptis fornacibus Aetnam ». (²²⁴) *aspergea*, ‹bagnava› (*là*
trova il suo corrispettivo, nel primo membro della comparazione,
in « *là* nel tardo autunno », v.203). (²²⁴⁻⁵) *confuse / e infranse e
ricoperse*: corrispettivi di *schiaccia, diserta e copre* del v.211.

in pochi istanti : onde su quelle or pasce
·la capra, e città nove
sorgon dall'altra banda, a cui sgabello
son le sepolte, e le prostrate mura
230   l'arduo monte al suo piè quasi calpesta.
Non ha natura al seme
dell'uom più stima o cura
che alla formica : e se più rara in quello
che nell'altra è la strage,
235   non avvien ciò d'altronde
fuor che l'uom sue prosapie ha men feconde.

Ben mille ed ottocento
anni varcàr poi che spariro, oppressi
dall'ignea forza, i popolati seggi,
240   e il villanello intento
ai vigneti, che a stento in questi campi
nutre la morta zolla e incenerita,
ancor leva lo sguardo
sospettoso alla vetta
245   fatal, che nulla mai fatta più mite
ancor siede tremenda, ancor minaccia
a lui strage ed ai figli ed agli averi
lor poverelli. E spesso
il meschino in sul tetto
250   dell'ostel villereccio, alla vagante

(²²⁶) *in pochi istanti*: corrispettivo di *in un punto* del v.212; si
chiude a specchio la similitudine tra la rovina del formicaio e
quella delle città umane provocata dal Vesuvio.   -*onde*, ‹cosicché›.   (²²⁸) *dall'altra banda*, ‹dall'altra parte›, lontano cioè dal
mare, ora desolato pascolo per le capre; qui sorgono le nuove
città (i borghi di Boscotrecase, Boscoreale e Resina) a cui le antiche città sepolte fanno da sgabello.   (²³⁵) *non avvien* ecc.: ‹questo non deriva da altro, da altra causa›.   (²³⁶) *prosapie*, ‹fami-
glie, generazioni›.   (²³⁸) *varcàr*, ‹passarono›, con valore assoluto
(come in Dante: « Lascia loro e *varca* », *Purg.*, XII, 4, e altrove).   (²³⁹) *seggi*, ‹sedi, dimore›.   (²⁴⁰) *villanello*: diminutivo d'affetto perché *meschino* (v.249) non perché fanciullo; ha infatti
figli ed *averi* (vedi al v.247).   (²⁴⁵) *che nulla mai fatta più mite*:
‹che non è affatto diventata più mite nel corso di tanti secoli›.
(²⁴⁶) *siede*, ‹sta, incombe›.   (²⁵⁰) *dell'ostel villereccio*, ‹della ru-

aura giacendo tutta notte insonne,
e balzando più volte, esplora il´corso
dal temuto bollor, che si riversa
dall'inesausto grembo
255   su l'arenoso dorso, a cui riluce
di Capri la marina
e di Napoli il porto e Mergellina.
E se appressar lo vede, o se nel cupo
del domestico pozzo ode mai l'acqua
260   fervendo gorgogliar, desta i figliuoli,
desta la moglie in fretta, e via, con quanto
di lor cose rapir posson, fuggendo,
vede lontan l'usato
suo nido, e il picciol campo,
265   che gli fu dalla fame unico schermo,
preda al flutto rovente,
che crepitando giunge, e inesorato
durabilmente sovra quei si spiega.
Torna al celeste raggio
270   dopo l'antica obblivion l'estinta
Pompei, come sepolto
scheletro, cui di terra
avarizia o pietà rende all'aperto;

---

stica abitazione›; *spesso, tetto, villereccio* tutti assonanti, con lo stesso vocalismo di *villanello*. (250-1) *alla vagante / aura*, ‹all'aria aperta›. (254) *grembo*: cfr. *utero* al v.213. (255) *sul'arenoso dorso*, ‹sul fianco sabbioso, arido›; cfr. *su l'arida schiena*, v.1, *-a cui riluce*: il relativo riferito a *bollor*: ‹al cui riflesso riluce›. (258) *nel cupo*, ‹nel profondo›, come spesso nell'italiano antico (cfr. ad es. Dante, *Inf.*, VII, 10: « Non è sanza cagion l'andare al cupo », e *Par.*, III, 123: *acqua cupa*, ‹acqua profonda›). (259) *mai*, da unire ai *se* del verso precedente. (267) *inesorato*: cfr. *Zibaldone*, 4200. « *inesorato* ec. per *inesorabile* », nella serie di note sui participi passati che hanno acquistato un valore attivo. (268) *durabilmente* ecc., ‹si diffonde sopra quelli (il *nido* e il *campo*) per rimanervi per sempre›. (269) *al celeste raggio*, ‹alla luce del sole›. (270) *dopo l'antica obblivion*: il tema dell'antichità riporta espressioni delle canzoni, cfr. *obblivione antica* nell'*Angelo Mai*, v.51. (272) *cui di terra*, ‹che dalla terra›. (273) *avarizia o pietà*: avidità di tesori o pietoso onore verso

e dal deserto foro
275   diritto infra le file
dei mozzi colonnati il peregrino
lunge contempla il bipartito giogo
e la cresta fumante,
che alla sparsa ruina ancor minaccia.
280   E nell'orror della secreta notte
per li vacui teatri,
per li templi deformi e per le rotte
case, ove i parti il pipistrello asconde,
come sinistra face
285   che per vòti palagi atra s'aggiri,
corre il baglior della funerea lava,
che di lontan per l'ombre
rosseggia e i lochi intorno intorno tinge.
Così, dell'uomo ignara e dell'etadi
290   ch'ei chiama antiche, e del seguir che fanno
dopo gli avi i nepoti,
sta natura ognor verde, anzi procede
per sì lungo cammino
che sembra star. Caggiono i regni intanto,
295   passan genti e linguaggi: ella nol vede:
e l'uom d'eternità s'arroga il vanto.

E tu, lenta ginestra,

la distrutta, antica grandezza.   (275) *diritto*, ‹in piedi› (riferito a *peregrino* del verso seguente).   (276) *mozzi*, ‹spezzati›.   -*il peregrino*, ‹il forestiero, il visitatore›.   (277) *il bipartito giogo*, ‹la doppia cima› (del Vesuvio).   (279) *minaccia*, costruito col dativo come in latino.   (280) *secreta*, ‹oscura, che nasconde le cose›. (282) *deformi*, perché hanno perso il loro aspetto primitivo. (283) *i parti*, ‹le nidiate›.   (285) *atra*, ‹lugubre›.   (286) *il baglior*, ‹il riflesso›, paragonato a una fiaccola sinistra (*sinistra face*, v. 284).   (292-4) *sta natura... sembra star*: ‹sta perennemente giovane la natura, o piuttosto (*anzi*) procede per una via così lunga (con mutazioni così insensibili) che a noi sembra perennemente immobile›.   (296) *e l'uom* ecc.: ‹e nondimeno l'uomo si attribuisce il vanto di essere eterno›; per questi versi il Fubini segnala Tasso, *Gerus. lib.*, xv, 20: « Muoiono le città, passano i regni, / copre i fasti e le pompe arena ed erba; / e l'uom d'esser mortal par

che di selve odorate
queste campagne dispogliate adorni,
300 anche tu presto alla crudel possanza
soccomberai del sotterraneo foco,
che ritornando al loco
già noto, stenderà l'avaro lembo
su tue molli foreste. E piegherai
305 sotto il fascio mortal non renitente
il tuo capo innocente:
ma non piegato insino allora indarno
codardamente supplicando innanzi
al futuro oppressor; ma non eretto
310 con forsennato orgoglio inver le stelle,
né sul deserto, dove
e la sede e i natali
non per voler ma per fortuna avesti;
ma più saggia, ma tanto
315 meno inferma dell'uom, quanto le frali

che si sdegni; / oh nostra mente cupida e superba! » (297) *lenta*, ‹flessibile›, latinismo; è aggettivo virgiliano, cfr. *Georg.*, II, 10:
« lentae genistae ». Il dizionario latino del Forcellini (frequen-
tatissimo dal Leopardi) dà l'etimologia « *genista*, forte a *genu*,
quia facile flectitur »; l'indole della pianta ispira al poeta il paragone tra l'uomo e il fiore. (298) *selve*, ‹cespi, macchie›, cfr.
al v.304 *foreste*. (302-3) *ritornando al loco / già noto*, ‹ridiscen-
dendo per lo stesso pendio› (già percorso in precedenti eruzioni).
(303) *l'avaro lembo*, ‹l'avido flutto avanzante›; *avaro mari* in Orazio, *Carm.*, III, 30, 61, detto del mare che inghiotte avidamente
navi e ricchezze. (305) *sotto il fascio mortal*, ‹sotto il peso mortale›. *-non renitente*, ‹senza opporti›. (307-8) *indarno / codardamente*: i due avverbi, da riferire rispettivamente a *piegato* e
supplicando, sono in un chiasmo. (309) *al futuro oppressor*,
‹all'oppressore incombente› (*futuro* è latinismo, ‹che sta per
giungere›); l'*oppressor* è la natura che ha bisogno della morte
degl'individui per perseguire i suoi fini generali (nella *Palinodia*,
vv.180-1: « insin ch'ei giace / alfin dall'empia madre *oppresso* e
spento »). (310) *inver*, ‹verso›. (311) *né sul deserto*: ‹né alzan-
do orgogliosamente il capo sul tuo deserto› (come l'uomo, che
si crede signore della terra). (313) *per fortuna*, ‹casualmente›.
(315) *inferma*, nel senso etimologico di ‹debole›. (317) *o dal fato
o da te* ecc.: riassume i due atteggiamenti di cui ai vv.307-10,

tue stirpi non credesti
o dal fato o da te fatte immortali.

marcati dalle avversative *ma non... ma non* (chi si piega di fronte alla natura che lo opprime scorgendo in ciò un disegno provvidenziale, una prova da superare in vista di una vita futura; e chi, pur non *supplicando*, esalta orgogliosamente le magnifiche sorti dell'umanità); ad ambedue questi atteggiamenti Leopardi oppone la sua scienza della natura micidiale e della morte. Vicino alla *Ginestra*, in un diverso quadro ideologico, il fiore manzoniano dell'*Ognissanti*: « A Quello [a Dio] domanda, o sdegnoso, / perché sull'inospite piagge, / al tremito d'aure selvagge, / fa sorgere il tacito fior, // che spiega davanti a Lui solo / la pompa del pinto suo velo, / che spande ai deserti del cielo / gli olezzi del calice, e muor », già visto da Bigongiari come *anti-Ginestra*, su cui recentemente sono tornati D. De Robertis e Fortini.

Composta probabilmente attorno al 1828 (la vecchia critica, basandosi sulla pubblicazione della *Feuille* di A.V. Arnault in un numero dello «Spettatore» del 1818, la riteneva di quell'anno, ma contrastano con questa tesi il linguaggio e la particolare sintassi poetica che fa pensare a un Leopardi più maturo, vicino a quello dei grandi idilli).

LA FEUILLE
di A.V. Arnault (1766-1834)

— De ta tige détachée
pauvre feuille desséchée
où vas-tu? — Je n'en sais rien.
L'orage a brisé le chêne
qui seul était mon soutien.
De son incostante haleine
le Zéphir ou l'Aquilon
depuis ce jour me promène
de la forêt à la plaine,
de la montagne au vallon.
Je vais où le vent me mène
sans me plaindre ou m'effrayer;
je vais où va toute chose,
où va la feuille de rose
et la feuille de laurier.

Sul piano di un concreto confronto con questa poesia dell'Arnault, Leopardi dà una prova pratica della maggiore poeticità della lingua italiana nei confronti del francese, che era secondo lui lingua secca e raziònale, incapace di *va-*

go e di *indeterminato* (ma si trattava di scelte letterarie, più che di genio della lingua, come dimostrerà l'affermarsi del francese proprio come lingua del *vago* e dell'*indeterminato* col simbolismo — e sintomaticamente solo dopo quel movimento i francesi riusciranno a tradurre il Leopardi senza i risultati distorcenti del Sainte-Beuve, pure acutissimo critico del nostro poeta). Leopardi non soltanto arricchisce di risonanze segrete il lucente ma uniforme smalto della poesia dell'Arnault, ma la fa veicolo di una più vibrante significazione per il rapporto che v'instaura — con minimi tratti d'intervento, più di atmosfera che direttamente espliciti — tra il destino della foglia e quello dell'uomo.

Lungi dal proprio ramo,
povera foglia frale,
dove vai tu? — Dal faggio
là dov'io nacqui, mi divise il vento.
5   Esso, tornando, a volo
dal bosco alla campagna,
dalla valle mi porta alla montagna.
Seco perpetuamente
vo pellegrina, e tutto l'altro ignoro.
10 Vo dove ogni altra cosa,
dove naturalmente
va la foglia di rosa,
e la foglia d'alloro.

(²) *frale*, ‹fragile›; traduce il *desséchée* del testo originale, con un aggettivo che stringe più da vicino il confronto tra la foglia e l'uomo in cui si risolve l'imitazione leopardiana (l'aggettivo è allitterante con *foglia*).   (⁴) *mi divise*, più sfumato dell'arnaultia-no *détachée* (ma il predominio del *vago* nei confronti della composizione francese cominciava già con l'*incipit*: *Lungi* ecc.).
(⁵) *tornando*: in una serie di giri e successivi riposi; è fenomeniz-zata in un unico verbo l'espressione francese « de son inconstante haleine ».   (⁹) *vo pellegrina*: riassume il verso di Arnault « je vais où le vent me mène ».   *-e tutto l'altro ignoro*: il v.3 del testo di Arnault « Je n'en sais rien » viene spostato in avanti, al centro dell'esperienza della foglia.   (¹¹) *naturalmente*: hapax leopardia-no di memorabile risonanza nella sua semplicità: ‹per naturale legge›, cfr. nella *Ginestra*: « maturità senz'altra forza », v.204. L'avverbio riassume, in consapevole accettazione di una sorte universale, il *sans me plaindre ou m'effrayer* di Arnault, sorella in questo la foglia leopardiana del fiore del deserto.

Composto a Pisa il 15 febbraio 1828 (la data è sull'autografo). È un giocoso epigramma sulla mancanza di stile delle opere moderne (e la *lima*, strumento ormai *démodée*, è scomparsa dall'officina delle Muse).

Quando fanciullo io venni
a pormi con le Muse in disciplina,
l'una di quelle mi pigliò per mano;
e poi tutto quel giorno
5   la mi condusse intorno
a veder l'officina.
Mostrommi a parte a parte
gli strumenti dell'arte,
e i servigi diversi
10   a che ciascun di loro
s'adopra nel lavoro
delle prose e de' versi.
Io mirava, e chiedea:
Musa, la lima ov'è? Disse la Dea:
15   la lima è consumata; or facciam senza.
Ed io, ma di rifarla
non vi cal, soggiungea, quand'ella è stanca?
Rispose: hassi a rifar, ma il tempo manca.

(¹) *Quando fanciullo*: il Leopardi cominciò a poetare nel 1809, a dieci anni, come traduttore di Orazio. (²) *in disciplina*, ‹alla scuola›. (³) *l'una di quelle*: cfr. *Alla sua donna*, v.46, « *l'una sei tu* » (e in una sua annotazione Leopardi difende l'uso dell'articolo davanti a *una*). (⁵) *la mi condusse intorno*: il toscanismo ha un'aria di blanda ironia. (¹⁰) *a che*, ‹ai quali›. (¹⁷) *non vi cal*, ‹non v'importa›. (¹⁸) *hassi a rifar*, ‹si deve rifare›.

FRAMMENTI

XXXVII

Composto nel 1819, e apparso in Nr e B26 col titolo *Lo spavento notturno*, l'idillio riappare in N come testimonianza dell'attività poetica del primo Leopardi.

Questo «parlamento» di pastori è contraddistinto dall'uso di modi linguistici dimessi, o artificiosamente mimetici in questa direzione, come alcune forme arcaiche toscane (si veda *ha* per «c'è» al v.27), quasi per fornire al proprio dettato classicheggiante una venatura di «dorico» secondo i suggerimenti del modello teocriteo. Questa differenziazione, in senso umile, del linguaggio si manifesta anche nella prevalente paratassi, negl'incisi che vogliono riprodurre forme in uso nel parlato (cfr. *come ho detto* al v.14). Il frammento (che si apre e chiude con la parola *sogno*) è pieno di un suo asciutto incanto e conserva la traccia del lungo amore del giovanissimo Leopardi per la poesia pastorale (come testimoniano, oltre che le sue letture e le sue note, la traduzione degl'idilli di Mosco e l'abbozzo della *Telesilla*, che è assai probabilmente del medesimo anno di questo frammento).

<table>
<tr><td>ALCETA</td><td>Odi, Melisso: io vo' contarti un sogno
di questa notte, che mi torna a mente
in riveder la luna. Io me ne stava
alla finestra che risponde al prato,</td></tr>
<tr><td>5</td><td>guardando in alto: ed ecco all'improvviso
distaccasi la luna; e mi parea
che quanto nel cader s'approssimava,
tanto crescesse al guardo; infin che venne
a dar di colpo in mezzo al prato; ed era</td></tr>
<tr><td>10</td><td>grande quanto una secchia, e di scintille
vomitava una nebbia, che stridea
sì forte come quando un carbon vivo
nell'acqua immergi e spegni. Anzi a quel modo
la luna, come ho detto, in mezzo al prato</td></tr>
<tr><td>15</td><td>si spegneva annerando a poco a poco,
e ne fumavan l'erbe intorno intorno.
Allor mirando in ciel, vidi rimaso
come un barlume, o un'orma, anzi una nicchia,
ond'ella fosse svelta; in cotal guisa,</td></tr>
<tr><td>20</td><td>ch'io n'agghiacciava; e ancor non m'assicuro.</td></tr>
</table>

(¹) *Melisso*: questo nome, e quello di Alceta, vengono dal *Filli di Sciro*, commedia pastorale di Guidubaldo Bonarelli (1536-1608) *-vo'*, ‹voglio›. (⁴) *che risponde al prato*, ‹che s'affaccia sul prato›. (⁸) *al guardo* ‹alla vista›. (¹⁰) *quanto una secchia*: il paragone è preso dagli oggetti del mondo arcadico; è la secchia per il latte. (¹³) *immergi e spegni*: immagine simile, a proposito del tramonto del sole, nella canzone *Ad Angelo Mai*, vv.79-80, con una annotazione del poeta. (¹⁸) *come un barlume, o un'orma*: quasi una traccia del lume che non c'era più. (¹⁹) *ond'ella fosse svelta,* ‹da cui si fosse distaccata›. (²⁰) *ch'io n'agghiacciava*: si ricordi che nella prima edizione del '26 il frammento recava il titolo *Lo spavento notturno*. *-non m'assicuro*, ‹non sono tranquillo›.

MELISSO E ben hai che temer, che agevol cosa
    fora cader la luna in sul tuo campo.

ALCETA Chi sa? non veggiam noi spesso di state
    cader le stelle?

MELISSO   Egli ci ha tante stelle,
25   che picciol danno è cader l'una o l'altra
    di loro, e mille rimaner. Ma sola
    ha questa luna in ciel, che da nessuno
    cader fu vista mai se non in sogno.

(21-2) *che agevol cosa / fora*, ‹che sarebbe cosa facile› (detto con ironia). (23) *di state*, ‹d'estate›. (24) *Egli ci ha*, ‹ci sono›. (26-7) *Ma sola / ha questa luna*, ‹ma c'è soltanto questa luna›.

Composto nel 1818, apparve unicamente in в26 col titolo *Elegia II* (*Elegia I* era in в26, il *Primo amore*). Il frammento ricava, dal testo primitivo, un campione sul tema del rapporto tra la passione dell'anima e la natura tempestosa. Il metro è identico a quello del *Primo amore*.

Io qui vagando al limitare intorno,
invan la pioggia invoco e la tempesta,
3   acciò che la ritenga al mio soggiorno.

Pure il vento muggia nella foresta,
e muggia tra le nubi il tuono errante,
6   pria che l'aurora in ciel fosse ridesta.

O care nubi, o cielo, o terra, o piante,
parte la donna mia : pietà, se trova
9   pietà nel mondo un infelice amante.

O turbine, or ti sveglia, or fate prova
di sommergermi, o nembi, insino a tanto
12   che il sole ad altre terre il dì rinnova.

S'apre il ciel, cade il soffio, in ogni canto
posan l'erbe e le frondi, e m'abbarbaglia
15   le luci il crudo Sol pregne di pianto.

(³) *acciò che la ritenga* ecc.: ‹perché la trattenga nella mia casa›.
(⁴) *Pure*, ‹eppure›.   (⁶) *fosse ridesta*, ‹si fosse risvegliata›.
(¹¹⁻²) *insino a tanto* ecc.: ‹finché il sole riporta il giorno in altre
terre›, cioè ‹per tutta la giornata›.   (¹³⁻⁵) *S'apre il ciel... di pianto*: la bufera, che il poeta invocava continuasse per impedire la
partenza dell'amata, cessa col sorgere del sole.   (¹⁵) *le luci*, ‹gli
occhi›. *-il crudo Sol*: crudele perché è il sole del giorno in cui
lei partirà.

È l'inizio della giovanile cantica *L'appressamento della morte* scritta da Leopardi nel 1816 e mai da lui pubblicata. I numerosi ritocchi mutano anche la significazione di fondo del brano: se nel testo giovanile il discorso era condotto in prima persona e l'*io* cercava eccelsa meta, qui appare invece una fanciulla rivolta ad *amorosa meta*. Le correzioni ed espunzioni mirano a liberare il testo primitivo dalle fitte e grevi reminiscenze letterarie, soprattutto dantesche; ma echi danteschi permangono, soprattutto a livello del lessico, con l'autorizzazione del Varano delle *Visioni* che il Leopardi nella sua cantica tendeva ad imitare. Non mancano, nella figurazione, forti tinte di natura pre-romantica, che fanno pensare a un noto quadro del Cavaliere di Bonnemaison: «Fanciulla sorpresa da un temporale», del 1799.

Metro: terzine dantesche, e dantesca la finale con rima in *pietra* (non per morte, ma per impietrarsi dello spavento e dell'angoscia).

Spento il diurno raggio in occidente,
e queto il fumo delle ville, e queta
3   de' cani era la voce e della gente;

quand'ella, volta all'amorosa meta,
si ritrovò nel mezzo ad una landa
6   quanto foss'altra mai vezzosa e lieta.

Spandeva il suo chiaror per ogni banda
la sorella del sole, e fea d'argento
9   gli arbori ch'a quel loco eran ghirlanda.

I ramoscelli ivan cantando al vento,
e in un con l'usignol che sempre piagne
12   fra i tronchi un rivo fea dolce lamento.

Limpido il mar da lungi, e le campagne
e le foreste, e tutte ad una ad una

(2-3) *e queta... della gente*: eco ovidiana dai *Tristia* (I, III, 27):
« iamque quiescebant voces hominumque canumque ». (4) *ella*:
simbolica giovinetta che si sta avviando a un convegno d'amore.
(6) *quanto foss'altra mai*, ‹come non è possibile trovarne alcuna›.
(8) *la sorella del sole*, ‹la luna› (Diana, sorella di Febo); così anche Petrarca, *Rime*, CCVI, 24: « sol chiaro, o sua sorella », e vedi anche Dante, *Purg.*, XXIII. (8) *fea*, ‹faceva, rendeva›. (9) *gli
arbori* ecc.: dantismo fruito come vaga notazione paesistica (in
Dante è la selva dei suicidi), cfr. *Inf.*, XIV, 10: « La dolorosa
selva l'è ghirlanda », anche in Dante in rima con *landa*. (11) *in
un*, ‹insieme›. -*che sempre piagne*: cfr. Petrarca, *Rime*, CCCXI,
1: « Quel rosignuol che sì soave piagne ». (13) *Limpido il mar
da lungi*: il paesaggio è quello, di ascendenza omerica, descritto
nella *Sera del dì di festa*, vv.1-4; *il mar da lungi* anche in *A Sil-*

15   le cime si scoprian delle montagne.

     In queta ombra giacea la valle bruna,
     e i collicelli intorno rivestia
18   del suo candor la rugiadosa luna.

     Sola tenea la taciturna via
     la donna, e il vento che gli odori spande,
21   molle passar sul volto si sentia.

     Se lieta fosse, è van che tu dimande:
     piacer prendea di quella vista, e il bene
24   che il cor le prometteva era più grande.

     Come fuggiste, o belle ore serene!
     Dilettevol quaggiù null'altro dura,
27   né si ferma giammai, se non la spene.

     Ecco turbar la notte, e farsi oscura
     la sembianza del ciel, ch'era sì bella,
30   e il piacere in colei farsi paura.

     Un nugol torbo, padre di procella,
     sorgea di dietro ai monti, e crescea tanto,
33   che più non si scopria luna né stella.

     Spiegarsi ella il vedea per ogni canto,
     e salir su per l'aria a poco a poco,
36   e far sovra il suo capo a quella ammanto.

---

via, 25.   ([18]) *la rugiadosa luna*, come in Virgilio, *Georg.*, III, 337: « roscida luna ».   ([23]) *piacer prendea di quella vista*: cfr. Petrarca, *Rime*, CCCXXIII, 44-5: « più dolcezza prendea di tal concento / et di tal vista ».   ([25]) *Come fuggiste* ecc.: cfr. Petrarca, *Rime*, CCCXIX, 1-3: « I dì miei più leggier' che nessun cervo / fuggir come ombra, et non vider più bene / ch'un batter d'occhio, et poche hore serene ».   ([26]) *Dilettevol quaggiù* ecc.: cfr. Petrarca, *Rime*, CCCXI, 14: « come nulla qua giù diletta et dura ». ([28]) *turbar*, assoluto per il riflessivo.   ([31]) *un nugol torbo*, ‹una torbida nube›.   ([36]) *a quella*: ‹all'aria›, coperta dalla nube. ([36]) *Veniva*, ‹diveniva›. -*fioco* aggettivo di *lume* in un noto verso

Veniva il poco lume ognor più fioco;
e intanto al bosco si destava il vento,
39 al bosco là del dilettoso loco.

E si fea più gagliardo ogni momento,
tal che a forza era desto e svolazzava
42 tra le frondi ogni augel per lo spavento.

E la nube, crescendo, in giù calava
ver la marina sì, che l'un suo lembo
45 toccava i monti, e l'altro il mar toccava.

Già tutto a cieca oscuritade in grembo,
s'incominciava udir fremer la pioggia,
48 e il suon cresceva all'appressar del nembo.

Dentro le nubi in paurosa foggia
guizzavan lampi, e la fean batter gli occhi;
51 e n'era il terren tristo, e l'aria roggia.

Discior sentia la misera i ginocchi;
e già muggiva il tuon simile al metro
54 di torrente che d'alto in giù trabocchi.

Talvolta ella ristava, e l'aer tetro
guardava sbigottita, e poi correa,
57 sì che i panni e le chiome ivano addietro.

E il duro vento col petto rompea,

dantesco, *Inf.*, III, 75.   ([39]) *del dilettoso loco*: ‹dov'era il dolce
luogo dell'appuntamento›.   ([44]) *ver*, ‹verso›.   ([46]) *Già tutto*
ecc.: ablativo assoluto.   ([51]) *tristo*, ‹lugubremente rischiarato›;
tutta la descrizione della tempesta segue ora da vicino un passo
del *Saggio sopra gli errori popolari degli antichi*, cap. XIII.   *-rog-
gia*, ‹rossa›.   ([53]) *al metro*, ‹al fragore monotono›.   ([57]) *sì che
i panni* ecc.: Ovidio, nella descrizione di Dafne in fuga (*Metam..*
I, 528-9). «obviaque adversas vibrabant flamina vestes / et levis
impulsos retro dabat aura capillos».   ([58]) *duro*: parlando degli
ardiri metaforci, Leopardi scrive in *Zibaldone*, 61, che essi altro non sono che «un bell'uso di quel vago e in certo modo,

che gocce fredde giù per l'aria nera
60   in sul volto soffiando le spingea.

E il tuon veniale incontro come fera,
rugghiando orribilmente e senza posa;
63   e cresceva la pioggia e la bufera.

E d'ogn'intorno era terribil cosa
il volar polve e frondi e rami e sassi,
66   e il suon che immaginar l'alma non osa.

Ella dal lampo affaticati e lassi
coprendo gli occhi, e stretti i panni al seno,
69   gia pur tra il nembo accelerando i passi.

Ma nella vista ancor l'era il baleno
ardendo sì, ch'alfin dallo spavento
72   fermò l'andare, e il cor le venne meno.

E si rivolse indietro. E in quel momento
si spense il lampo, e tornò buio l'etra,
75   ed acchetossi il tuono, e stette il vento.

Taceva il tutto; ed ella era di pietra.

---

quanto alla costruzione, irragionevole, che è tanto necessario al poeta... come chi chiama *duro* il vento, perché difficilmente si rompe la sua piena quando se gli va incontro ». [61] *come fera*, ‹come una fiera›. [69] *gia*, da *gire*, ‹andava›. [70] *l'era*, ‹le restava›. [71] *ardendo*: il gerundio per il participio presente come nell'italiano antico. [75] *stette*, ‹si placò, cessò›. [76] *di pietra*, ‹pietrificata dal terrore›; non ‹morta›, come spiegano molti commentatori, cfr. infatti il giovanile *Appressamento della morte*, I, 82 e sgg.

Composto a Recanati tra il 1823 e il 1824, è la traduzione di un frammento di Simonide d'Amorgo, poeta gnomico greco. Alcuni versi con qualche variante appaiono già in *Parini ovvero della gloria* nelle *Oeperette morali*. Fu poi ristampato col titolo *La speranza* nel «Corriere delle dame» del 19 novembre 1827.

Metricamente il frammento è interessante come precoce esperimento della stanza libera.

Ogni mondano evento
è di Giove in poter, di Giove, o figlio,
che giusta suo talento
ogni cosa dispone.
5   Ma di lunga stagione
nostro cieco pensier s'affanna e cura,
benché l'umana etate,
come destina il ciel nostra ventura,
di giorno in giorno dura.
10   La bella speme tutti ci nutrica
di sembianze beate,
onde ciascuno indarno s'affatica:
altri l'aurora amica,
altri l'etade aspetta;
15   e nullo in terra vive
cui nell'anno avvenir facili e pii
con Pluto gli altri iddii
la mente non prometta.
Ecco pria che la speme in porto arrive,

(³) *giusta suo talento*, ‹a proprio arbitrio›.   (⁵) *di lunga stagione*,
‹dell'avvenire›, che noi supponiamo di lunga durata.   (⁷) *l'umana etate*, ‹la vita umana›.   (⁸) *come destina* ecc.: ‹secondo ciò
che il cielo ha destinato per nostra sorte›.   (⁹) *di giorno in giorno dura*: ‹dura da un giorno all'altro› (irridendo l'affanno di
cui ai vv.5-6).   (¹⁰) *bella*, detto ironicamente.   (¹⁰⁻¹) *ci nutrica /
di sembianze beate*: ‹ci sostiene con parvenze di felicità›.
(¹²) *onde ciascuno* ecc.: ‹cosicché ogni uomo s'affanna per niente›.   (¹³) *l'aurora amica*, ‹il giorno atteso, desiderato›.   (¹⁴) *l'etade*: un avvenire più remoto in confronto all'indomani del verso
precedente.   (¹⁵⁻⁸) *e nullo... prometta*: ‹e non c'è uomo su questa terra che nel pensiero non si aspetti per il prossimo anno
una maggior benevolenza e pietà da parte di Plutone (dio della
ricchezza) e di tutti gli dei›.   (¹⁹) *pria*, ‹prima›.   -*arrive*, ‹arri-

20   qual da vecchiezza è giunto
             e qual da morbi al bruno Lete addutto;
             questo il rigido Marte, e quello il flutto
             del pelago rapisce; altri consunto
             da negre cure, o tristo nodo al collo
25   circondando, sotterra si rifugge.
             Così di mille mali
             i miseri mortali
             volgo fiero e diverso agita e strugge.
             Ma per sentenza mia,
30   uom saggio e sciolto dal comune errore,
             patir non sosterria,
             né porrebbe al dolore
             ed al mal proprio suo cotanto amore.

vi›.   (²⁰⁻¹) *qual... e qual*: ‹chi... e chi›.   *-è giunto*, ‹è raggiunto›.   (²¹) *al bruno Lete addutto*, ‹spinto nel Lete oscuro›. (²²) *rigido Marte*: ‹Marte duro, crudele›, cioè la guerra.   (²⁵) *rifugge*, quasi cercando scampo ai dolori; cfr. *Ultimo canto di Saffo*, v.56: « *rifuggirà* l'ignudo animo a Dite ».   (²⁸) *volgo fiero e diverso*: ‹una moltitudine crudele e mostruosa›, con un'inconscia associazione di suono col verso di Dante: « Cerbero, *fiera* crudele e *diversa* », *Inf.*, VI, 13.   (³¹⁻³) *patir... cotanto amore*: ‹non riuscirebbe a sopportare né amerebbe tanto il dolore e i propri mali› (perché la vita, a cui tenacemente si attacca, non è fatta di altro); i dativi *al dolore* e *al mal* sono retti da *porrebbe amore*, ma sono contemporaneamente anche oggetti di *patir non sosterria*: forma di zeugma non inusitata in Leopardi.

Composto come il precedente tra il 1823 e il 1824. Il titolo è argutamente polemico coi filologi che attribuivano il
frammento qui tradotto non a Simonide di Amorgo ma a
Simonide di Ceo (ipotesi che fu poi condivisa da altri insi-
gni grecisti).

Umana cosa picciol tempo dura,
e certissimo detto
disse il veglio di Chio,
conforme ebber natura
5 le foglie e l'uman seme.
Ma questa voce in petto
raccolgon pochi. All'inquieta speme,
figlia di giovin core,
tutti prestiam ricetto.
10 Mentre è vermiglio il fiore
di nostra etade acerba,
l'alma vota e superba
cento dolci pensieri educa invano,
né morte aspetta né vecchiezza; e nulla
15 cura di morbi ha l'uom gagliardo e sano.
Ma stolto è chi non vede
la giovanezza come ha ratte l'ale,
e siccome alla culla
poco il rogo è lontano.

(¹) *Umana cosa*, ‹ogni cosa umana›.   (³) *il veglio di Chio*: il
vecchio di Chio, cioè Omero; Chio, isola dell'Egeo, era uno dei
tanti luoghi che pretendeva di aver dato i natali al poeta greco.
(⁴) *conforme*, ‹uguale›.   (⁵) *le foglie e l'uman seme*: è la famosa similitudine tra le foglie e le generazioni umane che si legge
in Omero, *Il.*, VI, 146. (⁶)*questa voce*, ‹queste parole›.   (⁷) *All'inquieta speme*, ‹alla speranza che ci fa inquieti›.   (⁹) *prestiam
ricetto*, ‹offriamo accoglienza›.   (¹²) *vota e superba*: *vota* per
‹priva di esperienze, sventata›; vicini i due aggettivi anche nel
Pensiero dominante, vv.59-60: « di questa età *superba* / che di
vote speranze si nutrica ».   (¹³) *educa*, ‹coltiva›, latinismo.
(¹⁴) *aspetta*, ‹prevede›.   (¹⁵) *cura*, ‹preoccupazione›.   (¹⁷) *ratte*,
‹rapide›.   (¹⁶) *il rogo*, ‹la morte›, per metonimia, in rapporto

20   Tu presso a porre il piede
in sul varco fatale
della plutonia sede,
ai presenti diletti
la breve età commetti.

all'usanza degli antichi di bruciare le salme.   (^{21}) *varco fatale*:
nella canzone *A un vincitore nel pallone*, vv.64-5: « allor che il
piede / spinto al *varco leteo* ».   (^{22}) *plutonia sede*: ‹la dimora
di Plutone› cioè gli Inferi; in una annotazione in margine Leopardi cita i versi di Orazio, Carm., 1, 4, 16-7: « Iam te premet
nox fabulaeque manes / et *domus* exilis *plutonia* ».   ($^{23\text{-}4}$) *ai presenti... commetti*: ‹dedica fiducioso ai piaceri possibili del presente il poco di vita che hai in sorte›.

APPENDICE

Al chiarissimo Sig. Cavaliere Vincenzo Monti
Giacomo Leopardi [1]

Quando mi risolsi di pubblicare queste Canzoni, come non mi sarei lasciato condurre da nessuna cosa del mondo a intitolarle a verun potente, così mi parve dolce e beato il consacrarle a Voi, Signor Cavaliere. Stante che oggidì chiunque deplora o esorta la patria nostra, non può fare che non si ricordi con infinita consolazione di Voi che insieme con quegli altri pochissimi, i quali tacendo non vengo a dinotare niente meno di quello che farei nominando, sostenete l'ultima gloria nostra, io dico quella che deriva dagli studi, e singolarmente dalle lettere e arti belle, tanto che per anche non si può dire che l'Italia sia morta. Di queste Canzoni, se uguaglino il soggetto, che quando lo uguagliassero, non mancherebbe loro né grandiosità né veemenza, sarà giudizio non tanto dell'universale quanto vostro; giacché da quando veniste in quella fama che dovevate, si può dire che nessuno scrittore italiano, se non altro, di quanti non ebbero la vista impedita né da scarsezza d'intelletto, né da presunzione e amore di se medesimi, stimò che valessero punto a rifarlo delle riprensioni vostre le lodi dell'altra gente, o lodato da voi riputò mal pagate le sue fatiche, o si curò de' biasimi o dello spregio del popolo. Basterà che intorno al canto di Simonide che sta nella prima Canzone io significhi non per Voi, ma per li più de' lettori, e domandandovi perdono di questo, ch'io mi fo coraggio e non mi vergogno di scriverlo a Voi, che quel gran fatto delle Termopile fu celebrato realmente da un Poeta greco di molta fama, e quel ch'è più, vissuto in

1 Premessa all'edizione Bourlié, Roma 1818, delle prime due canzoni.

quei medesimi tempi, cioè Simonide, come si vede appresso Diodoro nell'undecimo libro, dove recita anche certe parole di esso Poeta; lasciando l'epitaffio riportato da Cicerone e da altri. Due o tre delle quali parole recate da Diodoro sono espresse nel quinto verso dell'ultima strofe. Ora io giudicava che a nessun altro Poeta lirico né prima né dopo toccasse mai verun soggetto così grande né conveniente. Imperocché quello che raccontato o letto dopo ventitre secoli, tuttavia spreme da occhi stranieri le lagrime a viva forza, pare che quasi veduto, e certamente udito a magnificare da chicchessia nello stesso fervore della Grecia vincitrice di un'armata quale non si vide in Europa se non allora, fra le maraviglie i tripudii gli applausi le lagrime di tutta una eccellentissima nazione sublimata oltre a quanto si può dire o pensare dalla coscienza della gloria acquistata, e da quell'amore incredibile della patria ch'è passato in compagnia de' secoli antichi, dovesse ispirare in qualsivoglia Greco, massimamente Poeta, affetto e furore onninamente indicibile e sovrumano. Per la qual cosa dolendomi assai che il sovraddetto componimento fosse perduto, alla fine presi cuore di mettermi, come si dice, nei panni di Simonide, e così, quanto portava la mediocrità mia, rifare il suo canto, del quale non dubito di affermare, che se non fu meraviglioso, allora e la fama di Simonide fu vano rumore, e gli scritti consumati degnamente dal tempo. Di questo mio fatto, se sia stato coraggio o temerità, sentenzierete Voi, Signor Cavaliere, e altresì, quando vi paia da tanto, giudicherete della seconda Canzone, la quale io v'offro umilmente e semplicemente insieme coll'altra, acceso d'amore verso la povera Italia, e quindi animato di vivissimo affetto e gratitudine e riverenza verso cotesto numero presso che impercettibile d'Italiani che sopravvive. Né temo se non ch'altri mi vituperi e schernisca della indegnità e miseria del donativo; che quanto a Voi non ignoro che siccome l'eccellenza del vostro ingegno vi dimostrerà necessariamente a prima vista la qualità dell'offerta, così la dolcezza del cuor vostro vi sforzerà d'accettarla, per molto ch'ella sia povera e vile, e conoscendo la vanità del dono, a ogni modo procurerete di scusare la confidenza del donatore, forse anche vi sarà grato quello che non ostante la benignità vostra, vi converrà tenere per dispregevole.

Giacomo Leopardi al Cavaliere Vincenzo Monti [1]

Consacro a Voi, Signor Cavaliere, queste Canzoni perché quelli che oggi compiangono o esortano la patria nostra, non possono fare di non consolarsi pensando che voi con quegli altri pochissimi (i nomi de' quali si dichiarano per se medesimi quando anche si tacciano) sostenete l'ultima gloria degl'Italiani; dico quella che deriva loro dagli studi e singolarmente dalle lettere e dalle arti belle; tanto che per anche non si potrà dire che l'Italia sia morta. Se queste Canzoni uguagliassero il soggetto, so bene che non mancherebbe loro né grandiosità né veemenza : ma non dubitando che non cedano alla materia, mi rimetto del quanto e del come al giudizio vostro, non altrimenti ch'io faccia a quello dell'universale; conformandomi in questa parte a molti valorosi ingegni italiani che per l'ordinario non si contentano se le opere loro sono approvate per buone dalla moltitudine, quando a voi non soddisfacciano; o lodate che sieno da voi, non si curano che il più dell'altra gente le biasimi o le disprezzi. Una cosa nel particolare della prima Canzone m'occorre di significare alla più parte degli altri che leggeranno; ed è che il successo delle Termopile fu celebrato veramente da quello che in essa Canzone s'introduce a poetare, cioè da Simonide, tenuto dall'antichità fra gli ottimi poeti lirici, vissuto, che più rileva, ai medesimi tempi della scesa di Serse, e greco di patria. Questo suo fatto, lasciando l'epitaffio riportato da Cicerone e da altri, si dimostra da quello che scrive Diodoro nell'undecimo libro, dove recita anche certe parole d'esso poeta in questo proposito, due o tre delle quali sono espresse nel quinto verso dell'ultima strofe. Rispetto dunque alle predette circostanze del tempo e della persona, e d'altra parte riguardando alle qualità della materia per se medesima, io non credo che mai si trovasse argomento più de-

1 Nuova stesura della dedicatoria per l'edizione Nobili delle *Canzoni*, Bologna 1824.

gno di poema lirico e più fortunato di questo che fu scelto
o più veramente sortito da Simonide. Perocché se l'impresa delle Termopile fa tanta forza a noi che siamo stranieri
verso quelli che l'operarono, e con tutto questo non possiamo tener le lagrime a leggerla semplicemente come passasse, e ventitre secoli dopo ch'ell'è seguita; abbiamo a far
congettura di quello che la sua ricordanza dovesse potere
in un greco, e poeta, e de' principali, avendo veduto il fatto, si può dire, cogli occhi propri, andando per le stesse
città vincitrici d'un esercito molto maggiore di quanti altri si ricorda la storia d'Europa, venendo a parte delle feste, delle maraviglie, del fervore di tutta una eccellentissima nazione, fatta anche più magnanima della sua natura
dalla coscienza della gloria acquistata, e dall'emulazione di
tanta virtù dimostrata pur allora dai suoi. Per queste considerazioni riputando a molta disavventura che le cose scritte da Simonide in quella occorrenza fossero perdute, non
ch'io presumessi di riparare a questo danno, ma come per
ingannare il desiderio, procurai di rappresentarmi alla mente le disposizioni dell'animo del poeta in quel tempo, e con
questo mezzo, salva la disuguaglianza degl'ingegni, tornare a fare la sua canzone; della quale io porto questo parere, che o fosse maravigliosa, o la fama di Simonide fosse
vana e gli scritti perissero con poca ingiuria. Voi, Signor
Cavaliere, sentenzierete se questo mio proponimento abbia
avuto più del coraggioso o del temerario; e similmente fare-
te giudizio della seconda Canzone, ch'io v'offro insieme col-
l'altra candidamente e come quello che facendo professione
d'amare più che si possa la nostra povera patria, mi tengo
per obbligato d'affetto e riverenza particolare ai pochissimi
Italiani che sopravvivono. E ho tanta confidenza nell'umanità dell'animo vostro, che quantunque siate per conoscere
al primo tratto la povertà del donativo, m'assicuro che lo
accetterete in buona parte, e forse anche l'avrete caro per
pochissima o niuna stima che ne convenga fare al vostro
giudizio.

Giacomo Leopardi al Conte Leonardo Trissino [1]

Voi per animarmi a scrivere mi solete ricordare che la storia de' nostri tempi non darà lode agl'italiani altro che nelle lettere e nelle scolture. Ma eziandio nelle lettere siamo fatti servi e tributari; e io non vedo in che pregio ne dovremo esser tenuti dai posteri, considerando che la facoltà dell'immaginare e del ritrovare è spenta in Italia, ancorché gli stranieri ce l'attribuiscano tuttavia come nostra speciale e primaria qualità, ed è secca ogni vena di affetto e di vera eloquenza. E contuttociò quello che gli antichi adoperavano in luogo di passatempo, a noi resta in luogo di affare. Sicché diamoci alle lettere quanto portano le nostre forze, e applichiamo l'ingegno a dilettare colle parole, giacché la fortuna ci toglie il giovare co' fatti com'era usanza di qualunque de' nostri maggiori volse l'animo alla gloria. E voi non isdegnate questi pochi versi ch'io vi mando. Ma ricordatevi ch'ai disgraziati si conviene il vestire a lutto, ed è forza che le nostre canzoni rassomiglino ai versi funebri. Diceva il Petrarca, « ed io son un di quei che il pianger giova ». Io non posso dir questo, perché il piangere non è inclinazione mia propria, ma necessità de' tempi e volere della fortuna.

Giacomo Leopardi al Conte Leonardo Trissino [2]

Voi per animarmi a scrivere siete solito d'ammonirmi che l'Italia non sarà lodata né anco forse nominata nelle storie de' tempi nostri, se non per conto delle lettere e delle sculture. Ma da un secolo e più siamo fatti servi e tributari anche nelle lettere, e quanto a loro io non vedo in che pregio o memoria dovremo essere, avendo smarrita la vena d'ogni affetto e d'ogni eloquenza, e lasciataci venir meno la facoltà dell'immaginare e del ritrovare, non ostante che ci fosse propria e speciale in modo che gli stranieri

1 Dedica della canzone *Ad Angelo Mai*, pubblicata a Bologna, Marsigli, 1820.
2 Nuova stesura della dedicatoria per l'edizione bolognese delle *Canzoni*, Nobili, 1824.

non dismettono il costume d'attribuircela. Nondimento re-
standoci in luogo d'affare quel che i nostri antichi adoperavano in forma di passatempo, non tralasceremo gli studi,
quando anche niuna gloria ce ne debba succedere, e non
potendo giovare altrui colle azioni, applicheremo l'ingegno
a dilettare colle parole. E voi non isdegnerete questi pochi versi ch'io vi mando. Ma ricordatevi che si conviene
agli sfortunati di vestire a lutto, e parimente alle nostre
canzoni di rassomigliare ai versi funebri. Diceva il Petrarca: « ed io son un di quei che 'l pianger giova ». Io non
dirò che il piangere sia natura mia propria, ma necessità
de' tempi e della fortuna.

A chi legge [1]

Con queste Canzoni l'autore s'adopera dal canto suo di ravvivare negl'Italiani quel tale amore verso la patria dal quale hanno principio, non la disubbidienza, ma la probità e la nobiltà così de' pensieri come delle opere. Al medesimo effetto riguardano, qual più qual meno dirittamente, le istituzioni dei nostri governi, i quali procurano la felicità de' loro soggetti, non dandosi felicità senza virtù, né virtù vera e generale in un popolo disamorato di se stesso. E però dovunque i soggetti non si curano della patria loro, quivi non corrispondono all'intento de' loro Principi. Di queste Canzoni, le due prime uscirono l'anno 1818, premessavi allora quella dedicatoria ch'hanno dinanzi. La terza l'anno 1820 colla lettera ch'anche qui se le prepone. E dopo la prima stampa tutte tre sono state ritoccate dall'autore in molti luoghi. L'altre sono nuove.

1 Nota premessa all'edizione bolognese delle *Canzoni*, Nobili, 1824; allontana il sospetto, forse per suggerimento censorio, che il patriottismo dei componimenti sia « disubbidiente ».

Canzoni del conte Giacomo Leopardi, Bologna, Nobili, 1824. Un vol. in 8° piccolo.

Sono dieci Canzoni, e più di dieci stravaganze. Primo : di dieci Canzoni né pur una amorosa. Secondo : non tutte e non in tutto sono di stile petrarchesco. Terzo : non sono di stile né arcadico né frugoniano; non hanno né quello del Chiabrera, né quello del Testi o del Filicaia o del Guidi o del Manfredi, né quello delle poesie liriche del Parini o del Monti; in somma non si rassomigliano a nessuna poesia lirica italiana. Quarto : nessun potrebbe indovinare i soggetti delle Canzoni dai titoli; anzi per lo più il poeta fino dal primo verso entra in materie differentissime da quello che il lettore si sarebbe aspettato. Per esempio, una Canzone per nozze, non parla né di talamo né di zona né di Venere né d'Imene. Una ad Angelo Mai parla di tutt'altro che di codici. Una a un vincitore nel giuoco del pallone non è un'imitazione di Pindaro. Un'altra alla Primavera non descrive né prati né arboscelli né fiori né erbe né foglie. Quinto : gli assunti delle Canzoni per se medesimi non sono meno stravaganti. Una, ch'è intitolata *Ultimo canto di Saffo*, intende di rappresentare la infelicità di un animo delicato, tenero, sensitivo, nobile e caldo, posto in un corpo brutto e giovane : soggetto così difficile, che io non mi so ricordare né tra gli antichi né tra i moderni nessuno scrittor famoso che abbia ardito di trattarlo, eccetto solamente la signora di Staël, che lo tratta in una lettera in principio della *Delfina*, ma in tutt'altro modo. Un'altra Canzone intitolata *Inno ai Patriarchi, o de' principii del genere umano*, contiene in sostanza un panegirico dei costumi della Ca-

1 Apparsa nel « Nuovo Ricoglitore » di Milano, settembre 1825.

lifornia, e dice che il secol d'oro non è una favola. Sesto : sono tutte piene di lamenti e di malinconia, come se il mondo e gli uomini fossero una trista cosa, e come se la vita umana fosse infelice. Settimo : se non si leggono attentamente, non s'intendono; come se gl'Italiani leggessero attentamente. Ottavo : pare che il poeta si abbia proposto di dar materia ai lettori di pensare, come se a chi legge un libro italiano dovesse restar qualche cosa in testa, o come se già fosse tempo di raccogliere qualche pensiero in mente prima di mettersi a scrivere. Nono : quasi tante stranezze quante sentenze. Verbigrazia : che dopo scoperta l'America, la terra ci par più piccola che non ci pareva prima; che la Natura parlò agli antichi, cioè gl'inspirò, ma senza svelarsi; che più scoperte si fanno nelle cose naturali, e più si accresce alla nostra immaginazione la nullità dell'Universo; che tutto è vano al mondo fuorché il dolore; che il dolore è meglio che la noia; che la nostra vita non è buona ad altro che a disprezzarla essa medesima; che la necessità di un male consola di quel male le anime volgari, ma non le grandi; che tutto è mistero nell'Universo, fuorché la nostra infelicità. Decimo, undecimo, duodecimo : andate così discorrendo.

Recheremo qui, per saggio delle altre, la Canzone che s'intitola *Alla sua donna*, la quale è la più breve di tutte, e forse la meno stravagante, eccettuato il soggetto. La donna, cioè l'innamorata, dell'autore, è una di quelle immagini, uno di quei fantasmi di bellezza e virtù celeste e ineffabile, che ci occorrono spesso alla fantasia, nel sonno e nella veglia, quando siamo poco più che fanciulli, e poi qualche rara volta nel sonno, o in una quasi alienazione di mente, quando siamo giovani. Infine è *la donna che non si trova*. L'autore non sa se la sua donna (e così chiamandola, mostra di non amare altra che questa) sia mai nata finora, o debba mai nascere; sa che ora non vive in terra, e che noi non siamo suoi contemporanei; la cerca tra le idee di Platone, la cerca nella luna, nei pianeti del sistema solare, in quei de' sistemi delle stelle. Se questa Canzone si vorrà chiamare amorosa, sarà pur certo che questo tale amore non può né dare né patir gelosia, perché fuor dell'autore, nessun amante terreno vorrà fare all'amore col telescopio.

Alle Canzoni sono mescolate alcune prose, cioè due Lettere, l'una al cavalier Monti, e l'altra al conte Trissino vicentino; e una *Comparazione delle sentenze di Bruto Minore e di Teofrasto vicini a morte*. Si aggiungono appiè del volume certe *Annotazioni*, le quali verremo portando in questo Giornale, perché per la maggior parte sono in proposito della lingua, che in Italia è, come si dice, *la materia del giorno*; e non si può negare che il giorno in Italia non sia lungo.

> *Il cor di tutte*
> *cose alfin sente sazietà, del sonno,*
> *della danza, del canto e dell'amore,*
> *piacer più cari che il parlar di lingua;*
> *ma sazietà di lingua il cor non sente;*

se non altro, il cuor degl'Italiani. Venghiamo alle note del Leopardi.

ANNOTAZIONI [1]

Non credere, lettor mio, che in queste *Annotazioni* si contenga cosa di rilievo. Anzi se tu sei di quelli ch'io desidero per lettori, fa conto che il libro sia finito, e lasciami qui solo co' pedagoghi a sfoderar testi e citazioni, e menare a tondo la clava d'Ercole, cioè l'autorità, per dare a vedere che anch'io così di passata ho letto qualche buono scrittore italiano, ho studiato tanto o quanto la lingua nella quale scrivo, e mi sono informato all'ingrosso delle sue condizioni. Vedi, caro lettore, che oggi in Italia, per quello che spetta alla lingua, pochissimi sanno scrivere, e moltissimi non lasciano che si scriva; né fra gli antichi, o i moderni fu mai lingua nessuna civile né barbara così tribolata a un medesimo tempo dalla rarità di quelli che sanno, e dalla moltitudine e petulanza di quelli che, non sapendo niente, vogliono che la favella non si possa stendere più là di quel niente che n'hanno imparato. Co' quali, per questa volta e

1 Pubblicate nell'edizione Nobili delle *Canzoni*, Bologna 1824, e ristampate assieme all'*Annuncio* nel « Nuovo Ricoglitore », cit.

non più, bisogna che tu mi dii licenza di fare alle pugna come s'usa in Inghilterra, e di chiarirli (se bene, essendo uomo, non mi reputo immune dallo sbagliare) che non soglio scrivere affatto affatto come viene, e che in tutti i modi non sarà loro così facile, come si pensano, il mostrarmi caduto in errore.

Canzone prima [*All'Italia*]

St. VI, v. 10   *vedi* ingombrar *de' vinti*
                  la fuga i carri e le tende cadute.

Cioè trattenere, contrastare, impacciare, impedire. Questo sentimento della voce « ingombrare » ha due testi nel Vocabolario della Crusca; ma quando non ti paressero chiari, accompagnali con quest'altro esempio, ch'è del Petrarca.[1] « Quel sì pensoso è Ulisse, affabil ombra, Che la casta mogliera aspetta e prega; Ma Circe amando gliel ritiene e *'ngombra* ». Dietro a questo puoi notare il seguente, ch'è d'Angelo di Costanzo.[2] « Ché quel chiaro splendor ch'offusca e *ingombra*, Quando vi mira, ogni più acuto aspetto (*cioè vista*), D'un'alta nube la mia mente adombra ». Ed altri molti ne troverai della medesima forma leggendo i buoni scrittori, e vedrai come anche si dice « ingombro » nel significato d'« impedimento » o di « ostacolo »; e se la Crusca non s'accorse di questo particolare, o non fu da tanto di spiegarlo, tal sia di lei.

Ivi, 12   *e correr fra' primieri*
                  pallido e scapigliato esso *tiranno.*

Del qual tiranno il nostro Simonide avanti a questo passo non ha fatto menzione alcuna. Il Volgarizzatore antico dell'Epistola di Marco Tullio Cicerone a Quinto suo fratello intorno al Proconsolato dell'Asia:[3] « Avvenga ch'io non

---

1 *Tr. d'Am.*, capit. 3, vers. 22.
2 Son. 13.
3 Firenze 1815, pag. 3.

dubitassi che quest'epistola molti messi, ed eziandio *essa fama*, colla sua velocità vincerebbono». Queste sono le primissime parole dell'Epistola. Similmente lo Speroni [1] dice che « amor vince essa natura » volendo dir « fino alla natura ».

Ivi, 14   *ve' come* infusi *e tinti*
                 del barbarico sangue.

« Infusi » qui vale « aspersi » o « bagnati ». Il Casa [2] nella quarta Canzone : « E ben conviene Or penitenzia e duol l'anima lave De' color atri e del terrestre limo Ond'ella è per mia colpa *infusa* e grave ». Sopra le quali parole i comentatori adducono quello che dice lo stesso Casa in altro luogo :[3] « Poco il mondo già mai t'infuse o tinse, Trifon, nell'atro suo limo terreno ». Ho anche un esempio simile a questi del Casa nell'*Oreficeria* di Benvenuto Cellini,[4] ma non lo tocco per rispetto d'una lordura che gli è appiccata e non va via.

Ivi, 18   *Evviva evviva*

L'acclamazione « Viva » è portata nel Vocabolario della Crusca, ma non « evviva ». E ciò non ostante io credo che tutta l'Italia, quando fa plauso, dica piuttosto « evviva » che « viva »; e quello che non è vocabolo forestiero ma tutto quanto nostrale, e composto, come sono infiniti altri, d'una particella o vogliamo interiezione italiana, e d'una parola italiana, a cui l'accento della detta particella o interiezione monosillaba raddoppia la prima consonante. Questo è quanto alla purità della voce. Quanto alla convenienza, potranno essere alcuni che non lodino l'uso di questa parola in un poema lirico. Io non ho animo d'entrare in quello che tocca alla ragion poetica o dello stile o dei sentimenti di queste Canzoni, perché la povera poesia mi par degna che, se non altro, se l'abbia questo rispetto di farla franca dalle chiose. E però taccio che laddove s'ha da esprimere

1 *Dial. d'Amore. Dialoghi* dello Sper., Venez. 1596, pag. 3.
2 Canz. 4, stanza 3.
3 Son. 45.
4 Cap. 7, Milano 1811, p. 95.

la somma veemenza di qualsivoglia affetto, i vocaboli o modi volgari e correnti, non dico hanno luogo, ma, quando sieno adoperati con giudizio, stanno molto meglio dei nobili e sontuosi, e danno molta più forza all'imitazione. Passo eziandio che in tali occorrenze i principali maestri (fossero poeti o prosatori) costumarono di scendere dignitosamente dalla stessa dignità, volendo accostarsi più che potessero alla natura, la quale non sa e non vuole stare né sul grave né sull'attillato quando è stretta dalla passione. E finalmente non voglio dire che se cercherai le Poetiche e Rettoriche antiche o moderne, troverai questa pratica, non solamente concessa né commendata, ma numerata fra gli accorgimenti necessari al buono scrittore. Lascio tutto questo, e metto mano all'arme fatata dell'esempio. Che cosa pensiamo noi che fosse quell'« io » che troviamo in Orazio due volte nell'Ode seconda del quarto libro [1] e due nella nona dell'*Epodo*? [2] Parola, anzi grido popolare, che non significava altro se non se indeterminatamente l'applauso (come il nostro « Viva »), o pure la gioia : la quale per essere la più rara e breve delle passioni, è fors'anche la più frenetica; e per questo e per altri molti rispetti, che non si possono dare ad intendere ai pedagoghi, mette la dignità dell'imitazione in grandissimo pericolo. E i Greci, ai quali altresì fu comune la detta voce, l'adoperavano fino coi cani per lusingarli e incitarli come puoi vedere in Senofonte nel libro della *Caccia*.[3] E nondimento Orazio, poeta coltissimo e nobilissimo, e così di stile come di lingua ritiratissimo dal popolo, volendo rappresentare l'ebbrietà della gioia, non si sdegnò di quella voce nelle canzoni di soggetto più magnifico.

Canzone seconda
[*Sopra il monumento di Dante*]

IV, I   *Voi spirerà l'altissimo subbietto.*

Io credo che s'altri può essere « spirato da » qualche per-

1 V. 49, 50.
2 V. 21, 23.
3 C. 6, art. 17.

sona o cosa (come i santi uomini dallo Spirito Santo[1]) ci debbano essere cose o persone che « lo » possano « spirare » ; e tanto più che non mancano di quelle che « lo ispirano » : se bene il Vocabolario non le conobbe : ma te ne possono mostrare il Petrarca, il Tasso, il Guarini e mille altri. Dice il Petrarca[2] in proposito di aura : « Amor l'*inspiri* In guisa che sospiri ». Dice il Tasso :[3] « Buona pezza è, Signor, che in sé raggira Un non so che d'insolito e d'audace La mia mente inquieta : *o Dio l'inspira*; O l'uom del suo voler suo dio si face ». Ed altrove :[4] « Guelfo ti pregherà (*Dio* sì *l'inspira*) Ch'assolva il fier garzon di quell'errore ». Dice il Guarini :[5] « Ché bene *inspira il cielo Quel cor* che *bene spera* ». Aggiungi le *Vite de' Santi Padri* : « Il giovane inspirato da Dio,[6] Antonio inspirato da Dio,[7] uno sceleratissimo uomo inspirato da Dio[8] », e simili. Anche i versi infrascritti convengono a questo proposito, i quali sono del Guidi :[9] « Vedrai come *il mio spirto* ivi comparte Ordini e moti, e come *inspira* e volve *Questa* grande *armonia* che 'l mondo regge ». E il Guidi fu annoverato dagli Accademici Fiorentini l'anno 1786 fra gli scrittori che sono o si debbono stimare autentici nella lingua.

VIII, 14   *qui l'ira* al cor, *qui la pietate* abbonda.

Il Sannazzaro nell'egloga sesta dell'*Arcadia* :[10] « E per *l'ira* sfogar *ch'al core abbondami* ». Non credere ch'io vada imitando appostatamente, o che facendolo, me ne pregiassi e te ne volessi avvertire. Ma quest'esempio lo reco per quelli che dubitassero, e dubitando affermassero, com'è l'uso moderno in queste materie, che « abbondare » col terzo caso, nel modo che lo dico io, fosse detto fuor di regola. E so be-

1 Vocab. della Crusca, v. Spirato.
2 Canz. *Chiare, fresche e dolci acque*, st. 3.
3 *Gerus. Liber.*, canto 12, stanza 5.
4 C. 14, st. 17.
5 *Pastor fido*, atto 1, scena 4, v. 206.
6 Par. 1, c. 1, Fir. 1731-1735, t. 1, p. 3.
7 C. 5, p. 12.
8 C. 35, p. 103.
9 Endim., At. 5, scena 2, v. 35.
10 V. 19.

ne anche questo, che fra gl'Italiani è lode quello che fra gli altri è biasimo, anzi per l'ordinario (e singolarmente nelle lettere) si fa molta più stima delle cose imitate che delle trovate. In somma negli scrittori si ricerca la facoltà della memoria massimamente; e chi più n'ha e più n'adopera, beato lui. Ma contuttociò, se paresse a qualcuno ch'io non l'abbia adoperata quanto si richiedeva, non voglio che le *Annotazioni* o la fagiolata che sto facendo mi levi nessuna parte di questo carico. Circa il resto poi, la voce « abbondare » importa di natura sua quasi lo stesso che « traboccare », o in latino « exundare » secondo il quale intendimento è presa in questo luogo della Canzone, e famigliare ai Latini del buon tempo, e usata dal Boccaccio nell'ultimo de' testi portati dal Vocabolario sotto la voce « Abbondante ».

x, 16   *al cui supremo danno*
              il vostro solo è tal che rassomigli.

Io credo che se una cosa può « somigliare a » un'altra, « le » debba potere anche « rassomigliare », e parimente « assomigliarle » e « assimigliarle », oltre a « rassomigliarsele » o « assomigliarsele » o « assimigliarsele »; e tanto più ch'io trovo « le viscere delle chiocciole terrestri », non « rassomigliantisi », ma « rassomiglianti a quelle de' lumaconi ignudi terrestri »,[1] « certi rettori assomiglianti a' Priori » di Firenze,[2] e il cielo « assomigliante quasi ad immagine d'arco ».[3] Oltracciò vedo che le cose alcune volte « risomigliano » e « risimigliano » l'une « all' » altre.

xi, 13   *Dimmi, né mai rinverdirà quel mirto*
              che tu festi sollazzo *al nostro male?*

Io so che a certi, che non sono pedagoghi, non è piaciuto questo « sollazzo »: e tuttavia non me ne pento. Se guardiamo alla chiarezza, ognuno si deve accorgere a prima vista che il « sollazzo » de' mali non può essere il « trastullo »

---

1 Voc. della Crus. v. Rassomigliante.
2 V. Assomigliante.
3 V. Assimigliante.

né il « diporto » né lo « spasso » de' mali, ma è quanto dire il « sollievo », cioè quello che propriamente è significato dalla voce latina « solatium », fatta dagl'Italiani « sollazzo ». Ora stando che si permetta, anzi spesse volte si richiegga allo scrittore, e massimamente al poeta lirico, la giudiziosa novità degli usi metaforici delle parole, molto più mi pare che di quando in quando se gli debba concedere quella novità che nasce dal restituire alle voci la significazione primitiva e propria loro. Aggiungasi che la nostra lingua, per quello ch'io possa affermare, non ha parola che, oltre a valere quanto la sopraddetta latina, s'accomodi facilmente all'uso de' poeti; fuori di « conforto » che né anche suona propriamente il medesimo. Perocché « sollievo » e altre tali non sono voci poetiche, e « alleggerimento, alleviamento, consolazione » e simili appena si possono adattare in un verso. Fin qui mi basti aver detto a quelli che non sono pedanti e che non si contentarono di quel mio « sollazzo ». Ora voltandomi agli stessi pedagoghi, dico loro che « sollazzo » in sentimento di « sollievo », cioè di « solatium », è voce di quel secolo della nostra lingua ch'essi chiamano il buono e l'aureo. Leggano l'antico Volgarizzamento del primo Trattato di San Giovanni Grisostomo *Sopra la Compunzione*, a capitoli otto :[1] « Ora veggiamo quello che seguita detto da Cristo; se forse in alcuno luogo o in alcuna cosa io trovassi *sollazzo*, o rimedio di tanta confusione ». E ivi a due versi : « Oimè, credevami trovare *sollazzo* della mia confusione, e io trovo accrescimento ». Così a capitoli undici :[2] « Tutta la pena che pativa (*San Paolo*), piuttosto riputava *sollazzo d'amore*, che dolore di corpo ». E nel capo susseguente : [3] « Onde ne parlano spesso, acciocché almeno per lo molto parlare di quello che amano, si scialino un poco e trovino *sollazzo* e refrigerio del *fervente amore* ch'hanno dentro ». L'antica version latina in tutti questi luoghi ha « solatium », o « solatia ». Veggano eziandio nello stesso Vocabolario della Crusca, sotto la voce « Spiraglio », un esempio simile ai soprascritti, il qual esempio è cavato dal Volgarizzamento di non so che altro libro del

1 Roma 1817, p. 22.
2 P. 33.
3 P. 35.

medesimo San Grisostomo. E di più veggano, s'hanno voglia, nell'*Asino d'oro* del Firenzuola [1] come « le lagrime (sono) ultimo *sollazzo* delle miserie de' mortali ». Anzi è costume dello scrittore nella detta opera [2] di prendere la voce « sollazzo » in significato di « sollievo, consolazione, conforto », ad esempio di quei del trecento, come anche fece il Bembo [3] nel passo che segue : « Messer Carlo, mio solo e caro fratello, unico sostegno e *sollazzo della mia vita*, se n'è al cielo ito ».

XII, 10   *che stai?*

La particella interrogativa « che » usata invece di « perché » non ha esempio nel Vocabolario se non seguita dalla negativa « non ». Ma che anche senza questa si dica ottimamente, recherò le prime autorità che mi vengono alle mani, fra le innumerabili che si potrebbero addurre. Il Pandolfini nel *Trattato del governo della famiglia* :[4] « O cittadini stolti, ove ruinate voi? *Che seguitate* con tante fatiche, con tante sollecitudini, con tante arti, con tante disonestà questo vostro stato per ragunare ricchezze? » E in un altro luogo del medesimo libro :[5] « Se adunque il danaio supplisce a tutti i bisogni, *che fa mestieri* occupare l'animo in altra masserizia che in questa del danaio? » Il Caro nel Volgarizzamento del primo Sermone di San Cipriano *Sopra l'elemosina* :[6] « *Che vai* mettendo innanzi quest'ombre e queste bagattelle per iscusarti in vano? » Il Tasso nel quarto della *Gerusalemme* :[7] « Ma *che rinnovo* i miei dolor parlando? » E similmente in altri luoghi.[8] Il Varchi nel *Boezio* :[9] « *Che starò* io a raccontarti i tuoi figliuoli stati Con-

1 Lib. 6, Mil. 1819, p. 185.
2 L. 2, p. 61; l. 3, p. 75; l. 4, p. 103; l. 5, p. 148 e 169.
3 Lett., vol. 4, part. 2. Op. del Bem. Ven. 1729, t. 3, p. 310.
4 Mil. 1811, p. 47.
5 P. 174.
6 Ven. appresso Aldo Manuz. 1569, pag. 131.
7 St. 12.
8 Can. 8, st. 68; can. 11, st. 63 e 75; can. 13, st. 64; can. 16, st. 47 e 57; can. 20, st. 19.
9 Lib. 2, prosa 4, Venezia 1785, pag. 36.

soli? » Ed altre volte.[1] Il Castiglione nel *Cortegiano* :[2] « Come un litigante a cui in presenza del giudice del suo avversario fu detto, *che bai* tu? subito rispose, *perché* veggo un ladro ». Il Davanzati nel primo libro degli *Annali* di Tacito :[3] « *Che* tanto ubbidire, come schiavi, a quattro scalzi centurioni, e meno tribuni? » Dove il testo originale dice : « Cur paucis centurionibus, paucioribus tribunis, in modum servorum obedirent? » Aggiungi Bernardino Baldi, autor corretto nella lingua, e molto elegante : « Ma *che stiamo* Perdendo il tempo, e altrui biasmando insieme, Quando altro abbian che fare? »[4] Ed altrove :[5] « ma *che perdiamo* il tempo, e non andiamo Ad impetrar da lei », con quello che segue. Sia detto per incidenza, che sebbene delle *Egloghe* di questo scrittore è conosciuta e riputata solamente quella che s'intitola *Celeo, o l'Orto*, nondimeno tutte l'altre (che sono quindici, senza un Epitalamio che va con loro), e maggiormente la quinta, la duodecima e la decimaquarta, sono scritte con semplicità, candore e naturalezza tale, che in questa parte non le arrivano quelle del Sannazzaro né qual altro si sia dei nostri poemi pastorali, eccettuato l'*Aminta* e in parecchie scene il *Pastor Fido*.

Ivi, 12   *altrice*.

Credo che ti potrei portare non pochi esempi dell'uso di questa parola, pigliandoli da' poeti moderni : ma se non ti curi degli esempi moderni, e vuoi degli antichi, abbi pazienza che io li trovi, come spero, e in questo mezzo aiutati col seguente, ch'è del Guidiccioni :[6] « Mira che giogo vil, che duolo amaro Preme or l'*altrice* de' famosi eroi ».

Ivi, 13   *se di codardi è stanza,*
                 meglio l'è rimaner vedova e sola.

---

1 Prosa 7, pag. 50; lib. 3, pr. 5, p. 69, e pr. 11, pagg. 90 e 91.
2 Lib. 2, Milano 1803, vol. 1, pag. 190.
3 Cap. 17.
4 Egloga 10, v. 6. *Versi e prose* di Mons. Bernardino Baldi,
5 Egl. 11, v. 81, pag. 209.   [Venezia 1590, pag. 196.
6 Son. *Viva fiamma di Marte, onor de' tuoi.*

« Solo » in forza di « romito, disabitato, deserto » non è del Vocabolario, ma è del Petrarca :[1] « Tanto e più fien le cose oscure e *sole* Se morte gli occhi suoi chiude ed asconde ». E del Poliziano :[2] « In qualche *ripa sola*, E lontan da la gente (*dice d'Orfeo*) Si dolerà del suo crudo destino ». E del Sannazzarro nel Proemio dell'*Arcadia* : « Per li *soli boschi* i salvatichi uccelli sovra i verdi rami cantando ». E nell'egloga undecima :[3] « Piangete, valli abbandonate e *sole* ». E del Bembo :[4] « Parlo poi meno, e grido, e largo fiume Verso per gli occhi in qualche *parte sola* ». E del Casa :[5] « Ne i monti e per le *selve* oscure e *sole* ». E del Varchi :[6] « Dice per questa *valle* opaca e *sola* Tirinto ». E del Tasso :[7] « Per quella *via* ch'è più deserta e *sola* ». È tolto ai Latini, tra' quali Virgilio nella Favola d'Orfeo :[8] « Te, dulcis coniux, te *solo* in *litore* secum, Te veniente die, te decedente canebat ». E nel quinto dell'*Eneide* :[9] « At procul in *sola* secretae Troades *acta* Amissum Anchisen flebant ». Così anche nel sesto :[10] « Ibant obscuri *sola* sub *nocte* per umbram ». E Stazio nel quarto della *Tebaide* :[11] « Ingentes infelix terra tumultus, Lucis adhuc medio, *solaque* in *nocte* per umbras, Expirat ».

Canzone terza [*Ad Angelo Mai*]

1, 4   *incombe.*

Questa ed altre molte parole, e molte significazioni di parole, o molte forme di favellare adoperate in queste *Can-*

1 Son. *Tra quantunque leggiadre donne e belle.*
2 *Orfeo*, At. 3, ediz. dell'Affò, Ven. 1776, v. 16, pag. 41.
3 V. 16.
4 Son. 35.
5 Son. 43.
6 Son. *Tesilla amo, Tesilla onoro, e sola.*
7 *Ger. lib.*, c. 10, st. 3.
8 *Geor.*, lib. 4, v. 465.
9 V. 613.
10 V. 268.
11 V. 438.

zoni, furono tratte, non dal Vocabolario della Crusca, ma da quell'altro Vocabolario dal quale tutti gli scrittori classici italiani, prosatori e poeti (per non uscire dall'autorità), dal padre Dante fino agli stessi compilatori del Vocabolario della Crusca, incessantemente e liberamente derivarono tutto quello che parve loro convenevole e che fece ai loro bisogni o comodi, non curandosi che quanto essi pigliavano prudentemente dal latino fosse, o non fosse stato usato da' più vecchi di loro. E chiunque stima che nel punto medesimo che si pubblica il vocabolario d'una lingua si debbano intendere annullate senz'altro tutte le facoltà che tutti gli scrittori fino a quel punto avevano avute verso la medesima; e che quella pubblicazione, per sola e propria sua virtù, chiuda e stoppi a dirittura in perpetuo le fonti della favella; costui non sa che diamine si sia né vocabolario né lingua né altra cosa del mondo.

Ivi, 14   *o con l'umano*
          valor contrasta *il duro fato invano?*

Il Casa nella prima delle *Orazioni per la Lega* : [1] « Né io voglio di questo *contrastare con* esso lui ». E nell'altra : [2] « Conciossiaché di tesoro non possa alcuno pur *col* Re solo *contrastare* ». Angelo di Costanzo nel centesimosecondo Sonetto : « Accrescer sento, e non già venir meno Il duol; né posso far sì che *contrasti Con* la sua forza o che a schermirsi basti Il cor del suo vorace aspro veneno ».

IV, 3   *a te cui fato* aspira
               benigno.

I vari usi del verbo « aspirare » cercali nei buoni scrittori latini e italiani; ché se ti fiderai del Vocabolario della Crusca, giudicherai che questo verbo propriamente e unicamente significhi « desiderare » e « pretendere di conseguire », laddove questa è forse la più lontana delle metafore che soglia patire il detto verbo. E ti farai maraviglia

[1] Lione (Venezia), p. 7.
[2] Pag. 38.

come Giusto de' Conti [1] pregasse « Amore che *gli* affrancasse e aspirasse la lingua » e come il Molza [2] dicesse che la « fortuna aspirava lieto corso » ad Annibal Caro, e il Rucellai che « il Sole aspira vapori caldi » e che « il vento aspira il freddo boreale » [3] e che « l'orto aspira odor di fiori e d'erbe »,[4] e come Remigio Fiorentino (avverti questo soprannome) scrivesse in figura di Fedra :[5] « Il qual sì come acerbamente infiamma Il petto a me (*parla d'Amore*), così benigno e pio A tutti i voti tuoi cortese *aspiri* ». E prima [6] avea detto parimente d'Amore : « Così benigno a i miei bei voti *aspiri* ». Similmente dice in persona di Paride :[7] « Né leve *aspira* A l'alta impresa mia negletto nume ». E in persona di Leandro :[8] « O benigna del ciel notturna luce (*viene a dir la luna*), Siami benigna ed al mio nuoto *aspira* ». Così anche in altri luoghi.[9]

VI, 3   *quand'oltre alle colonne, ed oltre ai liti*
                 cui strider parve in seno a l'onda il sole.

Di questa fama anticamente divulgata, che in Ispagna e in Portogallo, quando il sole tramontava, s'udisse a stridere di mezzo al mare a guisa che fa un carbone o un ferro rovente che sia tuffato nell'acqua, sono da vedere il secondo libro di Cleomede,[10] il terzo di Strabone,[11] la quartadecima Satira di Giovenale,[12] il secondo libro delle *Selve* di Stazio [13] e l'epistola decimottava d'Ausonio.[14] E non tralascerò

1 *Bella Mano*, canz. 1, st. 1.
2 Son. *Voi cui Fortuna lieto corso aspira.*
3 *Api*, v. 159.
4 V. 404.
5 Epist. 4 d'Ovid., v. 309.
6 V. 40.
7 Ep. 75, v. 51.
8 Ep. 17, v. 130.
9 Ep. 15, v. 70 e 392.
10 *Circular. Doctrin. de Sublimibus.* lb. 2, cap. 1, edit. Bake, Lugd. Bat. 1820, p. 109 et seq.
11 Amstel. 1707, pag. 202 B.
12 V. 279.
13 *Genethliac. Lucani*, v. 24 et sequent.
14 V. 2.

in questo proposito quello che dice Floro[1] laddove accenna le imprese fatte da Decimo Bruto in Portogallo: « Peragratoque victor Oceani litore, non prius signa convertit, quam cadentem in maria solem, obrutumque aquis ignem, non sine quodam sacrilegii metu, et horrore, deprehendit ». Vedi altresì le annotazioni degli eruditi sopra il quarantesimoquinto capo di Tacito delle *Cose germaniche*.[2]

VII, 5   *e del notturno*
occulto sonno del maggior pianeta?

Al tempo che poca o niuna contezza si aveva della rotondità della terra, e dell'altre varie dottrine ch'appartengono alla cosmografia, gli uomini non sapendo quello che durante la notte il sole operasse o patisse, fecero intorno a questo particolare molte e belle immaginazioni, secondo la vivacità e la freschezza di quella fantasia ch'oggidì non si può chiamare altrimenti che fanciullesca, ma pure in ciascun'altra età degli antichi poteva poco meno che nella puerizia. E se alcuni s'immaginarono che il sole si spegnesse la sera e che la mattina si raccendesse, altri si persuasero che dal tramonto si posasse, e dormisse fino all'aggiornare; e Mimnermo, poeta greco antichissimo, pone il letto del sole in un luogo della Colchide. Stesicoro,[3] Antimaco,[4] Eschilo,[5] ed esso Mimnermo[6] più distintamente degli altri, dice anche questo, che il sole dopo calato si pone a giacere in un letto concavo a uso di navicella, tutto d'oro, e così dormendo naviga per l'Oceano da ponente a levante. Pitea marsigliese, allegato da Gemino[7] e da Cosma egiziano[8] racconta di non so quali Barbari che mostrarono a esso Pi-

1 Lib. 2, cap. 17, sect. 12.

2 *Cfr.* le Note ai Canti.

3 Ap. *Athenaeum*, lib. II, cap. 38, ed. Schweighaeuser, tom. 4, pag. 237.

4 Ap. eumd., loc. cit., pag. 238.

5 *Heliad.*, ap. eumd., loc. cit.

6 *Nannone*, ap. eumd., loc. cit., cap. 39, pag. 239.

7 *Elem. Astron.*, cap. 5, in Petav., *Uranolog.*, Antuerp. (Amstel.) 1703, pag. 13.

8 *Topogr. christian.*, lib. 2, ed. Montfauc., pag. 149.

tea la parte dove il sole, secondo loro, s'adagiava a dormire. E il Petrarca s'avvicinò a queste tali opinioni volgari in quei versi:[1] « Quando vede 'l pastor calare i raggi Del gran pianeta al nido ov'egli alberga ». Siccome in questi altri[2] seguì la sentenza di quei filosofi che per via di raziocinio e di congettura indovinavano gli antipodi: « Ne la stagion che 'l cielo rapido inchina Verso Occidente, e che 'l dì nostro vola A gente che di là forse l'aspetta ». Dove quel « forse », che oggi non si potrebbe dire, è notabilissimo e poetichissimo, perocché lasciava libero all'immaginazione di figurarsi a suo modo quella gente sconosciuta, o d'averla in tutto per favolosa; dal che si dee credere che, leggendo questi versi, nascessero di quelle concezioni vaghe e indeterminate che sono effetto principalissimo delle bellezze poetiche, anzi di tutte le maggiori bellezze del mondo. Ma, come ho detto, non mi voglio allargare in queste materie.

IX, 12
     Al tardo onore
non sorser gli occhi tuoi; mercé, non danno
l'estrema ora ti fu. Morte domanda
chi nostro mal conobbe, e non ghirlanda.

S'ha rispetto alla congiuntura della morte del Tasso accaduta quando si disponeva d'incoronarlo in Campidoglio.

XI, 5
        polo.

È pigliato all'usanza latina per « cielo ». Ma il Vocabolario con questo senso non lo passa. Manco male che la *Dafne* del Rinuccini, per decreto dello stesso Vocabolario, fa testo nella lingua. Sentite dunque, signori pedagoghi, quello che dice il Rinuccini nella *Dafne*:[3] « Non si nasconde in selva Sì dispietata belva, Né su per l'alto *polo* Spiega le penne a volo augel solingo, Né per le piagge ondose Tra le fere squamose alberga core Che non senta d'Amore ». Vi pare che questo polo sia l'artico, o l'antartico, o

1 Canz. *Nella stagion che 'l ciel rapido inchina*, st. 3.
2 St. 1.
3 Coro 3, v. 1.

quello della calamita, o l'una delle teste d'un perno e d'una sala da carrozze? Oh bene inghiottitevi questa focaccia soporifera da turarvi le tre gole che avete, e lasciate passare anche questo vocabolo.

XII, 3   *e morte lo* scampò dal *veder peggio.*

Il Petrarca:[1] « Altro schermo non trovo che *mi scampi Dal* manifesto accorger de le genti ». Il medesimo in altro luogo:[2] « Questi in vecchiezza *la scampò da* morte ». Il Passavanti nello *Specchio*:[3] « Si facesse beffe di colui che avesse saputa *scampar* la vita e *le* cose *dalla* fortuna, e *da'* pericoli del mare ». Il Guarini nell'Argomento del *Pastor Fido* : « Mentre si sforza per *camparlo da* morte di provare con sue ragioni ch'egli sia forestiero ». Seguo questi luoghi per ogni buon rispetto, avendo veduto che la Crusca non mette esempio né di « scampare » né di « campare » costruiti nell'uso attivo col sesto caso oltre al quarto.

Canzone quarta
[*Nelle nozze della sorella Paolina*]

I, I   *Poi che del patrio nido
            i silenzi lasciando,...
            te ne la polve de la vita e 'l suono
            tragge il destin.*

Questa e simili figure grammaticali, appartenenti all'uso de' nostri gerondi, sono così famigliari e così proprie di tutti gli scrittori italiani de' buoni secoli, che volendole rimuovere, non passerebbe quasi foglio di scrittura antica dove non s'avesse a metter le mani. Puoi vedere *Il Torto e 'l Diritto del Non si può* nel capitolo quinto, dove si dichiara in parte questa proprietà del nostro idioma : dico in parte, e poveramente, a paragone ch'ella si poteva illustrare con infinita quantità e diversità d'esempi. E anche

1 Son. *Solo e pensoso i più deserti campi.*
2 Canz. *Spirto gentil, che quelle membra reggi*, st. 7.
3 Distinz. 3, cap. 1, Firenze 1681, pag. 34.

oggidì, non che tollerata, va custodita e favorita, considerando ch'ella spetta a quel genere di locuzioni e di modi, quanto più difformi dalla ragione, tanto meglio conformi e corrispondenti alla natura, de' quali abbonda il più sincero, gentile e squisito parlare italiano e greco. E siccome la natura non è manco universale che la ragione, così non dobbiamo pensare che questa e altre tali facoltà della nostra lingua producano oscurità, salvo che s'adoprino con avvertenza e naturalezza. Piuttosto è da temere che se abbracceremo con troppa affezione l'esattezza matematica, e se la studieremo e ci sforzeremo di promuoverla sopra tutte le altre qualità del favellare, non riduciamo la lingua italiana in pelle e ossa, com'è ridotta la francese, e non sovvertiamo e distrugghiamo affatto la sua proprietà: essendo che la proprietà di qualsivoglia lingua non tanto consista nelle nude parole e nelle frasi minute, quanto nelle facoltà e forme speciali d'essa lingua, e nella composizione della dicitura. Laonde possiamo scrivere barbaramente quando anche evitiamo qualunque menoma sillaba che non si possa accreditare con dieci o quindici testi classici (quello che oggi s'ha in conto di purità nello scrivere italiano); e per lo contrario possiamo avere o meritare opinione di scrittori castissimi, accettando o formando parole e frasi utili o necessarie, che non sieno registrate nel Vocabolario né protette dall'autorità degli Antichi.

III, 14   *e di nervi e di polpe*
             scemo *il valor natio.*

L'aggettivo « scemo » negli esempi che la Crusca ne riferisce, è detto assolutamente, e non regge caso. Dunque segnerai nel margine del tuo Vocabolario questi altri quattro esempi; l'uno ch'è dell'Ariosto [1] e dice così: « Festi, barbar crudel, *del* capo *scemo* Il più ardito garzon che di sua etade », con quello che segue. L'altro del Casa: [2] « È 'mpoverita e *scema Del* suo pregio sovran la terra lassa ». Il terzo dello Speroni del *Dialogo delle lingue*: [3] « La quale

1 *Fur.*, can. 36, st. 9.
2 *Son.* 36.
3 *Dial.* dello Sper., Venezia 1596, pag. 102.

scema di vigor naturale, non avendo virtù di fare del cibo sangue onde viva il suo corpo, quello in flemma converte ». L'ultimo dello stesso nell'*Orazione contro le Cortigiane* : [1] « Che *scema* essendo *di* questa parte, sarebbe tronca e imperfetta ».

Canzone quinta [*A un vincitore nel pallone*]

IV, 4   *e pochi* Soli
               andranno forse.

Cioè pochi anni. « Sole » detto poeticamente per « anno » vedilo nel Vocabolario. E si dice tanto bene quanto chi dice « luna » in cambio di « mese ».

V, 5   *nostra colpa e fatal.*

Cioè colpa nostra e del fato. Oggi s'usa comunemente in Italia di scrivere e dir « fatale » per « dannoso » o « funesto » alla maniera francese; e quelli che s'intendono della buona favella non vogliono che questo si possa fare. Nondimeno io lo trovo fatto dall'Alamanni nel secondo libro della *Coltivazione* : « Non quello orrendo tuon, che s'assimiglia Al fero fulminar di Giove in alto, Di quell'arme *fatal* che mostra aperto Quanto sia più d'ogni altro il secol nostro Già per mille cagion là su nemico ».[2] Parla, come avrai capito, dell'arme da fuoco. E di nuovo nel quinto : [3] « La *fatal* bellezza Sopra l'onde a mirar Narciso torna ». Vero è che il poema della *Coltivazione*, e l'altre opere scritte dall'Alamanni in Francia, come il *Girone* e l'*Avarchide*, sono macchiate di parecchi francesismi; e quel ch'è peggio, la detta *Coltivazione* ridonda maravigliosamente di rozzissime, sregolatissime e assurdissime costruzioni e forme d'ogni genere : tanto ch'ella è forse la più difficile e scabrosa poesia di quel secolo, non ostante la semplicità dello stile, che per verità non fu cercata dal buono Ala-

1 Par. 2. *Orazioni* dello Sper., Venezia 1596, pag. 201.
2 V. 747.
3 V. 933.

manni, anzi fuggita a più potere, benché non gli riuscì di schivarla. Ma quelle medesime cagioni che da un lato produssero questi difetti (e che parimente generarono sui principii del Cinquecento l'imperfezione della lingua e dello stile italiano), dall'altro lato arricchirono straordinariamente il predetto poema di voci, metafore, locuzioni, che quanto hanno d'ardire, tanto sono espressive e belle; e quanto potrebbero giovare, non solamente agli usi poetici, ma eziandio gran parte di loro alla prosa, tanto in ogni modo sono tutte sconosciutissime al più degli scrittori presenti.

Canzóne sesta [*Bruto minore*]

I, I   *Poi che divelta, ne la tracia polve*
            giacque...

            . . . .

            prepara.

Acciò che questa mutazione di Tempo non abbia a pregiudicare gli stomachi gentili de' pedagoghi, la medicheremo con un pizzico d'autorità virgiliana: « Postquam res Asiae, Priamique evertere gentem Immeritam *visum* Superis, *ceciditque* superbum Ilium, et omnis humo *fumat* neptunia Troia; Diversa exsilia et desertas quaerere terras Auguriis *agimur* Divum ».[1] « Irim de caelo *misit* saturnia Iuno Iliacam ad classem, ventosque *adspirat* eunti ».[2] « Ille intra tecta vocari *Imperat* et solito medius *consedit* avito ».[3] « At non sic phrigius *penetrat* Lacedaemona pastor, Ledaeamque Helenam troianas *vexit* ad urbes ».[4] « Haec *ait*, et liquidum ambrosiae *diffundit* odorem, Quo totum nati corpus *perduxit* ».[5] Reco questi soli esempi dei mille e più che si potrebbero cavare dal solo Virgilio, accuratissimo e compitissimo sopra tutti i poeti del mondo.

1 *Aen.*, lib. 3, v. 1.
2 Lib. 5, v. 607.
3 Lib. 7, v. 168.
4 V. 363.
5 *Georg.*, lib. 4, v. 415.

« Trepidus » è quel che sarebbe « tremolo » o pure « agitato », e « trepidare » latino è come « tremolare » o « dibattersi ». E perché la paura fa che l'animale trema e s'agita, però le dette voci spesse volte s'adoperano a significazione della paura; non che dinotino la paura assolutamente né di proprietà loro. E spessissime volte non hanno da far niente con questa passione, e quando s'appagano del senso proprio, e quando anche non s'appagano. Ma la Crusca termina il significato di « trepido » in quello di « timoroso ». Va errata : e se non credi a me, che non son venuto al mondo fra il dugento e il seicento, e non ho messo i lattaiuoli né fatto a stacciabburatta in quel di Firenze, credi al Rucellai, ch'ebbe l'una e l'altra virtù : « Allor concorron[1] *trepide*, e ciascuna Si mostra ne le belle armi lucenti,... e con voce alta e roca Chiaman la gente in lor linguaggio a l'arme ». Questa è la paura dell'api « trepide ». E così la sentenza come la voce ritrassela il Rucellai da Virgilio :[2] « Tum *trepidae* inter se coeunt, pennisque coruscant,... magnisque vocant clamoribus hostem ». Anche il testimonio dell'Ariosto, benché l'Ariosto non fu toscano, potrebb'essere che fosse creduto :[3] « Ne la stagion che la frondosa vesta Vede levarsi e discoprir le membra *Trepida* pianta fin che nuda resta ». Quanto poi tocca al verbo italiano « trepidare », che la Crusca definisce similmente per « aver paura, temere, paventare », venga di nuovo in campo a farla discredere il medesimo Rucellai : « A te[4] bisogna gli animi del vulgo, I *trepidanti* petti e i moti loro Vedere innanzi al maneggiar de l'armi »; cioè gli « ondeggianti inquieti, fremebondi » petti. Anche questo è di Virgilio :[5] « Continuoque animos vulgi et *trepidantia* bello Corda licet longe praesciscere ». Venga fuori eziandio l'Alamanni : « Egli[6] stesso alla fin cruccioso prende La *trepidante insegna*, e 'n voci piene

1 *Api*, v. 272.
2 *Georg.*, lib. 4, v. 73.
3 *Fur.*, can. 9, st. 7
4 *Api*, v. 266.
5 *Georg.*, lib. 4, v. 69.
6 *Coltiv.*, lib. 4, v. 792.

Di dispetto e d'onor, la porta, e 'n mezzo Dell'inimiche
schiere a forza passa ». Cioè la « barcollante » o « la tremo-
lante insegna ». E forse ch'ha paura anche « il polso trepidante » dalla febbre amorosa nel testo del Firenzuola? [1]

III, 1   *e la ferrata*
                   necessità.

« Ferrata » cioè « ferrea ». Nel difendere questa sorta di
favellare metterò più studio che nelle altre, come quella
che non è combattuta da' pedagoghi, ma dal cavalier Monti, il quale [2] dall'una parte biasima fra Bartolomeo da San
Concordio che in un luogo degli *Ammaestramenti* dicesse
« ferrate » a guisa di « ferree », dall'altra i compilatori del
Vocabolario che riportassero il detto luogo dove registrarono gli usi metaforici della voce « ferrato ». In quanto al
Vocabolario, è certissimo che sbaglia, come poi si dirà. Ma
il fatto di quel buono antico mi persuade che, oltre a scu-
sarlo, si possa anche lodare. Primieramente la nostra lingua ha per usanza di mettere i participii, massimamente
passivi, in luogo de' nomi aggettivi (come praticarono i Latini), e per lo contrario i nomi aggettivi in luogo de' participii; secondo che diciamo « lodato » o « laudato » per
« lodevole »,[3] « onorato » per « onorevole », « fidato » per
« fido », « rosato » invece di « roseo »; e dall'altro canto, « affannoso » per « affannato », « doloroso » per « dolorato »,
« faticoso » per « affaticato » :[4] o come quando si dice « essere » o « aver pieno » o « ripieno » o « morto » per « essere » o « aver empiuto » o « riempiuto » o « ucciso ». Anche diciamo ordinariamente « essere o aver sazio, privo,
quieto, fermo, netto », e mille altri, per « essere o aver sa-
ziato, privato, quietato, fermato, nettato ». Ma lascio questo, perché possiamo credere che si faccia piuttosto per con-
trazione degli stessi participii che per surrogazione degli
aggettivi. In sostanza « ferrato » detto per « ferreo » mi par

1 Voc. della Crusca, v. Trepidante.
2 *Proposta di alcune correz. ed aggiunte al Voc. della Crusca,*
vol. 2, par. 1, pag. 103.
3 Petr., canz. *O aspettata in ciel, beata e bella*, st. 5.
4 Sannaz., *Arcad.*, egl. 2, v. 12.

ch'abbia tanto dell'italiano quanto n'ha « rosato » in cambio di « roseo ». Nel secondo luogo soggiungerò che quantunque io non sappia di certo se i nostri poeti antichi e moderni quando chiamarono e chiamano « aurati, orati o dorati » i raggi del sole,[1] i ricci delle belle donne,[2] gli strali d'Amore[3] e cose tali, ed « argentata o inargentata » la luna,[4] i ruscelli[5] o altro, volessero e vogliano intendere che quei raggi, quei ricci, quei dardi sieno inverniciati d'oro o che sieno d'oro massiccio, e che la luna e i ruscelli sieno incrostati d'argento o sieno fatti d'argento; so bene che il « colore aurato » del raspo d'uva[6] e il « color dorato » del cotogno[7] nell'Alamanni, e parimenti il « colore arientato » della luna in Francesco da Buti,[8] sono colori, quelli « d'oro », e questo « d'argento », e non vestiti dell'uno o dell'altro metallo, perché non vedo che al colore, in quanto colore, se gli possa fare una camicia né d'argento né d'oro né d'altra materia. Lo stesso dovremo intendere del « color dorato » che diciamo comunemente di certi cavalli, di certi vini e dell'altre cose che l'hanno; e così lo chiamano anche i Francesi. Un cotal ponte che il Tasso chiama « dorato », so certamente che fu « d'oro » per testimonio del medesimo Tasso, che lo fabbricò del proprio: « Ecco[9] un ponte mirabile appariva Un ricco ponte *d'or,* che larghe strade Su gli archi stabilissimi gli offriva. Passa il *dorato* varco; e quel giù cade ». Oltre a questo so che l'« aurata pellis » di Catullo[10] è propriamente il famoso vello « d'or »; il quale se fosse stato indorato a bolo, a mordente o come si voglia, o ricamato

1 Bembo, canz. 6, chiusa.

2 Giusto de' Conti, *Bella mano,* son. 22; Bembo, son. 13; Arios., *Fur.,* c. 10, st. 96; Bern. Tasso, son. *Superbo scoglio, che con l'ampia fronte.*

3 Petr., son. *Fera stella, se 'l cielo ha forza in noi*; Poliz., *Stanze,* lib. I, st. 82; Ar., *Fur.,* can. II, st. 66.

4 Bocc., *Ameto,* Firenze, 1521, car. 62; Tasso, *Ger. Lib.,* c. 18, st. 13; Remig. Fiorent., Ep. 17 d'Ovid. v. 156.

5 Bocc., *Ameto,* car. 65.

6 Alam., *Coltiv.,* lib. 2, v. 499.

7 Ivi, lib. 3, v. 493.

8 Voc. della Crusca, v. Arientato.

9 *Ger. Lib.,* c. 18, st. 21.

10 *De nupt. Pel. et Thet.,* v. 5.

d'oro, o fatto a uso delle tocche, non si moveva Giasone per andarlo a conquistare, e non era il primo a cacciarsi per forza in casa de' pesci. E so che gli « aurati vezzi »[1] che portava al collo quel giovanetto indiano descritto da Ovidio per galante e magnifico nell'ornamento della persona, sarebbe stata una miseria che non fossero « d'oro » solido; che la « pioggia aurata » di Claudiano[2] è pioggia « d'oro » del finissimo; che l'asta « aeratae cuspidis » nelle *Metamorfosi* d'Ovidio[3] è probabile ch'abbia « la punta di rame o di ferro », e in ultimo che gli « aerati nodi »,[4] l'« aeratae catenae »[5] e l'« aerata pila »[6] di Properzio sono altresì « di ferro, o di rame ». Posto dunque che sia ben detto « aeratus » invece di « aereus »; « auratus » ed « aurato, orato o dorato » invece d'« aureus » e d'« aureo »; « argentato o inargentato » invece d'« argenteo »; non potrà stare che « ferrato » invece di « ferreo » sia detto male. Ed eccoti fra i Latini Valerio Flacco nel sesto libro chiama « ferrate » certe immagini di ferro:[7] « Densique levant vexilla Coralli, Barbaricae queis signa rotae, *ferrataque* dorso Forma suum ». Lascio stare che dove nel terzo delle *Georgiche*[8] si legge: « Primaque *ferratis* praefigunt ora capistris », dice Servio che « ferrati » sta per « duri »; intende che sia metaforico, e salvo questo, viene a dire che sta per « ferrei »; sicché, o ragione o torto ch'egli abbia in questo luogo, mostra che « ferratus » nel sentimento di « ferreus » non gli sa né vizioso né strano. Queste tali non sono metafore, cioè traslazioni, ma catacresi, o vogliamo dire, come in latino, abusioni: la qual figura differisce sostanzialmente dalla metafora in quanto la metafora trasportando la parola a soggetti nuovi e non propri, non le toglie per questo il significato proprio (eccetto se il metaforico a lungo andare non se lo mangia, connaturandosi col vocabolo), ma, come dire, glielo

1 Ovid., *Metam.*, lib. 5, v. 52.
2 *De laud. Stilic.*, lib. 3, v. 226.
3 Lib. 5, v. 9.
4 Propert., lib. 2, Eleg. 20, al. 16, v. 9.
5 V. 11.
6 Lib. 4, El. 1, v. 78.
7 V. 89.
8 V. 399.

accoppia con un altro o con più d'uno, raddoppiando o moltiplicando l'idea rappresentata da essa parola. Doveché la catacresi scaccia fuori il significato proprio e ne mette un altro in luogo suo; talmente che la parola in questa nuova condizione esprime un concetto solo come nell'antica, e se lo appropria immediatamente per modo che tutta quanta ell'è, s'incorpora seco lui. Come interviene appunto nel caso nostro, che la voce « ferrato » importa onninamente « ferreo », e chi dice « ferreo », dice altrettanto né più né meno. Laddove se tu chiami lampade il sole, come fece Virgilio, quantunque la voce « lampade » venga a dimostrare il « sole », non perciò si stacca dal soggetto suo proprio, anzi non altrimenti ha forza di dare ad intendere il sole, che rappresentando quello come una figura di questo. E veramente le metafore non sono altro che similitudini o comparazioni raccorciate. Occorrendo poi (secondo che fece fra Bartolomeo da San Concordio) che si chiamino ferrate le menti degli uomini, allora il vocabolo « ferrate » sarà metaforico; in guisa nondimeno che la metafora non consisterà nello scambio della voce « ferree » colla voce « ferrate », il quale sarà fatto per semplice catacresi, ma nell'accompagnamento di tale aggettivo con tale sostantivo; perché in effetto le menti degli uomini, credo bene che sieno quali di fumo, quali di vento, quali di rapa, quali d'altre materie, ma per quello ch'io sappia, non sono « di ferro ». Il che né più né meno sarà il senso letterale della metafora; cioè che quelle menti sieno « di ferro », non già che sieno « munite di ferro ». E qui pecca il Vocabolario, che senza più, mette l'esempio di fra Bartolomeo tra gli usi metaforici di « ferrato » fatto da « ferrare » cioè « munire di ferro », quando bisognava specificare appartatamente che « ferrato » s'usa talora in cambio di « ferreo », non solamente nel proprio, ma eziandio nell'improprio, e quivi allegare il suddetto esempio. Al quale aggiungerò quello d'uno scrittore meno antico d'età, e molto più ragguardevole d'ingegno e di letteratura che non fu quel buon Frate, cioè del Poliziano, che sotto la persona d'Orfeo dice a' guardiani dell'inferno : [1] « Dunque m'aprite *le ferrate por-*

1 *Orfeo*, At. 4, ed. dell'Affò, v. 16, pag. 45.

te ». Non può voler dire che queste porte sieno « guarnite di ferro », come sono anche le più triste porte di questo mondo, ma dee volere che sieno « di ferro », come si possono immaginare le porte di casa del diavolo, che non ha carestia di metalli, essendo posta sotterra, né anche di fuoco da fonderli, essendo come una fornace. Altrimenti quell'aggettivo nel detto luogo avrebbe del fiacco pure assai. Così quando Properzio [1] chiamò « ferrata » la casa di Danae, « ferratam Danaes domum », si può stimare che non avesse riguardo a' saliscendi o a' paletti delle porte né agl'ingraticolati che potessero essere alle finestre, ma volesse intendere ch'ella fosse « di ferro », come Orazio [2] la fece di bronzo, o d'altro metallo ch'ei volesse denotare con quell'« ahenea ». E nello stesso Poliziano, poco avanti al predetto luogo,[3] il « ferrato inferno » è « spietato » o « inesorabile », e se non fosse la traslazione, « ferreo ». Di più troverai nel Chiabrera [4] un « ferrato usbergo », il quale io mi figuro che sia « di ferro »; e nel Redi [5] « le ferrate porte » del palazzo d'Amore : se non che dicendo il poeta che su queste porte ci stavano le guardie, mostra che dobbiamo intendere delle soglie; e però quell'aggiunto mi riesce molto male appropriato, che che si voglia significare in quanto a sé. Dato finalmente che gli arpioni, vale a dire i gangheri, delle porte e delle finestre, come anche le bandelle, cioè quelle spranghe che si conficcano nelle imposte, e per l'anello che hanno all'una delle estremità, s'impernano negli arpioni, sieno fatte, e non foderate o fasciate, di ferro effettivo; resta che « ferrato » nel passo che segue, sia detto formalmente in luogo di « ferreo », e non di « ferreo » traslato, ma del proprio e naturale quanto sarebbe se dicessimo, verbigrazia, « ferreo secolo ». Il passo è riferito nel Vocabolario della Crusca alla voce « Bandella », e parte ancora alla voce « Arpione », e spetta all'antico Volgarizzamento manoscritto dell'*Eneide*, nella quale corrisponde alquanto sotto il

1 Lib. 2, El. 20, al. 16, v. 12.
2 Lib. 3, Od. 16, v. 1.
3 At. 3, v. 39, pag. 42.
4 Canz. *Era tolto di fasce Ercole appena*, st. 7.
5 Son. *Aperto aveva il parlamento Amore*.

mezzo del secondo libro: [1] « Ma Pirro risplendiente in arme, tolta una mannaia a due mani, taglia le dure porte, e li *ferrati arpioni delle bandelle* ». Da tutte le sopraddette cose conchiuderemo, a parer mio, che la voce « ferrato » posta per « ferreo », non tanto che si debba riprendere, ma nella poesia specialmente, s'ha da tenere per una dell'eleganze della nostra lingua.

IV, 13   *Quando le infauste* luci
                virile alma ricusa.

« Luci » per « giorni » sta nella *Crusca veronese* con un testo del Caro, al quale aggiungendo il seguente, ch'è d'uomo fiorentino, anzi fiorentinissimo, cioè del Varchi,[2] non sei per fare opera perduta: « Dopo atre notti, più lucenti e belle *Luci* più vago il Sol mena a le genti ». Il Petrarca[3] usa il singolare di « luce » per « vita »: « I' che temo del cor che mi si parte, E veggio presso il fin della mia *luce* ».

V, 4   *Ma se spezzar la fronte*
               ne' rudi tronchi, o da montano sasso
               dare al vento precipiti le membra
               lor suadesse *affanno.*

Il Vocabolario ammette le voci « suadevole, suado, suasione, suasivo ». Ma che vale? Se non porta a lettere di scatola il verbo « suadere », chi mi prosciogli dal peccato d'impurità? Non certo i Latini: di modo ch'io me ne vo dannato senz'altro; e mi terrà compagnia l'Ariosto, che nel terzo del *Furioso*[4] disse di Bradamante: « Quivi l'audace giovine rimase Tutta la notte, e gran pezzo ne spese A parlar con Merlin, che *le suase Rendersi* tosto al suo Ruggier cortese ». Anzi troverò fra la gente perduta anche il Bembo, capitato male per lo stesso misfatto, e che più? fino al padre Dante, che non s'astenne dal participio « suaso ». E

1 V. 479.
2 Boez., lib. 3, rim. 1.
3 Son. *Quand'io son tutto voltò in quella parte.*
4 St. 64.

quanto al peccato di questi due, vedi il Dizionario dell'Alberti.

Canzone settima [*Alla primavera*]

I, 5   credano *il petto inerme*
                        gli augelli al vento.

Se tu credi al Vocabolario della Crusca, non puoi « credere » cioè « fidare » altrui se non quel danaio che ti paresse di dare in prestito, voglio dire a usura, ché in altro modo è fuor di dubbio che non puoi, quando anche lo permetta il Vocabolario. Ma se credi agli ottimi scrittori latini e italiani, « crederai » cioè « fiderai » così la roba come la vita, l'onore e quante cose vorrai, non solamente alle persone, ma eziandio, se t'occorre, alle cose inanimate. Per ciò che spetta ai latini, domandane il Dizionario; o quello del Forcellini o quello del Gesner o di Roberto Stefano o del Calepino o del Mandosio o di chi ti pare. Per gl'italiani vaglia l'esempio seguente, ch'è dell'Alamanni:[1] « Tutto aver si convien, né men che quelli *Ch'al* tempestoso *mar credon la vita* ». E quest'altro, ch'è del Poliziano:[2] « Né *si credeva ancor la vita a' venti* ». E questo, ch'è del Guarini:[3] « Dunque *a l'amante l'onestà credesti?* » Al che l'autore medesimo fa quest'annotazione:[4] « Ripiglia acutamente Nicandro la parola di *credere*, ritorcendola in Amarilli con la forza d'un altro significato, che ottimamente gli serve; perciocché il verbo *credere* nel suo volgare, o comunissimo sentimento significa dar fede, e in questo l'usa Amarilli. Significa ancora *confidare sopra la fede*, sì come l'usano molte volte i Latini; e in questo l'usa Nicandro in significazione attiva, volendo dire: ‹Dunque confidasti tu in mano dell'amante la tua onestà?› » E forse il Molza ebbe la medesima intenzione de' poeti sopraddetti usando il verbo

1 *Coltiv.*, lib. 6, v. 118.
2 *Stanze*, lib. 1, st. 20.
3 *Past. Fido*, At. 4, sc. 5, v. 101.
4 *P. F.*, Ven. app. G. B. Ciotti, 1602, pag. 292.

« credere » in questo verso della *Ninfa Tiberina*:[1] « Troppo credi e commenti al torto lido ».

II, 2   *dissueto.*

Questo forestiero porta una patente di passaggio fatta e sottoscritta da « Dissuetudine », e autenticata da « Insueto, Assueto, Consueto » e altri tali gentiluomini italiani, che la caverà fuori ogni volta che bisogni. Ma non si cura che gli sia fatta buona per entrare nel Vocabolario della Crusca, avendo saputo che un suo parente, col quale s'acconcerebbe a stare, non abita in detto paese. E questo parente si è un cotal « Mansueto »; non quello che, secondo la Crusca, è « di benigno e piacevole animo », o « che ha mansuetudine », vale a dire è mansueto: in somma non quel « Mansueto » ch'è mansueto, ma un altro, che sotto figura di participio, come sarebbe quella del mio « Dissueto », significa « mansuefatto » o « ammansato », anche di fresco, e si trova in casa del Tasso: « Gli umani ingegni Tu placidi ne rendi, e l'odio interno Sgombri, signor, da' *mansueti* cori, Sgombri mille furori ».[2] Questi che opera tanti miracoli, se già non l'hai riconosciuto, è colui che 'l mondo chiama Amore. Per giunta voglio che sappiano i pedagoghi ch'io poteva dire « disusato » per « dissueto » colla stessissima significazione; ed era parola accettata nel Vocabolario, oltre che in questo senso riusciva elegante, e di più si veniva a riporre nel verso come da se stessa. A ogni modo volli piuttosto quell'altra. E perché? Questo non tocca ai pedanti di saperlo. Ma in iscambio di ciò, li voglio servire d'un bello esempio della voce « dissuetudine », che lo metteranno insieme con quello che sta nel Vocabolario; come anche d'un esempio della parola « disusato » posta in quel proprio senso ch'io formo il vocabolo « dissueto »: « Mi sveglia dalla *dissuetudine* e dalla ignoranza di questa pratica ». Il qual esempio è del Caro, e si trova nel Comento sopra la Canzone de' Gigli.[3] L'altro esempio è del

1 St. 30.
2 *Amin.*, At. 4, Coro.
3 St. 1, v. 13, fra le *Lett. di diversi eccellentis. uomini*, Ven. 1554, pag. 515.

Casa; e leggesi nel *Trattato degli Uffici comuni*:[1] « Perciocché a lui pareva dovere avvenire ch'essi a poco a poco da quello che di lui pensar solevano, *disusati*, avrebbero cominciato a concepire nelle menti loro non so che di maggiore istima ». Il latino ha « desuefacti ».

Ivi, 9   *e 'l pastorel che a l'ombre*
                 meridiane incerte
                 (col rimanente della stanza)

Anticamente correvano parecchie false immaginazioni appartenenti all'ora del mezzogiorno, e fra l'altre, che gli Dei, le ninfe, i silvani, i fauni e simili, aggiunto le anime de' morti, si lasciassero vedere o sentire particolarmente su quell'ora, secondo che si raccoglie da Teocrito,[2] Lucano,[3] Filostrato,[4] Porfirio,[5] Servio,[6] ed altri, e dalla *Vita di san Paolo primo eremita*[7] che va con quelle de' Padri e fra le cose di san Girolamo. Anche puoi vedere il Meursio[8] colle note del Lami,[9] il Barth,[10] e le cose disputate dai comentatori e specificatamente dal Calmet in proposito del demonio meridiano detto nella Scrittura.[11] Circa all'opinione che le ninfe e le Dee sull'ora del mezzogiorno si scendessero a lavare ne' fiumi o ne' fonti, dà un'occhiata all'Elegia di Callimaco *Sopra i lavacri di Pallade*,[12] e in particolare quanto a Diana, vedi il terzo libro delle *Metamorfosi*.[13]

Ivi, 10   *e a la fiorita*
             margo adducea de' fiumi.

1 Cap. II, *Op.* del Casa, Ven. 1752, tom. 3, pag. 215.
2 *Idyll.*, I, v. 15 et sequent.
3 Lib. 3, v. 422 et sequent.
4 *Heroic.*, cap. I, art. 4. *Op.* Philostr., ed. Olear., p. 671.
5 *De antro nymph.*, cap. 26 e 27.
6 *Ad Georg.*, lib. 4, v. 401
7 Cap. 6, in *Vita Patr.*, Rosveydi, Antuerp. 1615, lib. I, p. 18.
8 *Auctar. Philologic*, Cap. 6.
9 *Op.* Meurs, Florent. 1741-1763, vol. 5, col. 733.
10 *Animadversion, ad Stat.*, par. 2, pag. 1081.
11 *Psal.*, 90, v. 6.
12 V. 71 et sequent.
13 V. 144 et sequent.

Se per gli esempi recati nel Vocabolario la voce « margo » non ha sortito altro genere che quello del maschio, non ti maravigliare ch'io te l'abbia infemminita. E non credere ch'a far questo ci sia bisognato qualche gran forza di stregheria, qualche fatatura, o un miracolo come quelli delle *Trasformazioni* d'Ovidio. Già sai che da un pezzo addietro non è cosa più giornaliera e che faccia meno maraviglia del veder la gente effeminata. Ma lasciando questo, considera primieramente che la voce « margine », in quanto significa « estremità, orlo, riva », ha l'uno e l'altro genere; e secondariamente che « margine » e « margo » non sono due parole, ma una medesima con due varie terminazioni, quella del caso ablativo singolare di « margo » voce latina, e questa del nominativo. Dunque, siccome dicendo, per esempio, « imago » in vece d'« imagine », tu non fai mica una voce mascolina, ma femminina, perché « imagine » è sempre atle; pariment ese dirai « margo » in iscambio, non di « margine » sostantivo mascolino, ma di quell'altro « margine » ch'è femminino, avrai « margo » non già maschio, non già ermafrodito, ma tutto femmina bella e fatta in un momento, come la sposa di Pigmalione, che fino allo sposalizio era stata di genere neutro. O pure (volendo una trasmutazione più naturale) come l'amico di Fiordispina; se non che questa similitudine cammina a rovescio del caso nostro in quanto ai generi.

v, 2   *le varie note*
                      dolor non finge.

Cioè « non forma, non foggia », secondo che suona il verbo « fingere » a considerarlo assolutamente. Non è roba di Crusca. Ma è farina del Rucellai già citato più volte: « Indi [1] potrai veder, come vid'io, Il nifolo, o proboscide, come hanno Gl'indi elefanti, onde con esso finge (*parla dell'ape*) Sul rugiadoso verde, e prende i figli ». E dello Speroni: [2] « Egli al fin trovi una donna ove Amore con maggior magistero e miglior subbietto, conforme agli alti suoi meriti lo voglia *fingere* ed iscolpire ». È similmente

1 *Api*, v. 986 e seguenti.
2 *Dial. d'Amore. Dialoghi* dello Sper., Ven. 1596, p. 25.

del Caro nell'*Apologia* :[1] la quale, avanti che uscisse, fu riscontrata coll'uso del parlar fiorentino e ritoccata secondo il bisogno da quel medesimo[2] che nell'*Ercolano* fece la famosa prova di rannicchiare tutta l'Italia in una porzione di Firenze. « E le (voci) nuove, e le nuovamente *finte*, e le greche, e le barbare, e le storte dalla prima forma e dal proprio significato tal volta? » Dove il Caro ebbe l'occhio al detto d'Orazio,[3] « Et nova fictaque nuper habebunt verba fidem, si Graeco fonte cadant, parce detorta ».

Ivi, 18   *s'alberga.*

« Albergare » attivo, o neutro assoluto, dicono i testi portati nel Vocabolario sotto questa voce. « Albergare » neutro passivo, dico io coll'Ariosto :[4] « Pensier canuto né molto né poco Si può quivi *albergare* in alcun core ».

Canzone ottava
[*Ultimo canto di Saffo*]

I, 14   *Noi per le balze e le profonde valli*
                natar giova tra' nembi.

Il verbo « giovare » quando sta per « dilettare » o « piacere », se attendiamo solamente agli esempi che ne registra sotto questo significato il Vocabolario, non ammette altro caso che il terzo. Ma qui voglio intendere che sia detto col quarto, bench'io potessi allegare che « noi, voi, lui, lei » si trovano adoperati eziandio nel terzo senza il segnacaso. Ora lasciando a parte i Latini, i quali dicono « iuvare » in questo medesimo sentimento col caso quarto; e lasciando altresì che « giovare », quando suona il contrario di « nuocere », non rifiuta il detto caso, come puoi vedere nello stesso Vocabolario, e che l'accidente di ricevere quell'altra significazione traslata, o comunque si debba chiamare, non

1 Parma 1558, p. 25.
2 Caro, *Lett. famil.*, ed. Comin, 1734, vol. 2, let. 77, p. 121.
3 *De arte poet.*, v. 52.
4 *Fur.*, can. 6, st. 73.

cambia la regola d'esso verbo; dirò solamente questo, che in uno de' luoghi del Petrarca citati qui dalla Crusca, il verbo «giovare» costrutto col quarto caso, non ha la significazione sua propria, sotto la quale è recato il detto luogo nel Vocabolario, ma ben quella appunto di «piacere o dilettare», come ti chiarirai, solamente che il verso allegato dalla Crusca si rannodi a quel tanto da cui dipende: «Novo piacer che ne gli umani ingegni Spesse volte si trova, D'amar qual cosa nova Più folta schiera di sospiri accoglia. Ed io son un di quei che 'l pianger *giova*».[1] Il Poliziano usa il verbo «giovare» in questa significazione assolutamente, cioè senza caso: «Quanto[2] *giova* a mirar pender da un'erta Le capre e pascer questo e quel virgulto!» E il Rucellai, fra gli altri, adopera nella stessa forma la voce «gradire»: «Quanto[3] gradisce il vederle ir volando Pe i lieti paschi e per le tenere erbe!» Dice delle api.

iv, 8   *Me non asperse*
          del soave licor l'avara ampolla
          di Giove.

Vuole intendere di quel vaso pieno di felicità che Omero[1] pone in casa di Giove; se non che Omero dice una botte, e Saffo un'ampolla, ch'è molto meno, come tu vedi: e il perché le piaccia di chiamarlo così, domandalo a quelli che sono pratichi di questa vita.

Ivi, 10   *indi che*

Cioè «d'allora che, da poi che». Della voce «indi» costrutta colla particella «che», se ne trovano tanti esempi nella *Coltivazione* dell'Alamanni, ch'io non saprei quale mi scegliere che facesse meglio al proposito. E però lascio che se li trovi chi n'avrà voglia, massimamente bastando la ragione grammaticale a difendere questa locuzione, sen-

1 Petrarca, *Rime*, xxxvii, 65-69.
2 *Stanze*, lib. 1, st. 18.
3 *Api*, v. 199.
4 *Il.*, lib. 24, v. 527.

za che ci bisogni l'autorità né degli antichi né della Crusca. « I' fuggo *indi ove* sia Chi mi conforte ad altro ch'a trar guai », dice il Bembo.[1] Cioè « di là dove ». Ma siccome la voce « indi » talvolta è di luogo, e significa « di là », talvolta di tempo, e significa « d'allora », perciò séguita che questo passo della nostra Canzone, dove « indi » è voce di tempo, significhi « d'allora che » né più né meno che il passo del Bembo significa « di là dove », e nel modo che dice Giusto de' Conti : [2] « E il ciel d'ogni bellezza Fu privo e di splendore D'allor che ne le fasce fu nudrita ». Cioè « da che ». Il quale avverbio temporale « da che » non è registrato nel Vocabolario; e perché fa molto a questo proposito, lo rincalzò con un esempio del Caro : [3] « Da ch'io la conobbi, non è cosa ch'io non me ne prometta ». Altri esempi ne troverai senza molto rivolgere, e nel Caro e dovunque meglio ti piaccia. Ma io ti voglio pur mostrare questa medesima locuzione « indi che », adoperata in quel proprio senso ch'io le attribuisco; per la qual cosa eccoti un luogo di Terenzio : [4] « Quamquam haec inter nos nuper notitia admodum 'st (*inde* adeo *quod* agrum in proxumo hic mercatus es), Nec rei fere sane amplius quidquam fuit; Tamen » col resto. Dal qual passo i più de' comentatori e de' traduttori non ne cavano i piedi. Terenzio vuol dire : « Non ostante che tu ed io siamo conoscenti di poco tempo (cioè *da quando* hai comperato questo podere che hai qui nel contorno), e che poco o nient'altro abbiamo avuto da fare insieme; tuttavia » con quello che segue.

Canzone nona [*Inno ai Patriarchi*]

Chiamo quest'Inno, Canzone, per esser poema lirico, benché non abbia stanze né rime, ed atteso anche il proprio significato della voce « canzone », la quale importa il medesimo che la voce greca « ode », cioè « cantico ». E mi

---

1 Son. 41.
2 *Bella Mano*, canz. 2, st. 4.
3 *Lett. fam.*, ed. Comin, 1734, vol. 2, lett. 233, pag. 399.
4 *Heaut.*, Act. 1, v. 1.

sovviene che parecchi poemi lirici d'Orazio non avendo
strofe, e taluno oltre di ciò essendo composto d'una sola
misura di versi, tuttavia si chiamano Odi come gli altri;
forse perché il nome appartiene alla qualità non del metro
ma del poema, o vogliamo dire al genere della cosa e non
al taglio della veste. In ogni modo mi rimetto alla tua pru-
denza : e se qui non ti pare che ci abbia luogo il titolo di
Canzone, radilo, scambialo, fa quello che tu vuoi.

Verso 10   *equa.*

Tra l'altre facezie del nostro Vocabolario, avverti anche
questa, che la voce « equo » non si può dire, perché il Vocabolario la scarta, ma ben si possono dire quarantadue
voci composte o derivate, ciascheduna delle quali comincia
o deriva dalla suddetta parola.

15   *e pervicace ingegno.*

Qui non vale semplicemente « ostinato » e « che dura
e insiste », ma oltre di ciò significa « temerario » e « che
vuol fare o conseguire quello che non gli tocca né gli conviene ». Orazio nell'Ode terza del terzo libro: [1] « Non haec
iocosae conveniunt lyrae. Quo, Musa, tendis? desine *pervicax* Referre sermones deorum, et Magna modis tenuare
arvis ». Vedi ancora la diciannovesima del secondo libro,[2]
nella quale « pervicaces » viene a inferire « petulantes, pro-
caces », e, come dichiarano le glose d'Acrone, « protervas »;
ma è pigliato in buona parte. E noto l'uno e l'altro luogo
d'Orazio perché non sono avvertiti dal Forcellini e perché
la voce « pervicax », a guardarla sottilmente, non dice in
questi due luoghi quel medesimo ch'ella dice negli esempi
recati in quel Vocabolario.

32   *e gl'inarati colli*
          solo e muto ascendea *l'aprico raggio*
          di febo.

1 V. 69.
2 V. 9.

I verbi « salire, montare, scendere » sono adoperati da'
nostri buoni scrittori, non solamente col terzo o col sesto
caso, ma eziandio col quarto senza preposizione veruna.
Dunque potremo fare allo stesso modo anche il verbo
« ascendere », come lo fanno i Latini, e come lo fa mede-
simamente il Tasso in due luoghi della *Gerusalemme*.[1]

43   *fratricida.*

Il Vocabolario dice solamente « fraticida » e « fratici-
dio ». Ma io, non trovando ch'Abele si facesse mai frate,
chiamo Caino « fratricida » e non « fraticida ».

46   *primo i civili tetti, albergo e regno*
            a le macere cure, innalza; e primo
            il disperato pentimento i ciechi
            mortali egro, *anelante, aduna e stringe*
            ne' consorti ricetti.

« Egressusque Cain a facie Domini », dice il quarto della *Genesi*,[2] « habitavit profugus in terra ad orientalem plagam Eden. Et aedificavit civitatem ».

51   *improba.*

Don Giovanni Dalle Celle nel Volgarizzamento dei *Pa-
radossi* di Cicerone:[3] « Certo io te, non istolto, come spesse
fiate, non improbo, come sempre, ma demente e pazzo con
forti ragioni ti dimostrerò ». Così ancora in altro luogo del
medesimo Volgarizzamento.[4] Il Machiavelli nel Capitolo di
Fortuna:[5] « Spesso costei i buon sotto i piè tiene, *Gl'improbi*
inalza ». Aggiungi questi esempi a quelli del volgarizzatore
antico di *Boezio* che ti sono portati per questa voce nelle
Giunte veronesi.

1 Can. 3, st. 10 e can. 20, st. 117.
2 Vers. 16.
3 *Parad.*, 4, Genova 1825, p. 35.
4 *Parad.*, 2, pag. 29.
5 V. 28.

Se la parola «instaurare» è un contrabbando, facciano
i doganieri pedanti cercare indosso al Segretario fiorentino,
e non abbiano rispetto al segretariato, ché gliela troveranno
attorno: «Partito Attila d'Italia, Valentiniano imperatore
occidentale pensò d'*instaurare quella* ».[1] E altrove:[2] «Ac-
crebbe Ravenna, *instaurò* Roma, ed eccettoché la disciplina
militare, rendé ai Romani ogni altro onore». E in più altri
luoghi.

77 [76]   *nodrici.*

Hai questo vocabolo nel Dizionario dell'Alberti coll'autorità del Tasso.

100 [99 sgg.]   *a le riposte*
                  leggi del Cielo e di Natura indutto
                  valse l'ameno error, le fraudi e 'l molle
                  pristino velo.

Maniera tolta ai Latini, ma per amore, non per forza.
L'Ariosto nel ventesimosettimo del *Furioso*:[3] «Ed Egli e
Ferraú *gli aveano indotte L'arme* del suo progenitor Nem-
brotte». Questa locuzione al mio palato è molto elegante;
ma quelli che non mangiano se non Crusca, sappiano che
questa non è Crusca, e però la sputino. Vuol dire «gliele
aveano vestite», ed è frequentissima nella buona latinità
con questa e con altre significazioni.

116 [115]   *inesperti.*

Qui è voce passiva. Non la stare a cercare nel Vocabolario, ché sotto questo significato non ce la troverai, ma
piuttosto cerca la voce «esperto», e vedi anche «inexper-
tus» nei Vocabolari latini.

1 *Istor.*, lib. 1, *Op.*, del Mach., Ital. 1819, vol. 1, pag. 214.
2 Ivi, pag. 218.
3 St. 69.

e la fugace, ignuda
felicità per l'imo sole incalza.

Non occorre avvertire che la California sta nell'ultimo termine occidentale del continente. La nazione de' Californii, per ciò che ne riferiscono i viaggiatori, vive con maggior naturalezza di quello ch'a noi paia, non dirò credibile, ma possibile nella specie umana. Certi che s'affaticano di ridurre la detta gente alla vita sociale, non è dubbio che in processo di tempo verranno a capo di quest'impresa; ma si tiene per fermo che nessun'altra nazione dimostrasse di voler fare così poca riuscita nella scuola degli Europei.

Canzone decima [*Alla sua donna*]

v, 1   *Se de l'eterne idee*
         l'una se' tu,

La nostra lingua usa di preporre l'artico al pronome «uno», eziandio parlando di più soggetti, e non solamente, come sono molti che lo credono, quando parla di soli due. Basti recare di mille esempi il seguente, ch'io tolgo dalla quindicesima novella del Boccaccio: «Egli era sopra due travicelli *alcune* tavole confitte, *delle quali* tavole quella che con lui cadde era *l'una*».

Lettor mio bello, (è qui nessuno, o parlo al vento?) se mai non ti fossi curato de' miei consigli, e t'avesse dato il cuore di venirmi dietro, sappi ch'io sono stufo morto di fare, come ho detto da principio, alle pugna; e la licenza che ti ho domandata per una volta sola, intendo che già m'abbia servito. E però «hic caestus artemque repono». Per l'avvenire, in caso che mi querelino d'impurità di lingua e che abbiano tanta ragione con quanta potranno incolpare i luoghi notati di sopra e gli altri della stessa data, verrò cantando quei due famosi versi che Ovidio compose quando in Bulgaria gli era dato del barbaro a conto della lingua.

Abbiamo creduto far cosa grata al Pubblico italiano, raccogliendo e pubblicando in carta e forma uguali a quelle delle *Canzoni* del conte Leopardi già stampate in questa città, tutte le altre poesie originali dello stesso autore, tra le quali alcune inedite, di cui siamo stati favoriti dalla sua cortesia. Si è compresa tra le poesie originali la *Guerra dei topi e delle rane*, perché piuttosto imitazione che traduzione dal greco. In ultimo abbiamo aggiunto il *Volgarizzamento delle Satire di Simonide sopra le donne*; della qual poesia, molto antica e molto elegante, ma nota quasi soltanto agli eruditi, non sappiamo che v'abbia finora altra traduzione italiana.

1 Prefazione all'edizione dei *Versi*, Bologna, Stamperia delle Muse, 1826.

> La mia favola breve è già compita,
> e fornito il mio tempo a mezzo gli anni.
>
> PETRARCA

Firenze, 15 decembre 1830

Amici miei cari,

Sia dedicato a voi questo libro, dove io cercava, come si cerca spesso colla poesia, di consacrare il mio dolore, e col quale al presente (né posso già dirlo senza lacrime) prendo comiato dalle lettere e dagli studi. Sperai che questi cari studi avrebbero sostentata la mia vecchiezza, e credetti colla perdita di tutti gli altri piaceri, di tutti gli altri beni della fanciullezza e della gioventù, avere acquistato un bene che da nessuna forza, da nessuna sventura mi fosse tolto. Ma io non aveva appena vent'anni, quando da quella infermità di nervi e di viscere, che privandomi della mia vita, non mi dà speranza della morte, quel mio solo bene mi fu ridotto a meno che a mezzo; poi, due anni prima dei trenta, mi è stato tolto del tutto, e credo oramai per sempre. Ben sapete che queste medesime carte io non ho potute leggere, e per emendarle m'è convenuto servirmi degli occhi e della mano d'altri. Non mi so più dolere, miei cari amici; e la coscienza che ho della grandezza della mia infelicità, non comporta l'uso delle querele. Ho perduto tutto: sono un tronco che sente e pena. Se non che in questo tempo ho acquistato voi: e la compagnia vostra, che m'è in luogo degli studi, e in luogo d'ogni diletto e di ogni speranza, quasi compenserebbe i miei mali, se per la stessa infermità mi fosse lecito di goderla quant'io vorrei; e s'io non conoscessi che la mia fortuna assai tosto mi priverà di questa ancora, costringendomi a consumar gli anni che mi avanzano, abbandonato da ogni conforto della civiltà, in luogo dove assai meglio abitano i sepolti che i vivi. L'amor vostro mi rimarrà tuttavia, e mi rimarrà forse ancor dopo che il mio corpo, che già non vive più, sarà fatto cenere. Addio. Il vostro Leopardi

1 Dedica della prima edizione dei *Canti*, Firenze, Piatti, 1831.

I due primi furono pubblicati in Roma nel 1818, con una lettera a Vincenzo Monti. Il terzo, con una lettera al conte Leonardo Trissino, nel 1820 in Bologna. Dieci canti, cioè i nove primi e il diciottesimo, in Bologna nel 1824, con ampie Annotazioni, e copia d'esempi antichi, in difesa di voci e maniere dei medesimi Canti accusate di novità. Altri Canti pure in Bologna nel 1826: i quali coi sopraddetti dieci, e con altri nuovi, in tutto ventitre, furono dati ultimamente dall'autore in Firenze nel 1831. Diverse ristampe di questi Canti, o tutti o parte, fatte dalle edizioni di Bologna o dalla fiorentina, in diverse città d'Italia, essendo state senza concorso dell'autore, non hanno nulla di proprio. Nella presente sono aggiunti undici componimenti non più stampati, e gli altri riveduti dall'autore e ritocchi in più e più luoghi. Dei Frammenti, i primi due sono già divulgati, gli altri non ancora. Le poche note poste appiè del volume, sono cavate quasi tutte dalle edizioni precedenti.

---

1 Nella seconda edizione dei *Canti*, Napoli, Starita, 1835.

[1. *All'Italia.* v. 79, p. 8]. Il successo delle Termopile fu celebrato veramente da quello che in essa canzone s'introduce a poetare, cioè da Simonide; tenuto dall'antichità fra gli ottimi poeti lirici, vissuto, che più rileva, ai medesimi tempi della scesa di Serse, e greco di patria. Questo suo fatto, lasciando l'epitaffio riportato da Cicerone e da altri, si dimostra da quello che scrive Diodoro nell'undecimo libro, dove recita anche certe parole di esso poeta in questo proposito, due o tre delle quali sono espresse nel quinto verso dell'ultima strofe. Rispetto dunque alle predette circostanze del tempo e della persona, e da altra parte riguardando alle qualità della materia per se medesima, io non credo che mai si trovasse argomento più degno di poema lirico, né più fortunato di questo che fu scelto, o più veramente sortito, da Simonide. Perocché se l'impresa delle Termopile fa tanta forza a noi che siamo stranieri verso quelli che l'operarono, e con tutto questo non possiamo tenere le lacrime a leggerla semplicemente come passasse, e ventitre secoli dopo ch'ella è seguita; abbiamo a far congettura di quello che la sua ricordanza dovesse potere in un Greco, e poeta, e dei principali, avendo veduto il fatto, si può dire, cogli occhi propri, andando per le stesse città vincitrici di un esercito molto maggiore di quanti altri si ricorda la storia d'Europa, venendo a parte delle feste, delle maraviglie, del fervore di tutta un'eccellentissima nazione, fatta anche più magnanima della sua natura dalla coscienza della gloria acquistata, e dall'emulazione di tanta virtù dimostrata pur dianzi dai suoi. Per queste considerazioni, riputando a molta disavventura che le cose

1 Apparse nell'edizione fiorentina dei *Canti* (Piatti, 1831) e in quella napoletana (Starita, 1835); postuma la nota della *Ginestra* (nell'edizione fiorentina del 1845 a cura del Ranieri).

scritte da Simonide in quella occorrenza, fossero perdute, non ch'io presumessi di riparare a questo danno, ma come per ingannare il desiderio, procurai di rappresentarmi nella mente le disposizioni dell'animo del poeta in quel tempo, e con questo mezzo, salva la disuguaglianza degl'ingegni, tornare a fare il suo canto; del quale io porto questo parere, che o fosse maraviglioso, o la fama di Simonide fosse vana, e gli scritti perissero con poca ingiuria. (Lettera a Vincenzo Monti premessa alle edizioni di Roma e di Bologna).

[III. *Ad Angelo Mai*, vv. 79-80, p. 31]. Di questa fama divulgata anticamente che in Ispagna e in Portogallo, quando il sole tramontava, si udisse di mezzo all'Oceano uno stridore simile a quello che fanno i carboni accesi, o un ferro rovente, quando è tuffato nell'acqua, vedi Cleomede, *Circular. doctrin. de sublim.* 1. 2, c. I, ed. Bake, Lugd. Bat. 1820, p. 109 seq.; Strabone 1. 3 ed. Amstel. 1707, p. 202 B; Giovenale, *Sat.*, 14, v. 279; Stazio, *Silv.*, 1. 2, *Genethl. Lucani*, v. 24 seqq.; ed Ausonio, *Epist.* 18, v. 2. Floro, 1. 2, c. 17, parlando delle cose fatte da Decimo Bruto in Portogallo: « peragratoque victor Oceani litore, non prius signa convertit, quam cadentem in maria solem, obrutumque aquis ignem, non sine quodam sacrilegii metu, et horrore, deprehendit ». Vedi ancora le note degli eruditi a Tacito, *De Germ.*, c. 45.

[*Ibid.*, v. 96, p. 32]. Mentre la notizia della rotondità della terra, ed altre simili appartenenti alla cosmografia, furono poco volgari, gli uomini, ricercando quello che si facesse il sole nel tempo della notte, o qual fosse lo stato suo, fecero intorno a questo parecchie belle immaginazioni: e se molti pensarono che la sera il sole si spegnesse, e che la mattina si raccendesse, altri immaginarono che dal tramonto si riposasse e dormisse fine al giorno. Stesicoro, *Ap. Athenaeum.* l. II. c. 38, ed. Schweigh., t. 4, p. 237; Antimaco, ap. eumd., l. c., p. 238; Eschilo, l. c., e più distintamente Mimnermo, poeta greco antichissimo, l. c., cap. 39, p. 239, dice che il sole, dopo calato, si pone a giacere in un letto concavo, a uso di navicella, tutto d'oro, e così dormendo naviga per l'Oceano da ponente a levante. Pitea marsigliese, allegato da Gemino, c. 5, in Petav., *Uranol.*, ed. Amst. p. 13, e da Cosma egiziano, *Topogr. christian.*, l. 2, ed. Montfauc., p. 149, racconta di non so quali barbari che mostrarono a esso Pitea il luogo dove il sole, secondo loro, si adagiava a dormire. E il Petrarca si accostò a queste tali opinioni volgari in quei versi, Canz. *Nella stagion*, st. 3 :

> *Quando vede 'l pastor calare i raggi*
> *del gran pianeta al nido ov'egli alberga.*

Siccome in questi altri della medesima Canzone, st. 1, seguì la sentenza di quei filosofi che per virtù di raziocinio e di congettura indovinavano gli antipodi :

> *Nella stagion che 'l ciel rapido inchina*
> *verso occidente, e che 'l dì nostro vola*
> *a gente che di là forse l'aspetta.*

Dove quel *forse*, che oggi non si potrebbe dire, fu sommamente poetico; perché dava facoltà al lettore di rappresentarsi quella gente sconosciuta a suo modo, o di averla in tutto per favolosa : donde si dee credere che, leggendo questi versi, nascessero di quelle concezioni vaghe e indeterminate, che sono effetto principalissimo ed essenziale delle bellezze poetiche, anzi di tutte le maggiori bellezze del mondo.

[*Ibid.*, v. 132, p. 34]. Di qui alla fine della stanza si ha riguardo alla congiuntura della morte del Tasso, accaduta in tempo che erano per incoronarlo poeta in Campidoglio.

[VI. *Bruto Minore*, v. 1, p. 59 : *tracia*]. Si usa qui la licenza, usata da diversi autori antichi, di attribuire alla Tracia la città e la battaglia di Filippi, che veramente furono nella Macedonia. Similmente nel nono Canto si seguita la tradizione volgare intorno agli amori infelici di Saffo poetessa, benché il Visconti ed altri critici moderni distinguano due Saffo; l'una famosa per la sua lira, e l'altra per l'amore sfortunato di Faone; quella contemporanea d'Alceo, e questa più moderna.

[vii. *Alla Primavera*, vv. 28 sgg., p. 73]. La stanchezza, il riposo e il silenzio che regnano nelle città, e più nelle campagne, sull'ora del mezzogiorno, rendettero quell'ora agli antichi misteriosa e secreta come quelle della notte: onde fu creduto che sul mezzodì più specialmente si facessero vedere o sentire gli Dei, le ninfe, i silvani, i fauni e le anime de' morti; come apparisce da Teocrito, *Idyll.*, 1, v. 15 seqq.; Lucano, 1. 3, v. 422 seqq.; Filostrato, *Heroic.* c. 1, § 4, opp., ed. Olear., p. 671; Porfirio, *De antro nymph.*, c. 26 seq.; Servio, *Ad Georg.*, 1. 4, v. 401; e dalla Vita di san Paolo primo eremita scritta da san Girolamo, c. 6, in *Vit. Patr.*, Rosweyd., 1. 1, p. 18. Vedi ancora il Meursio, *Auctar. Philolog.*, c. 6, colle note del Lami, opp. Meurs., Florent., vol. 5, vol. 733; il Barth, *Animadv. ad Stat.*, part. 2, p. 1081, e le cose disputate dai comentatori, e nominatamente dal Calmet, in proposito del demonio meridiano della Scrittura volgata *Psal.*, 90, v. 6. Circa all'opinione che le ninfe e le dee sull'ora del mezzogiorno si scendessero a lavare ne' fiumi e ne' fonti, vedi Callimaco in *Lavacr. Pall.* v. 71 seqq. e quanto propriamente a Diana, Ovidio, *Metam.*, 1. 3, v. 144 seqq.

[viii. *Inno ai Patriarchi*, vv. 46-47, p. 84]. « Egressusque Cain a facie Domini, habitavit profugus in terra ad orientalem plagam Eden. Et aedificavit civitatem ». *Genes.* c. 4. v. 16.

[*Ibid.*, v. ultimo, p. 89]. È superfluo ricordare che la California è posta nell'ultimo termine occidentale di terra ferma. Si tiene che i Californi sieno, tra le nazioni conosciute, la più lontana dalla civiltà, e la più indocile alla medesima.

[xxiii. *Canto notturno di un pastore errante dell'Asia*, p. 205]. « Plusieurs d'entre eux (parla di una delle nazioni erranti dell'Asia) passent la nuit assis sur une pierre à regarder la lune, et à improviser des paroles assez tristes sur des airs qui ne le sont pas moins ». Il Barone di Meyendorff, *Voyage d'Orenbourg à Boukhara, fait en 1820*, appresso il giornale « *des Savans* », 1826, *septembre*, p. 518.

[*Ibid.*, v. 132, p. 212] Il signor Bothe, traducendo in bei versi tedeschi questo componimento, accusa gli ultimi sette versi della presente stanza di tautologia, cioè di ripetizione delle cose dette avanti. Segue il pastore : ancor io provo pochi piaceri (« godo ancor poco »); né mi lagno di questo solo, cioè che il piacere mi manchi; mi lagno dei patimenti che provo, cioè della noia. Questo non era detto avanti. Poi, conchiudendo, riduce in termini brevi la quistione trattata in tutta la stanza; perché gli animali non s'annoino, e l'uomo sì : la quale se fosse tautologia, tutte quelle conchiusioni dove per evidenza si riepiloga il discorso, sarebbero tautologie.

[XXXII. *Palinodia*, v. 34, p. 283 : *boa*]. Pelliccia in figura di serpente, detta dal tremendo rettile di questo nome, nota alle donne gentili de' tempi nostri. Ma come la cosa è uscita di moda, potrebbe anche il senso della parola andare fra poco in dimenticanza. Però non sarà superflua questa noterella.

[XXXIV. *La ginestra*, v. 51, p. 309]. Parole di un moderno, al quale è dovuta tutta la loro eleganza.

INDICI

a, alla indicatore spaziale indeterminato 111, 194, 217, *abusio* 61

accumulazione, a. enfatica 124; congerie di predicati sinonimici 253

adynaton 10

affannoso, tanto per situazione che per condizione abituale 243

aggettivo, estendibile a due sostantivi circostanti 123, 299

allitterazione 42, 213, 229, 293, 327; a. con valore fonosimbolico 22, 194; a. per identità di prefisso 276

altro per « nessuno » 270

amplificatio 239; a. emotiva 9; a. sinonimica 275

anadiplosi 94, 154-155, 156, 230-231, 236

anafora 6, 46, 55, 72, 77, 205

anastrofe 44

annominatio 247

antifrasi 124, 218, 219, 301, 309, 351

antitesi (vedi anche ossimoro), di colore petrarchesco 235; asindetica in successione parallela 206; asindetica in successione chiastica 210; serie di a. 161

antonomasia vossianica 46-47

apostrofe (vedi anche vocativo) 77, 229; a. al proprio cuore 181, 251

arcaismi in funzione satirico-espressiva 283, 286; a. toscani 335

arguto aggettivo d'ogni suono 73

armonia canto « sensibile » degli uccelli 111

asindeto con coordinazione avversativa implicita 182, 212, 234

associazione di suono, inconscia per una reminiscenza del Petrarca 151; inconscia, forse, per una reminiscenza di Ossian 8; inconscia, forse, tra *zanzara* e *farfalla* 143 assonanza 59, 60, 63, 65, 66, 72, 73, 75, 76, 91, 93, 94, 95, 96, 124-125, 206, 224, 245, 266, 269, 274, 277, 321; a. al mezzo 223, 265, 275, 276, 277; in funzione di graffetta timbrica tra due strofe 225; quasi chiasmo di assonanze 75

bambini non usato dai classicisti 256

canone classicistico, deroga dal 253

cheto (*queto, quieto*) aggettivo di silenzio più che di pace 123, 187

chiasmo 42, 72, 188, 197, 209-210, 235, 313, 323

chi per « che » 270

choléra parola di nascita recente 284

climax, catena d'istanze collocata a 311

consonanza 189-190

cupo, « profondo » 321

deissi, attualizzatrice di mondo interno ed esterno 121; *di qua* designatore d'esilio 164, 194; per compresenza del poeta e del fiore nel luogo della morte 307, 316; *là* (il mondo fuori dal *qui* della desolazione vulcanica) 318, 319; attualizzatrice d'infiniti sostantivati 208; indicativa delle dimensioni del paesaggio, dell'ambiente 206; *questo* relativo alla delusione del presente rispetto a *quel* 190

dieresi 75, 187; d. del dittongo *au* 268

diminutivo 223

disgiuntive, proposizioni d. nelle poesie amorose 255

disio per dissimilazione dal vocalismo *e* all'interno del verso 243

disio, unicum (sempre *desio*) per dissimilazione timbrica 243

distinctio enfatica 8

donna parola assente nelle poesie ispirate dall'amore per Fanny, riappare solo in *Aspasia* 236

dorate aggettivo del tramonto 188

e, vedi polisindeto

enjambement 3, 120, 199, 300

epentesi 84

equivocità 231

erinni sineddoche per « furore, delirio » 93, 255

esclamativo, vedi sintassi

fianco solo per gli animali e per Aspasia 253

fronte, indistinzione tra fronte e sirma nelle canzoni del Leopardi 3 *fuggitivi*, « morituri » 187

hapax: *alleggiò* 23; *scintillanti* 193; *silenziosa* 205; *saver* 283; *auro* 286

imago, *immagine* quasi sempre riferita alla visione interiore (anche *specie*) 198

industrial design 289

interpretatio nominum 9

interrogativa, serie di i. in apertura di canto 265; serie di i. in finale di canto 237, 278

ipallage 71

iperbato 22, 41, 65, 317

ipotetica, alternativa di frasi i. 161-162, 163, 265

ironia, vedi antifrasi

klangassoziation, vedi associazione di suono

larva per « sogno » 41, 260

lessico tecnico (non presente in Leopardi) 223

lessico umile 217

linguaggio platonizzante 159, 253

litote 9

lor ambiguissimo nella *Vita solitaria* 143

ma avversativo del cuore opposto alla consapevolezza della ragione 197

madrigale cinquecentesco 215

metafora: *ardiri* metaforici 55, 84, 93, 98; m. musicale sugli effetti prodotti dalla bellezza femminile 257, 277

metonimia 299, 355

moduli tonico-ritmici ricorrenti 199

negazione, in diretto rapporto di contrasto col pronome di prima persona 94; enunciato negativo 142; ottenuta attraverso l'aggettivo 29, 60, 269

notazione di colore, sensazione di luce 231; colore dell'abito di Aspasia (e interno di gusto pittorico) 256

or con valore avversativo 161, 162

orti latinismo nel senso di « giardini, terreni coltivati e fioriti » 188

ossimoro (vedi anche antitesi) 71, 229; probabile o. in *ridenti e fuggitivi* 187

paratassi 335

persuasio nel *Consalvo* 154-155

pluralità di senso, parole con, predilette da Leopardi 89

pointe finale di carattere gnomico-epigrammatico 26

polisindeto, con effetto di musicale « staccato » 123; per l'af- follarsi delle immagini nella memoria 194; *e* con valore casuale 73; *e* con valore dichiarativo 134; *e* con valore temporale 145

preposizione, valore della p. spostato da coppia di verbi 201 (vedi anche zeugma)

procedimento proustiano della memoria 256

purpuree latinismo per « luminose » 82

ridondanza 317

rima, con valore strutturale-sintattico 112; segnalatrice di transizione 112-113; r. ricca 232; rimalmezzo 30, 215, 244; rimalmezzo sulle soglie di pausa sintattica 242; rima apparentemente irrelata con funzione di *leit-motiv* 221-224

ripetizione 6, 64; dominante stilistica del *Canto notturno* 205

sciaura per dissimilazione timbrica 144

se, i *se*, i *forse*, i *perché* « rabesco sottile » nella canzone *Alla primavera* 77

senhal 253

se non se da *nisi si* 260

sereno « conduttore di risonanze fisiche e spirituali » 113

sineddoche 87

sinestesia (involontaria) 17-18

sintassi, anticipazione sintattica 87-88; s. in sincope rispetto al metro 39; simmetria sintattica 162, 207, 233-234; 318, 319, 320; cesura sintattica dopo *no* 77; esclamativo fuori pausa sintattica 193

stile argomentativo 119

transizione, t. brusca attraverso la perentorietà del vocativo 144; valori atonali al posto della t. 215; t. attraverso *Poi, quando* 243

valle nel senso biblico-cristiano 198, 209

verbo, imperfetto improvviso nel finale 126; futuro etico di prima persona in finale 114, 147; passato remoto epigrafi- co 73; futuro anteriore (aspetto verbale del) 310; ottativo antifrastico 245; infinito sostantivato 135, 168, 202, 208, 224; gerundio assoluto 194, 210; ellissi del v. 235; *adular* col dativo 310; *ardirsi* riflessivo, 312; *avvampare* transitivo 46; *cadere* verbo del tramonto dei corpi celesti e delle illusioni 190; *essere invano* col dativo 179; *far* riflessivo

275; *fingere* verbo dell'immaginazione 194; *inchinare* transitivo 258; *inesorato* con valore attivo 321; *insultare* col dativo 318; *intenerire* assoluto per il riflessivo 111; *non credea* connotato d'intensa sentimentalità 193; *oscurare* assoluto per il riflessivo 243; *solere* vasto di significato per le rimembranze che contiene 147; *varcare* assoluto per il riflessivo 320; *vagheggiare* « bellissimo verbo » 197; *vaneggiar* demistificazione di vagheggiar 261; *venir meno* legato all'immagine dei corpi celesti (cfr. anche *cadere*) 209; verbi con prefisso *ri-* nel *Risorgimento* 106

vocativo, trapasso del 195, 211; v. che recupera nella strofa finale la figura centrale del canto 112, 301, 323; v. che segna il distacco da una zona di riflessione 259; *tu* (riapparire del) 185; *tu* « di altissimo, superiore colloquio » 246

zeugma 20, 152, 200, 352

Nel presente indice sono riportati in ordine alfabetico tutti i capoversi delle poesie del Leopardi contenute in questo volume; trà parentesi tonda è inserito il titolo della poesia; sul margine destro il numero della pagina.

Cara beltà che amore (*Alla sua donna*) 161
Che fai tu, luna, in ciel? dimmi, che fai (*Canto notturno di un pastore errante dell'Asia*) 205
Credei ch'al tutto fossero (*Il risorgimento*) 177

Di gloria il viso e la gioconda voce (*A un vincitore nel pallone*) 51
D'in su la vetta della torre antica (*Il passero solitario*) 111
Dolce e chiara è la notte e senza vento (*La sera del dì di festa*) 123
Dolcissimo, possente (*Il pensiero dominante*) 229
Dove vai? chi ti chiama (*Sopra un bassorilievo antico sepolcrale, dove una giovane morta è rappresentata in atto di partire, accomiatandosi dai suoi*) 265

Era il mattino, e tra le chiuse imposte (*Il sogno*) 133
Errai, candido Gino; assai gran tempo (*Palinodia al marchese Gino Capponi*) 281
E voi de' figli dolorosi il canto (*Inno ai Patriarchi o de' principii del genere umano*) 81

Fratelli, a un tempo stesso, Amore e Morte (*Amore e morte*) 241

Io qui vagando al limitare intorno 341
Italo ardito, a che giammai non posi (*Ad Angelo Mai quand'ebbe trovato i libri di Cicerone della «Repubblica»*) 27

La donzelletta vien dalla campagna (*Il sabato del villaggio*) 223
La mattutina pioggia, allor che l'ale (*La vita solitaria*) 141
Lungi dal proprio ramo (*Imitazione*) 327

Odi, Melisso: io vo' contarti un sogno 337
Ogni mondano evento (*Dal greco di Simonide*) 351
O graziosa luna, io mi rammento (*Alla luna*) 129
O patria mia, vedo le mura e gli archi (*All'Italia*) 5
Or poserai per sempre (*A se stesso*) 251

Passata è la tempesta (*La quiete dopo la tempesta*) 217
Perché i celesti danni (*Alla Primavera o delle favole antiche*) 71
Perché le nostre genti (*Sopra il monumento di Dante che si prepara-
va in Firenze*) 15
Placida notte, e verecondo raggio (*L'ultimo canto di Saffo*) 93
Poi che dal patrio nido (*Nelle nozze della sorella Paolina*) 41
Poi che divelta, nella tracia polve (*Bruto minore*) 59
Presso alla fin di sua dimora in terra (*Consalvo*) 151

Quale in notte solinga (*Il tramonto della luna*) 299
Quando fanciullo io venni (*Scherzo*) 331
Questo affannoso e travagliato sonno (*Al conte Carlo Pepoli*) 167
Qui su l'arida schiena (*La ginestra o il fiore del deserto*) 307

Sempre caro mi fu quest'ermo colle (*L'infinito*) 119
Silvia, rimembri ancora (*A Silvia*) 187
Spento il diurno raggio in occidente 345

Tal fosti: or qui sotterra (*Sopra il ritratto di una bella donna scol-
pito nel monumento sepolcrale della medesima*) 275
Torna dinanzi al mio pensier talora (*Aspasia*) 255
Tornami a mente il dì che la battaglia (*Il primo amore*) 101

Umana cosa picciol tempo dura (*Dello stesso*) 355

Vaghe stelle dell'Orsa, io non credea (*Le ricordanze*) 193

INDICE GENERALE

Giacomo Leopardi: la vita · profilo storico-critico
dell'autore e dell'opera · guida bibliografica   V

CANTI

I	All'Italia	3
II	Sopra il monumento di Dante che si preparava in Firenze	13
III	Ad Angelo Mai quand'ebbe trovato i libri di Cicerone della *Repubblica*	25
IV	Nelle nozze della sorella Paolina	39
V	A un vincitore nel pallone	49
VI	Bruto Minore	57
VII	Alla primavera o delle favole antiche	69
VIII	Inno ai Patriarchi o de' principii del genere umano	79
IX	Ultimo canto di Saffo	91
X	Il primo amore	99
XI	Il passero solitario	109
XII	L'infinito	117
XIII	La sera del dì di festa	121
XIV	Alla luna	127
XV	Il sogno	131
XVI	La vita solitaria	139
XVII	Consalvo	149
XVIII	Alla sua donna	159
XIX	Al conte Carlo Pepoli	165
XX	Il risorgimento	175
XXI	A Silvia	185

XXII	Le ricordanze	191
XXIII	Canto notturno di un pastore errante dell'Asia	203
XXIV	La quiete dopo la tempesta	215
XXV	Il sabato del villaggio	221
XXVI	Il pensiero dominante	227
XXVII	Amore e Morte	239
XXVIII	A se stesso	249
XXIX	Aspasia	253
XXX	Sopra un bassorilievo antico sepolcrale, dove una giovane morta è rappresentata in atto di partire, accommiatandosi dai suoi	263
XXXI	Sopra il ritratto di una bella donna scolpito nel monumento sepolcrale della medesima	273
XXXII	Palinodia al marchese Gino Capponi	279
XXXIII	Il tramonto della luna	297
XXXIV	La ginestra o il fiore del deserto	303
XXXV	Imitazione	325
XXXVI	Scherzo	329

FRAMMENTI

XXXVII	«Odi, Melisso: io vo' contarti un sogno»	335
XXXVIII	«Io qui vagando al limitare intorno»	339
XXXIX	«Spento il diurno raggio in occidente»	343
XL	Dal greco di Simonide	349
XLI	Dello stesso	353

APPENDICE

Dedicatorie delle Canzoni	359
Prefazione alle dieci Canzoni	365
Annuncio delle Canzoni	366
Annotazioni	368
Gli editori a chi legge	404
Agli amici suoi di Toscana	405

Notizie intorno alle edizioni di questi Canti   406
Note ai Canti   407

Indice grammaticale-retorico   415
Indice dei capoversi   421

i grandi libri Garzanti

Antico Testamento

Salmi - Cantico dei cantici
Giobbe - Ecclesiaste

Greci

Aristofane
Gli Acarnesi - Le Nuvole -
Le Vespe - Gli Uccelli
Aristofane
Le Vespe - Gli Uccelli □□
Callimaco
Inni - Chioma di
Berenice □□
Demostene
Filippiche □□
Epitteto
Manuale □□
Erodoto
Le Storie: Libri I-II.
Lidi - Persiani - Egizi □□
Erodoto
Le Storie: Libri III-IV.
L'impero persiano □□
Erodoto
Le Storie: Libri V-VI-VII.
I Persiani contro i
Greci □□
Erodoto
Le Storie: Libri VIII-IX.
La vittoria della
Grecia □□
Eschilo
Orestea □□
Eschilo
Prometeo incatenato -
I Persiani - I sette contro

Tebe - Le supplici □□
Esiodo
Opere e giorni □□
Euripide
Alcesti - Ciclope □□
Euripide
Andromaca - Troiane □□
Euripide
Ecuba - Elettra □□
Euripide
Elena - Ione □□
Euripide
I figenia in Tauride -
Baccanti □□
Euripide
Medea - Ippolito □□
Euripide
Oreste - Ifigenia
in Aulide □□
Lirici greci □□
Longo Sofista
Le avventure pastorali
di Dafni e Cloe □□
Luciano
Racconti fantastici □□
Marco Aurelio
A se stesso (pensieri) □□
Omero
Iliade
Omero
Odissea

Pindaro
Olimpiche □□
Platone
Apologia di Socrate - Critone
- Fedone - Il convito
Plutarco
Vita di Coriolano
Vita di Alcibiade □□
Plutarco
Vita di Demostene -
Vita di Cicerone □□
Porfirio
Sentenze □□
Procopio
Carte segrete □□
Senofonte
Anabasi □□
Sofocle
Aiace - Elettra - Trachinie -
Filottete □□
Sofocle
Edipo re - Edipo a Colono -
Antigone □□
Teocrito
Idilli □□
Teofrasto
Caratteri □□
Tucidide
La guerra del Peloponneso

Latini

Abelardo
Storia delle mie disgrazie -
Lettere d'amore di Abelardo
e Eloisa (4)
Agostino
Confessioni
Agostino
Soliloqui (13)

—
Antologia Palatina (9) □□
Apuleio
Della magia (5) □□
Apuleio
L'asino d'oro
Bracciolini
Facezie □□
Catullo
Le poesie □□

Cesare
La guerra civile □□
Cesare
La guerra gallica □□
Cicerone
Contro Catilina □□
Cicerone
Della divinazione □□

Cicerone
Difesa dell'attore Roscio - Contro Vatinio □□
Cicerone
Difesa di Archia - Difesa di Milone □□
Cicerone
Il fato - Il sogno di Scipione □□
Cicerone
La vecchiaia - L'amicizia □□
Fedro
Favole □□
Giovenale
Satire □□
Livio
Storia di Roma: Libri I-II. Dai Re alla Repubblica □□
Livio
Storia di Roma: Libri III-IV. Lotte civili e conquiste militari □□
Livio
Storia di Roma: Libri V-VI · Il sacco di Roma e le lotte per il Consolato □□
Livio
Storia di Roma: Libri VII-VIII · Il conflitto con i Sanniti □□

Livio
Storia di Roma: Libri IX-X · Il trionfo sui Sanniti □□
Lucrezio
La natura □□
Marziale
Epigrammi □□
Orazio
Epistole □□
Orazio
Le satire □□
Orazio
Odi-Epodi □□
Ovidio
Amori □□
Ovidio
Eroidi □□
Ovidio
Metamorfosi □□
Ovidio
Tristia □□
Persio
Le satire □□
Petronio
Satiricon □□
Plauto
Anfitrione - Bacchidi - Menecmi □□
Plauto
Aulularia - Miles gloriosus - Mostellaria □□

Plauto
Casina - Pseudolo □□
Sallustio
La congiura di Catilina □□
Sallustio
La guerra giugurtina □□
Seneca
Lettere a Lucilio □□
Seneca
Medea - Fedra - Tieste
Sventonio
Vita dei Cesari
Tacito
Agricola - Germania - Dialogo sull'oratoria □□
Tacito
Annali □□
Tacito
Storie □□
Terenzio
Le commedie □□
Tibullo
Elegie □□
Virgilio
Bucoliche □□
Virgilio
Eneide □□
Virgilio
Georgiche □□

Italiani

Abba
Da Quarto al Volturno
Alfieri
Filippo
Alfieri
Mirra
Alfieri
Saul
Alfieri
Tragedie
Alfieri
Vita
Aretino
Ragionamento-Dialogo
Ariosto
Orlando furioso
Bandi
I Mille: da Genova a Capua

Basile
Lo cunto de li cunti □□
Beccaria
Dei delitti e delle pene - Consulte criminali
Belli
Sonetti
Boccaccio
Decameron
Boccaccio
Elegia di madonna Fiammetta - Corbaccio
Boccaccio
Trattatello in laude di Dante
Boiardo
Orlando innamorato
Boiardo
Canzoniere

Boine
Il peccato - Plausi e botte - Frantumi - Altri scritti
Boito, A.
Opere
Boito, C.
Senso - Storielle vane
Calandra
La bufera
Campana
Canti Orfici e altre poesie
Capuana
Il marchese di Roccaverdina
Carducci
Poesie
Carducci
Prose

Casanova
Memorie scritte da lui medesimo
Castiglione
Il Libro del Cortegiano
Cattaneo
Notizie sulla Lombardia - La città
D'Annunzio
Alcyone
D'Annunzio
Il piacere
D'Annunzio
La figlia di Iorio
D'Annunzio
Notturno
D'Annunzio
Novelle
D'Annunzio
Poesie
D'Annunzio
Prose
Dante
Commedia - Inferno
Dante
Commedia - Purgatorio
Dante
Commedia - Paradiso
Dante
Convivio
Dante
De vulgari eloquentia □□
Dante
Le rime
Dante
Monarchia □□
Dante
Vita nuova
Da Ponte
Memorie - Libretti mozartiani: Le nozze di Figaro - Don Giovanni - Così fan tutte
De Amicis
Sull'oceano
Deledda
Canne al vento
Della Casa
Galateo
De Marchi
Demetrio Pianelli
De Roberto
I Viceré
De Roberto
L'illusione

De Sanctis
La giovinezza
De Sanctis
Un viaggio elettorale
Dossi
La desinenza in A
Dossi
L'Altrieri
Fogazzaro
Daniele Cortis
Fogazzaro
Malombra
Fogazzaro
Piccolo mondo antico
Fogazzaro
Piccolo mondo moderno
Foscolo
Le poesie
Foscolo
Ultime lettere di Jacopo Ortis
Goldoni
Commedie
Goldoni
Memorie
—
Gozzano e i crepuscolari
Gozzi
Fiabe teatrali
Guicciardini
Ricordi
Guicciardini
Storia d'Italia
I Fioretti di san Francesco - Le Considerazioni sulle Stimmate
Leopardi
Canti
Leopardi
La vita e le lettere
Leopardi
Operette morali
Leopardi
Pensieri
Lorenzo de' Medici
Poesie
Machiavelli
Il Principe e altre opere politiche
Machiavelli
Mandragola
Manzoni
Adelchi
Manzoni
Il Conte di Carmagnola

Manzoni
Inni sacri - Tragedie
Manzoni
I promessi sposi
Manzoni
Lettere sui «Promessi sposi»
Manzoni
Tutte le poesie
Metastasio
Opere
Nievo
Confessioni di un italiano

La novella del Grasso legnaiuolo (5)
Novelle italiane Il Duecento-Il Trecento
Novelle italiane Il Quattrocento
Novelle italiane Il Cinquecento
Novelle italiane Il Seicento-Il Settecento
Novelle italiane L'Ottocento
Novelle italiane Il Novecento
Parini
Il Giorno - Le Odi
Pascoli
Poesie
Pasolini
La religione del mio tempo
Pasolini
Le ceneri di Gramsci
Pasolini
Poesia in forma di rosa
Pasolini
Trasumanar e organizzar
Petrarca
Canzoniere
Pirandello
Colloquii coi personaggi e altre novelle
Pirandello
Così è (se vi pare) - Il giuoco delle parti - Come tu mi vuoi
Pirandello
Enrico IV - Diana e la Tuda
Pirandello
Il fu Mattia Pascal
Pirandello
I vecchi e i giovani

Pirandello
*La nuova colonia - Lazzaro
- I giganti della montagna*
Pirandello
L'esclusa
Pirandello
Liolà □□
Pirandello
Lumie di Sicilia
Pirandello
L'umorismo
Pirandello
*Novelle per un anno · Donna
Mimma - Il vecchio Dio - La
giara*
Pirandello
*Novelle per un anno · Il
viaggio - Candelora - Berecche
e la guerra - Una giornata*
Pirandello
*Novelle per un anno · In
silenzio - Tutt'e tre - Dal naso
al cielo*
Pirandello
*Novelle per un anno · La
rallegrata - L'uomo solo - La
mosca*
Pirandello
*Novelle per un anno · Scialle
nero - La vita nuda*
Pirandello
*Pensaci, Giacomino! -
'A birritta cu' i ciancianeddi -
Il berretto a sonagli*
Pirandello
*Quaderni di Serafino Gubbio
operatore*

Pirandello
*Sei personaggi in cerca
d'autore - Ciascuno a suo
modo - Questa sera si recita
a soggetto*
Pirandello
Uno, nessuno e centomila
—
*Poesia dialettale dal
Rinascimento a oggi*
Poesia italiana
Il Duecento
Poesia italiana
Il Trecento
Poesia italiana
Il Quattrocento
Poesia italiana
Il Cinquecento
Poesia italiana
Il Seicento
Poesia italiana
Il Settecento
Poesia italiana
L'Ottocento
Poesia italiana
Il Novecento
Poliziano
Stanze - Orfeo - Rime
Polo
Milione
Porta
Poesie □□
Pulci
Morgante
Rovani
Cento anni
Serao
Il paese di cuccagna

Stuparich
Ritorneranno
Svevo
I racconti
Svevo
La coscienza di Zeno
Svevo
Senilità
Svevo
Teatro
Svevo
Una vita
Tasso
Gerusalemme liberata
Tasso
Teatro
Tommaseo
Fede e bellezza
Tozzi
Con gli occhi chiusi
Tozzi
Il podere
Tozzi
Tre croci
Verga
Le novelle - vol. I
Verga
Le novelle - vol. II
Verga
I Malavoglia
Verga
Mastro-don Gesualdo
Verga
Teatro
Vico
*Autobiografia - Poesie -
Scienza Nuova*

Francesi

Alain-Fournier
Il grande Meaulnes
Apollinaire
L'Eresiarca & C. (5)
Balzac
*Addio - Il figlio
maledetto - El Verdugo*
Balzac
Eugénie Grandet
Balzac
Gli impiegati
Balzac
Il cugino Pons

Balzac
Illusioni perdute
Balzac
Il medico di campagna
Balzac
La cugina Bette
Balzac
La pelle di zigrino
Balzac
La ricerca dell'assoluto
Balzac
Papà Goriot

Balzac
*Splendori e miserie delle
cortigiane*
Balzac
Storia dei Tredici
Baudelaire
I fiori del male □□
Baudelaire
Lo spleen di Parigi □□
Baudelaire
Paradisi artificiali □□
Chateaubriand
Atala - René

Constant
Adolphe
Corneille
Il Cid
Daudet
Lettere dal mio mulino
Diderot
*Il nipote di Rameau - Jacques
il fatalista*
Diderot
La monaca
Diderot
Teatro
Flaubert
Bouvard e Pécuchet
Flaubert
L'educazione sentimentale
Flaubert
Madame Bovary
Flaubert
Tre racconti
Gautier
Racconti fantastici
Gide
*I nutrimenti terrestri -
Paludi*
Gide
*La sinfonia pastorale -
Isabelle*
Gide
*L'immoralista -
La porta stretta*
Goncourt
Diario
Holbach
Il buon senso
Hugo
*Ernani - Il re si
diverte - Ruy Blas*
Hugo
I miserabili
Hugo
L'uomo che ride
Hugo
Notre-Dame de Paris
Huysmans
Controcorrente (7)
Laclos
Le relazioni pericolose
La Fayette
La principessa di Clèves
Laforgue
Moralità leggendarie (5)

Lamartine
Graziella
Lautréamont
*I canti di Maldoror - Poesie -
Lettere* ⬜⬜
Lesage
*Storia di Gil Blas di
Santillana*
Mallarmé
Poesie e prose ⬜⬜
Marivaux
*Il gioco dell'amore
e del caso - Le false
confidenze* ⬜⬜
Maupassant
Bel-Ami
Maupassant
Forte come la morte
Maupassant
Pierre e Jean
Maupassant
Racconti e novelle
Maupassant
Una vita
Mérimée
Carmen - Colomba
Molière
*Don Giovanni o il Convito di
pietra* ⬜⬜
Molière
*George Dandin ovvero il
Marito umiliato* ⬜⬜
Molière
Il borghese gentiluomo ⬜⬜
Molière
Il malato immaginario ⬜⬜
Molière
*Il Tartufo -
Il misantropo* ⬜⬜
Molière
La scuola dei mariti ⬜⬜
Molière
*La scuola delle mogli -
La critica della Scuola
delle mogli* ⬜⬜
Molière
L'avaro ⬜⬜
Musset
*Le confessioni di un figlio del
secolo*
Nerval
*Le figlie del fuoco - La
Pandora - Aurelia*

Pascal
Pensieri
Philippe
*Bubu di Montparnasse -
Croquignole*
Prévost
Manon Lescaut
Proust
Un amore di Swann
Racine
*Britannico - Bajazet -
Atalia* ⬜⬜
Racine
Fedra (9) ⬜⬜
Radiguet
*Il diavolo in corpo -
Il ballo del conte
d'Orgel*
Renard
*Pel di carota -
Storie naturali*
Rimbaud
Opere in versi e in prosa ⬜⬜
—
*Romanzi medievali d'amore e
d'avventura*
Rousseau
Le confessioni
Saint-Simon
Il Re Sole
Stendhal
Armance
Stendhal
Cronache romane
Stendhal
Dell'amore
Stendhal
Il rosso e il nero
Stendhal
La Certosa di Parma
Thomas
Tristano e Isotta
Verlaine
Poesie ⬜⬜
Vigny
*Poemi antichi e moderni -
I destini* ⬜⬜
Voltaire
*Candido - Zadig - Micromega -
L'ingenuo*
Voltaire
Dizionario filosofico

Zola	Zola	Zola
Il ventre di Parigi	*La fortuna dei Rougon*	*L'opera*
Zola	Zola	Zola
La conquista di Plassans	*L'Assommoir*	*Teresa Raquin*

Inglesi

Austen	Dickens	Shakespeare
Emma	*David Copperfield*	*Il mercante di Venezia -*
Austen	Dickens	*Misura per misura - Come vi*
Mansfield Park	*Grandi speranze*	*piace*
Austen	Dickens	Shakespeare
Orgoglio e pregiudizio	*Il Circolo Pickwick*	*Amleto* ☐☐
Austen	Dickens	Shakespeare
Persuasione	*Il nostro comune amico*	*Antonio e Cleopatra* ☐☐
Bennet	Dickens	Shakespeare
Anna delle cinque città	*Tempi difficili*	*Cimbelino* ☐☐
Brontë Ch.	Eliot	Shakespeare
Jane Eyre	*Quattro quartetti* ☐☐	*Come vi piace* ☐☐
Brontë E.	Fielding	Shakespeare
Cime tempestose	*Joseph Andrews*	*Coriolano* ☐☐
Carroll	Fielding	Shakespeare
Alice nel Paese delle	*Tom Jones. Storia di un*	*Enrico IV, parte prima* ☐☐
Meraviglie - Attraverso lo	*trovatello*	Shakespeare
specchio	Ford F.M.	*Enrico IV, parte seconda* ☐☐
Compton-Burnett	*Il buon soldato* (6)	Shakespeare
Fratelli e sorelle	Forster	*Enrico V* ☐☐
Conrad	*Camera con vista*	Shakespeare
Al limite estremo	Forster	*Enrico VI, parte prima* ☐☐
Conrad	*Casa Howard*	Shakespeare
Cuore di tenebra	Hardy	*Giulio Cesare* ☐☐
Conrad	*La brughiera*	Shakespeare
La follia di Almayer	Hardy	*I due gentiluomini*
Conrad	*Jude l'oscuro*	*di Verona* ☐☐
La linea d'ombra	Hardy	Shakespeare
Conrad	*Via dalla pazza folla*	*I due nobili cugini* ☐☐
Lord Jim	Joyce	Shakespeare
Conrad	*Gente di Dublino*	*Il mercante di Venezia* ☐☐
Sotto gli occhi	Kipling	Shakespeare
dell'Occidente	*Kim*	*Il racconto*
Conrad	Kipling	*d'inverno* ☐☐
Un reietto delle isole	*Racconti*	Shakespeare
Conrad	Lawrence	*I sonetti* ☐☐
Vittoria (11)	*Figli e amanti*	Shakespeare
Defoe	Lawrence	*La bisbetica domata* ☐☐
Lady Roxana	*L'amante di Lady Chatterley*	Shakespeare
Defoe	Morris	*La commedia degli errori* ☐☐
Moll Flanders	*Notizie da nessun luogo*	Shakespeare
Defoe	Scott	*La dodicesima notte* ☐☐
Robinson Crusoe	*Ivanhoe*	Shakespeare
De Quincey	Scott	*La tempesta* ☐☐
Confessioni di un	*La sposa di Lammermoor*	
oppiomane		

Shakespeare
*Le allegre comari
di Windsor* ⧄

Shakespeare
Macbeth ⧄

Shakespeare
Molto rumore ⧄
per nulla

Shakespeare
Otello ⧄

Shakespeare
Pene d'amor perdute ⧄

Shakespeare
*Pericle, principe
di Tiro* ⧄

Shakespeare
Re Giovanni ⧄

Shakespeare
Re Lear ⧄

Shakespeare
Riccardo II ⧄

Shakespeare
Riccardo III ⧄

Shakespeare
Romeo e Giulietta ⧄

Shakespeare
*Sogno d'una notte di mezza
estate* ⧄

Shakespeare
Timone d'Atene ⧄

Shakespeare
Tito Andronico ⧄

Shakespeare
Troilo e Cressida ⧄

Shakespeare
*Tutto è bene quel che
finisce bene* ⧄

Shelley
Frankenstein

Sterne
*La vita e le opinioni
di Tristram Shandy,
gentiluomo* (8)

Sterne-Foscolo
*Viaggio sentimentale di
Yorick lungo la Francia e
l'Italia* ⧄

Stevenson
Il Master di Ballantrae (3)

Stevenson
Il ragazzo rapito

Stevenson
L'isola del tesoro

Stevenson
*Lo strano caso del dottor
Jekill e del signor Hyde*

Stevenson
Weir di Hermiston

Swift
I viaggi di Gulliver

Thackeray
La fiera della vanità

Wells
Racconti (3)

Wilde
Il ritratto di Dorian Gray

Wilde
*Il ventaglio di Lady
Windermere - L'importanza
di essere Fedele - Salomé*

Woolf
Gita al faro

Woolf
Gli anni (9)

Woolf
Orlando (9)

Yeats
Il ciclo di Cuchulain ⧄

**I titoli contrassegnati con numero tra parentesi sono pubblicati su licenza
degli Editori:**

(1) Il Saggiatore
(2) De Donato
(3) Mursia
(4) Rusconi
(5) Guanda
(6) Feltrinelli
(7) Scheiwiller

(8) Einaudi
(9) Mondadori
(10) Longanesi
(11) TEA
(12) Città Nuova Editrice
(13) UTET
(14) Neri Pozza

⧄ Titoli con testo a fronte

Finito di stampare il 20 aprile 1998
dalle Industrie per le Arti Grafiche Garzanti-Verga s.r.l.
Cernusco s/N (MI)